библиотека

библиотека приключений

МАЙН РИД

Всадник без головы

Москва
2001

ББК 84(4 Вл)
Р49

Серия основана в 1999 году

Серийное оформление *А.А. Воробьева*

Текст печатается по изданию:
Рид Т.М. Мароны; Всадник без головы. —
М.: Терра, 1991

Перевод с английского *А.Ю. Макаровой*

Художник *Ю.Д. Федичкин*

Оригинал-макет подготовлен издательством «Фолио»

Подписано в печать 01.06.01. Формат 84×108 1/32.
Усл. печ. л. 22,68. Тираж 10000 экз. Заказ № 1195.

Общероссийский классификатор продукции
ОК-005-93, том 2; 953000 — книги, брошюры
Гигиеническое заключение
№ 77.99.14.953.П.12850.7.00 от 14.07.2000 г.

Рид Т.М.

Р49 Всадник без головы: Роман / Т.М. Рид; Пер. с англ. А.Ю. Макаровой; Художник Ю.Д. Федичкин. — М.: ООО «Издательство АСТ», 2001. — 431 с. — (Библиотека приключений).

ISBN 5-17-004192-6

«Всадник без головы» по праву признан самым известным произведением Томаса Майна Рида (1818—1883). Любовно-детективный сюжет романа держит читателя в напряжении до самых последних страниц.

ББК 84(4 Вл)

ПРОЛОГ

Техасский олень, дремавший в тиши ночной прерии[1], вздрагивает, услышав топот лошадиных копыт.

Но он не покидает своего зеленого ложа, даже не встает на ноги. Не ему одному принадлежат эти просторы — дикие степные лошади тоже пасутся здесь по ночам. Он только слегка поднимает голову — над высокой травой показываются его рога — и слушает: не повторится ли звук?

Снова доносится топот копыт, но теперь он звучит иначе. Можно различить звон металла, удар стали о камень.

Этот звук, такой тревожный для оленя, вызывает быструю перемену в его поведении. Он стремительно вскакивает и мчится по прерии; но скоро он останавливается и оглядывается назад, недоумевая: кто потревожил его сон?

В ясном лунном свете южной ночи олень узнает злейшего своего врага — человека. Человек приближается верхом на лошади.

Охваченный инстинктивным страхом, олень готов уже снова бежать; но что-то в облике всадника — что-то неестественное — приковывает его к месту.

Дрожа, он почти садится на задние ноги, поворачивает назад голову и продолжает смотреть — в его больших карих глазах отражаются страх и недоумение.

Что же заставило оленя так долго вглядываться в странную фигуру?

Лошадь? Но это обыкновенный конь, оседланный, взнузданный, — в нем нет ничего, что могло бы вызвать удивление или тревогу. Может быть, оленя испугал всадник? Да, это он пугает и заставляет недоумевать — в его облике есть что-то уродливое, жуткое.

Силы небесные! У всадника нет головы!

---

[1] Прерия — американская степь, покрытая высокой сочной травой.

Это очевидно даже для неразумного животного. Еще с минуту смотрит олень растерянными глазами, как бы силясь понять: что это за невиданное чудовище? Но вот, охваченный ужасом, олень снова бежит. Он не останавливается до тех пор, пока не переплывает Леону и бурный поток не отделяет его от страшного всадника.

Не обращая внимания на убегающего в испуге оленя, как будто даже не заметив его присутствия, всадник без головы продолжает свой путь.

Он тоже направляется к реке, но, кажется, никуда не спешит, а движется медленным, спокойным, почти церемониальным шагом.

Словно поглощенный своими мыслями, всадник опустил поводья, и лошадь его время от времени пощипывает траву. Ни голосом, ни движением не подгоняет он ее, когда, испуганная лаем койотов, она вдруг вскидывает голову и, храпя, останавливается.

Кажется, что он во власти каких-то глубоких чувств и мелкие происшествия не могут вывести его из задумчивости. Ни единым звуком не выдает он своей тайны. Испуганный олень, лошадь, волк и полуночная луна — единственные свидетели его молчаливых раздумий.

На плечи всадника наброшено серапе[1], которое при порыве ветра приподнимается и открывает часть его фигуры; на ногах у него гетры из шкуры ягуара. Защищенный от ночной сырости и от тропических ливней, он едет вперед, молчаливый, как звезды, мерцающие над ним, беззаботный, как цикады, стрекочущие в траве, как ночной ветерок, играющий складками его одежды.

Наконец что-то, по-видимому, вывело всадника из задумчивости, — его конь ускорил шаг. Вот конь встряхнул головой и радостно заржал — с вытянутой шеей и раздувающимися ноздрями он бежит вперед рысью и скоро уже скачет галопом: близость реки — вот что заставило коня мчаться быстрее.

Он не останавливается до тех пор, пока не погружается в прозрачный поток так, что вода доходит всаднику до колен. Конь с жадностью пьет; утолив жажду, он переправляется через реку и быстрой рысью взбирается по крутому берегу.

Наверху всадник без головы останавливается, как бы ожидая, пока конь отряхнется от воды. Раздается лязг сбруи и стремян — словно гром загрохотал в белом облаке пара.

Из этого ореола появляется всадник без головы; он снова продолжает свой путь.

Видимо, подгоняемая шпорами и направляемая рукой седока, лошадь больше не сбивается с пути, а бежит уверенно вперед, словно по знакомой тропе.

---

[1] Серапе — широкий мексиканский плащ.

Впереди, до самого горизонта, простираются безлесные просторы прерий. На небесной лазури вырисовывается силуэт загадочной фигуры, похожей на поврежденную статую кентавра; он постепенно удаляется, пока совсем не исчезает в таинственных сумерках лунного света.

Глава I
ВЫЖЖЕННАЯ ПРЕРИЯ

Полуденное солнце ярко светит с безоблачного лазоревого неба над бескрайней равниной Техаса около ста миль южнее старого испанского города Сан-Антонио-де-Бехар. В золотых лучах вырисовываются предметы, необычные для дикой прерии, — они говорят о присутствии людей там, где не видно признаков человеческого жилья.

Даже на большом расстоянии можно разглядеть, что это фургоны; над каждым — полукруглый верх из белоснежного полотна.

Их десять — слишком мало для торгового каравана или правительственного обоза. Скорее всего, они принадлежат какому-нибудь переселенцу, который высадился на берегу моря и теперь направляется в один из новых поселков на реке Леоне.

Вытянувшись длинной вереницей, фургоны ползут по саванне так медленно, что их движение почти незаметно, и лишь по их взаимному положению в длинной цепи обоза можно о нем догадаться. Темные силуэты между фургонами свидетельствуют о том, что они запряжены; а убегающая в испуге антилопа и взлетающий с криком кроншнеп выдают, что обоз движется. И зверь и птица недоумевают: что за странные чудовища вторглись в их дикие владения?

Кроме этого, во всей прерии не видно никакого движения: ни летящей птицы, ни бегущего зверя. В этот знойный полуденный час все живое в прерии замирает или прячется в тень. И только человек, подстрекаемый честолюбием или алчностью, нарушает законы тропической природы и бросает вызов палящему солнцу.

Так и хозяин обоза, несмотря на изнуряющую полуденную жару, продолжает свой путь.

Каждый фургон запряжен восемью сильными мулами. Они везут большое количество съестных припасов, дорогую, можно даже сказать — роскошную, мебель, черных рабынь и их детей; чернокожие невольники идут пешком рядом с обозом, а некоторые устало плетутся позади, еле переступая израненными босыми ногами. Впереди едет легкая карета, запряженная выхоленными кентуккскими мулами; на ее козлах черный кучер в ливрее изнывает от жары. Все говорит о том, что это не бедный поселенец из северных штатов ищет себе новую родину, а богатый южанин, который уже приобрел усадьбу и едет туда со своей семьей, имуществом и рабами.

И в самом деле, обоз принадлежит плантатору, который высадился с семьей в Индианоле, на берегу залива Матагорда, и теперь пересекает прерию, направляясь к своим новым владениям.

Среди сопровождающих обоз всадников, как всегда, впереди едет сам плантатор, Вудли Пойндекстер — высокий, худощавый человек лет пятидесяти, с бледным, болезненно-желтоватым лицом и с горделиво-суровой осанкой. Одет он просто, но богато. На нем свободного покроя кафтан из альпака, жилет из черного атласа и нанковые панталоны. В вырезе жилета видна сорочка из тончайшего полотна, перехваченная у ворота черной лентой. На ногах, вдетых в стремена, — башмаки из мягкой дубленой кожи. От широких полей соломенной шляпы на лицо плантатора падает тень.

Рядом с ним едут два всадника, один справа, другой слева: это юноша лет двадцати и молодой человек лет на шесть-семь старше.

Первый — сын Пойндекстера. Открытое, жизнерадостное лицо юноши совсем не похоже на суровое лицо отца и на мрачную физиономию третьего всадника — его кузена.

На юноше французская блуза из хлопчатобумажной ткани небесно-голубого цвета, панталоны из того же материала; этот костюм — самый подходящий для южного климата — очень к лицу юноше, так же как и белая панама.

Его двоюродный брат — отставной офицер-волонтер — одет в военную форму из темно-синего сукна, на голове у него суконная фуражка.

Еще один всадник скачет неподалеку; у него тоже белая кожа — правда, не совсем белая. Грубые черты его лица, дешевая одежда, плеть, которую он держит в правой руке, так искусно ею щелкая, — все говорит о том, что это надсмотрщик над чернокожими, их мучитель.

В «карриоле» — легкой карете, представлявшей нечто среднее между кабриолетом и ландо, — сидят две девушки. У одной из них кожа ослепительно белая, у другой — совсем черная. Это — единственная дочь Вудли Пойндекстера и ее чернокожая служанка.

Путешественники едут с берегов Миссисипи, из штата Луизиана.

Сам плантатор — не уроженец этого штата; другими словами — не креол[1]. По лицу же его сына и особенно по тонким

---

[1] Креолы — потомки французов или испанцев, ранних переселенцев в Америку. Они сохраняют свой национальный язык и обычаи.

чертам его дочери, которая время от времени выглядывает из-за занавесок кареты, легко догадаться, что они потомки французской эмигрантки, одной из тех, которые более столетия назад пересекли Атлантический океан.

Вудли Пойндекстер, владелец крупных сахарных плантаций, был одним из наиболее надменных, расточительных и хлебосольных аристократов Юга. В конце концов он разорился, и ему пришлось покинуть свой дом на Миссисипи и переехать с семьей и горсточкой оставшихся негров в дикие прерии юго-западного Техаса.

Солнце почти достигло зенита. Путники идут медленно, наступая на собственные тени. Расслабленные нестерпимой жарой, белые всадники молча сидят в своих седлах. Даже негры, менее чувствительные к зною, прекратили свою болтовню и, сбившись в кучки, безмолвно плетутся позади фургонов.

Тишина, томительная, как на похоронах, время от времени прерывается лишь резким, словно выстрел пистолета, щелканьем кнута или же громким бархатистым «уоа», срывающимся с толстых губ то одного, то другого чернокожего возницы.

Медленно движется караван, как будто он идет ощупью. Собственно, настоящей дороги нет. Она обозначена только следами колес проехавших ранее повозок, следами, заметными лишь по раздавленным стеблям сочной травы.

Несмотря на свой черепаший шаг, лошади, запряженные в фургоны, делают все, что в их силах. Плантатор предполагает, что до новой усадьбы осталось не больше двадцати миль. Он надеется добраться туда до наступления ночи. Поэтому он и решил продолжать путь, невзирая на полуденную жару.

Вдруг надсмотрщик делает знак возницам, чтобы они остановили обоз. Отъехав на сотню ярдов вперед, он внезапно натянул поводья, как будто перед каким-то препятствием.

Он мчится к обозу. В его жестах — тревога. Что случилось?

Не индейцы ли? Говорили, что они появляются в этих местах.

— Что случилось, мистер Сансом? — спросил плантатор, когда всадник приблизился.

— Трава выжжена. В прерии был пожар.

— Был пожар? Но ведь сейчас прерия не горит? — быстро спрашивает хозяин обоза, бросая беспокойный взгляд в сторону кареты. — Где? Я не вижу дыма.

— Нет, сэр, — бормочет надсмотрщик, поняв, что он поднял напрасную тревогу, — я не говорил, что она сейчас горит, я только сказал, что прерия горела и вся земля стала черной, что твоя пиковая десятка.

— Ну, это не беда! Мне кажется, мы так же спокойно можем путешествовать по черной прерии, как и по зеленой.

— Глупо, Джош Сансом, поднимать шум из-за пустяков!.. Эй вы, черномазые, пошевеливайтесь! Берись за кнуты! Погоняй! Погоняй!

— Но скажите, капитан Колхаун, — возразил надсмотрщик человеку, который так резко отчитал его, — как же мы найдем дорогу?

— Зачем искать дорогу? Какой вздор! Разве мы с нее сбились?

— Боюсь, что да. Следов колес не видно: они сгорели вместе с травой.

— Пустяки! Как будто нельзя пересечь выжженный участок и без следов. Мы найдем их на той стороне.

— Да, если только там осталась другая сторона, — простодушно ответил надсмотрщик, который, хотя и был уроженцем восточных штатов, не раз бывал и на западной окраине прерии и знал, что такое пограничная жизнь. — Что-то ее не видно, хоть я и с седла гляжу!..

— Погоняй, черномазые! Погоняй! — закричал Колхаун, прервав разговор.

Пришпорив лошадь, он поскакал вперед, давая этим понять, что распоряжение должно быть выполнено.

Обоз опять тронулся, но, подойдя к границе выжженной прерии, внезапно остановился.

Всадники съезжаются вместе, чтобы обсудить, что делать. Положение трудное, — в этом все убедились, взглянув на равнину, которая расстилалась перед ними.

Кругом не видно ничего, кроме черных просторов. Нигде никакой зелени — ни стебелька, ни травинки. Пожар прошел недавно — во время летнего солнцестояния. Созревшие травы и яркие цветы прерии — все превратилось в пепел над разрушающим дыханием огня.

Впереди, направо, налево, насколько хватает зрения, простирается картина опустошения. Небо теперь не лазоревое — оно стало темно-синим, а солнце, хотя и не заслонено облаками, как будто не хочет здесь светить и словно хмурится, глядя на мрачную землю.

Надсмотрщик сказал правду: не осталось и следов дороги.

Пожар, испепеливший созревшие травы прерии, уничтожил и следы колес, указывавших раньше дорогу.

— Что же нам делать? — Этот вопрос задает сам плантатор, и в голосе его звучит растерянность.

— Что делать, дядя Вудли?.. Конечно, продолжать путь. Река должна быть по ту сторону пожарища. Если нам не удастся найти переправу на расстоянии полумили, мы поднимемся вверх по течению или спустимся вниз... Там видно будет.

— Но, Кассий, ведь этак мы заблудимся!

— Вряд ли... Мне кажется, что выгоревшее пространство не так велико. Не беда, если мы немного собьемся с дороги: все равно, рано или поздно, мы выйдем к реке в том или ином месте.

— Хорошо, мой друг. Тебе лучше знать, я положусь на тебя.

— Не бойтесь, дядя. Мне случалось бывать и не в таких переделках... Вперед, негры! За мной!

И отставной офицер бросает самодовольный взгляд в сторону кареты, из-за занавесок которой выглядывает прекрасное, слегка встревоженное лицо девушки. Колхаун шпорит лошадь и самоуверенно скачет вперед.

Вслед за щелканьем кнутов слышится топот копыт восьми — десяти мулов, смешанный со скрипом колес. Фургоны снова двинулись в путь.

Мулы идут быстрее. Черная поверхность, непривычная для глаз животных, словно подгоняет их; едва успев коснуться пепла копытами, они тотчас же снова поднимают ноги. Молодые мулы храпят в испуге. Мало-помалу они успокаиваются и, глядя на старших, идут вслед за ними ровным шагом.

Так караван проходит около мили. Затем он снова останавливается. Это распоряжение отдал человек, который сам вызвался быть проводником. Он натягивает поводья, но в позе его уже нет прежней самоуверенности. Должно быть, он озадачен, не зная, куда ехать.

Ландшафт, если только его можно так назвать, изменился, но не к лучшему. Все по-прежнему черно до самого горизонта. Только поверхность уже не ровная: она стала волнистой. Цепи холмов перемежаются долинами. Нельзя сказать, что здесь совсем нет деревьев, хотя то, что от них осталось, едва ли можно так назвать. Здесь были деревья до пожара — алгаробо[1], мескито[2] и еще некоторые виды акации росли здесь в одиночку и рощами. Их перистая листва исчезла без следа, остались только обуглившиеся стволы и почерневшие ветки.

— Ты сбился с дороги, мой друг? — спрашивает плантатор, поспешно подъезжая к племяннику.

— Нет, дядя, пока нет. Я остановился, чтобы оглядеться. Нам нужно ехать вот по этой долине. Пусть караван продолжает путь. Мы едем правильно, я за это ручаюсь.

Караван снова трогается. Спускается вниз по склону, направляется вдоль долины, снова взбирается по откосу и на гребне возвышенности опять останавливается.

— Ты все же сбился с дороги, Каш? — повторяет свой вопрос плантатор, подъезжая к племяннику.

— Черт побери! Боюсь, что ты прав, дядя. Но скажи, какой дьявол мог бы вообще отыскать дорогу на этом пожарище!..

---

[1] Алгаробо — рожковое дерево.

[2] Мескито — колючий кустарник.

Нет-нет! — вдруг восклицает Колхаун, увидев, что карета подъехала совсем близко. — Мне теперь все ясно. Мы едем правильно. Река должна быть вон в том направлении. Вперед!

И капитан шпорит лошадь, по-видимому сам не зная, куда ехать. Фургоны следуют за ним, но от возниц не ускользнуло замешательство Колхауна. Они замечают, что обоз движется не прямо вперед, а кружит по долинам между рощицами.

Но вот ободряющий возглас вожатого сразу поднимает настроение путников. Дружно щелкают кнуты, слышатся радостные восклицания.

Путешественники вновь на дороге, где до них проехало, должно быть, с десяток повозок. И это было совсем недавно: отпечатки колес и копыт совершенно свежие, как будто они сделаны час назад. Видимо, по выжженной прерии проехал такой же караван.

Как и они, он, должно быть, держал свой путь к берегам Леоны; очень вероятно, что это правительственный обоз, который направляется в форт Индж. В таком случае, остается только двигаться по его следам. Форт находится в том же направлении, лишь немного дальше новой усадьбы.

Ничего лучшего нельзя было и ожидать. От замешательства Колхауна не остается и следа, он снова воспрянул духом и с чувством нескрываемого самодовольства отдает распоряжение трогаться.

На протяжении мили, а может быть, и больше караван идет по найденным следам. Они ведут не прямо вперед, но кружат среди обгоревших рощ. Самодовольная уверенность Кассия Колхауна переходит в мрачное уныние. На лице его отражается глубокое отчаяние, когда он наконец догадывается, что следы сорока четырех колес, по которым они едут, были оставлены каретой и десятью фургонами — теми самыми, что следуют сейчас за ним, и с которыми он проделал весь путь от залива Матагорда.

Глава II

СЛЕД ЛАССО

Не оставалось никаких сомнений, что фургоны Вудли Пойндекстера шли по следам своих же колес.

— Наши следы! — пробормотал Колхаун; сделав это открытие, он натянул поводья и разразился проклятиями.

— Наши следы? Что ты этим хочешь сказать, Кассий? Неужели мы едем...

— ...по нашим собственным следам. Да, именно это я и хочу сказать. Мы описали полный круг. Смотрите: вот заднее копыто моей лошади — отпечаток половины подковы, а вот следы негров. Теперь я узнаю и место. Это тот самый холм, откуда мы спускались после нашей последней остановки. Вот уж чертовски не повезло — напрасно проехали около двух миль!

Теперь на лице Колхауна заметна не только растерянность — на нем появились горькая досада и стыд. Это он виноват, что в караване нет настоящего проводника. Тот, которого наняли в Индианоле, сопровождал их до последней стоянки; там, поспорив с заносчивым капитаном, он попросил расчет и отправился назад.

Все это, а также чрезмерная самоуверенность, с которой он вызвался вести караван, заставляют теперь племянника плантатора испытывать мучительный стыд. Его настроение становится совсем мрачным, когда приближается карета и прекрасные глаза видят его замешательство.

Пойндекстер больше не задает вопросов. Для всех теперь ясно, что они сбились с пути. Даже босоногие пешеходы узнали отпечатки своих ног и поняли, что идут по этим местам уже во второй раз.

Караван опять остановился; всадники возбужденно совещаются. Дело серьезное: так думает и сам плантатор. Он потерял надежду до наступления темноты закончить путешествие, как предполагал раньше.

Но это еще не самая большая беда. Кто знает, что ждет их впереди? Выжженная прерия полна опасностей. Быть может предстоит провести здесь ночь, и негде будет достать воды, чтобы напоить мулов. А может быть, и не одну ночь?

Но как же найти дорогу? Солнце начинает клониться к западу, хотя все еще стоит слишком высоко, чтобы уловить, в какую сторону оно движется; однако через некоторое время можно было бы определить, где находятся страны света.

Но что толку? Даже если они узнают, где находятся восток, запад, север и юг, ничего не изменится — они потеряли направление!

Колхаун стал осторожнее. Он уже больше не претендует на роль проводника. После такой позорной неудачи у него не хватает на это смелости.

Минут десять они совещаются, но никто не может предложить разумный план действий. Никто не знает, как вырваться из этой черной прерии, которая заволакивает черной пеленой не только солнце и небо, но и лица тех, кто попал в ее пределы.

Высоко в небе показалась стая черных грифов. Они все приближаются. Некоторые из них опускаются на землю, другие кружат над головами заблудившихся путников. В поведении хищников есть что-то зловещее.

Прошло еще десять гнетущих минут. И вдруг к людям вернулась бодрость: они увидели всадника, скачущего прямо к обозу.

Какая неожиданная радость! Кто бы мог подумать, что в таком месте можно встретить человека! Снова надежда засветилась в глазах путников — в приближающемся всаднике они видят своего спасителя.

— Ведь он едет к нам, не правда ли? — спросил плантатор, не веря своим глазам.

— Да, отец, он едет прямо к нам, — ответил Генри и стал кричать и размахивать шляпой высоко над головой, чтобы привлечь внимание всадника.

Но это было излишне — всадник и без того заметил остановившийся караван. Он скакал галопом и скоро приблизился настолько, что можно было окликнуть его.

Он натянул поводья, только когда миновал обоз, и подъехал к плантатору и его спутникам.

— Мексиканец, — прошептал Генри, взглянув на одежду незнакомца.

— Тем лучше, — так же тихо ответил ему отец. — Тогда он наверняка знает дорогу.

— Ничего мексиканского в нем нет, кроме костюма, — пробормотал Колхаун. — Я сейчас это узнаю... Buenos dias, cavallero! Esta Vuestra Mexicano? (Добрый день, кабальеро! Вы мексиканец?)

— О нет, — ответил тот, улыбнувшись. — Я совсем не мексиканец. Я могу объясняться с вами и по-испански, если хотите, но, мне кажется, вы лучше поймете меня, если мы будем говорить по-английски — ведь это ваш родной язык? Не так ли?

Колхаун подумал, что допустил какую-то ошибку в своей фразе или же не справился с произношением, и поэтому воздержался от ответа.

— Мы американцы, сэр, — ответил Пойндекстер с чувством уязвленной национальной гордости. Затем, как бы боясь обидеть человека, от которого ждал помощи, добавил: — Да, сэр, мы все американцы, из южных штатов.

— Это легко определить по вашим спутникам, — сказал всадник с едва уловимой презрительной усмешкой, взглянув в сторону негров-невольников. — Нетрудно заметить также, — добавил он, — что вы впервые путешествуете по прерии. Вы сбились с дороги?

— Да, сэр, и у нас нет никакой надежды найти ее, если только вы не будете так добры и не поможете нам.

— Стоит ли говорить о таких пустяках! Совершенно случайно я заметил ваши следы, когда ехал по прерии. Поняв, что вы заблудились, я прискакал сюда, чтобы помочь вам.

— Это очень любезно с вашей стороны. Мы вам признательны, сэр. Меня зовут Пойндекстер — Вудли Пойндекстер из Луизианы. Я купил усадьбу на берегу Леоны, вблизи форта

Индж. Мы надеялись добраться туда засветло. Как вы думаете, мы успеем?

— Разумеется. Если только будете следовать моим указаниям.

Сказав это, незнакомец отъехал на некоторое расстояние. Казалось, он изучает местность, стараясь определить, в каком направлении должны двигаться путешественники.

Застывшие на вершине холма лошадь и всадник представляли собой картину, достойную описания.

Породистый гнедой конь — даже арабскому шейху не стыдно было бы сесть на такого коня! — широкогрудый, на стройных, как тростник, ногах, с могучим крупом и великолепным густым хвостом. А на спине у него всадник — молодой человек лет двадцати пяти, прекрасно сложенный, с правильными чертами лица, одетый в живописный костюм мексиканского ранчеро[1]: на нем бархатная куртка, брюки со шнуровкой по бокам, сапоги из шкуры бизона с тяжелыми шпорами; ярко-красный шелковый шарф опоясывает талию; на голове черная глянцевая шляпа, отделанная золотым позументом. Вообразите такого всадника, сидящего в глубоком седле мавританского стиля и мексиканской работы, с кожаным, украшенным тиснеными узорами чепраком, похожим на те, которыми покрывали своих коней конкистадоры. Представьте себе такого кабальеро — и пред вашим взором будет тот, на кого смотрели плантатор и его спутники.

А из-за занавесок кареты на всадника смотрели глаза, выдававшие совсем особое чувство. Первый раз в жизни Луиза Пойндекстер увидела человека, который, казалось, был реальным воплощением героя ее девичьих грез. Незнакомец был бы польщен, если бы узнал, какое волнение он вызвал в груди молодой креолки.

Но как мог он это знать? Он даже не подозревал о ее существовании. Его взгляд лишь скользнул по запыленной карете, — так смотришь на невзрачную раковину, не подозревая, что внутри нее скрывается драгоценная жемчужина.

— Клянусь честью! — сказал всадник, обернувшись к владельцу фургонов. — Я не могу найти никаких примет, которые помогли бы вам добраться до места. Но дорогу туда я знаю. Вам придется переправиться через Леону в пяти милях ниже форта, а так как я и сам направляюсь к этому броду, то вы можете ехать по следам моей лошади. До свиданья, господа!

Распрощавшись так внезапно, незнакомец пришпорил коня и поскакал галопом.

Этот неожиданный отъезд показался плантатору и его спутникам весьма невежливым. Но они не успели ничего сказать, как увидели, что незнакомец возвращается. Не прошло и деся-

---

[1] Ранчеро — скотовод.

ти секунд, как всадник снова был с ними. Все недоумевали, что заставило его вернуться.

— Боюсь, что следы моей лошади вам мало помогут. После пожара здесь успели побывать мустанги. Они оставили тысячи отпечатков своих копыт. Правда, моя лошадь подкована, но ведь вы не привыкли различать следы, и вам будет трудно разобраться, тем более что на сухой золе все лошадиные следы почти одинаковы.

— Что же нам делать? — спросил плантатор с отчаянием в голосе.

— Мне очень жаль, мистер Пойндекстер, но я не могу сопровождать вас. Я должен срочно доставить в форт важное донесение. Если вы потеряете мой след, держитесь так, чтобы солнце было у вас справа, а ваши тени падали налево, под углом около пятнадцати градусов к линии движения. Миль пять двигайтесь прямо вперед. Затем вы увидите верхушку высокого дерева — кипариса. Вы узнаете его по красному цвету. Направляйтесь прямо к этому дереву. Оно стоит на самом берегу реки, недалеко от брода.

Молодой всадник уже натянул поводья и готов был снова ускакать, но что-то заставило его сдержать коня. Он увидел темные блестящие глаза, глядевшие из-за занавесок кареты, — в первый раз он увидел эти глаза.

Обладательница их скрылась в тени, но было еще достаточно светло, чтобы разглядеть лицо необычайной красоты. Кроме того, он заметил, что прекрасные глаза устремлены в его сторону и что они смотрят на него взволнованно, почти нежно.

Невольно он ответил восхищенным взглядом, но, испугавшись, как бы это не сочли дерзостью, круто повернул коня и снова обратился к плантатору, который только что поблагодарил его за любезность.

— Я не заслуживаю благодарности, — сказал незнакомец, — так как оставляю вас на произвол судьбы, но, к несчастью, я не располагаю свободным временем.

Он посмотрел на часы, как будто сожалея, что ему придется ехать одному.

— Вы очень добры, сэр, — сказал Пойндекстер. — Я надеюсь, что, следуя вашим советам, мы не собьемся с пути. Солнце нам поможет.

— Боюсь, как бы не изменилась погода. На севере собираются тучи. Через час они могут заслонить солнце... во всяком случае, это произойдет раньше, чем вы достигнете места, откуда виден кипарис... Я не могу вас так оставить... Впрочем, — сказал он после минуты размышления, — я придумал: держитесь следа моего лассо!

Незнакомец снял с седельной луки свернутую веревку и, прикрепив один конец к кольцу на седле, бросил другой на землю. Затем, изящным движением приподняв шляпу, он вежливо поклонился — почти в сторону кареты, — пришпорил лошадь и снова поскакал по прерии.

Лассо, вытянувшись позади лошади ярдов на двенадцать, оставило на испепеленной поверхности прерии полосу, похожую на след проползшей змеи.

— Удивительно странный молодой человек! — сказал плантатор, глядя вслед всаднику, скрывшемуся в облаке черной пыли. — Мне следовало бы спросить его имя.

— Удивительно самодовольный молодой человек, я бы сказал, — пробормотал Колхаун, от которого не ускользнул взгляд, брошенный незнакомцем в сторону кареты, так же как и ответный взгляд кузины. — Что касается его имени, то о нем, пожалуй, и не стоило спрашивать. Наверняка он назвал бы вымышленное. Техас переполнен такими франтами, которые, попав сюда, обзаводятся новыми именами, более благозвучными, или же меняют их по каким-нибудь другим причинам.

— Послушай, Кассий, — возразил молодой Пойндекстер, — ты к нему несправедлив. Он, по-моему, человек образованный, джентльмен, вполне достойный носить самое знатное имя.

— «Джентльмен»! Черт возьми, вряд ли! Я никогда не встречал джентльмена, который рядился бы в мексиканские тряпки. Бьюсь об заклад, что это просто какой-нибудь проходимец.

Во время этого разговора прекрасная креолка выглянула из кареты и с нескрываемым интересом провожала глазами удалявшегося всадника.

Не этим ли следует объяснить язвительный тон Колхауна?

— В чем дело, Лу? — спросил он почти шепотом, подъезжая вплотную к карете. — Ты, кажется, очень торопишься? Может быть, ты хочешь догнать этого наглеца? Еще не поздно — я дам тебе свою лошадь.

Девушка откинулась назад, очевидно недовольная не только словами, но и тоном кузена. Но она не показала виду, что рассердилась, и не стала спорить — она выразила свое недовольство гораздо более обидным образом. Звонкий смех был единственным ответом, которым она удостоила кузена.

— Ах, так... Глядя на тебя, я так и подумал, что тут что-то нечисто. У тебя был такой вид, словно ты очарована этим щеголеватым курьером. Он пленил тебя, вероятно, своим пышным нарядом? Но знай, что это всего лишь ворона в павлиньих перьях, и мне, верно, еще придется содрать их с него и, быть может, с куском его собственной кожи.

— Как тебе не стыдно, Кассий! Подумай, что ты говоришь!

— Это тебе надо подумать о том, как ты себя ведешь, Лу. Удостоить своим вниманием какого-то бродягу, ряженого шута! Я не сомневаюсь, что он простой почтальон, нанятый офицерами форта.

— Почтальон, ты думаешь? О, как бы я хотела получать любовные письма из рук такого письмоносца!

— Тогда поспеши и скажи ему об этом. Моя лошадь к твоим услугам.

— Ха-ха-ха! Как же ты несообразителен! Если бы я даже и захотела, шутки ради, догнать этого почтальона прерии, то на твоей ленивой кляче мне это вряд ли удалось бы. Он так быстро мчится на своем гнедом, что, конечно, они оба исчезнут из виду, прежде чем ты успеешь переменить для меня седло. О нет! Мне его не догнать, как бы мне этого ни хотелось.

— Смотри, чтобы отец не услышал тебя!

— Смотри, чтобы он тебя не услышал, — ответила девушка, заговорив теперь уже серьезным тоном. — Хотя ты мой двоюродный брат и отец считает тебя верхом совершенства, я этого не считаю, о нет! Я никогда не скрывала этого от тебя — не так ли?

Колхаун только нахмурился в ответ на это горькое для него признание.

— Ты мой двоюродный брат — и только, — продолжала девушка строгим голосом, резко отличавшимся от того шутливого тона, которым она начала беседу. — Для меня ты больше никто, капитан Кассий Колхаун! И не пытайся, пожалуйста, быть моим советчиком. Только с одним человеком я считаю своим долгом советоваться, и только ему я позволю упрекать себя. А поэтому прошу тебя, мастер[1] Каш, воздержаться от подобных нравоучений. Я никому не стану давать отчет в своих мыслях, так же как и в поступках, до тех пор, пока не встречу достойного человека. Но не тебе быть моим избранником!

Закончив свою отповедь, девушка снова откинулась на подушки, смерив капитана взглядом, полным негодования и презрения. Потом она задернула занавески кареты, давая этим понять, что больше не желает с ним разговаривать.

Крики возниц вывели капитана из оцепенения. Фургоны снова двинулись в путь по мрачной прерии, которая едва ли была мрачнее мыслей Кассия Колхауна.

Глава III
ПУТЕВОДНАЯ СТРЕЛКА

Путешественники больше не беспокоились о дороге: след лассо тянулся непрерывной змейкой и был так отчетливо виден, что даже ребенок не сбился бы с пути.

Он не шел по прямой, а извивался между зарослями кустарников. Порой, когда путь лежал по местности, где не было де-

[1] Мастер — обращение к мальчику из богатой семьи; негры-невольники произносили «масса» и называли так хозяев.

ревьев, он отклонялся в сторону. Делалось это не случайно: в таких местах были глубокие овраги и другие препятствия, — змейка следа огибала их, показывая дорогу фургонам.

— Как это предусмотрительно со стороны молодого человека! — сказал Пойндекстер. — Право, я очень жалею, что мы не узнали его имени. Если он служит в форте, мы еще встретимся с ним.

— Без сомнения! — воскликнул Генри. — И я буду этому очень рад.

Луиза сидела, откинувшись на спинку сиденья, — она слышала разговор между отцом и братом, но ничего не сказала, только в ее взгляде можно было прочесть, что она всем сердцем разделяет надежду брата.

Радуясь скорому окончанию трудного путешествия, а также возможности до захода солнца увидеть свои новые владения, плантатор был в прекрасном настроении. Этот гордый аристократ вдруг удостоил своим снисходительным вниманием окружающих: непринужденно болтал с надсмотрщиком, остановился пошутить с дядюшкой Сципионом, едва ковылявшим на покрытых волдырями ногах, подбодрил тетушку Хлою, которая ехала с младенцем на руках.

«Чудесно! — может воскликнуть посторонний наблюдатель, введенный в заблуждение такой необычайной сценой, столь старательно изображаемой писаками, подкупленными самим сатаной. — В конце концов, как прекрасны патриархальные нравы рабовладельцев! И это после всего, что мы говорили и сделали для уничтожения рабства! Попытка разрушить это древнее здание — достойный краеугольный камень рыцарственной нации — лишь филантропическая блажь, излишняя чувствительность. О вы, фанатики, стремящиеся к уничтожению рабства! Почему вы восстаете против него? Разве вы не знаете, что одни должны страдать, должны работать и голодать, чтобы другие наслаждались роскошью и бездельем? Разве вы не знаете, что одни должны быть рабами, чтобы другие были свободными?»

Эти речи, несущие страдания миллионам, за последнее время раздаются слишком часто. Горе человеку, который произносит их, и нации, которая их слушает!

Хорошее настроение плантатора, казалось, разделяли все его спутники, за исключением Колхауна. Оно отражалось на лицах невольников, которые считали Пойндекстера источником своего счастья или несчастья — всемогущим, почти как Бог.

Они любили его меньше, чем Бога, но боялись больше, хотя его нельзя было назвать плохим хозяином — по сравнению с другими рабовладельцами. Он не находил особого удовольствия в истязании своих рабов и был доволен, когда видел, что они сыты и одеты, что кожа их лоснится от жира. Ведь по этим признакам судили о благосостоянии его самого — их господина. Он иногда учил их плетью — уверяя, что это оказывает на них благотворное действие, — однако на коже его невольников не было ни одного рубца от жестоких истязаний, а этим мог похвастаться далеко не всякий рабовладелец штата Миссисипи.

Стоит ли удивляться, что в обществе такого «примерного» хозяина все были в хорошем настроении и даже невольники, заразившись общей радостью, принялись весело болтать!

Однако благодушное настроение длилось недолго. Оно было прервано не внезапно и не по вине тех, кто его разделял: причиной были обстоятельства, которые от них не зависели.

Как и предсказал незнакомец, солнце скрылось раньше, чем показался кипарис.

Но это не должно было бы вызвать беспокойства: след лассо был по-прежнему хорошо виден, и ориентироваться по солнцу не было необходимости. Однако тучи, затянувшие небо, угнетающе подействовали на путников.

— Можно подумать, что уже наступили вечерние сумерки, — сказал плантатор, вынимая свои золотые часы, — а между тем всего лишь три часа. Наше счастье, что этот молодой человек помог нам. Если бы не он, мы до заката проплутали бы по этой выжженной прерии. Пожалуй, пришлось бы заночевать прямо на пепле...

— Ну и черная была бы постель! — шутливо отозвался Генри, чтобы придать разговору более веселый характер. — Ух, и страшные бы я видел сны, если бы пришлось так спать!

— И я тоже, — добавила сестра, выглядывая из-за занавесок и всматриваясь в даль. — Я уверена, что мне приснились бы Плутон[1] и Прозерпина[2] в аду.

— Хи-хи-хи! — осклабился черный кучер, числившийся в книгах плантаций как Плутон Пойндекстер. — Мисса Луи увидит меня во сне на этой черной прерии! Вот чудно так чудно! Хи-хи-хи!

— Слишком рано вы начали смеяться, — раздался мрачный голос капитана, подъехавшего во время этого разговора. — Смотрите, как бы вам и в самом деле не пришлось ночевать в этой черной прерии! Хорошо, если не случится еще чего-нибудь похуже.

— Что ты хочешь этим сказать, Каш? — спросил плантатор.

— Я хочу сказать, дядя, что этот молодчик обманул нас. Я не могу еще этого утверждать, но похоже, что дело скверно. Мы проехали уже больше пяти миль... около шести, должно быть, а где же кипарис, о котором он говорил? Кажется, у меня зрение

---

[1] Плутон — в древнегреческой мифологии бог ада.

[2] Прозерпина — богиня ада.

не хуже, чем у других, но, как я ни всматривался в даль, я не обнаружил никакого дерева.

— Но зачем же ему обманывать нас?

— Ах, «зачем»! В том-то и дело, что у него может быть для этого немало причин.

— Назови нам хотя бы одну из них, — раздался серебристый голос из кареты, — мы с интересом послушаем.

— Еще бы: ты будешь слушать с особым интересом все, что касается этого субъекта, — иронически ответил Колхаун, — а если я выскажу свои соображения, ты со свойственной тебе снисходительностью назовешь это ложной тревогой!

— Это будет зависеть от того, что ты скажешь, мастер Кассий. Мне кажется, что тебе следует испытать нас. Не можем же мы думать, что ты, военный и такой опытный путешественник, поддался ложной тревоге!

Колхаун понял злую насмешку и, вероятно, воздержался бы от дальнейших объяснений, если бы на этом не настоял Пойндекстер.

— Послушай, Кассий, объясни же, в чем дело? — серьезно спросил плантатор. — То, что ты нам сказал, вызывает больше чем простое любопытство. Какую цель мог преследовать этот молодой человек, давая нам ложные указания?

— Ну что же, дядя... — сказал Колхаун не столь заносчиво, как раньше, — я ведь не утверждаю этого, я только высказываю свое предположение.

— Какое же?

— Ну, мало ли что может случиться! В этих прериях нередко нападают на караваны — и не только на такие, как наш, но и на караваны посильнее нашего, — грабят и убивают.

— Упаси Боже! — с притворным испугом воскликнула Луиза.

— Индейцы? — сказал Пойндекстер.

— Иногда бывает, что и индейцы, но часто за индейцев выдают себя белые, и не только мексиканцы. Для этого нужно лишь немного коричневой краски, парик из лошадиного хвоста, несколько перьев для головного убора и побольше наглости. Если нас ограбит банда «белых индейцев», — а это не раз случалось, — то винить нам будет некого, кроме самих себя: мы будем лишь наказаны за наивную доверчивость к первому встречному.

— Боже мой, Кассий! Ведь это серьезное обвинение. Неужели ты хочешь сказать, что этот курьер — если он действительно курьер — заманивает нас в западню?

— Нет, дядя, я этого не говорю. Я только говорю, что такие вещи бывали; возможно, он нас и заманивает...

— Возможно, но маловероятно, — раздался из кареты голос, полный язвительной насмешки.

— Нет, — воскликнул Генри, который хотя и ехал немного впереди, но слышал весь разговор, — твои подозрения несправедливы, Кассий! Это клевета. И я могу это тебе доказать. Посмотри-ка сюда.

Юноша сдержал лошадь, указывая на предмет у края тропы, который он перед этим внимательно рассматривал. Это был колоннообразный кактус; его зеленый, сочный ствол уцелел от огня.

Но Генри Пойндекстер обращал внимание своих спутников не на самое растение, а на небольшую белую карточку, наколотую на один из его шипов. Тот, кто знаком с обычаями цивилизованного общества, сразу узнал бы, что это визитная карточка.

— Посмотрим, что там написано, — сказал юноша, подъезжая ближе; он прочитал вслух: — «Кипарис виден».

— Где? — спросил Пойндекстер.

— Здесь нарисована рука, — ответил Генри. — Нет сомнения, что палец указывает на кипарис.

Все стали смотреть в направлении, обозначенном на карточке.

Если бы светило солнце, кипарис можно было бы увидеть с первого же взгляда. Но еще недавно синее, небо теперь стало свинцово-серым, и, сколько путешественники ни напрягали зрение, на горизонте нельзя было разглядеть ничего, напоминающего верхушку дерева.

— Ничего там нет, — уверенным тоном заявил Колхаун. — Я убежден, что это лишь новая хитрость этого бродяги.

— Ты ошибаешься, — ответил голос, который так часто противоречил Кассию. — Посмотри в бинокль. Если тебе не изменило твое превосходное зрение, ты увидишь на горизонте что-то очень похожее на дерево, на высокое дерево — наверно, это кипарис. Ведь я никогда не видела кипариса на болотах Луизианы.

Колхаун не захотел взять бинокль из рук кузины — он знал, что Луиза говорит правду, и ему не надо было лишних доказательств.

Тогда Пойндекстер взял бинокль, наладил его по своим близоруким глазам и отчетливо увидел кипарис, возвышавшийся над прерией.

— Правильно, — сказал он, — кипарис виден. Незнакомец оказался честным человеком. Ты был к нему несправедлив, Каш. Мне не верилось, чтобы он мог сыграть над нами такую злую шутку... Слушайте, мистер Сансом! Отдайте распоряжение возницам — надо двигаться дальше.

Колхаун злобно пришпорил лошадь и поскакал по прерии; ему больше не хотелось ни разговаривать, ни оставаться в обществе своих спутников.

— Дай мне посмотреть на эту карточку, Генри, — тихо сказала Луиза. — Мне хочется увидеть стрелку, которая так помогла нам. Сними ее оттуда — незачем оставлять ее на кактусе, раз мы увидели дерево.

Генри исполнил просьбу сестры, ни на минуту не задумавшись над ее тайным смыслом.

Он снял карточку с кактуса и бросил ее на колени Луизе.

— Морис Джеральд! — прошептала креолка, увидя на обратной стороне имя. — Морис Джеральд! — повторила она взволнованно, пряча карточку на груди. — Кто бы ты ни был, откуда бы ты ни пришел, куда бы ни лежал твой путь и кем бы ты ни стал, с этих пор у нас одна судьба! Я чувствую это — я знаю это так же ясно, как вижу небо над собой! О, какое грозное небо! Не будет ли такой же моя неизвестная судьба?

Глава IV
ЧЕРНЫЙ НОРД

Словно зачарованная сидела Луиза во власти своих грез. Она сжимала виски тонкими пальцами, и, казалось, все силы ее души были устремлены на то, чтобы понять прошлое и проникнуть в будущее.

Однако ее мечты скоро были прерваны. Она услыхала возгласы, в которых слышалась тревога.

Луиза узнала обеспокоенный голос брата:

— Посмотри, отец! Разве ты их не видишь?

— Где, Генри, где?

— Там, позади фургонов... Теперь ты видишь?

— Да, я что-то вижу, но я не могу понять, что это такое. Они выглядят, как... — Пойндекстер на минуту остановился озадаченный. — Я, право, не понимаю, что это такое...

— Водяные смерчи? — подсказал Колхаун, который, увидев странное явление, снизошел до того, чтобы присоединиться к компании, собравшейся около кареты. — Но этого не может быть — мы слишком далеко от моря. Я никогда не слыхал, чтобы они появлялись в прерии.

— Что бы это ни было, но они движутся, — сказал Генри. — Смотрите! Они приближаются друг к другу и снова расходятся. Если бы не это, можно было бы принять их за огромные обелиски из черного мрамора.

— Великаны или черти! — смеясь, заметил Колхаун. — Сказочные чудовища, которым вздумалось прогуляться по этой жуткой прерии.

Капитан в отставке с трудом заставлял себя шутить. Как и всех остальных, его угнетало тяжелое предчувствие.

И неудивительно.

С северной стороны над прерией внезапно появилось несколько совершенно черных колонн — их было около десяти. Ничего подобного никто из путешественников никогда раньше не видел. Эти огромные столбы то стояли неподвижно, то скользили по обугленной земле, как великаны на коньках, изгибаясь и наклоняясь друг к другу, словно в фантастических фигурах какого-то странного танца. Представьте себе легендарных титанов, которые ожили на прерии Техаса и плясали в неистовой вакханалии.

Было вполне естественно, что путешественников охватила тревога, когда они заметили это невиданное явление, никому из них не известное. Все были уверены, что надвигается стихийное бедствие.

При первом же появлении этих загадочных фигур обоз остановился; негры-пешеходы, так же как и возницы, вскрикнули от ужаса; лошади заржали, дрожа от страха; мулы пронзительно заревели.

Со стороны черных башен доносился какой-то гул, похожий на шум водопада, по временам прерывавшийся треском как бы ружейного выстрела или раскатом отдаленного грома.

Шум нарастал, становился более отчетливым. Неведомая опасность приближалась.

Путешественники остолбенели от ужаса, и Колхаун не составил исключения — он уже больше не пытался шутить. Все взоры обратились на свинцовые тучи, заволакивающие небо, и на черные громады, которые приближались, казалось, для того, чтобы раздавить путников.

В эту гнетущую минуту вдруг раздался крик с противоположной стороны, и, хотя в нем слышалась тревога, он все же нес успокоение.

Обернувшись, путники увидели всадника, мчащегося к ним во весь опор.

Лошадь была черная, как сажа, такого же цвета был и всадник, не исключая лица. Но, несмотря на это, его узнали: это был тот самый незнакомец, по следу которого они ехали.

Девушка в карете первая узнала его.

— Вперед! — воскликнул незнакомец, приблизившись к каравану. — Вперед, вперед! Как можно скорее...

— Что это такое? — растерянно спросил плантатор, охваченный страхом. — Нам грозит опасность?

— Да. Я не ждал этого, когда оставил вас. Только достигнув реки, я увидел грозные признаки.

— Чего, сэр?

— Норда.

— Вы так называете бурю?

— Да.

— Я никогда не слыхал, что норд может быть опасен — разве только кораблям на море, — вмешался Колхаун. — Я конечно, знаю, что он несет с собою пронизывающий холод, но...

— Не только холод, сэр. Он принесет кое-что похуже, если вы не поспешите укрыться от него... Мистер Пойндекстер, — обратился всадник к плантатору нетерпеливо и настойчиво, — вы и все ваши люди в опасности. Норд не всегда бывает страшен, но этот... Взгляните! Вы видите эти черные смерчи?

— Мы смотрим на них и не можем понять, что это такое...

— Это вестники бури, и сами по себе они не опасны. Но посмотрите вон туда... Видите ли вы эту черную тучу, заволакивающую небо?.. Вот чего вам надо бояться! Я не хочу пугать вас, но должен сказать, что она несет с собой смерть. Она движется сюда. Спасение только в быстроте. Поторопитесь, а то будет поздно. Через десять минут она будет здесь — и тогда... Скорее, сэр, умоляю вас! Прикажите вашим возницам погонять изо всех сил. Само небо велит вам!

Подчиняясь этим настойчивым требованиям, плантатор отдал распоряжение двигаться и гнать обоз с предельной скоростью.

Ужас, который обуял как животных, так и возниц, сделал излишним вмешательство кнутов.

Карета и всадники по-прежнему ехали впереди. Незнакомец держался позади, как бы охраняя караван.

Время от времени он натягивал поводья, оглядывался и каждый раз проявлял все бóльшую тревогу.

Заметив это, плантатор подъехал к нему и спросил:

— Опасность еще не миновала?

— К сожалению, не могу вам сказать ничего утешительного. Я рассчитывал, что ветер переменит направление.

— Ветер? Я не замечаю никакого ветра.

— Не здесь. Вон там страшный ураган, и он несется прямо к нам... Боже мой, он приближается с невероятной быстротой! Вряд ли мы успеем пересечь выжженную прерию...

— Что же делать? — воскликнул плантатор в ужасе.

— Нельзя ли заставить ваших мулов бежать еще быстрее?

— Нет, они и так уже выбиваются из сил.

— В таком случае, я боюсь, что ураган настигнет нас...

Высказав это мрачное предположение, всадник обернулся еще раз и посмотрел на черные смерчи, как бы определяя скорость их движения.

Складки, которые обозначились вокруг его рта, выдали что-то более серьезное, чем недовольство.

— Да, уже поздно! — воскликнул он, вдруг прервав свои наблюдения. — Они движутся быстрее нас, гораздо быстрее... Нет надежды уйти от них!

— Боже мой, сэр! Разве опасность так велика? Неужели мы не можем ничего сделать, чтобы избежать ее? — спросил плантатор.

Незнакомец ответил не сразу. Несколько мгновений он молчал, как будто о чем-то напряженно думая, — он уже больше не смотрел на небо, взгляд его блуждал по фургонам.

— Неужели же нет никакой надежды? — повторил плантатор.

— Нет, есть! — радостно ответил всадник; казалось, какая-то счастливая мысль озарила его. — Надежда есть. Я не подумал об этом раньше. Нам не удастся уйти от бури, но избежать опасности мы можем. Быстрее, мистер Пойндекстер! Отдайте распоряжение вашим людям окутать головы лошадей и мулов, иначе животные будут ослеплены и взбесятся. Одеяла, платки — все годится. Когда это будет сделано, пусть все забираются в фургоны. Нужно только, чтобы навесы были плотно закрыты со всех сторон. О карете я позабочусь сам.

Сделав эти указания, всадник поскакал вперед, в то время как Пойндекстер с надсмотрщиком отдавали необходимые распоряжения возницам.

— Сударыня, — подъезжая к карете, сказал всадник со всей любезностью, какую позволяли обстоятельства, — вы должны задернуть все занавески. Ваш кучер пусть войдет в карету... И вы также, господа, — сказал он, обращаясь к Генри, Колхауну и только что подъехавшему Пойндекстеру. — Места всем хватит. Только скорее, умоляю вас! Не теряйте времени. Через несколько минут буря разразится над нами.

— А вы, сэр? — с искренней озабоченностью спросил плантатор человека, который столько сделал, чтобы избавить их от грозящей беды. — Как же вы?

— Обо мне не беспокойтесь: я знаю, что́ надвигается. Не впервые я встречаюсь с этим... Прячьтесь, прячьтесь, умоляю вас! Нельзя терять ни секунды. Вы слышите завывание? Скорее, пока на нас не налетела пылевая туча!

Плантатор и Генри быстро соскочили с лошадей и вошли в карету. Колхаун упрямо продолжал сидеть в седле. Почему он должен бояться какой-то воображаемой опасности, от которой не прячется этот человек в мексиканском костюме?

Незнакомец велел надсмотрщику залезть в ближайший фургон, чему тот беспрекословно повиновался. Теперь можно было подумать и о себе.

Молодой человек быстро развернул свое серапе — оно было прикреплено к седлу, — набросил его на голову лошади, обмотал концы вокруг ее шеи и завязал узлом. С не меньшей ловкостью он развязал свой шарф из китайского шелка и обтянул его вокруг шляпы, заткнув один конец за ленту, а другой спустив вниз, — таким образом, получилось, нечто вроде шелкового забрала.

Прежде чем совсем закрыть лицо, он еще раз обернулся к карете и, к своему удивлению, увидел, что Колхаун все еще сидит верхом на лошади. Поборов в себе невольную антипатию к этому человеку, незнакомец настойчиво сказал:

— Спрячьтесь же, сэр, умоляю вас! Иначе через десять минут вас не будет в живых.

Колхаун повиновался: признаки надвигающейся бури были слишком очевидны; с показной медлительностью он слез с седла и забрался в карету, под защиту плотно задернутых занавесок.

То, что произошло дальше, с трудом поддается описанию. Никто не видел зрелища разыгравшейся стихии, так как никто не смел взглянуть на него. Но, если бы кто-нибудь и осмелился, он все равно ничего не увидел бы. Через пять минут после того, как были обвязаны головы мулов, караван окутала кромешная тьма.

Путешественники видели лишь самое начало урагана. Один из надвигавшихся смерчей, натолкнувшись на фургон, рассыпался густой черной пылью — казалось, что с неба пошел пороховой дождь. Но это было лишь начало.

Ненадолго показался просвет, и путников обдало горячим воздухом, словно из жерла печи. Затем со свистом и воем подул порывистый ветер, неся леденящий холод; завывания его были так оглушительны, что казалось, все трубы Эола[1] возвещают о появлении Короля Бурь.

Через мгновение норд настиг караван, и путешественники, остановившиеся на субтропической равнине, попали в мороз, подобный тому, который сковывает ледяные горы на Ледовитом океане.

Все окутал мрак, ничего не было слышно, кроме свиста ветра и его глухого рева, когда он налетал на навесы фургонов.

Мулы, инстинктивно повернувшись к нему задом, стояли притихшие. Голоса людей, взволнованно разговаривавших в карете и фургонах, заглушались воем урагана.

Все щели были закрыты, потому что стоило только высунуться из-за полотняного навеса, как можно было задохнуться. Воздух был весь насыщен пеплом, поднятым бушующим ветром с выжженной прерии и превращенным в мельчайшую смертоносную пыль.

Больше часа носились в воздухе черные облака пепла; все это время путешественники просидели, не смея выглянуть наружу.

Наконец около самых занавесок кареты раздался голос незнакомца.

---

[1] Эол — в греческой мифологии бог ветра.

— Теперь можно выйти, — сказал он, отбрасывая шелковый шарф со своего лица. — Буря не прекратилась, она будет длиться до конца вашего путешествия и еще дня три. Но бояться больше нечего. Пепел весь сметен. Он пронесся вперед, и вряд ли вы настигнете его по эту сторону Рио-Гранде.

— Сэр, — сказал плантатор, поспешно спускаясь по ступенькам кареты, — мы вам обязаны...

— ...жизнью! — воскликнул Генри, найдя нужное слово. — Я надеюсь, сэр, что вы окажете нам честь назвать свое имя.

— Морис Джеральд, — ответил незнакомец. — Хотя в форту меня обычно называют Морисом-мустангером[1].

— Мустангер! — презрительно пробормотал Колхаун, но настолько тихо, что услышать его могла только Луиза.

«Всего лишь мустангер», — разочарованно подумал про себя аристократ Пойндекстер.

— Теперь я вам больше не нужен. Дорогу вы найдете без меня и моего лассо, — сказал охотник за дикими лошадьми. — Кипарис виден, держите прямо на него. Перейдя реку, вы увидите флаг, развевающийся над фортом. Вы успеете закончить путешествие до наступления темноты. Я же спешу и должен распрощаться с вами.

Если мы вообразим себе сатану верхом на адском коне, то довольно точно представим себе Мориса-мустангера, когда он во второй раз покидал плантатора и его спутников.

Однако ни запачканное пеплом лицо, ни скромная профессия не могли уронить мустангера в глазах Луизы Пойндекстер — он уже завоевал ее сердце.

Когда Луиза услышала его имя, она прижала карточку к груди и в задумчивости прошептала так тихо, что никто, кроме нее самой, не мог услышать:

— Морис-мустангер, ты покорил сердце креолки! Боже мой, Боже мой! Он слишком похож на Люцифера[2], могу ли я презирать его!

Глава V
ЖИЛИЩЕ ОХОТНИКА ЗА МУСТАНГАМИ

Там, где Рио-де-Нуэсес (Ореховая река) собирает свои воды из сотни речек и ручейков, испещряющих карту, словно ветви большого дерева, лежат удивительно живописные места. Это холмистая прерия, по которой разбросаны дубовые и ореховые

---

[1] Мустангер — охотник за дикими лошадьми, мустангами.

[2] Люцифер — по преданию, архангел, восставший против Бога и низвергнутый в ад.

рощи, то здесь, то там вдоль берегов сливающиеся в сплошные зеленые массивы леса.

Местами этот лес сменяется густыми зарослями, где среди всевозможных видов акации растет копайский бальзам, креозотовый кустарник, дикое алоэ; там же встречаются экзотическое растение цереус, всевозможные кактусы и древовидная юкка.

Эти колючие растения не радуют земледельца, потому что они обычно растут на тощей земле; зато для ботаника и любителя природы здесь много привлекательного — особенно когда цереус раскрывает свои огромные, словно восковые цветы, или же фукиера, высоко поднявшись над кустарником, выбрасывает, словно развернутый флаг, свое великолепное алое соцветие.

Но есть там и плодородные места, где на известково-черноземной почве растут высокие деревья с пышной листвой: индейское мыльное дерево, гикори[1], вязы, дубы нескольких видов, кое-где встречаются кипарисы и тополя; этот лес переливается всеми оттенками зелени, и его по справедливости можно назвать прекрасным.

Ручьи в этих местах кристально чисты — они отражают сапфировую синеву неба. Облака почти никогда не заслоняют солнце, луну и звезды. Здесь не знают болезней — ни одна эпидемия не проникла в эти благословенные места.

Но цивилизованный человек еще не поселился здесь, и попрежнему лишь одни краснокожие команчи[2] пробираются по запутанным лесным тропам, и то лишь когда верхом на лошадях они отправляются в набег на поселения Нижней Нуэсес, или Леоны. Неудивительно, что дикие звери избрали эти глухие места своим пристанищем. Нигде во всем Техасе вы не встретите столько оленей и пугливых антилоп, как здесь. Кролики все время мелькают перед вами; немного реже попадаются на глаза дикие свиньи, хорьки, суслики.

Красивые пестрые птицы оживляют ландшафт. Перепела, шурша крыльями, взвиваются к небу; королевский гриф парит в воздухе; дикий индюк огромных размеров греет на солнце свою блестящую грудь у опушки ореховой рощи; а среди перистых акаций мелькает длинный, похожий на ножницы хвост птицы-портнихи, которую местные охотники называют «райской птицей».

Великолепные бабочки то порхают в воздухе, широко расправив крылья, то отдыхают на цветке и тогда кажутся его лепестками. Огромные бархатистые пчелы жужжат среди цветущих кустарников, оспаривая право на сладкий сок у колибри, которым они почти не уступают в величине.

---

[1] Гикори — американское ореховое дерево.

[2] Команчи — индейское племя.

Однако не все обитатели этих прекрасных мест безвредны. Нигде во всей Северной Америке гремучая змея не достигает таких размеров, как здесь; она прячется среди густой травы вместе с еще более опасной мокасиновой змеей. Здесь жалят ядовитые тарантулы, кусают скорпионы; а многоножке достаточно проползти по коже, чтобы вызвать лихорадку, которая может привести к роковому концу.

По лесистым берегам рек бродят пятнистый оцелот, пума[1] и их могучий родич — ягуар; именно здесь проходит северная граница его распространения.

По опушкам лесных зарослей скрывается тощий техасский волк, одинокий и молчаливый, а его сородич, трусливый койот, рыщет на открытой равнине с целой стаей своих собратьев.

В этой же прерии, где рыскают такие свирепые хищники, на ее сочных пастбищах пасется самое благородное и прекрасное из всех животных, самый умный из всех четвероногих друзей человека — лошадь.

Здесь живет она, дикая и свободная, не знающая капризов человека, не знакомая с уздой и удилами, с седлом и вьюком.

Но даже в этих заповедных местах ее не оставляют в покое. Человек охотится за ней и укрощает ее. Здесь была поймана и приручена прекрасная дикая лошадь. Она попалась в руки молодому охотнику за лошадьми Морису-мустангеру.

На берегу Аламо, кристально чистого притока Рио-де-Нуэсес, стояло скромное, но живописное жилище, одно из тех, каких много в Техасе.

Это была хижина, построенная из расщепленных пополам стволов древовидной юкки, вбитых стоймя в землю, с крышей из штыковидных листьев этой же гигантской лилии.

Щели между жердями, вопреки обычаям западного Техаса, были не замазаны глиной, а завешены с внутренней стороны хижины лошадиными шкурами, которые были прибиты не железными гвоздями, а шипами мексиканского столетника.

Окаймлявшие речную долину обрывы изобиловали растительностью, послужившей строительным материалом для хижины, — юккой, агавой и другими неприхотливыми растениями; а внизу плодородная долина на много миль была покрыта прекрасным лесом, где росли тутовые деревья, гикори и дубы. Лесная полоса, собственно, ограничивалась долиной реки; вершины деревьев едва достигали верхнего края обрыва.

В массив леса со стороны реки местами вдавались небольшие луга, или саванны, поросшие сочнейшей травой, известной у мексиканцев под названием «грама».

На одной из таких полукруглых полянок — у самой реки — приютилось описанное нами незамысловатое жилище; стволы

---

[1] Оцелот и пума (кугуар) — хищники из семейства кошачьих.

деревьев напоминали колонны, поддерживающие крышу лесного театра.

Хижина стояла в тени, спрятанная среди деревьев. Казалось, это укромное место было выбрано не случайно. Ее можно было видеть только со стороны реки, и то лишь в том случае, если встать прямо против нее. Примитивная простота постройки и поблекшие краски делали ее еще более незаметной.

Домик был величиной с большую палатку. Кроме двери, в нем не было других отверстий, если не считать трубы небольшого очага, сложенного у одной из стен. Деревянная рама двери была обтянута лошадиной шкурой и навешена при помощи петель, сделанных из такой же шкуры.

Позади хижины находился навес, подпертый шестью столбами и покрытый листьями юкки; он был обнесен небольшой изгородью из поперечных жердей, привязанных к стволам соседних деревьев.

Такой же изгородью был обнесен участок леса около акра величиной, расположенный между хижиной и отвесным берегом реки. Земля там была изрыта и испещрена множеством отпечатков копыт и местами совершенно утоптана; нетрудно было догадаться, что это кораль: загон для диких лошадей — мустангов.

Действительно, внутри этого загона находилось около десятка лошадей. Их дикие, испуганные глаза и порывистые движения не оставляли сомнения в том, что они только недавно пойманы и что им нелегко переносить неволю.

Убранство хижины не лишено было некоторого уюта и комфорта. Стены украшал сплошной ковер из мягких блестящих шкур мустангов. Шкуры — черные, гнедые, пегие и белоснежные — радовали глаз: видно было, что их подобрал человек со вкусом.

Мебель была чрезвычайно проста: кровать — обтянутые лошадиной шкурой козлы, два самодельных табурета — уменьшенная разновидность того же образца, и простой стол, сколоченный из горбылей юкки, — вот и вся обстановка. В углу виднелось что-то вроде второй постели — она была сооружена из тех же неизбежных лошадиных шкур.

Совершенно неожиданными в этой скромной хижине были полка с книгами, перо, чернила, почтовая бумага и газеты на столе.

Здесь были еще другие вещи, не только напоминавшие о цивилизации, но говорившие даже об утонченном вкусе: прекрасный кожаный сундучок, двуствольное ружье, серебряный кубок чеканной работы, охотничий рог и серебряный свисток.

На полу стояло несколько предметов кухонной утвари, преимущественно жестяных; в углу — большая бутыль в ивовой плетенке, содержащая, по-видимому, напиток, более крепкий, чем вода из Аламо.

Остальные вещи были здесь более уместны: мексиканское, с высокой лукой, седло, уздечка с оголовьем из плетеного конского волоса, такие же поводья, два или три серапе, несколько мотков сыромятного ремня.

Таково было жилище мустангера, таково было его внутреннее устройство и все, что в нем находилось, — за исключением двух его обитателей.

На одном из табуретов посреди комнаты сидел человек, который никак не мог быть самим мустангером. Он совсем не был похож на хозяина. Наоборот, по всей его внешности — по выражению привычной покорности — можно было безошибочно сказать, что это слуга.

Однако он вовсе не был плохо одет и не производил впечатление человека голодного или вообще обездоленного. Это был толстяк с копной рыжих волос и с красным лицом; на нем был костюм из грубой ткани — наполовину плисовый, наполовину вельветовый. Из плиса были сшиты его штаны и гетры; а из вельвета, когда-то бутылочно-зеленого цвета, но уже давно выцветшего и теперь почти коричневого, — охотничья куртка с большими карманами на груди. Фетровая шляпа с широкими опущенными полями довершала костюм этого человека, если не упомянуть о грубой коленкоровой рубашке с небрежно завязанным вокруг шеи красным платком и об ирландских башмаках.

Не только ирландские башмаки и плисовые штаны выдавали его национальность. Его губы, нос, глаза, вся его внешность и манеры говорили о том, что он ирландец.

Если бы у кого-нибудь и возникло сомнение, то оно сразу рассеялось бы, стоило толстяку открыть рот, чтобы начать говорить — что он и делал время от времени, — с таким произношением говорят только в графстве Голуэй. Можно было подумать, что ирландец разговаривает сам с собой, так как в хижине, кроме него, как будто никого не было. Однако это было не так. На подстилке из лошадиной шкуры перед тлеющим очагом, уткнувшись носом в золу, лежала большая собака. Казалось, она понимала язык своего собеседника. Во всяком случае, человек обращался к ней, как будто ждал, что она поймет каждое слово.

— Что, Тара, сокровище мое, — воскликнул человек в плисовых штанах, — хочешь назад в Баллибаллах? Небось рада бы побегать во дворе замка по чистым плитам! И подкормили бы тебя там как полагается, а то, глянь-ка, кожа да кости — все ребра пересчитаешь. Дружочек ты мой, мне и самому туда хочется! Но кто знает, когда молодой хозяин решит вернуться в родные места! Ну ничего, Тара! Он скоро поедет в поселок, старый ты мой пес, обещал и нас захватить — и то ладно. Черт побери! Вот уже три месяца, как я не был в форту. Может, там

— Что я, дурак? Те, кто охотится верхом на лошади, круглые дураки.

— Но ведь в Техасе все так делают.

— Все или не все, но это дурацкий обычай, обычай ленивых дураков. На своих двоих я подстрелю больше дичи за один день, чем верхом за целую неделю. Конечно, для вас лошадь необходима, у вас дичь другая; но ежели выслеживать медведя, оленя или дикого индюка, то на лошади их всех распугаешь. Свою старую кобылу я держу только для того, чтобы перевозить на ней добычу.

— Вы говорите, она тут? Фелим поставит ее под навес. Ведь вы переночуете у нас?

— По правде сказать, я с этим намерением и приехал. О моей лошади не беспокойтесь: она хорошо привязана. Позже я ее пущу на пастбище.

— Не хотите ли закусить? Фелим как раз готовит ужин. К сожалению, ничего, кроме оленины, не могу вам предложить.

— Что может быть лучше хорошей оленины! Разве что медвежатина... Только эту дичь надо хорошенько поджаривать на горячих угольях. Давайте я помогу стряпать... Мистер Фелим, сходите-ка к моей кляче и принесите индейку — она привязана к луке седла; я подстрелил ее по дороге.

— Чудесно! — воскликнул мустангер. — Наши запасы совсем истощились. Последние три дня я охотился за одним редкостным мустангом и не брал с собой ружья. Фелим и я, да и Тара тоже, совсем изголодались за это время.

— А что это за мустанг? — с интересом спросил охотник, не обращая никакого внимания на последнее замечание.

— Темно-шоколадная кобыла с белыми пятнами. Прекрасная лошадь!

— Черт побери, парень! Да ведь это как раз то дело, которое и привело меня сюда!

— Правда?

— Я видел этого мустанга. Кобыла, вы говорите? Этого я не знал, она ни разу не подпустила меня к себе ближе чем на полмили. Я видел ее несколько раз в прерии и решил, что вам стоит ее изловить. И вот почему. После того как мы с вами в последний раз виделись, я был на Леоне. Туда приехал один человек, которого я знавал еще на Миссисипи. Это богатый плантатор; он жил на широкую ногу. Немало оленей и индюков поставлял я ему. Его зовут Пойндекстер.

— Пойндекстер?

— Да. Это имя знают все на берегах Миссисипи — от Орлеана до Сент-Луиса. Тогда он был богат; да и теперь, видно, не беден, так как привел с собой добрую сотню негров. Кроме того, с ним приехал племянник, по имени Колхаун, у которого водятся деньжата, и делать парню с ними нечего, разве что отдать своему дядюшке взаймы; и отдаст — правда, не без задней мысли: парень себе на уме. Теперь я скажу, что привело меня к вам. У этого плантатора есть дочка, большая охотница до лошадей. В Луизиане она ездила на самых бешеных, каких только можно было найти. Она услышала, как я рассказывал старику о крапчатом мустанге, и не давала отцу покоя, пока он не обещал ей, что не пожалеет денег за эту лошадь. Он сказал, что даст двести долларов. Конечно, все здешние мустангеры, как только об этом узнают, сейчас же погонятся за лошадкой; и вот, не сказав никому ни слова, я поскакал сюда на своей старой кобыле. Поймайте крапчатую — и двести долларов будут у вас в кармане! Зеб Стумп ручается за это.

— Не пройдете ли вы со мной, мистер Стумп? — сказал молодой ирландец, вставая с табурета и направляясь к двери.

Охотник пошел за ним, несколько удивленный неожиданным приглашением.

Морис повел своего гостя к навесу и спросил:

— Похожа эта лошадь на того мустанга, о котором вы говорили, мистер Стумп?

— Провались я на месте, если это не он! Уже пойман! Тебе повезло, парень, — двести долларов как с неба свалились. Черт побери, ведь она стоит каждого цента этих денег! Ну и красивая же скотина! Вот будет радость для мисс Пойндекстер!

Глава VII
БЕСПОКОЙНАЯ НОЧЬ

Узнав, что крапчатый мустанг уже пойман, старый охотник пришел в прекрасное расположение духа.

Его настроение стало еще лучше благодаря содержимому бутыли, в которой, вопреки опасениям Фелима, нашлось каждому «по глотку» для аппетита перед индейкой, потом по второму, чтобы запить ее, и еще по нескольку за трубкой.

Оживленная беседа за ужином — по обычаю жителей прерии — касалась главным образом индейцев и случаев на охоте.

Поскольку Зеб Стумп был своего рода ходячей охотничьей энциклопедией, не мудрено, что он говорил больше всех и рассказывал такие истории, что Фелим ахал от изумления.

Однако беседа прекратилась еще задолго до полуночи. Возможно, что опорожненная бутыль заставила собеседников подумать об отдыхе; но была и другая, более правдоподобная причина. Наутро мустангер собирался отправиться на Леону, и всем им предстояло рано встать, чтобы приготовиться к путешествию. Дикие лошади еще не были приручены, и их нужно было связать друг с другом, чтобы они в пути не разбежались; и еще много всяких хлопот предстояло до отъезда.

Охотник привязал свою кобылу на длинную веревку, чтобы она могла пастись, и вернулся в хижину со старым пожелтевшим одеялом, которое обычно служило ему постелью.

— Ложитесь на мою кровать, — любезно предложил ему хозяин, — а я постелю себе на полу лошадиную шкуру.

— Нет, — ответил гость. — Ни одна из ваших полочек не годится Зебу Стумпу для спанья. Я предпочитаю землю — на ней и спится лучше и никуда не свалишься.

— Если вам так нравится, ложитесь на полу; вот здесь будет хорошо, я дам вам шкуру.

— Не тратьте зря времени, молодой человек. Я не привык спать на полу. Моя постель — зеленая трава прерии.

— Не собираетесь же вы спать под открытым небом?! — воскликнул изумленный мустангер, увидя, что гость с перекинутым через плечо одеялом направляется к выходу.

— Вот именно собираюсь.

— Но послушайте, ведь ночь очень холодная, вы продрогнете, как во время норда.

— Пустяки. Лучше продрогнуть, чем спать в духоте под крышей.

— Вы шутите, мистер Стумп?

— Молодой человек! — торжественно сказал охотник. — Зеб Стумп за последние шесть лет ни разу не проводил ночь под крышей. Когда-то у меня было что-то вроде дома — дупло старой смоковницы. Это было на Миссисипи, когда еще моя старуха была жива; я завел это жилище ради нее; когда она умерла, я перебрался сначала в Луизиану, а потом сюда. С тех пор моя единственная крыша и днем и ночью — синее небо Техаса.

— Если вы предпочитаете спать снаружи...

— Да, предпочитаю, — коротко ответил охотник, переступая порог и направляясь к лужайке, расстилавшейся между хижиной и речкой.

С ним было не только его старое одеяло — на руке у него висело кабриэсто — веревка ярдов в семь длиной, сплетенная из конского волоса. Обычно ее употребляли для того, чтобы привязывать лошадь на пастбище, но сейчас она предназначалась для другой цели.

Внимательно осмотрев освещенную луной траву, он тщательно уложил на земле веревку, окружив ею пространство диаметром в несколько футов. Перешагнув через веревку, он завернулся в одеяло, спокойно улегся и через минуту, казалось, уже спал.

Судя по его громкому дыханию, он, должно быть, на самом деле спал. Зеб Ступм благодаря крепкому здоровью и спокойной совести всегда засыпал сразу.

Однако отдыхать ему пришлось недолго. Пара удивленных глаз следила за каждым его движением: это были глаза Фелима О'Нила.

— Святой Патрик, — прошептал он, — для чего это старик огородился веревкой?

Любопытство ирландца некоторое время боролось с чувством вежливости, но потом первое взяло верх; едва лишь охотник захрапел, как Фелим подкрался к нему и стал его трясти, чтобы получить ответ на заинтересовавший его вопрос.

— Будь ты проклят, ирландский осел! — воскликнул Стумп с явным неудовольствием. — Я думал, что уже утро... Для чего я кладу вокруг себя веревку? Для чего же еще, как не для того, чтобы оградить себя от всяких гадов?

— От каких гадов, мистер Стумп? От змей, что ли?

— Ну конечно, от змей, черт бы тебя побрал! Отправляйся-ка спать.

Несмотря на то что его обругали, Фелим вернулся в хижину очень довольный. «Если не считать индейцев, хуже всего в Техасе ядовитые змеи, — ворчал он, разговаривая сам с собой. — Я еще ни разу не выспался как следует с тех пор, как сюда попал. Вечно только и думаешь о них или видишь их во сне. Как жаль, что Святой Патрик не посетил Техас, прежде чем отправился на тот свет!»[1]

Фелим, живя в уединенной хижине, мало с кем встречался и потому не знал о магических свойствах веревки из конского волоса.

Он не замедлил использовать приобретенные знания. Прокравшись тихонько в дом, чтобы не разбудить заснувшего хозяина, Фелим снял висевшую на стене веревку; затем снова вышел за дверь и выложил ее кольцом вокруг стен, постепенно разматывая на ходу.

Закончив эту процедуру, ирландец переступил порог хижины, шепча:

— Наконец-то Фелим О'Нил будет спать спокойно, сколько бы ни было змей в Техасе!

После этого монолога в хижине водворилась полная тишина. Земляк Святого Патрика, не боясь больше вторжения пресмыкающихся, моментально заснул, растянувшись на лошадиной шкуре.

Некоторое время казалось, что все наслаждаются полным отдыхом, включая Тару и пойманных мустангов. Тишину нарушала только старая кобыла Стумпа, которая все еще щипала сочную траву на пастбище.

---

[1] По преданию, Святой Патрик уничтожил в Ирландии всех ядовитых змей.

Скоро, однако, обнаружилось, что старый охотник не спит. Он ворочался с боку на бок, как будто какая-то беспокойная мысль лишила его сна.

Перевернувшись раз десять, Зеб сел и недовольно посмотрел вокруг.

— Черт бы побрал этого нахального ирландского дурня! — процедил он сквозь зубы. — Разогнал мне сон, проклятый! Надо бы его вытащить и швырнуть в речку, чтобы проучить. Руки так и чешутся! Я этого не сделаю только из уважения к его хозяину... Наверно, я так и не усну до утра.

При этих словах охотник еще раз завернулся в одеяло и снова лег.

Однако уснуть ему не удалось: он ерзал, ворочался с боку на бок; наконец опять сел и заговорил сам с собой.

На этот раз угроза выкупать Фелима в ручье прозвучала более определенно и решительно.

Казалось, охотник еще колебался, когда он вдруг заметил что-то, изменившее ход его мыслей. Футах в двадцати от того места, где он сидел, по траве скользило длинное тонкое тело; в его блестящей чешуе отражались серебристые лучи месяца, и пресмыкающееся нетрудно было определить.

— Змея! — шепотом произнес Зеб, когда его глаза остановились на пресмыкающемся. — Любопытно, какая это ползает здесь по ночам... Слишком велика для гремучки; правда, в этих краях встречаются гремучие змеи почти такой же величины. Но у этой слишком светла чешуя, да и тонка она телом для гремучей. Нет, это не она... А-а, теперь я узнаю гадину! Это «курочка» ищет яйца. Ах ты, бестия! И ведь ползет прямо на меня...

В его тоне не чувствовалось испуга: Зеб Стумп знал, что змея не переползет через волосяную веревку, а, коснувшись ее, поползет обратно, как от огня. Под защитой этого магического круга охотник мог спокойно следить за непрошеным гостем, если бы это была даже самая ядовитая змея.

Но она не была ядовитой. Это был всего лишь уж, и притом самый безобидный, из той разновидности змей, которые в просторечии называются «курочками», несмотря на то, что в списке североамериканских змей они числятся среди самых крупных.

На лице Зеба отразилось любопытство, и то не слишком большое. Охотник не удивился и не испугался даже тогда, когда у́ж подполз к самой веревке и, немного приподняв голову, ткнулся прямо в нее.

После этого вообще нечего было бояться; змея тотчас же повернула и поползла обратно.

Секунду или две охотник просидел неподвижно, следя за тем, как змея уползает. Казалось, он был в нерешительности — преследовать ли ее, чтобы уничтожить, или же оставить в покое. Если бы это была гремучая, копьеголовая или мокасиновая змея, он бы наступил ей на голову тяжелым каблуком своего сапога. Но безобидной змее «курочке» ему не за что было мстить. Это было ясно из слов, которые охотник пробормотал, пока змея медленно уползала:

— Бедная тварь! Пусть себе ползет восвояси. Правда, она высасывает индюшачьи яйца и этим сокращает индюшачий род, но ведь это ее единственная пища, и нечего мне на нее сердиться. Но на этого проклятого дурака я чертовски зол. Вот с ним мне хотелось бы рассчитаться, лишь бы не обидеть его хозяина!.. Есть! Здорово придумал!

При этих словах старый охотник вскочил на ноги, выражение его лица стало лукавым и веселым, и он побежал за уползающим ужом.

Нескольких шагов было достаточно, чтобы догнать змею. Зеб бросился на нее, растопырив все десять пальцев. Через секунду ее длинное блестящее тело уже извивалось в его руке.

— Ну, мистер Фелим, — воскликнул Зеб, — теперь держись! Если я не напугаю твою трусливую душу так, что ты не заснешь до самого утра, то я простофиля, который не может отличить сарыча от индюка. Погоди же!

И охотник направился к хижине; тихонько прокравшись под ее тенью, он пустил ужа внутрь круга из веревки, которым Фелим оградил свое жилище.

Вернувшись на свое травяное ложе, охотник еще раз натянул одеяло и пробормотал:

— «Курочка» не переползет через веревку — это наверняка; ясно и то, что она облазит все, ища выхода. И если змея через полчасика не заберется на этого ирландского дурня, то Зеб Стумп сам дурень... Стой! Что это? Черт побери, неужто уже?

Если бы охотник хотел сказать еще что-нибудь, то все равно ничего не было бы слышно, потому что поднялся такой неистовый шум, который мог бы разбудить все живое на Аламо и на расстоянии нескольких миль в окружности.

Сначала раздался душераздирающий крик или, вернее, вопль — такой, какой мог вырваться только из глотки Фелима О'Нила.

Затем голос Фелима потонул в хоре собачьего лая, лошадиного фырканья и ржания; это продолжалось без перерыва несколько минут.

— Что случилось? — спросил мустангер, соскочив с кровати и ощупью пробираясь к охваченному ужасом слуге. — Что на тебя нашло? Или ты увидел привидение?

— О, мастер Морис, хуже! На меня напала змея! Она меня всего искусала!.. Святой Патрик, я бедный, погибший грешник! Я, наверно, сейчас умру...

— Искусала змея? Покажи где? — спросил Морис, торопливо зажигая свечу.

Вместе с охотником, который уже успел появиться в хижине, он стал осматривать Фелима.

— Я не вижу никаких укусов, — продолжал мустангер, после того как тщательно осмотрел все тело слуги.

— Нет даже царапины, — коротко отозвался Стумп.

— Не укусила? Но она ползала по мне, холодная, как подаяние.

— А была ли тут змея? — спросил Морис с сомнением в голосе. — Может быть, тебе все это только приснилось, Фелим?

— Какое там приснилось, мастер Морис! Это была настоящая змея. Провалиться мне на этом месте!

— Может, и была змея, — вмешался охотник. — Посмотрим — авось найдем ее. Чудно все же! Кругом вашего дома лежит веревка из конского волоса. Как же это гадюка могла перебраться через нее?.. Вон, вон она!

Говоря это, охотник указал в угол комнаты, где, свернувшись кольцом, лежала змея.

— Да это всего лишь «курочка»! — продолжал Стумп. — Она не опаснее голубя. Искусать она не могла, но мы все равно с ней расправимся.

С этими словами охотник схватил ужа, высоко поднял и бросил оземь с такой силой, что почти лишил его способности двигаться.

— Вот и все, мистер Фелим, — сказал Зеб, наступая змее на голову своим тяжелым каблуком. — Ложись и спи спокойно до утра: змеи тебя больше не тронут.

Подталкивая ногой убитого ужа и весело посмеиваясь, Зеб Стумп вышел из хижины; снова растянулся он на траве во весь свой огромный рост и на этот раз наконец заснул.

Глава VIII
МНОГОНОЖКА

После расправы со змеей все успокоились. Вой собаки прекратился вместе с воплями Фелима. Мустанги снова спокойно стояли под тенью деревьев.

В хижине водворилась тишина; только время от времени было слышно, как ерзал ирландец на подстилке из мустанговой шкуры, не веря больше в защиту веревки из конского волоса.

Снаружи тишину нарушал лишь один звук, совсем не похожий на шорохи, доносившиеся из хижины. Это было нечто среднее между мычаньем аллигатора и кваканьем лягушки; однако, поскольку этот звук вылетал из ноздрей Зеба Стумпа, вряд ли он мог быть чем-нибудь иным, нежели здоровым храпом заснувшего охотника. Его звучность говорила о том, что Зеб крепко спит.

Охотник заснул почти сразу, как только снова улегся внутри веревочного кольца. Шутка, которую он сыграл с Фелимом, чтобы отомстить за прерванный сон, успокоительно подействовала на него, и он теперь наслаждался полным отдыхом.

Почти целый час длился этот дуэт; время от времени ему аккомпанировали крики ушастой совы и заунывный вой койота.

Но вот снова зазвучал хор. Запевалой, как и в прошлый раз, был Фелим.

— Спасайте, погибаю! — закричал неожиданно ирландец, разбудив не только своего хозяина в хижине, но и гостя на лужайке. — Святая Дева! Заступница чистых душ! Спаси меня!

— Спасти тебя? От кого? — спросил Морис Джеральд, снова вскочив с постели и торопливо зажигая свет. — Что случилось?

— Другая змея, ваша милость. Ох! Ей-богу, гадюка, зловреднее той, которую убил мистер Стумп. Она искусала мне всю грудь. Место, где она проползла, горит, будто кузнец из Баллибаллаха обжег меня раскаленным железом.

— Будь ты проклят, олух! — закричал Зеб Стумп, появляясь в дверях с одеялом на плече. — Второй раз ты будишь меня, дурак!.. Прошу прошения, мистер Джеральд! Известно, что дураков во всех странах хватает — и в Америке, и в Ирландии, — но такого идиота, как Фелим, я еще не встречал. Это сущее несчастье! Вряд ли нам сегодня удастся заснуть, если мы не утопим его в речке.

— Ох, милый Стумп, не говорите так! Клянусь, что здесь опять змея! Я уверен, что она еще в хижине. Только минуту назад я чувствовал, как она ползала по мне.

— Это тебе приснилось, наверно? — сказал охотник полувопросительно и более спокойно. — Говорю тебе, что ни одна техасская змея не переползет через волосяную веревку. Та наверняка была уже в хижине до того, как ты положил лассо. Вряд ли тут спрятались две сразу. Сейчас поищем...

— О Господи! — кричал ирландец, задирая рубашку. — Вот он, след змеи, как раз на ребрах! Значит, была здесь вторая! О Пресвятая Дева, что со мной будет? Жжет, как огнем!

— Змея? — воскликнул Стумп, приближаясь к перепуганному ирландцу и держа над ним свечу. — Как же, змея! Нет, черт побери, клянусь, что это не змея! Это хуже!

— Хуже змеи? — воскликнул Фелим в отчаянии. — Хуже, вы сказали, мистер Стумп? Вы думаете, это опасно?

— Как тебе сказать... Все зависит от того, найду ли я коечто поблизости и скоро ли. Если нет, то я не отвечаю...

— О мистер Стумп, не пугайте меня!

— В чем дело? — спросил Морис, увидев на груди Фелима ярко-красную полосу, словно проведенную раскаленной спицей. — Что же это, в конце концов? — повторил он с возрастающим беспокойством, заметив, как озабоченно смотрит охотник на странный след. — Я ничего подобного не видел. Это опасно?

— Очень, мистер Джеральд, — ответил Стумп, поманив мустангера за дверь хижины и говоря шепотом, чтобы не услышал Фелим.

— Но что же это такое? — взволнованно повторил Морис.

— След ядовитой многоножки.

— Ядовитая многоножка! Она его укусила?

— Нет, не думаю. Но этого и не требуется. Хватит, того, что многоножка проползла — это может быть смертельно.

— Боже милосердный! Это так опасно?

— Да, мистер Джеральд. Не раз я видел, как здоровый человек отправлялся на тот свет с такой полосой. Нужно помочь, и поскорее, а то у него начнется страшный жар, а потом помутится рассудок, все равно как после укуса бешеной собаки. Но не надо пугать беднягу, пока я не выясню, нельзя ли ему помочь. В этих краях встречается трава — вернее, одно целебное растение, и если мне удастся быстро его найти, тогда вылечить Фелима будет нетрудно. На беду, луна скрылась, и придется искать на ощупь. Я знаю, что на обрыве много этого зелья. Идите, успокойте парня, а я посмотрю, что можно сделать. Через минутку я вернусь.

Этот шепот за дверью ничуть не успокоил Фелима, а, наоборот, привел его в паническое состояние. Не успел старый охотник отправиться на поиски лечебного растения, как ирландец выбежал из хижины, вопя еще жалобнее.

Прошло немало времени, прежде чем Морису удалось успокоить своего молочного брата, убедив его, что опасности нет никакой, хотя он сам вовсе не был в этом уверен.

Скоро в дверях появился Зеб Стумп; по спокойному выражению его лица нетрудно было догадаться, что целебное растение найдено. В правой руке охотник держал несколько овальных листьев темно-зеленого цвета, густо и равномерно усаженных острыми шипами. Морис узнал в них листья кактуса орегано.

— Не бойся, мистер Фелим, — сказал старый охотник, переступая порог хижины. — Теперь бояться нечего. Я достал цветочек, который живо вытянет жар из твоей крови, быстрее, чем огонь сожжет перо... Перестань выть, говорят тебе! Ты разбудил всех птиц, зверей и гадов на двадцать миль вверх и вниз по реке. Если ты будешь продолжать, сюда сбегутся все команчи, а это, пожалуй, будет похуже, чем след стоногой твари... Мистер Джеральд, пока я буду готовить припарку, найдите, чем его перевязать.

Прежде всего охотник снял ножом шипы. Затем, удалив кожицу, он нарезал кактус тонкими ломтиками, разложил их на приготовленной мустангером чистой тряпке и ловко приложил эту «припарку», как он ее назвал, к багровой полосе на теле Фелима.

Кактус быстро оказал свое действие — его сок был хорошим противоядием. И Фелим, успокоенный уверенностью, что опасность осталась позади, а также от усталости, забылся крепким освежающим сном. После неудачной попытки найти многоножку — отвратительное пресмыкающееся, которое, в отличие от змеи, не боится переползать через волосяную веревку, — врач-самоучка вернулся на свою лужайку, где спокойно проспал до утра.

Едва рассвело, все трое были на ногах. Фелим уже оправился от перенесенной лихорадки и позабыл все страхи. Позавтракав остатками жареного индюка, они стали спешно готовиться к отъезду. Вместе со старым охотником бывший грум из Баллибаллаха готовил диких лошадей к путешествию через прерию, привязывал их друг к другу. Морис тем временем занимался своим конем и крапчатой кобылой. Особенно большое внимание он уделял прекрасной пленнице: он тщательно расчесывал ее гриву и хвост и счищал с блестящей шерсти пятна грязи — следы упорной погони, свидетельствовавшие о том, как трудно было накинуть лассо на ее гордую шею.

— Бросьте! — сказал Зеб, не без удивления наблюдая за мустангером. — Зря вы так стараетесь. Вудли Пойндекстер не из тех, кто отказывается от своего слова. Вы получите двести долларов — поверьте старому Зебу Стумпу. Черт возьми, она и стоит этих денег!

Морис ничего не ответил, но, судя по улыбке, заигравшей в уголках его рта, можно было догадаться, что кентуккиец совсем не понял причины его особенного внимания к крапчатому мустангу.

Не прошло и часа, как мустангер уже двинулся в путь на своем гнедом коне, ведя за собой на лассо крапчатую кобылу. Сзади резвой рысью бежал табун, за которым присматривал Фелим.

Зеб Стумп на своей старой кобыле с трудом поспевал за ними.

Позади, осторожно ступая по колючей траве, трусúла Тара.

Никто не остался охранять хижину: они просто закрыли дверь, обтянутую конской шкурой, чтобы внутрь не забрались четвероногие обитатели прерии. И теперь тишина, царившая кругом, нарушалась лишь криком ушастой совы, визгом пумы и заунывным лаем голодного койота.

Глава IX

ПОГРАНИЧНЫЙ ФОРТ

На высоком флагштоке форта Индж развевается флаг, усеянный звездами; он отбрасывает колеблющуюся тень на своеобразную, удивительную панораму.

Это картина настоящей пограничной жизни — правдиво передать ее могла бы, пожалуй, только кисть Верне Младшего, — жизни полувоенной, полугражданской, наполовину дикой, наполовину цивилизованной; картина, пестрящая людьми разнообразного цвета кожи и в самых разнообразных костюмах, людьми всех профессий и положений в обществе.

И самый форт имеет столь же необычный вид. Звездный флаг развевается не над бастионами с зубчатыми стенами, он отбрасывает свою тень не на казематы или потайные ходы: здесь нет ни рвов, ни валов — ничего, что напоминало бы крепость. Это просто частокол из стволов алгаробо, внутри которого находится навес — конюшня для двухсот лошадей. За его пределами — десяток построек незатейливой архитектуры, обыкновенные хижины-хакале с плетеными, обмазанными глиной стенами; самая большая из них — казарма. За ними расположены госпиталь, интендантские склады; с одной стороны гауптвахта, с другой, на более видном месте, — офицерская столовая и квартиры. Все чрезвычайно просто: оштукатуренные стены выбелены известкой, которой изобилуют берега Леоны; все чисто и опрятно, как и полагается крепости, в которой военные носят мундиры большой цивилизованной нации. Таков форт Индж.

На некотором расстоянии видна другая группа построек, не больше той, которая называется фортом. Они тоже находятся под покровительством американского флага; и, хотя непосредственно над ними он не развевается, ему они обязаны своим возникновением и существованием. Это зародыш одного из тех поселков, которые обычно появляются вблизи американских военных постов, быстро развиваются и в большинстве случаев становятся маленькими городками, а иногда и большими городами.

В настоящее время население поселка состоит из маркитанта, на складе которого хранятся припасы, не числящиеся в военном пайке; хозяина гостиницы и бара, привлекающего бездельников своими полочками, уставленными гранеными бутылками; кучки профессиональных игроков, очищающих при помощи фараона и монте[1] карманы офицеров местного гарнизона; двух десятков черноглазых сеньорит сомнительной репутации; такого же количества охотников, погонщиков, мустангеров и людей без определенных занятий, которые в любой стране, как правило, слоняются возле военных лагерей.

---

[1] Фараон и монте — азартные карточные игры.

Дома́ этого небольшого поселка расположены в некотором порядке. По-видимому, все они — собственность одного предпринимателя. Они стоят вокруг «площади», где вместо фонарей и статуй торчат над вытоптанной травой высохший ствол кипариса и несколько кустов.

Леона в этом месте — еще почти ручей; она течет позади форта и поселка. Впереди расстилается равнина, покрытая яркой изумрудной зеленью и очерченная вдали более темной полосой леса, где могучие дубы, гикори и вязы борются за существование с колючими кактусами и со множеством вьющихся и ползучих растений-паразитов, почти неизвестных ботанику. К югу и востоку на берегу речки разбросаны дома. Это усадьбы плантаторов; некоторые из них выстроены недавно и не претендуют на какой-либо стиль, другие более вычурной архитектуры — по-видимому, уже солидного возраста. Один из них особенно обращает на себя внимание. Представьте себе большое здание с плоской крышей и зубчатым парапетом; его белые стены резко выделяются на зеленом фоне леса, обступающего дом с трех сторон. Это асиенда[1] Каса-дель-Корво.

Вы поворачиваетесь к северу, и перед вашими глазами неожиданно вырастает одиноко стоящая конусообразная гора; она возвышается над равниной на несколько сот футов; позади нее в туманной дали вырисовывается ломаная линия Гваделупских гор — горного хребта, венчающего высокое, почти неисследованное плоскогорье Льяно-Эстакадо.

Посмотрите выше, и вы увидите небо — полусапфировое, полубирюзовое. Днем оно совершенно чистое и безоблачное, и только золотой шар солнца сияет на нем. Ночью оно усеяно звездами, словно выкованными из светлой стали; а четко очерченный диск луны кажется здесь совсем серебряным.

Взгляните вниз в тот час, когда уже исчезли луна и звезды, когда ветерок, насыщенный ароматом цветов, дует с залива Матагорда, налетает на звездный флаг и разворачивает его в утреннем свете, — взгляните, и вы увидите картину настолько яркую и живую, капризную по очертаниям и краскам, пестрящую всевозможными одеждами, что описать ее невозможно.

Вы заметите военных: голубую форму пехотинцев Соединенных Штатов, синие мундиры драгун и светлые, почти неуловимого зеленого цвета, мундиры конных стрелков. По форме одеты только дежурные офицеры, начальник караула и сами караульные. Их товарищи, пользуясь свободным временем, бродят около казарм или под навесом конюшни в красных фланелевых рубашках, мягких шляпах и нечищеных сапогах.

---

[1] Асиенда — поместье; так же называется и помещичий дом в Мексике, Техасе и Южной Америке.

Они болтают с людьми, одетыми совсем не по-военному. Это высокие охотники в рубахах из оленьей шкуры и таких же гетрах; пастухи, мустангеры, одетые, как мексиканцы; настоящие мексиканцы в широких штанах, с серапе на плечах, в сапогах с огромными шпорами и в небрежно заломленных набекрень глянцевых сомбреро. Они разговаривают с индейцами, которые пришли в форт для торговли или мирных переговоров; их палатки виднеются невдалеке. Фигуры индейцев, с накинутыми на плечи красными, зелеными и голубыми одеялами, кажутся необычайно живописными и почти классически красивыми; даже нелепая разрисовка, которой они изуродовали свою кожу, и слипшиеся от грязи черные длинные волосы, удлиненные еще прядями конских волос, не могут испортить их строгой красоты.

Вообразите себе эту пеструю толпу в разнообразных костюмах, говорящих о национальности, профессии и положении их хозяев; добавьте еще чернокожих сынов Эфиопии — офицерских грумов или слуг соседнего плантатора; представьте себе, как они стоят небольшими группками и беседуют или фланируют по равнине между фургонами; представьте себе две шестифунтовые пушки на колесах и рядом повозки с боеприпасами; одну или две белые палатки, занятые офицерами, предпочитающими из оригинальности спать под прикрытием парусины; винтовки караульных, составленные в пирамиды. Представьте себе все это, и перед вашими глазами развернется картина военного форта, находящегося на границе Техаса, на самой окраине цивилизации.

Неделю спустя после того, как плантатор из Луизианы приехал в свой новый дом, на плац-параде перед фортом Индж стояли три офицера и смотрели в сторону асиенды Каса-дель-Корво.

Они все были молоды — старшему не больше тридцати лет.

Погоны с двумя нашивками у первого указывали на его капитанский чин; второй, с одной поперечной нашивкой, был старшим лейтенантом; третий, судя по его гладким погонам, был, по-видимому, только младшим лейтенантом.

Они были свободны от дежурства и разговаривали о новых обитателях Каса-дель-Корво — плантаторе из Луизианы и его семье.

— Будем праздновать новоселье, — сказал капитан пехоты, имея в виду приглашение, полученное всеми офицерами гарнизона. — Сначала обед, а потом танцы. Настоящее событие! Там мы встретим, наверно, всех местных аристократов и красавиц.

— Аристократов? — смеясь, отозвался лейтенант драгунского полка. — Не думаю, что здесь много аристократов, а красавиц, наверно, и того меньше.

— Вы ошибаетесь, Генкок. На берегах Леоны можно найти и тех и других. Сюда перекочевали из Соединенных Штатов люди с большим весом в обществе. Мы встретим их на празднике у Пойндекстера, в этом я не сомневаюсь. Относительно аристократизма не беспокойтесь: у самого хозяина его столько, что хватит с избытком на всех гостей. Что же касается красавиц, бьюсь об заклад, что его дочка лучше любой девушки по эту сторону реки Сабинас! Племяннице интенданта наверняка придется уступить ей свое место первой красавицы.

— Вот как!.. — выразительно протянул лейтенант стрелкового полка; по тону его можно было понять, что эти слова задели его за живое. — Значит, мисс Пойндекстер должна быть чертовски хороша.

— Она необыкновенно хороша, если только не подурнела с той поры, как я видел ее в последний раз на балу у Лафурша. Там было несколько молодых креолов, которые добивались ее внимания, и дело чуть не дошло до дуэли.

— Кокетка, должно быть? — заметил стрелок.

— Ни капли, Кроссмен. Напротив, уверяю вас. Она девушка серьезная и не допускает излишней фамильярности — унаследовала гордость своего отца. Это фамильная черта Пойндекстеров.

— Девица как раз в моем вкусе, — шутливо заметил молодой драгун, — и если она так хороша собой, как вы говорите, капитан Слоумен, то я, наверно, влюблюсь в нее. Мое сердце, слава Богу, свободно, не то что у Кроссмена.

— Послушайте, Генкок, — ответил пехотный офицер, человек практичный, — я не люблю держать пари, но готов поставить любую сумму, что, увидев Луизу Пойндекстер, вы этого больше сказать не сможете, — конечно, если будете искренни.

— Не беспокойтесь обо мне, пожалуйста, Слоумен! Я слишком часто бывал под огнем прекрасных глаз, чтобы их бояться.

— Но не таких прекрасных.

— Черт побери! Вы заставите человека влюбиться в девушку, прежде чем он взглянул на нее. Если верить вашим словам, она редкая красавица.

— Да, вы не ошиблись. Она была такой, когда я видел ее в последний раз.

— Давно ли это было?

— Бал у Лафурша? Дайте вспомнить... Года полтора назад. Вскоре после того, как мы вернулись из Мексики. Она тогда только начала выезжать; о ней говорили: «Загорелась новая звезда, рожденная для света и для славы».

— Полтора года — это большой срок, — рассудительно заметил Кроссмен. — Большой срок для девушки — особенно креолки: ведь их часто выдают замуж в двенадцать лет вместо шестнадцати. Ее красота уже могла потерять свою свежесть.

— Ни чуточки. Я мог бы зайти к ним, чтобы проверить, но думаю, что они сейчас хлопочут по хозяйству и, наверно, им не до гостей. Впрочем, на днях у них побывал майор, и он так много говорил о необыкновенной красоте мисс Пойндекстер, что чуть не поссорился с супругой.

— Клянусь честью, — воскликнул драгун, — вы так заинтриговали меня, что я, кажется, уже почти влюблен!

— Прежде чем вы окончательно влюбитесь, я должен предупредить вас, — сказал пехотный офицер серьезным тоном, — что вокруг розы есть шипы — другими словами, в семье есть человек, который может причинить вам неприятности.

— Брат, наверно? Так обычно говорят о братьях.

— У нее есть брат, но не в нем дело. Это чудесный, благородный юноша, единственный из Пойндекстеров, которого не гложет червь гордости.

— Тогда ее аристократический папаша? Не думаю, чтобы он стал отказываться жить под одной крышей с Генкоками.

— Я в этом не уверен... Не забывайте, что Генкоки — янки, а плантатор — благородный южанин! Но я говорю не про старого Пойндекстера.

— Кто же тогда эта загадочная личность?

— Ее двоюродный брат — Кассий Колхаун. Очень неприятный субъект.

— Я, кажется, слыхал это имя.

— И я тоже, — сказал стрелок.

— О нем слыхал каждый, кто так или иначе был причастен к мексиканской войне, то есть кто участвовал в походе Скотта. Кассий Колхаун оставил по себе дурную память. Он уроженец штата Миссисипи и во время войны был капитаном в полку миссисипских волонтеров. Только его чаще встречали за карточным столом в игорном доме, чем в казармах. Было у него одно-два дельца, которые составили ему репутацию дуэлянта и задиры. Но эту славу он приобрел еще до мексиканской войны. В Новом Орлеане он слыл опасным человеком.

— Ну и что? — сказал молодой драгун несколько вызывающе. — Кому какое дело, опасный человек мистер Кассий Колхаун или безобидный! Мне это, право, безразлично. Ведь вы же говорите, что он ей всего лишь двоюродный брат.

— Не совсем так... Мне кажется, что он к ней неравнодушен.

— И пользуется взаимностью?

— Этого я не знаю. Но, по-видимому, он любимец ее отца. И мне даже объяснили — правда, под большим секретом — причину этой симпатии. Обычная история — денежная зависимость. Пойндекстер теперь уже не так богат, как раньше, иначе мы никогда не увидели бы его здесь.

— Если его дочь так обаятельна, как вы говорите, то надо думать, что Кассий Колхаун тоже скоро появится здесь.

— «Скоро»! Это все, что вам известно? Он уже здесь. Он приехал вместе со всей семьей и теперь поселился с ними. Некоторые предполагают, что они вместе купили плантацию. Сегодня утром я видел его в баре гостиницы — он пьянствовал, задирал всех и хвастал, как всегда.

— У него смуглый цвет лица, на вид ему лет тридцать, темные волосы и усы, носит синий суконный сюртук полувоенного покроя, у пояса револьвер Кольта — так?

— Вот-вот! И еще кривой нож, если заглянуть за отворот сюртука. Это он самый.

— Субъект довольно неприятного вида, — заметил стрелок, — и если он такой хвастун и задира, то наружность не обманывает.

— К черту наружность! — с раздражением воскликнул драгун. — Офицерам армии дяди Сэма вряд ли подобает пугаться наружности. Да и самого задиры тоже. Если он вздумает задирать меня, то узнает, что я умею спускать курок быстрее, чем он...

В это время рожок протрубил сбор к утреннему смотру — церемонии, которая соблюдалась в маленьком форту так же строго, как если бы там стоял армейский корпус. И три офицера разошлись, каждый к своей роте, чтобы приготовить ее к смотру, который производил майор, командир форта.

Глава X
КАСА-ДЕЛЬ-КОРВО

Поместье, или асиенда, Каса-дель-Корво протянулось по лесистой долине Леоны более чем на три мили и уходило к югу в прерию на шесть миль.

Дом плантатора, обычно, хотя и неправильно, тоже называемый асиендой, стоял на расстоянии пушечного выстрела от форта Индж, откуда была видна часть его белых стен; остальную же часть асиенды заслоняли высокие деревья, окаймляющие берега реки.

Местоположение асиенды было необычно и, несомненно, выбрано из соображений обороны, ибо в те времена, когда закладывался фундамент дома, колонисты опасались набегов индейцев; впрочем, эта опасность грозила им и теперь.

Река делает здесь крутую излучину в форме подковы или дуги в три четверти круга; на ее хорде, или, вернее, на примыкающем к ней параллелограмме, и была построена асиенда. Отсюда и название «Каса-дель-Корво» — «Дом на излучине».

Фасад дома обращен в сторону прерии, которая расстилается перед ним до самого горизонта; по сравнению с этим великолепным лугом королевский парк покажется совсем маленьким.

Архитектурный стиль Каса-дель-Корво, как и других больших помещичьих домов Мексики, можно назвать мавритано-мексиканским.

Дом — одноэтажный, с плоской крышей — асотеей, обнесенной парапетом. Внутри находится вымощенный плитами двор — «патио» — с фонтаном и лестницей, ведущей на асотею. Массивные деревянные ворота главного входа; по обе стороны от них — два или три окна, защищенных железной решеткой. Таковы характерные особенности мексиканской асиенды. Каса-дель-Корво мало чем отличалась от этого типа старинных зданий, разбросанных по всей огромной территории Испанской Америки.

Такова была усадьба, недавно приобретенная луизианским плантатором.

До сих пор не произошло никаких перемен ни во внешнем виде дома, ни внутри него, если не говорить о его обитателях. Лица полуанглосаксонского, полуфранко-американского типа мелькают в коридоре и во дворе, где раньше можно было встретить лишь чистокровных испанцев; а вместо богатого, звучного языка Андалузии здесь теперь раздается резкий, гортанный полутевтонский язык и только изредка музыкальная креоло-французская речь.

За стенами дома, в покрытых юкковыми листьями хижинах, где раньше жили пеоны[1], произошли более заметные перемены.

Там, где высокий, худой вакеро[2] в черной глянцевой шляпе с широкими полями и в клетчатом серапе на плечах, звеня шпорами, важно расхаживал по прерии, теперь ходит надменный надсмотрщик в синей куртке или плаще, щелкая своим кнутом на каждом углу; там, где краснокожие потомки ацтеков[3] едва прикрытые овчиной, грустно бродили около своих хакале, теперь черные сыны и дочери Эфиопии с утра до вечера болтают, поют и пляшут, как бы опровергая суждение, что рабство — это несчастье.

К лучшему ли эта перемена на плантациях Каса-дель-Корво?

Было время, когда англичане ответили бы на этот вопрос «нет» с полным единодушием и горячностью, не допускающей сомнения в искренности их слов.

---

[1] П е о н — поденщик, полевой рабочий, находившийся в полурабской зависимости от помещика-испанца.

[2] В а к е р о *(исп.)* — пастух.

[3] А ц т е к и — индейцы, в древности населявшие Мексику.

О человеческая слабость и лицемерие! Наша так долго лелеемая симпатия к рабам оказалась лишь притворством.

Оказавшись на поводу у олигархии[1] — не у старой аристократии нашей страны, потому что она не могла бы проявить такого коварства, а у олигархии буржуазных дельцов, которые пробрались к власти в стране, — на поводу у этих рьяных заговорщиков против народных прав, Англия изменила своему принципу, так громко ею провозглашенному, подорвала к себе доверие, оказанное ей всеми нациями[2].

Совсем о другом думала Луиза Пойндекстер, когда она задумчиво опустилась в кресло перед зеркалом и велела своей горничной Флоринде одеть и причесать себя для приема гостей.

Это было примерно за час до званого обеда, который давал Пойндекстер, чтобы отпраздновать новоселье. Не этим ли следовало объяснить некоторое беспокойство в поведении молодой креолки? Однако у Флоринды были на этот счет свои догадки, о чем свидетельствовал происходивший между ними разговор.

Хотя вряд ли это можно было назвать разговором: Луиза просто думала вслух, а ее служанка вторила ей, как эхо. В течение всей своей жизни молодая креолка привыкла смотреть на рабыню, как на вещь, от которой можно было не скрывать своих мыслей, так же как от стульев, столов, диванов и другой мебели в комнате. Разница заключалась лишь в том, что Флоринда все же была живым существом и могла отвечать на вопросы.

Минут десять после того, как Флоринда появилась в комнате, она без умолку болтала о всяких пустяках, а участие в разговоре самой Луизы ограничивалось лишь отдельными замечаниями.

— О мисс Луи, — говорила негритянка, любовно расчесывая блестящие пряди волос молодой госпожи, — ну и чудесные у вас волосы! Словно испанский мох, что свешивается с кипариса. Только они у вас другого цвета и блестят, точно сахарная патока.

Луиза Пойндекстер, как уже упоминалось, была креолка, а потому вряд ли нужно говорить, что ее волосы были темного цвета и пышные, «словно испанский мох», как наивно выразилась негритянка. Но они не были черными; это был тот густой

---

[1] Олигархия *(греч. —* власть немногих) — политическое и экономическое господство, правление небольшой кучки эксплуататоров.

[2] Англия, с одной стороны, боролась против работорговли, а с другой — покупая хлопок у рабовладельцев, поддерживала противников уничтожения рабства.

каштановый цвет, который встречается иногда в окраске черепахи или пойманного зимой соболя.

— Ах, — продолжала Флоринда, взяв тяжелую прядь волос, которая отливала каштановым цветом на ее черной ладони, — если бы у меня были ваши красивые волосы, а не эта овечья шерсть, они все были бы у моих ног, все до одного!

— О чем ты говоришь? — спросила молодая креолка, точно очнувшись от грез. — Что ты сказала? У твоих ног? Кто?

— Ну вот, разве мисс не понимает, что я говорю?

— Право, нет.

— Я заставила бы их влюбиться в меня. Вот что!

— Но кого же?

— Всех белых джентльменов! Молодых плантаторов! Офицеров форта — всех, всех подряд! С вашими волосами, мисс Луи, я бы их всех полонила!

— Ха-ха-ха! — рассмеялась Луиза, взглянув на Флоринду и представив ее со своей шевелюрой. — Ты думаешь, что ни один мужчина не устоял бы перед тобой, если бы у тебя были мои волосы?

— Нет, мисс, не только ваши волосы, но и ваше личико, ваша кожа, белая, как алебастр, ваша стройная фигура и ваши глаза... О мисс Луи, вы такая замечательная красотка! Я слыхала, как это говорили белые джентльмены. Но мне и не надо слышать, что они говорят, — я сама вижу.

— Ты научилась льстить, Флоринда.

— Нет, мисса, что вы! Ни одного словечка лести, ни одного слова! Клянусь вам! Клянусь апостолами!

Тому, кто лишь раз взглянул на Луизу, не нужны были клятвы негритянки, чтобы поверить в искренность ее слов, какими бы восторженными они ни были. Сказать, что Луиза Пойндекстер прекрасна, — значило только подтвердить общее мнение окружающего ее общества. Красота Луизы Пойндекстер поражала всех с первого взгляда, но трудно было подобрать слова, чтобы дать о ней представление. Перо не может описать прелести ее лица. Даже кисть дала бы лишь слабое представление о ее облике, и ни один художник не мог бы изобразить на безжизненном полотне волшебный свет, который излучали ее глаза — казалось, освещая все лицо. Черты его были классическими и напоминали излюбленный Фидием и Праксителем тип женской красоты. И в то же время во всем греческом пантеоне нет никого похожего на нее, потому что у Луизы Пойндекстер было не лицо богини, а гораздо более привлекательное для простых смертных — лицо женщины.

На восторженные уверения Флоринды девушка ответила веселым смехом, в котором, однако, не слышалось сомнения. Молодой креолке не нужно было напоминать о ее красоте. Луиза знала, что она прекрасна, и не раз бросала пристальный взгляд в зеркало, перед которым ее причесывала и одевала служанка. Лесть негритянки мало тронула ее, не больше, чем ласка баловня спаниеля, и дочь плантатора снова задумалась; из этого состояния ее вывела болтовня служанки.

Флоринду это не смутило, она не замолчала. Горничную, очевидно, мучила какая-то тайна, которую ей хотелось разгадать во что бы то ни стало.

— Ах, — продолжала она, как будто разговаривая сама с собой, — если бы Флоринда была хоть наполовину так хороша, как молодая мисса, она бы ни на кого не смотрела и ни по ком бы не вздыхала!

— Вздыхала? — повторила Луиза, удивленная ее словами. — Что ты хочешь этим сказать?

— Боже мой, мисс Луи, Флоринда не такая уж слепая и не такая глухая, как вы думаете! Она давно замечает, что вы все сидите на одном месте и не пророните ни словечка, только вздыхаете, да так глубоко! Этого не бывало, когда мы жили на старой плантации в Луизиане.

— Флоринда, я боюсь, что ты теряешь рассудок, или ты его уже в Луизиане потеряла! Может быть, здешний климат плохо действует на тебя?

— Честное слово, мисс Луи, вы должны об этом спросить себя. Не сердитесь на меня, что я с вами так попросту разговариваю. Флоринда — ваша рабыня и любит вас, как черная сестра. Она горюет, когда вы вздыхаете. Потому она так и говорит с вами. Вы не сердитесь на меня?

— Конечно, нет. За что мне на тебя сердиться, девочка? Я не сержусь, я же не говорила, что сержусь. Только ты ошибаешься. То, что ты видела и слышала, — всего лишь твоя фантазия. Ну, а вздыхать мне некогда. Сейчас мне хватит и других дел — ведь нужно будет принять чуть ли не сотню гостей, и почти все они незнакомые. Среди них будут молодые плантаторы и офицеры, которых ты поймала бы, если бы у тебя были мои волосы. Ха-ха! А у меня нет никакого желания очаровывать их, ни одного из них! Так что поскорее причесывай мои волосы, только не плети из них сетей.

— О мисс Луи, вы правду говорите? — спросила негритянка с нескрываемым любопытством. — И вы говорите, что ни один из этих джентльменов вам не нравится? Но ведь будут два-три очень-очень красивых! Этот молодой плантатор и те два красивых офицера. Вы ведь знаете, про кого я говорю. Все они так ухаживали за вами. Вы уверены, мисса, что ни об одном из них вы не вздыхаете?

— Опять о вздохах! — рассмеялась Луиза. — Довольно, Флоринда, мы теряем время. Не забывай, что у нас сегодня будет больше ста гостей и мне нужно хотя бы полчаса, чтобы подготовиться к такому большому приему.

— Не беспокойтесь, мисс Луи, не беспокойтесь! Мы поспеем вовремя. Вас одеть нетрудно — мисса хороша в любом наряде. Вы все равно будете первой красавицей, даже если наденете простое платье сборщицы хлопка!

— Как ты научилась льстить, Флоринда! Я подозреваю, что тебе что-то от меня надо. Может быть, ты хочешь, чтобы я помирила тебя с Плутоном?

— Нет, мисса, Плутон никогда больше не будет моим другом. Плутон оказался таким трусом, когда на нас налетела буря в черной прерии! О, мисс Луи, что бы мы только делали, если бы не подоспел тот молодой джентльмен на гнедой лошади!

— Если бы не он, милая Флоринда, наверно, никого из нас здесь не было бы.

— О мисса, а какой же он красавец! Вы помните его лицо? Его густые волосы совсем такого же цвета, как ваши, только вьются они немного вроде моих. И что тот молодой плантатор или офицер из форта по сравнению с ним! Пусть наши негры говорят, что он просто белый бродяга, — так что из этого? Он такой красавец, он заставит любую девушку вздыхать. Очень, очень пригожий малый!

До последней минуты молодая креолка сохраняла спокойствие. Теперь, оно было нарушено. Случайно или намеренно, но Флоринда коснулась самых сокровенных дум своей молодой госпожи.

Луизе не хотелось открывать свою тайну даже рабыне, и она обрадовалась, когда со двора донеслись громкие голоса, — это был благовидный повод поскорее закончить туалет, а вместе с ним и разговор, который ей не хотелось продолжать.

Глава XI
НЕОЖИДАННЫЙ ГОСТЬ

— Эй ты, черномазый, где твой хозяин?

— Масса Пойндекстер, сэр? Старый или молодой?

— На что мне молодой? Я спрашиваю о мистере Пойндекстере. Где он?

— Да-да, сэр, они оба дома, то есть их обоих нет дома — ни старого хозяина, ни молодого масса Генри. Они там, внизу, — у речки, где делают новую ограду. Да-да, они оба там.

— Внизу, у речки? Далеко ли это отсюда, как ты думаешь?

— О сэр! Негр думает, что это мили за три или четыре, если не дальше.

— За три или четыре мили? Да ты совсем дурак! Разве плантация мистера Пойндекстера тянется так далеко? А насколько мне известно, он не из тех, кто ставит ограды на чужой земле. Вот что: скажи-ка лучше, когда он вернется? Уж это ты должен знать.

— Они оба должны скоро воротиться — и молодой хозяин и старый, и масса Колхаун тоже. Будет большой праздник в этом доме — понюхайте, как пахнет из кухни! И чего только там не готовят сегодня — и жареное и вареное, и целые туши, запеканки и курятина! Пир у нас будет не хуже, чем, бывало, на Миссисипи. Честь и слава масса Пойндекстеру! Он старик что надо, да-да, незнакомец! Что же вас не позвали на праздник — или вы не друг старого хозяина?

— Черт тебя побери, негр, разве ты меня не помнишь? А я вот всматриваюсь в твою черную физиономию и узнаю тебя.

— Господи! Неужели это масса Стумп, который привозил оленину и индюков на старые плантации? Вот так-так — и правда! Право же, масса Стумп, негр помнит вас так хорошо, как будто это было позавчера. Вы, кажется, заходили на днях, но меня здесь не было. Я кучер теперь — сижу на козлах кареты, в которой ездит молодая хозяйка плантации, красавица мисса Лу. Ей-богу, масса, лучше ее не найти! Люди говорят, что Флоринда ей в подметки не годится... Ну, ничего, масса Стумп, вы лучше подождите малость — старый хозяин вот-вот будет дома.

— Ладно, если такое дело, я подожду, — ответил охотник, неторопливо слезая с седла. — Слушай, — продолжал он, передавая негру поводья, — дай-ка ей штучек шесть початков кукурузы. Я проскакал на скотине больше двадцати миль с быстротой молнии — старался для твоего хозяина.

— О, мистер Зебулон Стумп, это вы? — раздался серебристый голосок, и на веранде появилась Луиза Пойндекстер. — Я так и думала, что это вы, — продолжала она, подходя к перилам, — хотя и не ожидала увидеть вас так скоро. Вы как будто сказали, что собираетесь в далекое путешествие. Но я очень рада, что вижу вас здесь; папа и Генри тоже будут вам рады... Плутон, иди сейчас же к кухарке Хлое и узнай, чем она может накормить мистера Стумпа... Вы ведь не обедали, не правда ли? Вы весь в пыли — наверно, приехали издалека?.. Послушай, Флоринда, беги к буфету и принеси чего-нибудь выпить. У мистера Стумпа, наверно, сильная жажда — ведь сегодня такой жаркий день... Что вы предпочитаете: портвейн, шерри, кларет? Ах да, теперь я вспоминаю — вы предпочитаете мононгахильское виски. У нас, кажется, найдется... Посмотри, Флоринда, что там есть... Поднимитесь на веранду, мистер Стумп, и присядьте, пожалуйста. Вы хотели видеть отца? Он должен вернуться с минуты на минуту. А я постараюсь пока занять вас.

Если бы молодая креолка кончила говорить и раньше, она все равно не получила бы ответа сразу. Даже и теперь Стумп заговорил только через несколько секунд. Он стоял, не сводя с нее глаз, и как будто онемел от восхищения.

— Боже милостивый, мисс Луиза! — наконец выговорил он. — Когда я видел вас на Миссисипи, я думал, что вы самое прекрасное создание на земле. А теперь я уверен, что вы самое прелестное создание не только на земле, но и в небесах! Иосафат!

Старый охотник не преувеличивал. Только что причесанные волосы молодой креолки блестели, ее щеки после холодной воды горели ярким румянцем. Стройная, в легком платье из белой индийской кисеи, Луиза Пойндекстер действительно казалась первой красавицей на земле, а может быть, и на небе.

— Иосафат! — снова воскликнул охотник. — Мне случалось на своем веку видеть женщин, которые казались мне красивыми, и моя жена была недурна собой, когда я впервые встретил ее в Кентукки, — все это так. Но я скажу вот что, мисс Луиза: если взять всю их красоту и соединить в одно, то все равно не получилось бы и тысячной части такого ангела, как вы.

— Ай-яй-яй, мистер Стумп, мистер Стумп, от вас я этого не ожидала! Как видно, Техас научил вас говорить комплименты. Если вы будете продолжать в том же духе, боюсь, вы лишитесь своей репутации правдивого человека. Теперь я уже совсем убеждена, что вам необходимо как следует выпить... Скорей, Флоринда!.. Вы, кажется, сказали, что предпочитаете виски?

— Если я и не сказал, то, во всяком случае, подумал, а это почти одно и то же. Да, мисс, я отдаю предпочтение нашему отечественному напитку перед всеми иностранными и никогда не пройду мимо него, если только увижу. В этом отношении Техас меня не переделал.

— Масса Стумп, подать вам воды, чтобы разбавить? — спросила Флоринда, появляясь со стаканом, наполовину наполненным виски.

— Что ты, голубушка! Зачем мне вода! Она мне надоела за сегодняшний день. С самого утра у меня во рту не было ни капли вина, даже запаха не слышал.

— Дорогой мистер Стумп, но ведь виски невозможно так пить — оно обожжет вам горло. Возьмите немного меду или сахару.

— Зачем же переводить добро, мисс! Виски — прекрасный напиток и без этих снадобий, особенно после того, как вы на него взглянули. Сейчас увидите, могу ли я пить его неразбавленным. Давайте попробуем!

Старый охотник поднес стакан к губам и, сделав три-четыре глотка, вернул его пустым Флоринде. Громкое чмокание почти заглушило невольные возгласы удивления, вырвавшиеся у молодой креолки и ее служанки.

— Обожжет мне горло, вы сказали? Нисколько. Оно только промыло мне глотку, и теперь я могу разговаривать с вашим папашей относительно крапчатого мустанга.

— Ах да! А я совсем забыла... Нет, я не то хотела сказать... Я просто думала, что вы не успели еще ничего узнать. Разве есть какие-нибудь новости об этом красавце?

— Красавце — это правильно сказано.

— Вы слыхали что-нибудь новое об этом мустанге, после того как были у нас?

— Не только слыхал, но видел его и даже руками трогал.

— Неужели?

— Мустанг пойман.

— В самом деле? Какая чудесная новость! Как я рада, что увижу этого красавца, и как хорошо будет проехаться на нем! С тех пор как я в Техасе, у меня не было ни одной хорошей лошади. Отец обещал мне купить этого мустанга за любую цену. Но кто этот счастливец, которому удалось настичь его?

— Вы хотите сказать, кто поймал лошадку?

— Да-да! Кто же?

— Ну конечно, мустангер.

— Мустангер?

— Да, и такой, который и верхом ездит, и лассо бросает лучше всех в здешней прерии. А еще хвалят мексиканцев! Никогда я не видел ни одного мексиканца, который так искусно управлялся бы с лошадьми, как этот малый, а в нем нет ни капли мексиканской крови, — ручаюсь головой!

— А как его зовут?

— Как его зовут? Должен признаться, что фамилии его я никогда не слыхал, а имя его — Морис. Его тут все зовут Морис-мустангер.

Старый охотник не был настолько наблюдателен, чтобы уловить, с каким напряженным интересом был задан этот вопрос. Он также не заметил, что на щеках девушки вспыхнул яркий румянец, когда она услыхала его ответ.

Однако ни то, ни другое не ускользнуло от внимания Флоринды.

— О мисс Луи, — воскликнула она, — ведь так зовут того храброго молодого джентльмена, который спас нас в черной прерии!

— И то правда! — воскликнул охотник, избавив молодую креолку от необходимости отвечать. — Только сегодня утром он рассказал мне эту историю, как раз перед нашим отъездом. Это он самый. Он-то и поймал крапчатого мустанга. Сейчас парень на пути к вам — гонит лошадку и еще около дюжины мустангов — и должен быть здесь до наступления сумерек. А я поспешил на своей старой кобыле вперед, чтобы рассказать об этом вашему отцу. Я знаю, что, как только об этой лошадке узнают в форту и на плантациях, ее быстро перехватят. Я это сделал для вас, мисс Луиза, — помню, как вы заинтересовались моим рассказом о ней. Ну ничего, теперь не беспокойтесь, все будет в порядке — старый Зеб Стумп ручается за это.

— О, как вы добры, мистер Стумп! Я вам очень, очень благодарна! Но теперь я должна вас на минутку оставить. Извините меня. Отец скоро вернется. У нас сегодня званый обед. Мне надо распорядиться по хозяйству... Флоринда, скажи, чтобы мистеру Стумпу подали завтрак. Иди и распорядись поскорее... Да, вот еще что, мистер Стумп, — продолжала девушка, подходя к охотнику и понизив голос: — если молодой... молодой джентльмен приедет, когда здесь будут гости — он, вероятно, незнаком с ними, — последите, пожалуйста, что бы о нем позаботились. Здесь, на веранде, у нас вино, тут же будет и закуска. Вы понимаете, о чем я говорю, дорогой мистер Стумп?

— Черт меня побери, если я что-нибудь понимаю, мисс Луиза! Я понимаю вас, когда речь идет о выпивке и прочем, но про какого молодого джентльмена вы говорите, этого я никак не возьму в толк.

— Ну как же вы не понимаете! Молодой джентльмен — молодой человек, который должен привести мустангов.

— А-а! Морис-мустангер! Вы, стало быть, про него говорите? Должен сказать, что вы не ошиблись, называя его джентльменом, хотя редко о каком мустангере можно так сказать, но этот парень — джентльмен во всем: по рождению, воспитанию и поведению, несмотря на то что он охотник за лошадьми, да к тому же ирландец.

Глаза Луизы Пойндекстер заблестели от радости, когда она услышала мнение старого охотника о Морисе-мустангере.

— Но знаете, — продолжал Зеб, у которого, казалось, возникло какое-то сомнение, — я вам скажу по-дружески: этого парня обидит гостеприимство из вторых рук. Ведь он, как у нас, бывало, говорили в Миссисипи, «горд, как Пойндекстер». Простите, мисс Луиза, что у меня так вырвалось. Я забыл, что разговариваю с мисс Пойндекстер — не с самым гордым, но с самым красивым членом этой семьи.

— О мистер Стумп, мне вы можете говорить все, что хотите. Вы знаете, что на вас, на нашего милого великана, я не обижусь.

— У кого повернется язык сказать что-нибудь обидное для вас, мисс Луиза?

— Благодарю, благодарю! Я знаю ваше благородное сердце, вашу преданность. Может быть, когда-нибудь, мистер

Стумп... — она говорила нерешительно, — мне понадобится ваша дружба.

— Она не заставит себя ждать — это Зеб Стумп может вам обещать, мисс Пойндекстер.

— Спасибо! Тысячу раз спасибо!.. Но что вы хотели сказать? Вы говорили о гостеприимстве из вторых рук?

— Да, говорил.

— Что вы имели в виду?

— Я хотел сказать: не будет толку, если я предложу Морису-мустангеру что-нибудь выпить или закусить в вашем доме. Разве только ваш отец сам предложит ему, а не то он уйдет, не дотронувшись ни до чего. Вы понимаете, мисс Луиза, ведь он не такой человек, которого можно отослать на кухню.

Молодая креолка не сразу ответила — она как будто о чем-то задумалась.

— Ну хорошо, не беспокойтесь, — сказала она наконец, и по тону ее можно было догадаться, что колебания ее кончились. — Хорошо, мистер Стумп, не угощайте его. Только дайте мне знать, когда он приедет. Но, если это будет во время обеда, он, конечно, поймет, что никто не сможет выйти к нему, — тогда, пожалуйста, задержите его немного. Вы обещаете мне это?

— Ну конечно, раз вы меня просите.

— Спасибо. Только обязательно дайте мне знать, когда он придет. Я сама предложу ему закусить.

— Боюсь, мисс, как бы вы не отбили у него аппетит. Даже голодный волк потеряет охоту к еде, когда увидит вас или услышит ваш звонкий голосок. Когда я сюда пришел, я был так голоден, что готов был целиком проглотить сырого индюка. А теперь мне еда ни к чему, хоть целый месяц могу теперь не есть.

В ответ Луиза разразилась звонким смехом и показала охотнику на противоположный конец двора, где из дверей кухни появилась Флоринда с подносом в руках, а за ней следовал Плутон — тоже с подносом, но только пошире и более основательно нагруженным.

— Ах вы, милый великан! — с притворным упреком сказала креолка. — Не верится мне, что вы так легко теряете аппетит... А вот и Плутон с Флориндой! То, что они несут, составит вам более веселую компанию, чем я. И поэтому я вас оставляю. До свидания, Зеб! До свидания!

Эти слова были произнесены веселым тоном; Луиза беззаботно прошла через веранду, но, очутившись одна в своей комнате, снова погрузилась в глубокое раздумье.

«Это моя судьба. Я чувствую, я знаю это. Мне страшно идти ей навстречу, но я не в силах избежать ее. Я не могу и *не хочу!*» — прошептала она.

Глава XII
УКРОЩЕНИЕ ДИКОЙ ЛОШАДИ

Асотея — самая приятная часть мексиканского дома: ее пол — плоская крыша асиенды, а потолок — синий купол неба. В хорошую погоду — а в этом благодатном климате погода всегда хорошая — асотею предпочитают гостиной.

Там в послеобеденные часы, когда заходящее солнце заливает розовым светом снежные вершины гор Орисаба, Попокатепетль, Талука и горы Близнецов, мексиканский кабальеро щеголяет перед прекрасной сеньоритой своим украшенным вышивкой нарядом, дымя ей прямо в лицо сигарой. Черноглазая красавица снисходительно слушает тихие любовные признания, а может быть, не слушает, а только притворяется и грустно глядит на далекую асиенду, где живет тот, кому отдано ее сердце.

Проводить часы сумерек на крыше дома — это приятный обычай, которому следуют все, кто поселился в мексиканской асиенде. Вполне естественно, что и семья луизианского плантатора следовала ему.

И в этот вечер, после того как столовая опустела, гости собрались не в гостиной, а на крыше. Заходящее солнце осветило косыми лучами такое оживленное и блестящее общество, какое едва ли когда-нибудь собиралось на асотее Каса-дель-Корво. Гости прогуливались по ее мозаичному полу, стояли группами или же, остановившись у парапета, смотрели вдаль. Даже в старые времена, когда прежний владелец принимал у себя местных идальго[1] самой голубой крови во всей Коауиле и Техасе, — даже тогда не собирался здесь такой цвет мужества и красоты, как в этот вечер.

Общество, которое собралось в Каса-дель-Корво, чтобы поздравить Вудли Пойндекстера с переездом в его техасское поместье, принадлежало к избранному кругу не только Леоны, но и других, более отдаленных мест. Здесь были гости из Гонсалеса, из Кастровилла и даже из Сан-Антонио — старые друзья плантатора, которые, так же как и он, переселились в юго-западный Техас; многие из них проскакали более ста миль верхом, чтобы присутствовать на этом торжестве.

Плантатор не пожалел ни денег, ни трудов, чтобы придать празднеству пышность. Блестящие мундиры и эполеты приглашенных офицеров, военный оркестр, прекрасные старые вина погребов Каса-дель-Корво — все это придавало пиршеству блеск, еще не виданный на берегах Леоны.

Но главным украшением общества была прелестная дочь плантатора. Слава о ее красоте достигла Техаса раньше, чем

---

[1] Идальго — испанский дворянин.

она сама успела приехать из Луизианы, где считалась первой красавицей. Молодая хозяйка дома появлялась то здесь, то там среди гостей, прекрасная, как богиня, с улыбкой королевы на устах.

Сотни глаз были устремлены на нее: одни следили за ней с восхищением, другие — с завистью.

Но была ли она счастлива?

Этот вопрос может показаться странным, почти нелепым. Окруженная друзьями, поклонниками, — один из которых был давно уже страстно влюблен, другие только начинали влюбляться, — поклонниками, среди которых были молодые плантаторы, адвокаты, начинающие свою карьеру и уже известные государственные деятели, сыны Марса, носящие оружие или недавно его снявшие, — могла ли она не быть счастливой? Только посторонний мог задать этот вопрос — человек, не знакомый с характером креолок и особенно с характером Луизы Пойндекстер.

В блестящей толпе гостей был человек, знакомый и с тем и с другим, который жадно ловил каждый ее жест и старался разгадать его значение. Это был Кассий Колхаун.

Он следовал за ней повсюду и не на близком расстоянии, как тень, но украдкой, незаметно переходя с места на место; наверху ли, внизу ли, стоя прислонившись в углу с видом притворной рассеянности, он ни на минуту не отводил глаз от прекрасной креолки, словно сыщик.

Как ни странно, он не обращал внимания на то, что она говорила в ответ на комплименты, которыми ее засыпали кавалеры, добиваясь ее улыбки, — даже серьезное ухаживание молодого драгуна Генкока как будто не беспокоило Колхауна. Все это он слушал без видимого волнения, как обычно слушают разговоры, не представляющие никакого интереса ни для себя, ни для друзей.

И только когда все поднялись на асотею, Кассий Колхаун выдал себя: окружающие не могли не заметить того упорного, испытующего взгляда, каким он следил за Луизой, когда та подходила к парапету и всматривалась в даль. Гости, стоявшие вблизи, поймали не один такой взгляд, потому что не раз повторялось движение, которое вызывало его.

Каждые несколько минут молодая хозяйка Каса-дель-Корво приближалась к парапету и смотрела вдаль, через равнину, словно чего-то искала на горизонте.

Почему она делала это, никто не знал, и никого это не беспокоило. Никого, кроме Кассия Колхауна. У него же были подозрения, которые терзали его.

А когда по прерии в золотых лучах заходящего солнца замелькали какие-то силуэты и наблюдавшие с асотеи скоро различили табун лошадей, сопровождаемый несколькими всадниками, отставной капитан уже не сомневался, что знает, кто скачет во главе этой кавалькады.

Но еще задолго до того, как табун лошадей привлек внимание гостей, Луиза заметила его по облаку пыли, поднявшемуся на горизонте. Правда, оно было тогда еще настолько маленьким и неясным, что увидеть его мог только тот, кто напряженно ждал его появления. С этой минуты молодая креолка, непринужденно болтая с подругами, исподтишка следила за приближающимся облаком пыли; она уже догадывалась, чем оно было вызвано, но думала, что знает это только она одна.

— Дикие лошади! — объявил майор, комендант форта Индж, посмотрев в бинокль. — Кто-то ведет их сюда, — сказал он, вторично поднимая бинокль к глазам. — А! Теперь я вижу: это Морис-мустангер — он иногда поставляет нам лошадей. Он как будто бы едет прямо сюда, мистер Пойндекстер.

— Очень возможно, если это тот молодой человек, которого вы только что назвали, — ответил владелец Каса-дель-Корво. — Этот мустангер взялся доставить мне десятка два-три лошадей и, вероятно, уже ведет их... Да, так и есть, — сказал он, посмотрев в бинокль.

— Я уверен, что это он! — воскликнул сын плантатора. — Я узнаю в этом всаднике Мориса Джеральда.

Дочь плантатора тоже могла бы это сказать, но она не показала виду, что сколько-нибудь заинтересована происходящим. Она заметила, что за ней неустанно следят злые глаза двоюродного брата.

Наконец табун приблизился. Впереди действительно скакал Морис-мустангер; он вел за собой на лассо крапчатого мустанга.

— Что за чудесная лошадка! — раздалось несколько голосов, когда дикого мустанга, встревоженного необычной обстановкой, подвели к дому.

— А ведь стоит спуститься вниз, чтобы посмотреть на эту дикарку, — заметила жена майора, дама с восторженным характером. — Давайте сойдем вниз. Как вы думаете, мисс Пойндекстер?

— Если хотите, — послышался ответ молодой хозяйки среди целого хора настойчивых голосов.

— Спустимся вниз, скорее спустимся!

Под предводительством жены майора дамы сбежали вниз по каменной лестнице. Мужчины последовали за ними. Через несколько минут мустангер, все еще верхом на лошади, очутился вместе со своей пленницей в самом центре изысканного общества.

Генри Пойндекстер опередил всех и дружески приветствовал мустангера.

Луиза обменялась с Морисом лишь легким поклоном. Оказать больше внимания торговцу лошадьми, даже если считать, что он был удостоен чести знакомства с ней, она не решилась, так как вряд ли это понравилось бы обществу.

Из всех дам одна лишь жена майора поздоровалась с мустангером приветливо, но это было сделано свысока и в тоне ее звучала снисходительность. Зато он был вознагражден быстрым и выразительным взглядом молодой креолки.

Впрочем, благосклонность сквозила во взгляде не только одной Луизы. По правде сказать, даже несмотря на запыленный костюм, мустангер был очень хорош собой. Долгий путь как будто нисколько не утомил его. Степной ветер разрумянил лицо молодого ирландца; сильная, бронзовая от загара шея подчеркивала мужественную красоту юноши. Пыль, приставшая к его густым кудрям, не смогла скрыть их блеск и красоту. Во всей его стройной фигуре чувствовались необыкновенная выносливость и сила. Не одна пара женских глаз украдкой глядела на него, стараясь поймать его взгляд. Хорошенькая племянница интенданта восхищенно улыбалась ему. Говорили, что и жена интенданта посматривала на него, но это, по-видимому, была лишь клевета, исходившая от супруги доктора, известной в форту сплетницы.

— Нет сомнения, — сказал Пойндекстер, осмотрев пойманного мустанга, — что это именно та лошадь, о которой мне говорил Зеб Стумп.

— Да, она и есть та самая, — ответил старый охотник, подходя к Морису, чтобы помочь ему. — Совершенно правильно, мистер Пойндекстер, это та самая лошадь. Парень поймал ее, прежде чем я успел приехать к нему. Хорошо, что я подоспел вовремя: лошадка, пожалуй, могла попасть в другие руки, а это огорчило бы мисс Луизу.

— Это верно, мистер Стумп. Вы очень внимательны ко мне. Право, не знаю, смогу ли я когда-нибудь отблагодарить вас за вашу доброту, — сказала Луиза.

— «Отблагодарить»! Вы хотите сказать, что желали бы сделать мне что-нибудь приятное? Это вам нетрудно, мисс. Ведь я-то ничего особенного и не сделал — прокатился по прерии, вот и все. А полюбоваться на такую красотку, как вы, да еще в шляпе с пером и в юбке с длинным хвостом, который развевается позади вас, верхом на этой кобыле — за такую плату Зеб Стумп согласился бы пробежаться до самых Скалистых гор и обратно!

— О мистер Стумп, какой вы неисправимый льстец! Посмотрите вокруг, и вы найдете многих, более меня достойных ваших комплиментов.

— Ладно, ладно! — ответил Зеб, бросив рассеянный взгляд на дам. — Я не отрицаю, что здесь много красоток — черт побери, много красоток! Но, как говорили у нас в Луизиане, Луиза Пойндекстер только одна.

Взрыв смеха, в котором можно было различить лишь немного женских голосов, был ответом на галантную речь Зеба.

— Я вам должен двести долларов за эту лошадь, — сказал плантатор, обращаясь к Морису и указывая на крапчатого мустанга. — Кажется, о такой сумме договаривался с вами мистер Стумп?

— Я не участвовал в этой сделке, — ответил мустангер, многозначительно, но любезно улыбаясь. — Я не могу взять ваших денег. Эта лошадь не продается.

— В самом деле? — сказал Пойндекстер, отступая назад с видом уязвленной гордости.

Плантаторы и офицеры не могли скрыть своего крайнего удивления, услышав ответ Мориса. Двести долларов за необъезженного мустанга, тогда как обычная цена от десяти до двадцати! Мустангер, вероятно, не в своем уме.

Но Морис не дал им возможности рассуждать на эту тему.

— Мистер Пойндекстер, — продолжал он с прежней любезностью, — вы так хорошо заплатили мне за других мустангов и даже раньше, чем они были пойманы, что разрешите мне отблагодарить вас и сделать подарок, как у нас в Ирландии говорят, «на счастье». По нашему ирландскому обычаю, когда торговая сделка на лошадей происходит на дому, подарок делают не тому, с кем заключают сделку, а его жене или дочери. Разрешите мне ввести этот ирландский обычай в Техасе?

— Разумеется! — раздалось несколько голосов.

— Я не возражаю, мистер Джеральд, — ответил плантатор, поступаясь своим консерватизмом перед общим мнением. — Как вам будет угодно.

— Благодарю, джентльмены, благодарю! — сказал мустангер, покровительственно взглянув на людей, которые считали себя выше его. — Эта лошадь и будет подарком «на счастье». И, если мисс Пойндекстер согласится принять ее, я буду чувствовать себя более чем вознагражденным за три дня непрерывной охоты за этой дикаркой. Будь она самой коварной кокеткой, и тогда вряд ли было бы труднее ее покорить.

— Я принимаю ваш подарок, сэр, и принимаю его с благодарностью, — впервые заговорила молодая креолка, непринужденно выступая вперед. — Но мне кажется... — продолжала она, указывая на мустанга и в то же время вопросительно смотря в глаза мустангеру, — мне кажется, что ваша пленница еще не укрощена? Она дрожит от страха перед неизвестным будущим. Вероятно, еще постарается сбросить узду, если она ей придется не по нраву, и что я, бедняжка, тогда буду делать?

— Правильно, Морис, — сказал майор, совсем не поняв тайного смысла этих слов и обращаясь к тому, кто один только и мог разгадать их значение. — Мисс Пойндекстер права. Мустанг еще совсем не объезжен — это ясно каждому. А ну-ка, любезный друг, поучите его немного!.. Леди и джентльмены! — обратился майор к окружающим. — Это стоит посмотреть, особенно тем, кто еще не видел подобного зрелища... Ну-ка, Морис, садитесь на нее и покажите нам, на что способны наездники прерий. Судя по ее виду, вам предстоит нелегкая задача.

— Вы правы, майор, задача действительно не из легких! — ответил мустангер, бросив быстрый взгляд, но не на четвероногую пленницу, а на молодую креолку.

Собрав все свои силы, чтобы не выдать себя, девушка, дрожа, отступила назад и скрылась в толпе гостей.

— Ничего, Морис, ничего! — твердил майор успокаивающим тоном. — Хоть глаза ее и горят огнем, бьюсь об заклад, что вы выбьете из нее дурь. Попытайтесь-ка!

Не принять предложения майора мустангер не мог — ему не позволила профессиональная гордость. Это был вызов его ловкости, мастерству наездника: завоевать себе признание в прериях Техаса не так-то легко.

Морис выразил согласие тем, что ловко соскочил с седла и, передав поводья своей лошади Зебу Стумпу, подошел к крапчатому мустангу.

Молодой охотник не стал терять время на какие-либо приготовления, он только попросил освободить место. Это было выполнено мгновенно: бóльшая часть гостей, в том числе все дамы, вернулись на асотею.

Морис Джеральд вскочил на спину мустанга только с куском лассо в руках, которое он набросил петлей на его нижнюю челюсть и затянул на голове в виде уздечки.

Впервые дикая лошадь почувствовала на себе человека, в первый раз ей было нанесено подобное оскорбление.

Пронзительный злобный визг показал, какое негодование вызвало у нее это посягательство на свободу.

Лошадь встала на дыбы и несколько секунд сохраняла равновесие в этом положении. Всадник не растерялся и обхватил ее шею обеими руками. С силой сжимая ее горло, он вплотную прильнул к ней. Не сделай он этого, лошадь могла бы броситься на спину и раздавить под собой седока.

После этого мустанг начал бить задом — прием, к которому всегда прибегают в подобных случаях дикие лошади. Это поставило всадника в особенно трудное положение: он рисковал быть сброшенным. Уверенный в своей ловкости, мустангер отказался от седла и стремян, а сейчас они бы ему очень помогли; но укротить оседланную лошадь не сочли бы в прерии за подвиг.

Он справился и так. Когда лошадь стала бить задом, мустангер быстро перевернулся на ее спине, руками обхватил ее за бока и, упершись пальцами ног в ее лопатки, не дал себя сбросить.

Два или три раза повторил мустанг эту попытку, но каждый раз вынужден был уступить ловкости наездника. И наконец, словно поняв тщетность своих усилий, взбешенная лошадь перестала брыкаться и, сорвавшись с места, помчалась таким галопом, словно собиралась унести всадника на край света.

Где-то эта скачка должна была кончиться, но лишь вне поля зрения собравшихся, которые остались на асотее, ожидая возвращения мустангера. Многие высказывали предположения, что он может быть убит или по крайней мере изувечен. Среди присутствующих один человек тайно желал этого, а для другого это было почти равносильно собственной смерти. Почему Луиза Пойндекстер, дочь гордого луизианского плантатора, известная красавица, которая могла бы выйти замуж за самого знатного и богатого человека, почему она позволила себе увлечься или даже просто мечтать о бедном техасском охотнике — это была тайна, которую не могла разгадать даже она сама, несмотря на свой незаурядный ум.

Может быть, она еще не зашла так далеко, чтобы влюбиться. Сама она этого не думала.

Она сознавала только, что в ней вспыхнул какой-то странный интерес к этому удивительному человеку, с которым она познакомилась при таких романтических обстоятельствах и который так сильно отличался от заурядных людей, составлявших так называемое избранное общество.

И она сознавала, что этот интерес, вызванный словом, взглядом, жестом, услышанным или замеченным среди выжженной прерии, вместо того чтобы погаснуть, день ото дня становился все больше.

И сердце Луизы забилось сильнее, когда Морис-мустангер снова появился на лошади, но теперь уже не дикой, а укрощенной: она не пыталась сбросить его, а притихла и покорно признала в нем своего хозяина.

Молодая креолка испытала то же чувство, хотя этого никто не заметил и она сама этого не сознавала.

— Мисс Пойндекстер, — сказал мустангер, соскакивая с лошади и не обращая внимания на встретивший его гром рукоплесканий, — могу ли я попросить вас подойти к лошади, набросить ей на шею лассо и отвести в конюшню? Если вы это сделаете, она будет считать вас своей укротительницей и всегда после этого станет покорна вашей воле, стоит вам лишь напомнить ей о том, что впервые лишило ее свободы.

Чопорная красавица возмутилась бы таким предложением, кокетка отклонила бы его, а робкая девушка испугалась бы.

Но Луиза Пойндекстер, правнучка французской эмигрантки, ни минуты не колеблясь, без тени жеманства или страха, встала и покинула своих аристократических друзей. Следуя указаниям мустангера, она взяла веревку, сплетенную из конского волоса, набросила ее на шею укрощенного мустанга и отвела его в конюшню Каса-дель-Корво.

Слова мустангера звучали у нее в ушах, эхом отдаваясь в сердце: «Она будет считать вас своей укротительницей и всегда после этого станет покорна вашей воле, стоит вам лишь напомнить ей о том, что впервые лишило ее свободы».

Глава XIII

ПИКНИК В ПРЕРИИ

Первые розовые лучи восходящего солнца озарили флаг форта Индж; более слабый отблеск упал на плац-парад перед офицерскими квартирами.

Он осветил небольшой фургон, запряженный парой мексиканских мулов. Судя по тому, с каким нетерпением мулы били копытами, вертели хвостами и поводили ушами, можно было заключить, что они давно уже стоят на месте и ждут не дождутся, когда настанет время двинуться в путь. Поведение мулов предупреждало зевак, чтобы они не подходили близко и не попадались им под копыта.

Собственно говоря, зевак и не было, если не считать человека огромного роста, в войлочной шляпе, в котором, несмотря на слабое освещение, нетрудно было узнать старого охотника Зеба Стумпа.

Он не стоял, а сидел верхом на своей старой кобыле, которая проявляла куда меньше желания тронуться в путь, чем мексиканские мулы или ее хозяин.

Но вокруг кишела лихорадочная суета. Люди быстро сновали взад и вперед — от фургона к дверям дома и затем обратно к фургону.

Их было человек десять; они отличались друг от друга одеждой и цветом кожи. В большинстве это были солдаты нестроевой службы. Двое из них, вероятно, были поварами, а еще двух-трех можно было принять за офицерских денщиков.

Среди них важно расхаживал взад и вперед франтоватый негр; его самоуверенный вид можно было объяснить только тем, что он состоял в лакеях у майора — коменданта форта. Командовал этой пестрой кучкой людей сержант, у которого соответственно его чину были три нашивки на рукаве; ему было поручено нагрузить фургон всякого рода напитками и провизией — короче говоря, всем необходимым для пикника.

Пикник устраивался на широкую ногу, о чем можно было судить по количеству и разнообразию припасов, погруженных в фургон: там стояли корзинки и корзиночки всех видов и размеров и продолговатый ящик с двенадцатью бутылками шампанского; а жестяные банки, выкрашенные в ярко-коричневый цвет, и неизбежные коробки сардин говорили о лакомствах, привезенных в Техас издалека.

Несмотря на обилие вин и всяких деликатесов, один из хлопотавших здесь остался недовольным. Этим разочарованным гурманом был Зеб Стумп.

— Послушай-ка, — обратился он к сержанту, — в этом фургоне чего-то не хватает. Мне сдается, что в прерии найдется кое-кто, кому не по вкусу всякие заграничные штучки, вроде этого шампэня, и кто предпочитает пойло попроще.

— Предпочитает пойло шампанскому? Вы про лошадей говорите, мистер Стумп?

— К черту твоих лошадей! Я не про лошадиное пойло говорю, а про мононгахильское виски.

— А, теперь все понятно! Вы правы, мистер Стумп... Про виски не следует забывать, Помпей. Кажется, там припасена бутыль для пикника.

— Так точно, сержант! — раздался голос чернокожего слуги, приближавшегося с большой бутылью. — Вот эта самая виски.

Считая, что теперь сборы закончены, старый охотник стал проявлять признаки нетерпения.

— Ну как, сержант, все готово? — сказал он, нетерпеливо переминаясь в стременах.

— Не совсем, мистер Стумп. Повар говорит, что нужно еще цыплят дожарить.

— Провались эти цыплята вместе с поваром! Что они сто́ят по сравнению с диким индюком наших прерий! А как подстрелишь птицу, если солнце пропутешествовало по небу с десяток миль? Майор заказал мне достать хорошего индюка во что бы то ни стало. Черт побери! Это не так-то просто после восхода солнца, да еще когда эта колымага тащится по пятам. Не думайте, сержант, — птицы не такие дураки, как солдаты форта. Из всех обитателей прерии дикий индюк самый умный, и, чтобы его провести, нужно встать по крайней мере вместе с солнцем, а то и раньше.

— Верно, мистер Стумп. Я знаю, майор рассчитывает на ваше искусство и надеется попробовать индюка.

— Еще бы! А может, он еще хочет, чтобы я доставил ему язык и окорок бизона, хотя эта скотина в южном Техасе уже лет двадцать как уничтожена? Правда, я слыхал, что европейские писатели, а особенно французы, пишут в своих книжках совсем другое... ну, это уж на их совести. В этих краях теперь нет бизонов... Здесь водятся медведи, олени, дикие козлы, много диких индюков, но, чтобы подстрелить дичь к обеду, надо позавтракать до рассвета. Мне необходимо иметь запас времени, иначе я не обещаю вести вашу компанию, да еще по дороге охотиться за индюками. Так вот, сержант, если хочешь, чтобы знатные гости жевали индюка за сегодняшним обедом, давай команду трогаться.

Убедительная речь старого охотника подействовала на сержанта, и он сделал все, что от него зависело, чтобы поскорее двинуться в путь вместе со всеми белыми и черными помощниками. И вскоре после этого обоз с провизией, предводительствуемый Зебом Стумпом, уже двигался через широкую равнину, расстилающуюся между Леоной и Рио-де-Нуэсес.

Не прошло и двадцати минут после отъезда фургона с провизией, как на плац-параде стало собираться общество, которое выглядело несколько иначе.

Появились дамы верхом на лошадях, но их сопровождали не грумы, как это бывает во время охоты в Англии, а друзья или знакомые, отцы, братья, женихи, мужья. Почти все, кто был на новоселье у Пойндекстера, собрались здесь.

Приехал и сам плантатор, его сын Генри, племянник Кассий Колхаун и дочь Луиза. Молодая девушка была верхом на крапчатом мустанге, который привлек к себе общее внимание на празднике в Каса-дель-Корво.

Пикник устраивался, чтобы отблагодарить Пойндекстера за его гостеприимство; майор и офицеры были хозяевами, плантатор и его друзья — приглашенными. Для увеселения гостей решили устроить охоту за дикими лошадьми — великолепное, редкостное зрелище.

Местом для такой охоты могла быть только прерия, где водились дикие мустанги, — милях в двадцати к югу от форта Индж. Поэтому и нужно было отправиться в путь пораньше и взять достаточное количество провизии.

Как только солнечные лучи заиграли на зеркальной глади Леоны, участники пикника уже готовы были отправиться в путь в сопровождении двадцати драгун, которым было отдано распоряжение держаться позади. Как и у слуг, у них был свой проводник, но не старый следопыт в выцветшей куртке, в поношенной войлочной шляпе, ехавший на кляче, а молодой всадник в живописном костюме, на великолепном коне, вполне достойный быть проводником такого изысканного общества.

— Пора, Морис! — крикнул майор, видя, что все уже в сборе. — Мы готовы следовать за вами... Леди и джентльмены! Этот молодой человек прекрасно знает повадки и привычки диких лошадей. Никто в Техасе не сможет лучше показать нам охоту на них, чем Морис-мустангер.

— Я не заслуживаю таких похвал, — ответил молодой ирландец, вежливо поклонившись обществу. — Я только обещаю показать вам, где водятся мустанги.

«Как он скромен!» — подумала Луиза, вся дрожа при одной только мысли о том, чему боялась верить.

— Поехали! — скомандовал майор, и веселая кавалькада во главе с Морисом Джеральдом тронулась в путь.

Для жителей Техаса проехать до завтрака двадцать миль по прерии — сущая безделица.

Не прошло и трех часов, как кавалькада достигла цели своего путешествия, которое прошло вполне благополучно, если не считать того, что под конец все сильно проголодались.

К счастью, фургон с провизией не заставил себя ждать, и еще задолго до полудня оживленная компания расположилась закусить в тени огромного гикори на берегу Рио-де-Нуэсес.

В пути ничего особенного не произошло. Мустангер в роли проводника скакал, как всегда, впереди; остальные участники пикника, не считая одного или двух, почти не замечали его, за исключением тех случаев, когда он поражал всех своим мастерством наездника, легко перескакивая ручьи или овраги, в то время как другие искали брода или объезжали препятствие.

Можно было бы заподозрить его в хвастовстве — в желании порисоваться. Кассий Колхаун высказал такое мнение. Возможно, что на этот раз отставной капитан сказал правду.

Но кто стал бы осуждать за это мустангера? Были ли вы когда-нибудь на охоте в Англии, где со всех сторон горделиво кивают шляпы с перьями и по траве тянутся шлейфы амазонок? Вы говорите, что были, и что же? Будьте осторожны и не упрекайте напрасно техасского мустангера. Подумайте, он ведь был под огнем двадцати пар прекрасных глаз — некоторые из них сияли, как звезды. Вспомните, что среди них были глаза Луизы Пойндекстер, и едва ли вы будете удивляться желанию мустангера блеснуть.

И некоторые другие всадники с не меньшей настойчивостью стремились показать свою удаль и мужество. Молодой драгун Генкок не раз старался доказать, что он не новичок в верховой езде, а лейтенант стрелковых войск время от времени покидал племянницу интенданта, чтобы продемонстрировать свое искусство наездника; а когда он слышал восхищенный шепот, он не всегда смотрел в сторону той, которой, по мнению всех, было отдано его сердце.

О, дочь Пойндекстера! И в салонах цивилизованной Луизианы, и в прериях дикого Техаса твое присутствие вызывает бурю. Где бы ты ни появилась, пробуждаются романтические мечты и начинают бушевать страсти.

Глава XIV

МАНАДА

Будь Морис Джеральд полным властелином прерии и если бы все обитатели ее были покорны ему, он не мог бы выбрать более удачного места для охоты за дикими лошадьми, чем то, к которому он привел путешественников.

Едва лишь запенилось в бокалах вино из немецких погребков Сан-Антонио и синева неба стала казаться глубже, а зелень еще изумруднее, как внезапный крик «Mustenos!» заглушил гул голосов, и полувысказанные признания были прерваны взрывом веселого смеха. Это крикнул мексиканский вакеро, который был послан дозорным на холм неподалеку.

Морис, приглашенный к столу в качестве гостя, быстро допил свой стакан и, вскочив на лошадь, крикнул:

— Cavallada?[1]

— Нет, — ответил мексиканец, — manada.

— Что они там болтают? — спросил Колхаун.

— Mustenos — по-мексикански значит «мустанги», — ответил майор, — а манадой они называют табун диких кобыл. В эту пору кобылы держатся вместе, отдельно от жеребцов, если только...

— Если что? — нетерпеливо спросил капитан Колхаун, прерывая объяснение.

— Если только на них не нападают ослы, — ответил майор.

Все засмеялись.

Между тем манада приближалась.

— На коней! — раздались со всех сторон голоса.

Едва ли можно было успеть сосчитать до ста, как удила были уже во рту лошадей, не успевших прожевать кукурузу, уздечки переброшены через их плечи, еще влажные от быстрой скачки в духоте тропического утра, и все были уже в седлах, готовые мчаться вперед.

В это время дикий табун появился на гребне возвышенности, на которой только что стоял дозорный. А он — мустангер по профессии — был уже в седле и в одно мгновение оказался среди табуна, пытаясь набросить лассо на одного из мустангов. Дико храпя, лошади мчались бешеным галопом, словно спасаясь от какого-то страшного преследователя. Все время испуганно косясь назад, не замечая ни фургона, ни всадников, они неслись вперед.

— За ними кто-то гонится, — сказал Морис, заметив беспокойное поведение животных. — Что там такое, Креспино? — крикнул он мексиканцу, которому с холма было видно, кто преследует табун.

---

[1] Cavallada *(исп.)* — стадо диких жеребцов.

В ожидании ответа все притихли. На лицах многих отразились тревога и даже страх. Не индейцы ли гонятся за мустангами?

— Un asino cimmaron, — послышался малоутешительный ответ мексиканца. — Un macho[1], — прибавил он.

— Да, так я и думал. Надо остановить негодяя, иначе он испортит нам всю охоту. Когда дикий осел гонится за табуном, мустангов не остановишь никакими силами. Далеко ли он?

— Совсем близко, дон Морисио. Он бежит прямо на меня.

— Попробуй набросить на него лассо. Если не удастся, стреляй. От него надо избавиться.

Почти никто из присутствующих не понял, кто преследует лошадей. Только мустангер знал, что означают слова: «Un asino cimmaron».

— Объясните, Морис, в чем дело, — сказал майор.

— Посмотрите туда, — ответил мустангер, указывая на вершину холма.

Этих двух слов было достаточно. Все взоры устремились на гребень холма, где с быстротой птицы неслось животное, считающееся образцом медлительности и глупости.

Дикий осел очень сильно отличался от своего забитого собрата — домашнего осла. Дикий осел был почти такой же величины, как мустанги, за которыми он гнался. Если он и не бежал быстрее самого быстрого из них, то, во всяком случае, не отставал. Эта живая картина возникла на фоне зеленой прерии с молниеносной быстротой. Наблюдавшие не успели обменяться и несколькими словами, как дикие кобылы оказались почти рядом с ними. Тут, точно впервые заметив группу всадников, мустанги забыли о своем ненавистном преследователе и повернули в сторону.

— Леди и джентльмены! Оставайтесь на месте! — закричал Джеральд, обращаясь к всадникам, пробовавшим сдержать своих лошадей. — Я знаю, где излюбленное пастбище этого табуна. Мустанги помчались туда. Мы отправимся за ними, и там у нас будет хорошая возможность поохотиться. Если же мы начнем охоту сейчас, они скроются вон в тех зарослях, и тогда мы вряд ли их снова увидим... Ну-ка, сеньор Креспино! Пусти пулю в этого негодяя. Ведь он на расстоянии выстрела, не так ли?

Мексиканец снял с седла свое короткоствольное ружье, быстро вскинул его, прицелился и выстрелил в дикого осла.

Осел заревел, но это был, видимо, только вызов с его стороны. Он остался невредим: Креспино промахнулся.

— Надо остановить его, — воскликнул Морис, — иначе он будет гнаться за мустангами до самой ночи!

---

[1] Дикий осел. Самец *(исп.)*.

Резким движением мустангер пришпорил лошадь. Как стрела, помчался Кастро в погоню за ослом, который, невзирая ни на что, продолжал свое преследование.

Короткая скачка наперерез ослу — и гнедой вынес хозяина на расстояние, с которого можно было бросить лассо. Еще мгновение — и петля с молниеносной быстротой просвистела над длинными ушами.

Бросая лассо, Морис сделал полуоборот, — Кастро повернулся, как будто на шарнирах, и затем так же послушно остановился и весь напрягся, ожидая рывка.

На секунду все затаили дыхание, когда осел, кинувшись вперед, натянул веревку. Потом он поднялся на дыбы и тяжело опрокинулся на спину, точно пораженный пулей в самое сердце.

Однако осел был еще жив — туго затянувшаяся вокруг его шеи петля только придушила его. Острым мачете[1] мексиканец перерезал ему горло.

Это происшествие задержало начало охоты. Все ждали, что теперь предпримет Морис-мустангер.

Он соскочил с седла и подошел к убитому ослу, чтобы взять свое лассо... Но тут в движениях ирландца почувствовалась поспешность, очевидно вызванная какой-то новой тревогой.

Он бросился к своему коню.

Только немногие из присутствующих заметили неожиданную торопливость мустангера — большинство были заняты своими испуганными лошадьми. Те же, кто заметил, были удивлены. Мустангер незадолго перед этим сам уговаривал их не торопиться. Они не видели причины для такой резкой перемены в его поведении, разве только она была вызвана тем, что Луиза Пойндекстер, внезапно отделившись от группы всадников, понеслась бешеным галопом, как будто решив перегнать всех в погоне за табуном.

Но охотник за дикими лошадьми знал, что это не так. Такой невежливый поступок едва ли был намеренным со стороны всадницы. Скорее в нем был повинен крапчатый мустанг. Морис заметил, что промчавшаяся манада была та самая, к которой мустанг еще недавно принадлежал. Несомненно, увидев товарищей, он помчался со своей всадницей на спине, чтобы присоединиться к ним.

Так думал Морис-мустангер. Скоро и остальные пришли к тому же выводу.

В рыцарском порыве вслед за девушкой бросились почти все охотники — впереди Колхаун, Генкок и Кроссмен, а за ними около десятка молодых людей — плантаторов, адвокатов,

---

[1] Мачете *(исп.)* — большой, тяжелый нож.

чиновников. Каждый мечтал о том, что ему повезет и он догонит беглянку.

Однако почти никто из них не был серьезно встревожен — все знали, что Луиза Пойндекстер прекрасная наездница; перед ней расстилалась огромная равнина, гладкая, как дорожка ипподрома; мустанг будет скакать, пока не устанет; сбросить всадницу он не может; вряд ли Луизе грозит серьезная опасность...

Только один человек не разделял этого мнения. Он первый проявил тревогу — это был сам мустангер.

Он тронулся с места последним, так как задержался, свертывая лассо. Когда он вскочил в седло и понесся вдогонку, между ним и остальными охотниками было уже около двухсот ярдов.

Впереди всех сломя голову мчался Колхаун, не щадя ни себя, ни своего коня; драгун и стрелок несколько отстали; сзади скакали остальные участники состязания.

Морис постепенно обогнал всех и, пришпорив своего коня, поскакал впереди капитана.

Когда гнедой заслонил удалявшегося крапчатого мустанга, Колхаун, шипя от злобы, послал ему вслед проклятие.

Полуденное солнце осветило совершенно необычную картину. Табун диких лошадей мчался с невероятной быстротой по обширной прерии. Лошадь из этого табуна с девушкой на спине следовала за ними на расстоянии четырехсот ярдов. На таком же расстоянии от нее на гнедом коне скакал молодой человек в живописном наряде, стараясь догнать ее; позади него — целая вереница всадников, штатских и военных. А позади всех мчался полным галопом отряд драгун, только что отделившийся от группы возбужденно жестикулировавших мужчин и женщин, которые тоже сидели на лошадях, но не двигались с места.

Через двадцать минут картина изменилась. Действующие лица на великолепном зеленом ковре прерии были те же, а их расположение стало иным, во всяком случае, расстояние между ними увеличилось: манада выиграла расстояние у крапчатого мустанга, крапчатый мустанг — у гнедого, а соперников последнего уже совсем не было видно, и лишь парящий в сапфировом небе орел мог различить их своим зорким глазом.

Дикие лошади, крапчатый мустанг со своей всадницей, гнедой конь и его всадник остались одни среди простора саванны.

Глава XV
БЕГЛЯНКА НАСТИГНУТА

На протяжении еще одной мили погоня продолжалась без особых перемен.

Дикие кобылы мчались по-прежнему быстро, но больше уже не визжали и не проявляли страха. Позади слышалось отрывистое ржание крапчатого мустанга, но бывшие подруги как будто не замечали его. Всадница сидела спокойно, не проявляя тревоги.

Гнедой был встревожен, хотя и не так, как его хозяин, который, казалось, был близок к отчаянию.

— Быстрей, Кастро! — воскликнул Морис с некоторым раздражением в голосе. — Что с тобой сегодня? Не забывай, что ты догнал ее в прошлый раз, хотя и с трудом. Но ведь теперь она с седоком. Посмотри туда, глупое животное! Эта всадница мне дороже всего на свете, за нее я отдал бы и твою и свою жизнь... Крапчатая кобыла как будто стала проворней. Может быть, оттого, что она объезжена? Или лошади вообще бегают быстрее с седоком на спине? Что, если я потеряю ее из виду? Это в самом деле начинает выглядеть неприятно! Она может попасть в очень трудное положение. Хуже того: ей грозит опасность. Серьезная опасность. Если я потеряю ее из виду, наверняка случится беда.

Рассуждая шепотом сам с собой, Морис мчался, не отрывая глаз от все удаляющейся всадницы. По временам он измерял беспокойным взглядом разделявшее их пространство.

«Не закричать ли? — вдруг мелькнуло у него в голове. — Звук голоса, может быть, и долетит до нее, но вряд ли она расслышит слова и поймет предостережение». И Морис не окликнул Луизу не только из этих соображений — он не терял еще надежды с минуты на минуту догнать ее, а кроме того, он знал, что не словами, а только действием можно остановить мустанга.

Пока он подбадривал себя мыслью, что вот-вот приблизится настолько, что сможет, накинув лассо на шею мустанга, заставить его повиноваться... Однако теперь надежда постепенно угасала.

Они неслись сейчас среди перелесков, густо покрывавших здесь прерию и местами сливавшихся в сплошные заросли. Это вызвало у мустангера новую тревогу. Крапчатая кобыла могла свернуть в какую-нибудь чащу или просто исчезнуть из виду среди зарослей.

Диких кобыл уже почти не было видно. Вряд ли их бывшая подруга сможет догнать табун.

Однако опасность от этого не уменьшится. Заблудится ли девушка в прерии или в лесной чаще или же окажется среди табуна диких лошадей — все это одинаково страшно. И вдруг он подумал о еще более грозной опасности, такой страшной, что, охваченный сильнейшей тревогой, в ужасе воскликнул:

— Силы небесные! Что, если сюда забегут жеребцы?! Ведь это их излюбленное место. Они были здесь неделю назад. А сейчас, именно в этом месяце, они бесятся!

Снова шпоры мустангера вонзились в бока гнедого. Кастро, мчавшийся во весь опор, повернул голову и с упреком посмотрел через плечо.

В эту напряженную минуту гнедой и его хозяин потеряли диких кобыл из виду, — и крапчатый мустанг, вероятно, тоже. Ничего сверхъестественного в этом не было — они скрылись в чаще.

Исчезновение табуна произвело на крапчатого мустанга магическое действие — он вдруг замедлил шаг и через минуту совсем остановился.

Морис, шпоря своего коня, галопом вылетел на поляну и увидел, что крапчатый мустанг стоит там неподвижно, а Луиза невозмутимо сидит в седле, словно поджидая мустангера.

— Мисс Пойндекстер! — с трудом выговорил он, подъезжая. — Как я рад, что лошадь снова покорна вам! Я был очень обеспокоен...

— Чем, сэр? — спросила девушка.

— Той опасностью, которая грозила вам, — ответил он, несколько озадаченный.

— О, благодарю вас, мистер Джеральд! Но разве мне грозила опасность?

— «Грозила опасность»! — повторил ирландец с возрастающим изумлением. — Верхом на дикой лошади, которая понесла, среди пустынной прерии!..

— Пустяки! Вы думаете, она могла меня сбросить? Но ведь я хорошая наездница.

— Я знаю это, мисс Пойндекстер, но представьте себе, что вы заблудились бы в зарослях, где и коренной техасец с трудом находит дорогу, — вряд ли вам помогло бы тогда ваше искусство наездницы.

— О, так вы думали, что я заблудилась? Вот чего мне надо было опасаться!

— Не только этого. Предположим, вы могли столкнуться с...

— ...с индейцами? — быстро проговорила Луиза, не дав мустангеру закончить фразу. — А если бы это и случилось? Ведь у нас теперь мир с команчами. Я думаю, что они не причинили бы мне никакого вреда. Так сказал майор, когда мы ехали сюда. Даю вам слово, что я была бы даже рада такой встрече и, во всяком случае, не стала бы избегать ее. Как бы мне хотелось видеть этих благородных дикарей, мчащихся верхом на лошадях по родной прерии! Но не таких, каких я видела на днях в поселке, одурманенных «огненной водой» бледнолицых.

— Я восхищен вашей отвагой, мисс Пойндекстер, но, если бы я имел честь быть одним из ваших друзей, я посоветовал бы вам быть немного осторожнее. «Благородный дикарь» не всегда бывает трезвым и в прерии и не всегда столь благороден, как вы думаете. И если бы вы повстречались с ним...

— ...и он позволил бы себе что-нибудь, я ускакала бы от него и вернулась бы к своим друзьям. На такой быстроногой лошади, как моя милая Лу́на, вряд ли кому удастся догнать меня. Ведь и вам, мистер Джеральд, нелегко это далось? Не правда ли?

Мустангер смотрел на креолку широко открытыми глазами, полными изумления и недоумения.

— Неужели вы хотите сказать, — наконец вымолвил он, — что могли остановить мустанга? Разве он не понес вас? Значит ли это, что...

— Нет, нет, нет! — быстро ответила всадница, немного смутившись. — Мустанг действительно понес меня, но только вначале, а потом я... я увидела — уже под конец, — что могу остановить его, натянув поводья. Я так и поступила — вы ведь видели, не правда ли?

— И вы могли остановить его раньше?

Этот вопрос был вызван неожиданной догадкой, и мустангер с волнением ждал ответа.

— Быть может... Стоило мне покрепче натянуть поводья... Но должна признаться, мистер Джеральд, что я очень люблю мчаться быстрым галопом, в особенности по прерии, где нет опасности раздавить чью-нибудь курицу или поросенка.

Морис был изумлен. Его родина славилась смелыми женщинами, умеющими справиться с самой горячей лошадью, но никогда еще не встречал он такой отважной и искусной наездницы.

Удивление, смешанное с восхищением, помешало ему ответить сразу.

— По правде сказать, — продолжала девушка с чарующей простотой, — я не жалела о том, что лошадь понесла. Пустая болтовня и бесконечные комплименты утомят кого угодно. Мне захотелось подышать свежим воздухом и побыть одной. Так что, в конце концов, мистер Джеральд, все вышло очень удачно.

— Вам хотелось побыть одной? — спросил мустангер с разочарованным видом. — Простите, что я нарушил ваше уединение. Уверяю вас, мисс Пойндекстер, я следовал за вами только потому, что, по моему мнению, вам грозила опасность.

— Это очень любезно с вашей стороны, сэр. И, так как теперь я знаю, что опасность действительно была, я искренне благодарна вам. Вы ведь имели в виду индейцев?

— Нет, я, собственно, думал не об индейцах.

— Какая-нибудь другая опасность? Скажите, пожалуйста, какая, и впредь я буду более осторожна.

Морис ответил не сразу. Неожиданный звук заставил его обернуться, он словно не расслышал вопроса собеседницы.

Креолка поняла, что внимание мустангера чем-то отвлечено, и тоже стала прислушиваться. До ее слуха донесся прonзительный визг, за ним еще и еще, потом послышались удары копыт... Звуки нарастали, сотрясая тихий воздух.

Для охотника за лошадьми это не было загадкой, и слова, которые сорвались с его уст, были прямым, хотя и непреднамеренным, ответом на вопрос креолки.

— Дикие жеребцы! — воскликнул он взволнованным голосом. — Я знал, что они должны быть в этих зарослях... Так оно и есть!

— Это та опасность, о которой вы говорили?

— Да.

— Но ведь это только мустанги! Что же в них страшного?

— Обычно их нечего бояться. Но именно теперь, в это время года, они становятся свирепыми, как тигры, и такими же коварными. Разъяренный дикий жеребец опаснее волка, пантеры или медведя.

— Что же нам делать? — спросила в испуге Луиза и подъехала поближе к человеку, который однажды уже выручил ее из беды; с тревогой глядя ему в глаза, она ждала ответа.

— Если они нападут, — ответил Морис, — у нас будет только два выхода. Первый — это взобраться на дерево, бросив наших лошадей на растерзание.

— А второй? — спросила креолка со спокойствием, которое говорило о мужестве, способном выдержать самое тяжелое испытание. — Все, что угодно, только бы не оставлять наших лошадей! Это недостойный выход из положения.

— Мы и не можем этого сделать. Поблизости не видно ни одного подходящего дерева, и, если они на нас нападут, нам остается только положиться на быстроту наших лошадей. К сожалению, — продолжал он, внимательно оглядев крапчатую кобылу, а затем своего коня, — им слишком много досталось за сегодняшний день, и оба сильно устали. В этом-то и беда. Дикие жеребцы вряд ли утомлены...

— Не пора ли нам трогаться?

— Пока нет. Чем больше наши лошади отдохнут, тем лучше. Жеребцы, может быть, еще и не свернут в нашу сторону. А если и свернут, это еще не значит, что они на нас бросятся. Все зависит от того, в каком они настроении. Если они грызутся между собой, то могут напасть на нас. Они становятся тогда бешеными и бросаются на своих собратьев, даже если у тех седоки на спине... Да, так оно и есть! Они дерутся между собой. Слышите, как они ржут? Они направляются сюда!

— Мистер Джеральд, так почему бы нам сейчас же не поскакать в противоположную сторону?

— Сейчас нет смысла. Впереди — открытая равнина, и скрыться негде. Они будут там, прежде чем мы успеем отъехать на достаточное расстояние, и скоро догонят нас. Место, куда мы должны направиться — единственное безопасное место, о котором я могу вспомнить, — лежит в другом направлении. Судя по звукам, они сейчас как раз отрезали нам дорогу туда. Если мы выедем слишком рано, то столкнемся с ними. Нам надо выждать, а потом попытаться проскользнуть позади них. Если нам это удастся и если они не догонят нас на протяжении двух миль, то мы достигнем места, где будем в не меньшей безопасности, чем за изгородью кораля в Каса-дель-Корво. Уверены ли вы, что справитесь с вашим мустангом?

— Вполне, — быстро ответила креолка; перед лицом опасности притворство было забыто.

Глава XVI

ПРЕСЛЕДУЕМЫЕ ДИКИМИ МУСТАНГАМИ

Всадники настороженно сидели в своих седлах. Луиза волновалась меньше, чем мустангер, потому что она доверилась ему. Она не вполне понимала, какая опасность им грозит, но догадывалась, что опасность эта очень серьезна, раз такой человек, как Морис Джеральд, проявляет тревогу. Сознание, что эта тревога отчасти вызвана страхом за нее, вопреки всему, наполняло ее сердце радостью.

— Теперь, пожалуй, мы можем рискнуть, — еще раз прислушавшись, сказал Морис. — Они как будто уже миновали ту поляну, через которую лежит наш путь. Умоляю, будьте внимательны! Твердо сидите в седле и крепко держите поводья. Там, где дорога позволит, скачите со мной рядом и ни в коем случае не отставайте больше чем на длину хвоста моей лошади. Мне придется ехать впереди, чтобы показывать путь... Вот они направились к нашей поляне... Почти достигли ее края... Теперь пора!

В глубокую тишину прерии вдруг ворвался неистовый шум, словно из переполненного сумасшедшего дома. Пронзительное ржание диких жеребцов напоминало крики буйных маньяков, только эти звуки были во много раз сильнее. Им вторил громовой топот копыт, свист и треск ломающихся веток, дикое храпенье, сопровождаемое резким лязганьем зубов, глухими ударами копыт по ребрам и крупам и пронзительным визгом злобы и боли. От этих оглушительных звуков дрожало все кругом и, казалось, сама земля колебалась на своей орбите.

Эти звуки свидетельствовали о неистовой схватке диких жеребцов. Их еще не было видно, но они приближались, пробиваясь сквозь заросли и ни на мгновение не прекращая драки.

Едва Морис подал знак трогаться, как пестрый табун диких лошадей появился в узком проходе между зарослями. Еще мгновение — и с неудержимостью горной лавины они вырвались на открытую поляну.

Это была живая лавина самых красивых созданий, которые только существуют в природе, — ибо даже человек должен уступить им первое место. Я не говорю о замученной лошади цивилизованного мира, лошади с худой спиной, кривыми ногами и опущенной головой, лошади, изуродованной ножницами барышника или грума, — нет, речь идет о дикой лошади саванны, рожденной среди зеленых просторов и выросшей на свободе, как полевой цветок.

Нет более великолепного зрелища, чем табун диких жеребцов, скачущих по прерии; особенно в то время, когда в них бушует страсть и они готовы уничтожить друг друга.

Но это прекрасное зрелище пугает человека — оно слишком ужасно, чтобы им мог спокойно любоваться мужчина, не говоря уже о робкой женщине. Особенно, когда зритель смотрит на табун диких мустангов с открытого места и рискует сам стать жертвой их нападения.

Вот что грозило всаднику на гнедом коне и всаднице на крапчатом мустанге. Всадник по опыту знал, как опасно такое положение; всадница же не могла не догадаться об этом.

— Сюда! — крикнул Морис и пришпорил коня, чтобы обогнуть табун. — О Боже! Они заметили нас! Скорей, скорей, мисс Пойндекстер! Помните, что дело идет о вашей жизни!

Но слова были излишни. Поведение жеребцов достаточно убедительно показывало, что только быстрота может спасти крапчатого мустанга и его всадницу.

Выскочив на открытое место и увидев оседланных лошадей, дикие жеребцы внезапно прекратили свою драку. Они остановились, словно по приказу опытного вожака, и вытянулись в один ряд, как кавалерийский отряд, остановленный в пылу атаки.

На время их взаимная ненависть, казалось, была забыта, как будто они собирались напасть на общего врага или же сопротивляться общей опасности.

Задержка, возможно, произошла от удивления; но, так или иначе, она была на руку беглецам. В эти несколько секунд всадникам удалось обогнуть неприятеля и очутиться у него в тылу, на пути к спасению.

Однако только на пути к спасению. Удастся ли им ускакать от преследователей, оставалось неясным, потому что дикие жеребцы, заметив их хитрость, храпя и визжа, бросились за ними с явным намерением догнать.

Началась стремительная, безудержная погоня через просторы прерии, отчаянное состязание в быстроте между лошадьми без седоков и лошадьми с седоками.

Время от времени Морис оглядывался, и, хотя расстояние, которое им удалось выиграть вначале, не уменьшалось, выражение его лица по-прежнему было тревожным. Будь он один, он не беспокоился бы ни минуты. Он знал, что гнедой — ведь он был тоже мустангом — никому не даст себя обогнать. Беда была в том, что Луна замедляла бег — она скакала медленнее, чем когда бы то ни было, как будто вовсе не хотела спасаться от преследователей.

«Что это может означать? — недоумевал мустангер, сдерживая лошадь, чтобы не обгонять свою спутницу. — Если нас что-нибудь задержит при переправе, мы погибнем. Дорога каждая секунда».

— Они еще не догоняют нас, не так ли? — спросила Луиза, заметив, что мустангер встревожен.

— Пока еще нет. К несчастью, впереди серьезное препятствие. Я знаю, что вы прекрасная наездница, но ваша лошадь... В ней я не уверен. Вы ее лучше знаете. Сможет ли она перепрыгнуть через...

— Через что, сэр?

— Вы сейчас увидите. Мы уже недалеко от этого места.

И они продолжали скакать бок о бок галопом, делая почти милю в минуту.

Как и говорил мустангер, они скоро увидели препятствие. Это был огромный овраг, зияющий среди необозримой прерии. Он был не менее пятнадцати футов в ширину, столько же в глубину и тянулся в обе стороны, насколько хватало глаз.

Если бы всадники повернули направо или налево, это дало бы жеребцам возможность сократить путь по диагонали; дать им это преимущество было равносильно самоубийству.

Овраг необходимо перескочить, иначе мустанги настигнут их. Только прыжок в пятнадцать футов длиной мог спасти беглецов. Морис знал, что гнедой не подведет — ему не раз приходилось делать такие прыжки. Но крапчатая кобыла?

— Как вы думаете, сможет ли она взять это препятствие? — с беспокойством спросил мустангер, когда они подъехали к отвесному краю оврага.

— Не сомневаюсь, — уверенно ответила Луиза.

— Но удержитесь ли вы на ней?

— Ха-ха-ха! — иронически засмеялась креолка. — Это очень странный вопрос для ирландца. Я уверена, что ваши соотечественницы сочли бы эти слова оскорблением. Даже я, уроженка болотистой Луизианы, не считаю их слишком любезными. Удержусь ли я? Да я удержусь на ней, куда бы она меня ни понесла!

— Но, мисс Пойндекстер, — пробормотал Морис, все еще не доверяя силам крапчатого мустанга, — а вдруг она не справится? Если вы хоть сколько-нибудь в ней сомневаетесь, не лучше ли оставить ее здесь? Я знаю, что моя лошадь легко перенесет нас обоих на ту сторону. Пожертвовав мустангом, мы, вероятно, избавимся и от дальнейших преследований. Дикие жеребцы...

— Оставить Луну! Бросить ее на растерзание бешеным жеребцам! Нет-нет, мистер Джеральд! Мой мустанг мне слишком дорог. Мы вместе перескочим пропасть, если только сможем. А если нет, то вместе сломаем себе шею... Ну, моя хорошая! Летим! Вот тот, кто охотился за тобой, поймал и покорил тебя. Покажи ему, что ты еще не совсем порабощена, что ты можешь, если нужно, сбросить с себя дружеское или вражеское иго. Покажи ему один из тех прыжков, которые мы так часто с тобой делали за последнюю неделю. Ну, милая, летим!

И отважная креолка, не дожидаясь ободряющего примера, смело подскакала к краю зияющего оврага и взяла это препятствие одним из тех прыжков, которые они с Луной «так часто делали за последнюю неделю».

У мустангера было три мысли — вернее, три чувства, когда он следил за этим прыжком. Первое из них — изумление, второе — преклонение, третье не так просто было определить. Оно зародилось, когда прозвучали слова: «Мой мустанг мне слишком дорог».

«Почему?» — задумался он, когда летел на гнедом над оврагом.

Но, хотя они удачно преодолели препятствие, это не обеспечило безопасность беглецам. Диких жеребцов овраг остановить не мог. Морис это хорошо знал и оглядывался назад с не меньшей тревогой, чем раньше.

Пожалуй, он был встревожен еще сильнее. Задержка, хотя и очень незначительная, дала преимущество их преследователям. За все время погони жеребцы еще ни разу не были так близко. Они перелетят через овраг без всякого промедления одним уверенным прыжком.

А что тогда? Мустангер задал себе этот вопрос и побледнел, не находя ответа.

Взяв препятствие, мустангер не остановился ни на секунду и продолжал скакать галопом; позади него совсем близко, как и раньше, скакала его спутница. Однако в движениях ирландца не было прежней уверенности — казалось, он колеблется и никак не может прийти к решению.

Едва отъехав от оврага, Морис натянул поводья и повернул коня, как будто решил скакать обратно.

— Мисс Пойндекстер, — сказал он своей спутнице, которая уже успела поравняться с ним, — поезжайте вперед одна.

— Но почему, сэр? — спросила она, дернув уздечку и резко остановив мустанга.

— Если мы не расстанемся, жеребцы нас догонят. Надо что-то предпринять, чтобы остановить взбесившийся табун. Сейчас еще есть одна возможность. Ради Бога, не задавайте вопросов! Десять потерянных секунд — и будет уже поздно. Посмотрите вперед — видите блестящую поверхность воды? Это пруд. Скачите прямо туда. Там вы очутитесь между двумя высокими изгородями. У пруда они сходятся. Вы увидите ворота и около них жерди. Если я не подоспею, скачите прямо в этот загон, сойдите с лошади и загородите вход жердями.

— А вы, сэр? Вы подвергаетесь большой опасности...

— Не бойтесь за меня. Один я ничем не рискую. Если бы не крапчатый мустанг... Скорее же, вперед! Не упускайте из виду пруда. Пусть он служит вам маяком. Не забудьте загородить вход в загон. Скорее же! Скорее!

Одну-две секунды девушка колебалась, не решаясь расстаться с человеком, который ради ее спасения готов отдать свою жизнь.

К счастью, она не принадлежала к числу тех робких девиц, которые в трудную минуту теряют голову и тянут ко дну своего спасителя. Она верила своему советчику, верила в то, что он знает, как поступить, и, снова пустив лошадь галопом, направилась к пруду.

А Морис повернул свою лошадь и поскакал назад, к оврагу, через который они только что перескочили.

Расставшись со своей спутницей, мустангер вынул из седельной сумки самое совершенное оружие, которое когда-либо поднималось против обитателей прерии — для атаки или защиты, — против индейцев, бизонов или медведей. Это был шестизарядный револьвер системы полковника Кольта. Не какая-нибудь дешевая подделка, под видом усовершенствования, фирмы Дина, Адамса и им подобных, а подлинное изделие «страны мускатных орехов»[1] с клеймом «Хартфорд» на казенной части.

— Они будут прыгать в том же узком месте, где и мы, — пробормотал он, следя за табуном, все еще находившимся по ту сторону. — Если мне удастся уложить хоть одного из них, это может остановить других или задержать их настолько, что мустанг успеет ускакать. Их вожак — вот этот гнедой жеребец. Он, конечно, прыгнет первым. Мой револьвер бьет на сто шагов. Теперь пора!

Едва успели прозвучать последние слова, как раздался треск револьвера. Самый крупный из жеребцов — гнедой — покатился по траве, преградив путь остальным.

Несколько мустангов, мчавшихся за ним, сразу остановились, а потом и весь табун.

---

[1] Страной мускатных орехов называется в Америке штат Коннектикут, где в городе Хартфорде находится оружейный завод.

Мустангер не стал следить за дальнейшим поведением жеребцов и больше не стрелял. Воспользовавшись их замешательством и не теряя времени, он повернул на запад и поскакал вслед за крапчатым мустангом, который уже приближался к сверкающему пруду.

Дикие жеребцы больше не преследовали беглецов — возможно, гибель вожака испугала их или им помешал его труп, загородивший путь в единственном месте, где можно было перескочить через овраг.

Морис спокойно скакал за своей спутницей.

Он догнал ее у самого пруда. Она точно выполнила все его указания, за исключением одного. Вход был открыт, жерди валялись на земле. Девушка все еще сидела в седле, но тревога уже не терзала ее сердца. Однако она не находила слов, чтобы выразить Морису свою благодарность.

Опасность миновала.

Глава XVII
ЛОВУШКА ДЛЯ МУСТАНГОВ

Теперь, когда им больше ничто не грозило, молодая креолка с интересом огляделась вокруг.

Она увидела небольшое озеро, или, говоря по-техасски, пруд; берега его были покрыты бесчисленными следами лошадиных копыт — по-видимому, это было любимое место водопоя мустангов. Высокая изгородь из жердей окружала водоем и двумя расходящимися крыльями тянулась далеко в прерию, образуя как бы воронку, в самой горловине которой были ворота; когда их загораживали жердями, они замыкали изгородь, и лошади не могли ни войти, ни выйти.

— Что это? — спросила девушка, указывая на изгородь.

— Это ловушка для мустангов, — сказал Морис.

— Ловушка для мустангов?

— Кораль для ловли диких лошадей. Они бродят между крыльями изгороди, которые, как вы видите, далеко уходят в прерию. Их привлекает вода или же мустангеры просто загоняют их сюда. Тогда вход в кораль загораживается, и здесь их уже нетрудно поймать при помощи лассо.

— Бедные животные! Этот кораль принадлежит вам? Ведь вы мустангер? Вы нам так сказали.

— Да, я мустангер, но не охочусь этим способом. Я люблю одиночество и редко работаю вместе с другими мустангерами, поэтому я не могу пользоваться коралем, для которого нужно по крайней мере двадцать загонщиков. Мое оружие, если только можно его так назвать, — вот это лассо.

— Вы так искусно им владеете! Я слыхала об этом, да и сама видела.

— Вы очень добры. Однако я не заслуживаю этой похвалы. В прериях есть такие мексиканцы, которые словно родились с лассо в руках. И то, что вы называете искусством, показалось бы им просто неповоротливостью.

— Мне кажется, мистер Джеральд, что вы из скромности переоцениваете своих соперников. Я слышала совсем другое.

— От кого?

— От вашего друга мистера Зебулона Стумпа.

— Ха-ха! Старый Зеб — плохой авторитет, когда дело касается лассо.

— Я бы хотела тоже научиться бросать лассо, — сказала молодая креолка, — но говорят, что это занятие для девушки неприлично. Не понимаю, что в нем плохого, а это так интересно!

— Неприлично! Это такой же невинный спорт, как катанье на коньках или стрельба из лука. Я знаком с одной девушкой, которая прекрасно владеет этим искусством.

— Она американка?

— Нет, мексиканка и живет на Рио-Гранде. Иногда она приезжает к нам на Леону: здесь живут ее родственники.

— Она молодая?

— Да, примерно ваша ровесница, мисс Пойндекстер.

— Высокая?

— Немного ниже вас.

— Но, конечно, гораздо красивее? Я слыхала, что мексиканки своей красотой намного превосходят нас, скромных американок.

— Мне думается, что креолки не входят в эту категорию, — с изысканной вежливостью ответил ирландец.

— Интересно, смогла бы я научиться бросать лассо? — продолжала молодая креолка, как будто не заметив комплимента. — Не поздно ли мне за это браться? Я слыхала, что мексиканцы начинают с детства, поэтому они и достигают такой удивительной ловкости.

— Конечно, не поздно, — поспешил ответить Морис. — Пройдет год-два, и вы научитесь хорошо бросать лассо. Я, например, всего лишь три года занимаюсь этим делом, и...

Он замолчал, так как ему не хотелось показаться хвастуном.

— А теперь вы владеете лассо лучше всех в Техасе? — закончила собеседница, угадав не высказанную им мысль.

— Нет-нет! — смеясь, запротестовал он. — Это старик Зеб так считает, а он судит о моем искусстве, вероятно принимая свое за образец.

«Что это — скромность? — недоумевала креолка. — Или этот человек смеется надо мной? Если бы это было так, я сошла бы с ума».

— Вам, наверно, хочется вернуться к вашим друзьям? — сказал Морис, заметив ее рассеянность. — Ваш отец, вероятно, уже беспокоится, что вас так долго нет. Ваш брат, ваш кузен...

— Да, вы правы, — поспешила она ответить тоном, в котором прозвучала нотка не то обиды, не то досады. — Я не подумала об этом. Спасибо, сэр, что вы напомнили мне о моих обязанностях. Пора возвращаться.

Они опять вскочили на лошадей. Неохотно подобрала Луиза поводья, как-то медленно вдела ноги в стремена; казалось, ей хотелось побыть еще немного в ловушке для мустангов.

Когда они снова выехали в прерию, Морис направился со своей спутницей к месту пикника самой короткой дорогой.

Их обратный путь лежал через живописное место, известное в Техасе как сорняковая прерия. Так назвали ее пионеры-поселенцы, словарь которых не отличался особой изысканностью.

Уроженка Луизианы увидела вокруг себя огромный сад, где цвело множество ярких цветов, — сад, граничащий с голубым сводом неба, насаженный и выращенный самой природой.

Эта живописная местность оказывала облагораживающее влияние на многих даже самых прозаических людей. Я видел, как неграмотный зверолов, обычно не замечавший никакой красоты, останавливался посреди сорняковой прерии и, окруженный цветами, которые касались его груди, долго любовался на чудесные венчики, колышущиеся на бесконечном пространстве; и сердце его становилось более отзывчивым...

— Как здесь хорошо! — воскликнула в восторге креолка, невольным движением останавливая лошадь.

— Вам нравится здесь, мисс Пойндекстер?

— Нравится? Это не то слово, сэр. Я вижу перед собой все, что только есть самого чудесного и прекрасного в природе: зеленую траву, деревья, цветы, — все, что мы выращиваем с таким трудом и все-таки никогда не достигаем равного. Здесь ничего не добавишь — этот сад безупречен!

— Здесь не хватает домов.

— Но они испортили бы пейзаж. Мне нравится, когда не видно домов и черепичных крыш, и трубы не торчат среди живописных силуэтов деревьев. Под их сенью мне хотелось бы жить, под их сенью мне хотелось бы...

Слово «любить», витавшее в ее мыслях, готово было сорваться с ее губ.

Но она вовремя удержалась и заменила его словом совсем другого значения — «умереть».

Со стороны молодого ирландца было жестоко не признаться девушке в том, что и он чувствовал то же. Этим и объяснялось его пребывание в прерии. Если бы не подобное же увлечение, доходившее почти до страсти, вероятно, он никогда не стал бы «Морисом-мустангером».

Романтическое чувство не может уживаться с притворством. Оно скоро исчезает, если не находит себе опору в самой жизни. Мустангеру было бы неприятно признаться даже самому себе, что он охотится за дикими лошадьми только для времяпрепровождения — для того, чтобы иметь предлог не покидать прерию. Сначала, быть может, он и согласился бы на такое признание, но за последнее время он проникся гордостью профессионального охотника.

Его ответ прозвучал прозаично и холодно:

— Боюсь, мисс, что вам скоро надоела бы такая суровая жизнь — без крова, без общества, без...

— А вам, сэр? Почему она не надоедает вам? Ваш друг мистер Стумп говорил мне, что вы ведете такой образ жизни уже несколько лет. Это правда?

— Совершенно верно — другая жизнь меня не привлекает.

— О, как бы я хотела сказать то же самое! Как я вам завидую! Я уверена, что была бы бесконечно счастлива среди этой чудной природы.

— Одна? Без друзей? Даже без крова над головой?

— Я этого не говорила... Но вы не сказали мне, как вы живете. Есть ли у вас дом?

— Он не заслуживает такого громкого названия, — смеясь, ответил мустангер. — Лачуга, пожалуй, более подходящее слово для того, чтобы составить представление о моем хакале — одном из самых скромных жилищ в нашем крае.

— Где же оно находится? Недалеко от тех мест, где мы сегодня были?

— Не очень далеко отсюда — не больше мили. Видите вершины деревьев на западе? Они укрывают мою хижину от солнца и защищают ее от бурь.

— Да? Как бы мне хотелось взглянуть на нее! Простая хижина, вы говорите?

— Именно.

— Стоящая в уединении?

— Нет ни одного жилища ближе десяти миль от нее.

— Среди деревьев? Живописная?

— Это уж как кому покажется.

— Мне хотелось бы посмотреть на нее, чтобы иметь свое мнение. Только одна миля отсюда, вы говорите?

— Миля туда, миля обратно — всего две.

— Пустяки, это займет не больше двадцати минут.

— Я боюсь, что мы злоупотребим терпением ваших близких.

— А может быть, вашим гостеприимством? Простите, мистер Джеральд, — продолжала девушка, и легкая тень омрачила ее лицо, — я не подумала об этом. Вероятно, вы живете не один? В вашей хижине есть еще кто-нибудь?

— О да! Я поселился здесь не один. Со мной...

Прежде чем мустангер закончил свою речь, в воображении Луизы встал образ девушки ее лет, только полнее, с бронзовым оттенком кожи, с миндалевидным разрезом глаз. Зубы у нее, должно быть, белее жемчуга, на щеках алый румянец, волосы, как хвост Кастро, бусы на шее, браслеты на ногах и руках, замысловато вышитая короткая юбочка, мокасины с бахромой на маленьких ножках. Таким представила себе Луиза второго обитателя хижины мустангера.

— Может быть, появление гостей, особенно незнакомых, будет не совсем удобно?

— Напротив, он всегда очень рад гостям, будь то незнакомые или же друзья. Мой молочный брат очень общительный человек, но ему, бедняге, теперь мало с кем приходится встречаться.

— Ваш молочный брат?

— Да. Его зовут Фелим О'Нил. Как и я, он уроженец Изумрудного Острова[1], графства Голуэй. Только в его речи ирландский акцент еще слышнее, чем в моей.

— О, как бы мне хотелось его послушать! Ведь диалект графства Голуэй очень своеобразен. Не правда ли?

— Мне трудно об этом судить, я ведь сам оттуда. Но если вы согласитесь на полчасика воспользоваться гостеприимством Фелима, то сможете составить собственное мнение.

— С огромным удовольствием! Это так ново! Пусть отец и остальные подождут. Там много дам и без меня, или пусть они займутся поисками наших следов. Это будет не менее интересно, чем обещанная охота на мустангов. А я с радостью воспользуюсь вашим приглашением.

— Боюсь только, что я ничего не смогу вам предложить. Фелим несколько дней оставался один. Сам же он не охотник, и, наверно, наша кладовая пуста. Хорошо, что вы успели закусить перед этой ужасной скачкой.

Конечно, не кладовая Фелима заставила Луизу Пойндекстер свернуть с пути. Не слишком сильно интересовало ее и произношение ирландца. И не желание увидеть хижину мустангера руководило ею. Ее толкало чувство, которому она была не в силах противиться, словно она верила, что это ее судьба.

Луиза посетила одинокую хижину на Аламо, побывала под ее кровлей. Она с интересом разглядывала ее необычную обстановку и была приятно поражена, обнаружив в хижине книги, бумагу, письменные принадлежности и другие мелочи, ко-

---

[1] Изумрудный Остров — поэтическое название Ирландии.

торые свидетельствовали об образованности хозяина хакале. С видимым удовольствием слушала она забавную речь Фелима; не отказалась и от всяких угощений, за исключением того, что ее больше всего уговаривали попробовать: капельки освежающего напитка из «этой вот бутыли». И наконец, веселая и оживленная, она уехала.

Но ее оживление было мимолетным. Приподнятое настроение, вызванное новизной впечатлений, исчезло. Снова проезжая по прерии, усыпанной цветами, она глубоко задумалась. И вдруг у нее мелькнула мысль, которая обдала ее сердце мучительным холодом.

Мучилась ли она оттого, что заставила так долго тревожиться своего отца, брата и друзей? Или, быть может, она стала беспокоиться, боясь, что ее поведение сочтут легкомысленным?

Нет, не это мучило Луизу. Облако, омрачившее ее лицо, было вызвано другой и гораздо более удручающей мыслью. Весь день по дороге от форта к месту пикника, при встрече на поляне, во время отчаянного бегства от диких жеребцов, когда он был ее защитником, в минуты отдыха у озера, на обратном пути в прерии, под его скромной кровлей — все это время Морис Джеральд был с нею только вежлив и корректен.

Глава XVIII

РЕВНОСТЬ ИДЕТ ПО СЛЕДАМ

Из сорока всадников, бросившихся спасать Луизу, только немногие заехали далеко. Потеряв из виду дикий табун, крапчатого мустанга и мустангера, они стали терять из виду и друг друга. Вскоре они уже рассыпались в прерии поодиночке, по двое или же группами в три-четыре человека. Большинство из них, не имея опыта следопыта, потеряли следы манады и направились по другим — может быть, оставленным той же манадой, только раньше.

Драгуны во главе с молодым офицером, только что окончившим военное училище в Уэст-Пойнте, тоже потеряли след табуна и свернули в сторону по ответвляющемуся старому следу; за драгунами направилось и большинство гостей.

Они ехали по холмистой прерии, кое-где перерезанной полосами кустарника; заросли и холмы заслоняли всадников, и скоро они потеряли друг друга из виду. Минут двадцать спустя после начала погони птица, парившая в небе, могла бы увидеть с полсотни всадников, по-видимому выехавших из одного места, но теперь скакавших в разные стороны.

Лишь один всадник мчался в нужном направлении. Он ехал на сильном рыжем коне — правда, не отличавшемся красотой, но зато выносливом и быстром. Синий, полувоенного покроя сюртук и синяя фуражка свидетельствовали о том, что всадник этот не кто иной, как отставной капитан Кассий Колхаун. Это он гнал свою лошадь по верным следам; хлыстом и шпорами Колхаун заставлял ее бежать во весь опор. Его же самого подгоняла мысль, острая, как шпоры, — она заставляла его напрягать все силы, чтобы достичь цели.

Как голодная гончая, мчался он по следу, вытянув вперед голову, в надежде, что будет вознагражден за свои усилия.

Он даже сам как следует не представлял, к чему все это приведет; и только по зловещему взгляду, который время от времени он бросал на рукоятки пистолетов, торчавших из кобуры, можно было догадаться, что он задумал что-то недоброе.

Если бы не одно обстоятельство, Колхаун сбился бы с пути, как и другие. Его вели хорошо знакомые следы двух лошадей. Один, который был побольше, он помнил с мучительной ясностью. Он видел этот отпечаток на пепле выжженной прерии. Что-то заставило его тогда запомнить эти следы, и теперь он легко узнавал их.

Наконец отставной капитан прискакал к зарослям и скоро оказался на поляне, где так неожиданно остановился крапчатый мустанг. До этого места ему нетрудно было ориентироваться, но здесь он встал в тупик. Среди отпечатков копыт диких кобыл следы подков все еще были видны, но здесь лошади уже не бежали галопом. Всадники тут остановились и стояли бок о бок.

Куда же теперь? Среди следов манады уже больше не было заметно отпечатков подков; их вообще нигде не было видно. Земля вокруг была твердая и усыпана галькой. Только лошадь, скачущая быстрым галопом, могла бы оставить на ней след, но не бегущая спокойной рысцой.

Когда крапчатая кобыла и гнедой тронулись с этого места, они ехали спокойным шагом на протяжении нескольких десятков ярдов, прежде чем поскакали галопом, направляясь к ловушке для диких лошадей.

Нетерпеливый преследователь был озадачен. Он все кружил и кружил по следам диких кобыл и снова возвращался, не находя направления, в котором поскакали подкованные лошади.

Он был окончательно сбит с толку и уже начинал сильно тревожиться, когда увидел одинокого всадника, приближавшегося к нему.

В огромном, неуклюжем человеке с длинной бородой, верхом на самой нелепой кляче, какую можно было найти в окрестностях на расстоянии ста миль, нетрудно было узнать старого охотника. Кассий Колхаун был знаком с Зебулоном Стумпом, а Зеб Стумп с Кассием Колхауном еще задолго до того, как они ступили на землю Техаса.

— Ну что, мистер Колхаун, догнали вы мисс Луизу? — спросил старый охотник с необычной для него серьезностью. — Нет, не догнали, — продолжал он, взглянув на растерянное лицо Колхауна и сделав соответствующий вывод. — Черт побери, хотел бы я знать, что с ней случилось? Странно, неужто у такой наездницы, как она, эта проклятая кобыла могла понести?.. Ну, ничего, большой беды не может быть. Мустангер, конечно, поймает кобылу своим лассо и положит конец ее дури. А почему вы тут остановились?

— Не могу понять, в каком направлении они поскакали. По этим следам можно догадаться, что они здесь останавливались. Но я не вижу, куда следы идут дальше.

— Да-да, так и есть, мистер Колхаун. Они здесь стояли, и очень близко друг к дружке. Больше они не скакали по следам диких кобыл. Это наверняка. Так куда же они делись?

Зеб Стумп вопросительно посмотрел на землю, словно ожидая ответа от нее, а не от Колхауна.

— Нигде не вижу их следов, — сказал отставной капитан.

— Не видите? А я вот вижу. Гляньте-ка сюда! Вон они, где трава примята.

— Не вижу.

— Ну вот еще! Глядите хорошенько! Большая подкова, а вот сбоку маленькая. Они ускакали вон туда. Значит, они мчались за дикими кобылами лишь до этого места. Поедем по их следам?

— Конечно!

Без дальнейших разговоров Зеб Стумп направился по новым следам — быть может, и незаметным для других, но не ускользнувшим от его глаз.

Скоро и его спутник смог разглядеть их: это было в том месте, где Морис и Луиза снова поскакали галопом, спасаясь от жеребцов, и где следы подкованных лошадей глубоко врезались в землю, поросшую травой.

Через некоторое время они снова затерялись, или, вернее, стали заметны лишь для глаза такого опытного следопыта, как Зеб Стумп, который различил их среди сотни отпечатков копыт, оставленных на примятой траве.

— Ого! — вдруг с удивлением воскликнул старый охотник. — Что же здесь происходило? Что-то занятное...

— Это же отпечатки копыт диких кобыл, — сказал Колхаун. — Они как будто сделали круг и вернулись обратно.

— Если они это и сделали, то лишь после того, как всадники пронеслись мимо. Должно быть, дело приняло другой оборот.

— Что вы хотите этим сказать?

— То, что теперь уже не всадники гнались за кобылами, а кобылы за ними.

— А откуда вы это знаете?

— Да разве вы не видите, что следы подков затоптаны кобылами... Да какие там кобылы — ведь это следы больших копыт! Они на целый дюйм больше. Здесь побывал табун жеребцов. Иосафат! Неужели же они...

— Что «они»?

— Погнались за крапчатой. А если так, то мисс Пойндекстер грозила опасность. Поедем дальше.

Не дожидаясь ответа, старый охотник затрусил мелкой рысцой, а Колхаун последовал за ним, добиваясь объяснения этих загадочных слов. Но Зеб только махнул рукой, как бы говоря: «Не приставай, я очень занят».

Некоторое время его внимание было совершенно поглощено изучением следов. Различить отпечатки подков было нелегко, так как они были затоптаны жеребцами. Но охотнику то тут, то там удавалось заметить их, пока он продвигался вперед по-прежнему мелкой рысью. Лишь после того, как Зеб остановил свою кобылу на расстоянии ста ярдов от оврага, с его лица сошла тревога; только теперь он согласился наконец дать разъяснения.

— Ах, вот в чем дело! — сказал Колхаун, услышав их. — А почему вы думаете, что они спаслись?

— Посмотрите сюда!

— Мертвый жеребец... И убитый совсем недавно... Что это значит?

— То, что мустангер убил его.

— И, по вашему мнению, так напугал остальных, что они прекратили погоню?

— Погоню-то они прекратили, но остановил их, видно, не выстрел, а вот эта штука — труп жеребца. Черт побери, ну и прыжок!

Зеб указал на зияющий овраг, к краю которого они подъехали.

— Вы же не думаете, что они перескочили? — спросил Колхаун. — Это невозможно!

— Перескочили, как пить дать. Разве вы не видите следов их лошадей не только здесь, но и по ту сторону? И мисс Пойндекстер первая. Иосафат! Что за девушка! Они оба должны были перескочить, прежде чем застрелили жеребца, иначе им это не удалось бы. Только здесь и можно было перескочить. Молодчина мустангер! Уложил жеребца как раз у самого узкого места.

— Вы думаете, что он и моя кузина вместе перескочили овраг?

— Не совсем вместе, — ответил Зеб, не подозревая, почему Колхаун его так допрашивает. — Я уже сказал, что крапчатая перескочила первой. Посмотрите, вон там ее следы — по ту сторону оврага.

— Вижу.

— А разве вы не видите, что они перекрыты следами лошади мустангера?

— Да-да!

— Жеребцы не прыгали на ту сторону, ни один из всего табуна. Дело, видно, было так: парень перескочил и послал пулю в эту скотину. Это было все равно, что закрыть за собой ворота. Увидев, что вожак упал, жеребцы остановились и побежали обратно. Вот здесь и следы вдоль оврага.

— Может быть, они перебрались в другом месте и продолжали преследование?

— Если бы так, им пришлось бы пробежать десять миль, прежде чем вернуться сюда: пять вверх по оврагу и пять назад. Но ничего этого не было, мистер Колхаун. Не беспокойтесь, они больше не преследовали мисс Луизу. Перескочив через овраг, они с мустангером поскакали рядышком; совсем спокойно, как два барашка. Опасность для них миновала; а теперь они уже, наверно, поехали туда, где стоит фургон с припасами.

— Едем! — сказал Колхаун с прежним нетерпением, как будто его кузине все еще угрожала опасность. — Едем, мистер Стумп! Как можно быстрее.

— Не спешите, сделайте милость, — ответил Зеб, спокойно слезая и доставая нож. — Подождите минут десять.

— Подождать? Чего ради? — раздраженно спросил Колхаун.

— Надо снять шкуру с этого жеребца. Хорошая шкура! Я получу за нее в нашем поселке не меньше пяти долларов. А пять долларов не каждый день найдешь в прерии.

— Будь она проклята, эта шкура! — со злобой отозвался Колхаун. — Едем, бросьте это!

— И не подумаю, — с невозмутимым хладнокровием сказал Зеб, вспарывая острым лезвием шкуру на брюхе убитого животного. — Вы можете ехать, если вам нужно, мистер Колхаун, а Зеб Стумп не тронется с места до тех пор, пока не взвалит шкуру на спину своей кляче.

— Ну послушайте, Зеб, что толку говорить, чтобы я возвращался один? Вы же знаете, что я не найду дорогу.

— Пожалуй, это похоже на правду. Да я и не говорил, что вы найдете.

— Ну, послушайте же, упрямый вы старик! Время очень дорого мне именно сейчас. А вы провозитесь со шкурой целых полчаса.

— Меньше двадцати минут.

— Пусть двадцать минут. Но для меня двадцать минут куда дороже пяти долларов. Вы ведь сказали, что такова цена этой шкуры? Бросьте ее здесь, а я обещаю уплатить вам за нее.

— Так-с. Это чертовски великодушно! Только мне что-то не хочется воспользоваться вашим предложением. Это была бы подлость с моей стороны — принять деньги за такое дело, тем более что мы знакомы и нам по пути. С другой стороны, я не могу допустить, чтобы шкура, стоимостью в пять долларов, сгнила бы здесь, не говоря уже о том, что ее могут растерзать грифы, прежде чем мне случится снова побывать в этих местах.

— Черт знает что такое! Но что же мне делать?

— Вы торопитесь? Так-с... Жаль, что я не могу сопровождать вас... Стойте! Незачем вам дожидаться меня. Вы сами найдете дорогу к месту пикника очень просто. Смотрите, вон там дерево на горизонте, — видите, высокий тополь?

— Да, вижу.

— Так-с... Узнаёте? Это чудно́е растение больше похоже на колокольню, чем на дерево.

— Да-да, теперь узнаю. Ведь мы промчались совсем близко от него, когда преследовали диких кобыл.

— Совершенно верно. Что же вам мешает теперь вернуться этой же дорогой, мимо тополя, и ехать по следам кобыл, только в обратную сторону? Так вы и приедете к месту пикника и увидите там мисс Пойндекстер и всю веселую компанию, выпивающую эту французскую ерунду — шампэнь. И пусть себе пьют на здоровье, лишь бы не вспомнили о виски, а то мне нечем будет промочить горло, когда я вернусь.

Колхаун уже давно не слушал цветистую речь старого охотника. Стоило ему узнать дерево, видневшееся на горизонте, как он пришпорил своего рыжего коня и поскакал галопом, оставив старика Зеба за его работой.

— Иосафат! — воскликнул охотник, подняв голову и заметив, что капитана и след простыл. — Не требуется особого ума, чтобы понять, из-за чего эта горячка; хоть я не больно догадлив, но сдается мне, что это самая настоящая ревность, которая рыщет по следам.

Зеб Стумп не ошибся. Именно ревность заставила Кассия Колхауна поспешить в обратный путь, бешеная ревность. Впервые она начала мучить его в выжженной прерии; с каждым днем она становилась все сильнее, разжигаемая не только тем, что он действительно видел, но также и тем, что ему чудилось; и теперь наконец она подавила в нем все другие чувства.

Мустангер подарил Луизе крапчатого мустанга и приучил его к седлу, а она приняла этот подарок, даже не пытаясь скрыть своей радости. Эти и некоторые другие наблюдения подействовали на уже разыгравшееся воображение капитана, и он проникся уверенностью, что Морис-мустангер стал его главным соперником.

Скромное положение охотника за лошадьми, казалось, не должно было бы давать серьезных оснований не только для такой уверенности, но даже и для подозрений.

Наверно, это и было бы так, если бы Колхаун не знал хорошо характер Луизы Пойндекстер; с детских лет она проявляла полную независимость, ей свойственна была смелость, граничащая с безрассудством, — едва ли можно было надеяться, что она посчитается с обычаями своей среды. Для большинства женщин ее круга бедность и незнатность охотника за лошадьми могли бы послужить преградой если не для неравного брака, то по крайней мере для опрометчивых поступков; но Колхаун, стараясь представить в своем ревнивом воображении поведение Луизы, не мог надеяться и на это.

Взволнованный событиями дня, так неудачно сложившегося для него, Колхаун скакал к месту пикника. Не спуская глаз с дерева, похожего на колокольню, он отыскал следы манады; теперь он уже не мог заблудиться. Ему оставалось только вернуться по собственным следам.

Он ехал быстрой рысью — гораздо быстрее, чем хотел бы его усталый конь. Всадника подгоняли мрачные мысли. Уже больше часа они всецело владели им — их горечь он еще сильнее ощущал в своем одиночестве среди окружающей тишины. Колхауна не обрадовала даже встреча с двумя всадниками, которые показались вдали и ехали в том же направлении. Он сразу узнал их, хотя видел только спины, и то издалека. Это были виновники его горьких размышлений.

Так же как и он, они возвращались по следам диких кобыл, на которые они только что выехали, когда он их заметил. Они ехали рядом, бок о бок. Видимо, увлеченные каким-то интересным разговором, они не заметили догонявшего их одинокого всадника.

В отличие от него, они, казалось, не слишком торопились вернуться к обществу и ехали медленно; крапчатый мустанг то и дело замедлял шаг.

Их позы, их явное невнимание к окружающему и, наконец, их медлительность, — все это настолько усилило подозрения капитана, что он почти потерял самообладание.

Подъехать галопом и грубо прервать их нежную беседу было первое, что пришло ему в голову. Еще раз он заставил свою измученную лошадь скакать быстрее.

Однако через несколько секунд Колхаун натянул поводья, как будто переменив решение. До всадников не долетел еще топот копыт его лошади, хотя капитан теперь был всего лишь ярдах в двухстах от них. До него уже доносился серебристый голосок его кузины, которая, по-видимому, говорила больше, чем ее собеседник. Как интересен для них был этот разговор, если они даже не заметили его приближения!

Если бы ему удалось подслушать, о чем они говорят! На первый взгляд казалось, что из этого ничего не выйдет. Но почему бы не попробовать?

По-видимому, они настолько увлечены беседой, что такая возможность не исключена. Трава саванны мягка, как бархат, и легкие удары копыт совсем беззвучны.

Колхаун был охвачен таким нетерпением, что не мог ехать шагом; но его рыжий конь охотно пошел иноходью, обычным аллюром лошадей Юго-Западных штатов.

Едва поднимая копыта над землей, почти скользя по траве, он продвигался бесшумно, но быстро — настолько быстро, что через несколько секунд уже догнал крапчатую кобылу и гнедого коня мустангера.

Тогда капитан заставил своего коня замедлить шаг и идти в ногу с ними; сам же он наклонился вперед и с напряжением прислушивался.

Судя по его позе, он готов был разразиться самой грубой руганью или же, быть может, схватиться за нож или револьвер.

Его дальнейшее поведение зависело от того, что он услышит.

Но ничего не случилось. Хотя два всадника, поглощенные своей беседой, были глухи к окружающему, слух их лошадей оказался более чутким, и, когда усталый рыжий конь, перейдя на шаг, тяжело ударил копытом, крапчатый мустанг и гнедой конь вскинули головы и громко заржали. План Колхауна потерпел неудачу.

— А! Кузен Каш! — воскликнула Луиза, обернувшись к капитану, и в тоне ее прозвучало не столько удивление, сколько досада. — Ты здесь? А где отец, Генри и остальные?

— Почему ты меня об этом спрашиваешь, Лу? Я знаю о них столько же, сколько и ты.

— Неужели? Я думала, что ты выехал нам навстречу. И они тоже... Ах, твоя лошадь вся в пене! Она выглядит так, словно ты скакал на ней долго, как и мы.

— Ты права. Я с самого начала бросился за тобой в надежде помочь тебе.

— В самом деле? А я и не знала, что ты ехал за нами. Спасибо, кузен. Я только что благодарила мистера Джеральда, который тоже поехал за мной и любезно спас меня и Луну от очень большой неприятности — вернее, от ужасной опасности. Представь себе, за нами погнались дикие жеребцы, и мы мчались от них, буквально спасая свою жизнь.

— Я это знаю.

— Так, значит, ты видел, как они гнались за нами?

— Нет. Я узнал об этом по следам.

— По следам? И тебе удалось разобраться в них?

— Да, благодаря разъяснениям Зеба Стумпа.

— О! Он был с тобой? И вы ехали по следам до... до какого места?

— До оврага. Зеб мне сказал, что ты перескочила через него. Это правда?

— Луна перескочила.

— И ты была в седле?

— Конечно! Что за странный вопрос, Кассий! — сказала она, смеясь. — Или, по-твоему, я должна была ухватиться за ее хвост?.. А ты тоже перескочил? — спросила креолка, внезапно меняя тон. — И ехал по нашим следам дальше?

— Нет, Лу. От оврага я направился прямо сюда, предполагая, что ты вернешься раньше меня. Вот так мы и встретились с тобой.

Луиза, казалось, была удовлетворена этим ответом.

— Ах, так! Хорошо, что ты догнал нас. Мы ехали медленно. Луна, бедняжка, очень устала. Не знаю, как только она доберется до Леоны...

С той минуты как Колхаун присоединился к ним, мустангер не проронил ни слова. Без видимого сожаления он оставил общество молодой креолки и молча поехал впереди, снова вернувшись к своей роли проводника.

Несмотря на это, капитан не спускал с него испытующего взгляда. А когда Колхаун ловил — или думал, что уловил восторженный взгляд Луизы, направленный в ту же сторону, — его глаза загорались дьявольской злобой.

Длительное путешествие трех всадников могло бы привести к трагическому концу. Однако появление участников пикника предупредило такую развязку. Беглянку встретили хором восторженных возгласов, на время разогнавших другие мысли.

Глава XIX
ВИСКИ С ВОДОЙ

В поселке, возникшем вблизи форта Индж, гостиница была самым заметным зданием. Впрочем, это характерно для всех городов Техаса, выстроенных за последние сорок лет. Лишь в немногих старых городах, основанных испанцами, крепости и монастыри господствовали над другими зданиями; но теперь и там они уступили свое первенство, а иногда и сами превратились в гостиницы.

Хотя гостиница форта Индж и являлась самым большим зданием в поселке, тем не менее она была невелика и не представляла собой ничего примечательного. Едва ли она претендовала на какой-либо архитектурный стиль. Это была деревянная постройка в форме буквы «Т», сооруженная из обтесанных бревен. Продольную часть здания занимали комнаты для приезжающих, а поперечная представляла одно большое помещение, в котором находился буфет, или, как его называют в Америке, бар. Здесь пили, курили и, не стесняясь, плевали на пол.

Перед входом в гостиницу на дубу со спиленной вершиной раскачивалась вывеска, на которой с обеих сторон был изображен герой, нашедший славу в этих краях, — генерал Захарий Тейлор[1]. Под портретом — название гостиницы: «На привале».

Если вы когда-нибудь путешествовали по южным или юго-западным штатам Америки, вы не нуждаетесь в описании буфета. В этом случае ничто не изгладит из вашей памяти бара гостиницы, в которой вы имели несчастье остановиться. Стойка тянется через всю комнату вдоль стены, на которой красуются полочки, уставленные графинами и бутылками, содержащими жидкость не только всех цветов радуги, но и всевозможных их сочетаний. За стойкой снует элегантный молодой человек — так называемый бармен; только не назовите его трактирщиком, иначе вы рискуете получить бутылкой по зубам. Этот элегантный молодой джентльмен одет в голубую сатиновую блузу, или в куртку из белого полотна, или, быть может, просто в рубашку из линобатиста с кружевом, загофрированным бог весть когда. Этот элегантный молодой человек, смешивая для вас «шерри коблер», смотрит вам прямо в глаза и разговаривает с вами о политике, в то время как лед, вино и вода, переливаясь из стакана в стакан, искрятся и создают что-то вроде радужного сияния за его плечами или же ореол, окружающий его напомаженную голову. Если вы путешествовали по южным штатам Америки, вы, конечно, не забыли его? А если так, то мои слова напомнят вам его и окружающую обстановку: бар, которым он управляет среди полочек и разноцветных бутылок; вы вспомните стойку, пол, посыпанный белым песком, где иногда валяются окурки сигар и видны коричневые плевки; вы вспомните также и запах мяты, полынной водки и лимонной корки, жужжащие рои обыкновенных черных мух, мясных мух и больно жалящих москитов. Все это должно было врезаться в вашу память.

Хотя гостиница «На привале» и мало чем отличалась от других подобных заведений Техаса, она все же имела свои особенности. Ее хозяином был не оборотистый янки, а немец, вполне оправдывавший репутацию своих соотечественников, которые считаются поставщиками лучших продуктов. Он сам прислуживал в своем баре; и, когда вы входили туда, вам приготовлял напиток не элегантный молодой джентльмен с душистой шевелюрой и в рубашке с рюшами, а степенный немец, который выглядел так трезво, словно он никогда не пробовал — несмот-

---

[1] Захарий Тейлор (1786 — 1850) — американский генерал, принимавший участие в войне с Мексикой (1846 — 1848). Впоследствии президент США.

ря на соблазн выпить по оптовой цене — ароматных напитков, которыми угощал своих клиентов. Местные жители называли его коротко: «Доффер», — хотя у себя на родине он был известен под фамилией Обердофер.

Была и еще одна особенность у этого бара, впрочем присущая не только ему одному. Как уже известно, гостиница имела форму буквы «Т»; бар находился в поперечном помещении, стойка тянулась вдоль стены, примыкавшей к главному зданию. На каждом конце бара была дверь, выходившая на площадь.

Такое расположение дверей диктовалось особенностями местного климата: там, где термометр шесть месяцев в году показывает в тени больше 30 градусов, необходимо позаботиться о хорошей циркуляции воздуха.

Гостиницы Техаса, как, впрочем, и все гостиницы Соединенных Штатов, служат одновременно биржей и клубом. Должно быть, именно из-за удобства и дешевизны гостиниц клубов в Америке почти нет.

Даже в больших городах атлантического побережья клуб вовсе не является необходимостью. Умеренные цены в отелях, их превосходная кухня и элегантная обстановка мешают процветанию клубов, которые в Америке прозябают и будут прозябать, как нечто ей чуждое.

Это замечание все же главным образом касается южных и юго-западных городов, где кабачки и бары являются излюбленным местом свиданий и отдыха. Здесь собираются пестрые компании. Гордый плантатор не гнушается, — потому что не смеет гнушаться, — пить в одной комнате с бедняками, часто такими же гордыми, как и он. В баре гостиницы «На привале» можно встретить представителей всех классов и профессий, которые имеются в поселках, но только не крестьян — в этих краях нет крестьян. Их нет в Соединенных Штатах, их нет и в Техасе.

Вероятно, с того самого дня, как Доффер повесил свою вывеску, в его баре еще ни разу не собиралось столько посетителей, как в вечер после описанного пикника, когда его участники вернулись в форт Индж.

Почти все они, за исключением дам, сочли необходимым закончить вечер в баре. Как только стрелка голландских часов, нежно тикавших среди разноцветных бутылей, подошла к одиннадцати, в бар один за другим стали заходить посетители. Офицеры форта, плантаторы, живущие по соседству, маркитанты, поставщики, шулера и люди без определенных занятий входили друг за другом. Каждый направлялся прямо к стойке, заказывал свой любимый напиток, а затем присоединялся к какой-нибудь компании.

Одна из этих компаний обращала на себя особое внимание. В ней было человек десять, половина из которых носила мундир. К последним принадлежали три офицера, уже знакомые читателю: капитан пехотинец и два лейтенанта — драгун Генкок и стрелок Кроссмен.

С ними был еще один офицер, постарше их возрастом и чином — он носил погоны майора. А так как он был старшим по чину в форте Индж, то лишним будет добавлять, что он командовал гарнизоном.

Разговор носил вполне непринужденный характер, как будто все они были молодыми лейтенантами. Они беседовали о событиях истекшего дня.

— Скажите, пожалуйста, майор, — спросил Генкок, — вы, наверно, знаете, куда ускакала мисс Пойндекстер?

— Откуда же мне знать? — ответил офицер, к которому был обращен вопрос. — Спросите об этом ее кузена, мистера Кассия Колхауна.

— Мы спрашивали его, но толком ничего не добились. Он, кажется, знает не больше нас. Он встретил их на обратном пути и то недалеко от нашего бивуака. Они отсутствовали очень долго и, судя по их взмыленным лошадям, ездили куда-то далеко. За это время они могли бы съездить на Рио-Гранде и даже дальше.

— Обратили ли вы внимание на лицо Колхауна, когда он вернулся? — спросил пехотный капитан. — Он был мрачен, как туча, и, по-видимому, его тревожило что-то весьма неприятное.

— Да, вид у него действительно был очень понурый, — ответил майор. — Но, надеюсь, капитан Слоумен, вы не приписываете это...

— Ревности? Я в этом не сомневаюсь. Ничего другого не может быть.

— Как? К Морису-мустангеру? Что вы! Невозможно! Во всяком случае, неправдоподобно!

— Но почему, майор?

— Мой дорогой Слоумен, Луиза Пойндекстер — леди, а Морис Джеральд...

— Может быть, джентльмен — ведь видимость бывает обманчива.

— Фу, — с презрением сказал Кроссмен, — торговец лошадьми! Майор прав: это неправдоподобно.

— Ах, джентльмены! — продолжал пехотный офицер, многозначительно покачав головой. — Вы не знаете мисс Пойндекстер так, как я ее знаю. Это очень эксцентричная молодая особа, чтобы не сказать больше. Вы, должно быть, и сами это заметили.

— Да что вы, Слоумен! — поддразнил его майор. — Боюсь, что вы не прочь посплетничать. Наверно, сами влюбились в мисс Пойндекстер, хотя и прикидываетесь женоненавистником? Приревнуй вы ее к лейтенанту Генкоку или к Кроссмену, если бы его сердце не было занято другой, это было бы понятно, но к простому мустангеру...

— Этот мустангер — ирландец, майор. И у меня есть основания предполагать, что он...

— Кто бы он ни был... — прервал майор, мельком взглянув на дверь. — Вот он, пусть сам и ответит. Он прямой человек, и от него вы узнаете обо всем, что, по-видимому, вас так сильно интересует.

— Вряд ли, — пробормотал Слоумен, когда Генкок и еще два-три офицера направились было к мустангеру с намерением последовать совету майора.

Молча пройдя по посыпанному песком полу, Морис подошел к стойке.

— Стакан виски с водой, пожалуйста, — скромно обратился он к хозяину.

— Виски с водой? — повторил тот неприветливо. — Вы желаете виски с водой? Это будет стоить два пенни стакан.

— Я не спрашиваю вас, сколько это стоит, — ответил мустангер. — Я прошу дать мне стакан виски с водой. Есть оно у вас?

— Да-да! — поторопился ответить немец, испуганный резким тоном. — Сколько угодно, сколько угодно виски с водой! Пожалуйста!

В то время как хозяин наливал виски, мустангер вежливо ответил на снисходительные кивки офицеров. Он был знаком с большинством из них, так как часто приезжал в форт по делам.

Офицеры уже готовы были обратиться к нему с вопросом, как посоветовал майор, когда появление еще одного посетителя заставило их на время отказаться от своего намерения.

Это был Кассий Колхаун. В его присутствии вряд ли было удобно заводить такой разговор.

Подойдя с присущим ему надменным видом к группе военных и штатских, Кассий Колхаун поклонился, как обычно здороваются в тех случаях, когда вместе был проведен весь день и люди расставались лишь на короткое время. Если отставной капитан был и не совсем пьян, то, во всяком случае, сильно навеселе. Его глаза возбужденно блестели, лицо было неестественно бледно, фуражка надета набекрень, и из-под нее выбилось на лоб две-три пряди волос, — было ясно, что он выпил больше, чем требовало благоразумие.

— Выпьем, джентльмены! — обратился он к майору и окружавшей его компании, подходя к стойке. — И выпьем как следует, вкруговую, чтобы старик «Доннерветтер» не мог сказать, что он зря жжет для нас свет. Приглашаю всех!

— Идет, идет! — ответило несколько голосов.

— А вы, майор?

— С удовольствием, капитан Колхаун.

Согласно установившемуся обычаю, вся компания, которая собралась выпить, вытянулась вереницей около стойки, и каждый выкрикивал название напитка по своему вкусу. Разных сортов было заказано столько, сколько человек было в этой компании. Сам Колхаун крикнул:

— Бренди! — И тут же добавил: — И плесните туда виски.

— Бренди и виски — ваш заказ, мистер Колхаун? — сказал хозяин, подобострастно наклоняясь через стойку к человеку, которого все считали совладельцем большого имения.

— Пошевеливайся, глупый немец! Я же сказал — бренди.

— Хорошо, герр Колхаун, хорошо! Бренди и виски, бренди и виски! — повторял немец, торопясь поставить графин перед грубым посетителем.

Компания майора, присоединившись к двум-трем уже стоявшим у стойки гостям, не оставила и дюйма свободного места.

Случайно или намеренно, но Колхаун, встав позади всех в приглашенной им компании, очутился рядом с Морисом Джеральдом, который спокойно стоял в стороне, пил виски с водой и курил сигару. Оба они как будто не замечали друг друга.

— Тост! — закричал Колхаун, беря стакан со стойки.

— Давайте! — ответило несколько голосов.

— Да здравствует Америка для американцев и да сгинут всякие пришельцы, особенно проклятые ирландцы!

Произнеся этот оскорбительный тост, Колхаун сделал шаг назад и локтем толкнул мустангера, который только что поднес стакан к губам.

Виски выплеснулось из стакана и залило мустангеру рубашку.

Была ли это случайность? Никто ни минуты не сомневался в противном. Сопровождаемое таким тостом, это движение могло быть только намеренным и заранее обдуманным.

Все ждали, что Морис сейчас же бросится на обидчика. Они были разочарованы и удивлены поведением мустангера. Некоторые даже думали, что он безмолвно снесет оскорбление.

— Если только он промолчит, — прошептал Генкок на ухо Слоумену, — то его стоит вытолкать в шею.

— Не беспокойтесь, — ответил пехотинец тоже шепотом. — Этого не будет. Я не люблю держать пари, как вам известно, но я ставлю свое месячное жалованье, что мустангер осадит его как следует. И ставлю еще столько же, что Кассий Колхаун не обрадуется такому противнику, хотя сейчас Джеральда как будто больше беспокоит рубашка, чем нанесенное ему оскорбление... Ну и чудак же он!

Пока они перешептывались, человек, который оказался в центре общего внимания, невозмутимо стоял у стойки.

Он поставил свой стакан, вынул из кармана шелковый носовой платок и стал вытирать вышитую грудь рубашки.

В его движениях было невозмутимое спокойствие, которое едва ли можно было принять за проявление трусости; и те, кто сомневался в нем, поняли, что они ошиблись. Они молча ждали продолжения.

Ждать пришлось недолго. Все происшедшее, включая перешептывания, длилось не больше двадцати секунд; после этого началось действие, вернее — раздались слова, которые были прологом.

— Я ирландец, — сказал мустангер, кладя платок в карман.

Ответ казался очень простым и немного запоздалым, но все поняли его значение. Если бы охотник за дикими лошадьми дернул Кассия Колхауна за нос, от этого не стало бы яснее, что вызов принят. Лаконичность только подчеркивала серьезность намерений оскорбленного.

— Вы? — презрительно спросил Колхаун, повернувшись к нему и подбоченившись. — Вы? — продолжал он, меряя мустангера взглядом. — Вы ирландец? Не может быть, я бы никогда этого не подумал. Я принял бы вас за мексиканца, судя по вашему костюму и вышивке на рубашке.

— И какое вам дело до моего костюма, мистер Колхаун! Но так как вы залили мою рубашку, то разрешите мне ответить тем же и смыть крахмал с вашей.

С этими словами мустангер взял свой стакан и, прежде чем отставной капитан успел отвернуться, выплеснул ему в лицо остатки недопитого виски, отчего Колхаун стал неистово кашлять и чихать, к удовольствию большинства присутствующих.

Но шепот одобрения тотчас же замер. Теперь было не до разговоров. Возгласы сменились гробовой тишиной. Все понимали, что дело приняло серьезный оборот. Ссора должна была кончиться дуэлью. Никакая сила не могла ее предотвратить.

Глава XX
ОПАСНОЕ ПОЛОЖЕНИЕ

Получив душ из виски, Колхаун схватился за револьвер и вынул его из кобуры. Но, прежде чем наброситься на своего противника, он задержался, чтобы вытереть глаза.

Мустангер уже вынул такое же оружие и теперь стоял, готовый ответить выстрелом на выстрел.

Самые робкие из завсегдатаев бара в панике бросились к дверям, толкая друг друга.

Некоторые остались в баре: одни — просто от растерянности, другие — потому, что были более хладнокровны и мужественны и сознавали, что во время бегства могут получить пулю в спину.

Опять наступила полная тишина, длившаяся несколько секунд. Это был тот промежуток, когда решение рассудка еще не претворилось в действие — в движение.

Может быть, при встрече других противников этот интервал был бы короче: два более непосредственных и менее опытных человека тут же спустили бы курки. Но не Колхаун и Джеральд. Они неоднократно были свидетелями уличных схваток и принимали в них участие, они знали, как опасно в таких случаях торопиться. Каждый решил стрелять только наверняка. Этим и объяснялось промедление.

Для тех же, кто был снаружи и даже не осмеливался заглянуть в дверь, эта задержка была почти мучительной.

Треск револьверных выстрелов, который они рассчитывали в любой момент услышать, разрядил бы напряжение. И они были почти разочарованы, когда вместо выстрела раздался громкий и властный голос майора, одного из тех немногих, кто остался в баре.

— Стойте! — скомандовал он тоном человека, который привык, чтобы ему повиновались, и, обнажив саблю, разделил ею противников. — Не стреляйте, я приказываю вам обоим! Опустите оружие, иначе, клянусь Богом, я отрублю руку первому, кто дотронется до курка! Остановитесь, говорю я вам!

— Почему? — закричал Колхаун, побагровев от гнева. — Почему, майор Рингвуд? После подобного оскорбления, да еще черт знает от кого...

— Вы зачинщик, капитан Колхаун.

— Ну так что же? Я не из тех, кто сносит оскорбления! Уйдите с дороги, майор! Эта ссора вас не касается, и вы не имеете права вмешиваться!

— Вот как? Ха-ха! Слоумен, Генкок, Кроссмен! Вы слышите? Я не имею права вмешиваться... Отставной капитан Кассий Колхаун, не забывайте, где вы находитесь. Не воображайте, что вы в штате Миссисипи, среди ваших «благородных южан», истязающих рабов. Здесь, сэр, военный форт. Здесь действуют военные законы, и вашему покорному слуге поручено командование этим фортом. Поэтому я приказываю вам положить ваш револьвер в кобуру, из которой вы его достали. И сию же секунду, иначе я отправлю вас на гауптвахту, как простого солдата!

— Неужели? — прошипел Колхаун. — В какую прекрасную страну вы собираетесь превратить Техас! Значит, человек, как бы он ни был оскорблен, не имеет права драться на дуэли без вашего на то разрешения, майор Рингвуд? Вот каковы здешние законы?

— Отнюдь нет, — ответил майор. — Я никогда не препятствую честному разрешению ссоры. Никто не запрещает вам и вашему противнику убить друг друга, если это вам нравится.

Но только не сейчас. Вы должны понять, мистер Колхаун, что ваши забавы опасны для жизни других людей, ни в какой мере в них не заинтересованных. Я вовсе не намерен подставлять себя под пулю, предназначенную для другого. Подождите, пока мы все отойдем на безопасное расстояние, и тогда стреляйте сколько душе угодно. Теперь, сэр, надеюсь, вы удовлетворены?

Если бы майор был обыкновенным человеком, вряд ли это распоряжение было бы выполнено. Но к его авторитету старшего офицера форта добавлялось еще уважение к человеку почтенного возраста, к тому же прекрасно владеющему оружием и — как хорошо было известно всем — не позволяющему пренебрегать своими приказаниями. Он обнажил свою саблю не ради пустой угрозы.

Противники знали это. Они одновременно опустили револьверы дулом вниз, но продолжали держать их в руках.

Колхаун стоял, нахмурив брови, стиснув зубы, как хищный зверь, которому помешали напасть на его жертву. Мустангер же подчинился распоряжению спокойно, без видимого раздражения.

— Полагаю, вы твердо решили драться на дуэли? — сказал майор, хорошо понимая, что надежды на примирение почти нет.

— Я не буду на этом настаивать, — скромно ответил Морис. — Если мистер Колхаун извинится за свои слова и поступок...

— Он должен это сделать: он первый начал! — вмешались несколько свидетелей ссоры.

— Никогда! — заносчиво ответил отставной капитан. — Кассий Колхаун не привык извиняться, да еще перед такой ряженой обезьяной!

— Довольно! — закричал ирландец, в первый раз обнаружив гнев. — Я хотел дать ему возможность спасти свою жизнь. Он отказался от этого. И теперь, клянусь всеми святыми, один из нас не выйдет живым из этой комнаты! Майор, настоятельно прошу вас и ваших друзей уйти отсюда! Я не могу больше терпеть его наглость!

— Ха-ха-ха! — раздался презрительный смех Колхауна. — «Возможность спасти свою жизнь»! Уходите отсюда, все уходите! Я покажу ему!

— Стойте! — закричал майор, не решаясь повернуться спиной к дуэлянтам. — Так не годится. Вы можете спустить курки на секунду раньше, чем следует. Мы должны выйти, прежде чем вы начнете... Кроме того, джентльмены, — продолжал он, обращаясь к присутствующим в комнате, — ведь надо, чтобы соблюдались правила дуэли. Если они собираются драться, пусть и та и другая сторона будет в одинаковых условиях. Оба должны быть прежде всего одинаково вооружены, и надо, чтобы они начали по-честному.

— Конечно! Вы правы! — отозвалось человек десять присутствующих. Все смотрели на дуэлянтов и ждали, как они к этому отнесутся.

— Надеюсь, ни один из вас не возражает? — продолжал майор вопросительно.

— Я не могу возражать против справедливого требования, — ответил ирландец.

— Я буду драться тем оружием, которое держу в руке! — злобно сказал Колхаун.

— Согласен. Это оружие и меня устраивает, — раздался голос противника.

— Я вижу, у вас обоих шестизарядные револьверы Кольта номер два, — сказал майор. — Пока что все в порядке. Вы вооружены одинаково.

— Нет ли у них еще какого-нибудь оружия? — спросил молодой Генкок, подозревая, что у Колхауна под полой сюртука спрятан нож.

— У меня больше ничего нет, — ответил мустангер с искренностью, которая не оставляла сомнений в правдивости его слов.

Все посмотрели на Колхауна, который медлил с ответом. Он понял, что должен сознаться.

— Конечно, — сказал он, — у меня есть еще нож. Надеюсь, вы не собираетесь его отнимать? Мне кажется, что каждый вправе пользоваться оружием, которое у него имеется.

— Но, капитан Колхаун, — продолжал Генкок, — у вашего противника нет ножа. Если вы не боитесь драться с ним на равных условиях, то должны отказаться от вашего ножа.

— Да, конечно! — закричало несколько голосов. — Он должен, конечно!

— Давайте-ка его сюда, капитан Колхаун, — настаивал майор. — Шесть зарядов должны удовлетворить любого здравомыслящего человека, и незачем будет прибегать к холодному оружию. Ведь прежде чем вы кончите стрелять, один из вас...

— Ко всем чертям! — крикнул Колхаун, расстегивая сюртук. Достав нож, он швырнул его в противоположный угол бара и вызывающим голосом сказал: — Для этой расфуфыренной птицы он мне не нужен — я покончу с ним первым же выстрелом!

— Хватит еще времени поговорить, после того как вы докажете это на деле. И не воображайте, что ваши хвастливые слова испугали меня... Скорее, джентльмены! Я должен положить конец этому бахвальству и злословию!

— Собака! — свирепо прошипел «благородный южанин». — Проклятая ирландская собака! Я отправлю тебя выть в твою конуру! Я...

— Стыдитесь, капитан Колхаун! — прервал его майор при общем возмущении. — Это лишние разговоры. Так держать себя в порядочном обществе непристойно. Потерпите минуту и тогда говорите, что вам вздумается... Теперь, джентльмены, еще одно, — сказал он, обращаясь к окружающим: — надо взять с них обещание, что они не начнут стрелять до тех пор, пока мы все не уйдем отсюда.

Сразу возникли затруднения. Как начать дуэль? Простого обещания при столь разгоревшихся страстях было мало. По крайней мере, один из соперников вряд ли стал бы дожидаться разрешения спустить курок.

— Начинать надо по сигналу, — продолжал майор. — И ни один из них не должен стрелять раньше. Может ли кто-нибудь предложить, какой дать сигнал?

— Мне кажется, что я могу, — сказал рассудительный капитан Слоумен, выступая вперед. — Пусть мистер Колхаун и мистер Джеральд выйдут вместе с нами. Если вы заметили, на противоположных концах этого бара есть двери с каждой стороны. Обе совершенно одинаково расположены. Пусть они потом снова войдут: один в одну дверь, а другой — в другую, и начнут стрелять только тогда, когда переступят порог.

— Замечательно! Как раз то, что надо, — послышались голоса.

— А что должно послужить сигналом? — повторил свой вопрос майор. — Выстрел?

— Нет, колокол гостиницы.

— Лучше нельзя и придумать, великолепно! — сказал майор, направляясь к одной из дверей, ведущих на площадь.

— Майн готт[1], майор! — закричал хозяин бара, выбегая из-за своей стойки, где до этого он стоял, совершенно оцепенев от страха. — Майн готт! Неужели же они будут стрелять в моем баре? Ах! Они разобьют все мои бутылки, и мои красивые зеркала, и мои хрустальные часы, которые стоили сто... двести долларов! Разольют мои лучшие вина... Ах, майор! Это разорит меня. Что же мне делать? Майн готт! Ведь это...

— Не беспокойтесь, Обердофер, — отозвался майор, останавливаясь. — Я не сомневаюсь, что все ваши убытки будут возмещены. Но, во всяком случае, вы сами должны куда-нибудь спрятаться. Если вы останетесь в вашем баре, в вас наверняка всадят пулю, а это, пожалуй, будет хуже, чем то, что разобьются ваши бутылки.

С этими словами майор оставил растерявшегося хозяина гостиницы и поспешил на улицу, где встретил соперников, которые только что вышли в разные двери.

Обердофер недолго стоял посреди своего бара. Не успела наружная дверь захлопнуться за майором, как внутренняя за-

---

[1] Майн готт! *(нем.)* — Боже мой!

хлопнулась за хозяином гостиницы. И бар, сверкающий лампами, бутылками и дорогими зеркалами, погрузился в глубокую тишину, среди которой слышалось лишь равномерное тиканье часов под хрустальным колпаком.

Глава XXI
ДУЭЛЬ В БАРЕ

Выйдя из гостиницы, майор не стал больше принимать участия в этом происшествии.

Коменданту форта не подобало поощрять дуэль, хотя бы даже наблюдая, чтобы не нарушались ее правила. Этим занялись молодые офицеры, которые тут же приступили к делу.

Времени для этого потребовалось немного. Условия были уже оговорены. Оставалось только поручить кому-нибудь из присутствующих позвонить в колокол, что явилось бы сигналом для начала дуэли.

Это было нетрудно, поскольку не имело значения, кто позвонит. Даже ребенок мог бы подать сигнал к началу этой ужасной схватки.

Если бы посторонний наблюдатель случайно очутился в этот момент на площади перед гостиницей «На привале», он был бы очень озадачен тем, что там происходило. Ночь была довольно темная, но все же можно было различить толпу людей недалеко от гостиницы. Большинство из них носили военную форму: здесь были не только те офицеры, которые вышли из бара, но и другие, а также свободные от несения службы солдаты, которые услышали, что на площади что-то происходит. Женщины — жены солдат, прачки и несколько бойких сеньорит сомнительной репутации, — наспех одевшись, выбежали на улицу и расспрашивали тех, кто опередил их, о причинах шума.

Разговаривали шепотом. Было известно, что на площади присутствуют майор и другие представители власти, — это сдерживало зрителей.

Толпа собралась не у самой гостиницы, а на открытом месте, ярдах в двенадцати от нее. Все не отрываясь смотрели на гостиницу, захваченные волнующим зрелищем. Они следили за двумя мужчинами, стоявшими поодаль друг от друга, у противоположных концов бревенчатого здания, в котором находился бар.

Несмотря на то что эти два человека были разделены толстыми бревенчатыми стенами и не видели друг друга, их движения были одинаковы, словно вызывались одними и теми же побуждениями. Каждый стоял у двери, через которую вырывался яркий свет, падавший широкими полосами на крупный гравий площади. Они стояли не прямо против входа, а немного сбоку — в стороне от света. Оба слегка пригнулись, словно бегуны перед стартом, готовые ринуться вперед. Оба сосредоточенно смотрели в бар, откуда доносилось лишь тиканье часов. По их позам можно было догадаться, что они готовы войти туда и ждут лишь условленного сигнала.

В одежде этих двух людей не было ничего лишнего, ничего, что могло бы помешать движениям, — они были без шляп, в одних рубашках; их лица и позы говорили о непоколебимой решимости.

Угадать их намерения было нетрудно. Посторонний наблюдатель, случайно оказавшийся на площади перед гостиницей, с первого взгляда мог бы понять, что речь идет о жизни и смерти. Поднятые револьверы в руках, напряженность поз, тишина, царившая в толпе любопытных, и, наконец, сосредоточенный интерес, с которым все смотрели на этих двух людей, яснее всяких слов говорили, что здесь происходит нечто ужасное. Короче говоря: это была схватка, исходом которой могла быть смерть.

Настал решающий момент. Дуэлянты напряженно смотрели на дверь, в которую они должны были войти и, быть может, никогда не вернуться. Они ждали только сигнала, чтобы переступить порог и начать поединок, который будет роковым для одного из них, а может быть, и для обоих.

Ожидали ли они роковых слов: «Раз-два-три — стреляй!»?

Нет. Был назначен другой сигнал, и он прозвучал. Чей-то громкий голос крикнул:

— Звони!

У столба, на котором висел колокол, можно было различить три или четыре темные фигуры. После приказа они зашевелились. Вместе с движением их рук, едва заметным в темноте, раздался звонкий удар колокола. Этот звук, обычно весело созывавший людей к обеду, теперь был сигналом к началу смертельного боя.

Звон продолжался недолго. После первого же удара люди, дергавшие веревку, увидели, что в их услугах больше нет необходимости. Противники бросились в бар, раздался сухой треск револьверных выстрелов, дребезжанье разбитого стекла, и звонившие поняли, что они производят только лишний шум. Бросив веревку, они, как и все остальные зрители, стали прислушиваться.

Никто, кроме самих участников, не видел, как происходила эта странная дуэль.

При первом же ударе колокола противники вошли в бар. Ни один из них не задержался снаружи. Поступить так — означало бы прослыть трусом. Сотня глаз следила за ними, и зрители знали условия дуэли: ни тот, ни другой не должен стрелять, прежде чем переступит порог.

Как только они вошли, сразу же раздались первые выстрелы. Комната наполнилась дымом. Оба остались на ногах, хотя оба были ранены. На белый песок пола брызнула кровь.

Вторые выстрелы также последовали одновременно, но они были сделаны уже наугад, так как дуэлянтам мешал дым.

Затем раздался одиночный выстрел, сразу за ним другой, потом наступила тишина.

Перед этим было слышно, как враги двигались по комнате. Теперь этого звука больше не было.

Наступила глубокая тишина. Убили ли они друг друга? Нет. Вновь раздавшийся двойной выстрел оповестил, что оба живы. Пауза объяснялась тем, что противники пытались найти друг друга и напряженно всматривались сквозь завесу дыма. Оба молчали и не шевелились, чтобы не выдать, где каждый из них находится.

Снова наступила тишина, на этот раз более длительная. Она оборвалась двойным выстрелом, за которым последовал шум падения двух тяжелых тел.

Затем послышалось барахтанье, стук опрокинутых стульев и еще один выстрел — одиннадцатый. Он был последним.

Толпа любопытных видела только облака порохового дыма, выплывавшие из дверей, тусклое мерцание ламп и время от времени вспышку света, сопровождающуюся треском, — и все.

Слышали они гораздо больше: звон вдребезги бьющегося стекла, грохот падающей мебели, опрокинутой в жестокой борьбе, топот ног по деревянному полу и время от времени сухой треск револьверного выстрела. Но голосов тех, чья взаимная ненависть привела к этой схватке, не было слышно.

Никто из стоявших не знал, что происходило внутри бара, только по звуку выстрелов можно было понять, как протекает дуэль. Они сосчитали одиннадцать. Затаив дыхание все ждали двенадцатого.

Но вместо выстрела послышался голос мустангера:

— Мой револьвер у вашего виска? У меня осталась еще одна пуля. Просите извинения — или вы умрете!

Толпа поняла, что дуэль близится у концу. Некоторые смельчаки заглянули внутрь. Они увидели противников, распростертых на дощатом полу. Оба были в крови, оба тяжело ранены; белый песок вокруг них покраснел от крови; на нем были видны извилистые следы там, где они подползали друг к другу, чтобы выстрелить в последний раз; один, в вельветовых брюках, опоясанный красным шарфом, слегка приподнявшись над другим и приставив револьвер к его виску, грозил ему смертью.

Такова была картина, которую увидели зрители, когда сквозняк рассеял пороховой дым и позволил им различить, что делается внутри бара.

Тут же послышался и другой голос, голос Колхауна. В его тоне уже не было заносчивости. Это был просто жалобный шепот:

— Довольно... Опустите револьвер... Извините...

Глава XXII

ЗАГАДОЧНЫЙ ПОДАРОК

Дуэль для Техаса не диво. По истечении трех дней о ней уже перестают говорить, а через неделю никто даже и не вспоминает о происшедшем, за исключением, конечно, участников и их близких.

Так бывает даже в том случае, если на дуэли дрались люди уважаемые и занимающие видное положение в обществе. Если же дуэлянты, — неизвестные бедняки или приезжие, одного дня бывает достаточно, чтобы предать забвению их подвиги. Они остаются жить лишь в памяти противников — чаще одного, уцелевшего, и еще, пожалуй, в памяти неудачливого зрителя, получившего шальную пулю или удар ножа, предназначавшийся не ему.

Не раз мне приходилось быть свидетелем уличных схваток, разыгравшихся прямо на мостовой, где ни в чем не повинные, беззаботно гулявшие горожане бывали ранены или даже убиты в результате этих своеобразных дуэлей.

Я никогда не слышал, чтобы виновники несли наказание или возмещали бы материальные убытки, — на эти происшествия смотрят обычно как на «несчастные случаи». Несмотря на то что Кассий Колхаун, так же как и Морис Джеральд, сравнительно недавно появился в поселке, — причем Морис только время от времени приезжал в форт, — их дуэль вызвала необычайный интерес, и о ней говорили в течение целых девяти дней. Неприятный, заносчивый нрав капитана и таинственность, окружавшая мустангера, вероятно, послужили причиной того, что эта дуэль заняла совершенно особое место: об этих двух людях, об их достоинствах и недостатках, говорили много дней спустя после их ссоры и горячее всего там, где пролилась их кровь, — в баре гостиницы.

Победитель завоевал всеобщее уважение и приобрел новых друзей; на стороне его противника были только немногие. Большинство остались довольны исходом дуэли: несмотря на то что Колхаун только недавно переехал в эти края, своей дерзкой наглостью он успел восстановить против себя не одного завсегдатая бара.

Все считали, что молодой ирландец хорошо его проучил, и говорили об этом с одобрением.

Как переносил Кассий Колхаун свое поражение, никто не знал; его больше не видели в гостинице «На привале», но причина его отсутствия была понятна: тяжелые, почти смертельные раны надолго приковали его к постели.

Несмотря на то что раны Мориса не были такими тяжелыми, как у его противника, он тоже был прикован к постели. Ему пришлось остаться в гостинице Обердофера — в скромном номере, потому что даже слава победителя не изменила обычного небрежного отношения к нему ее хозяина.

После дуэли он потерял сознание от большой потери крови. Его нельзя было никуда перевозить. Лежа в неуютном номере, он мог бы позавидовать заботам, которыми был окружен его раненый соперник. К счастью, с мустангером был Фелим, иначе положение его было бы еще хуже.

— Святой Патрик! Ведь это же безобразие! — вздыхал верный слуга. — Сущее безобразие — впихнуть джентльмена в такую конуру! Такого джентльмена, как вы, мистер Морис. И еда никуда не годится, и вино. Хорошо откормленный ирландский поросенок, наверно, отвернулся бы от того, чем тут нас кормят. И как вы думаете, что этот старый Доффер говорил внизу...

— Я не имею ни малейшего представления и мне совершенно безразлично, дорогой Фелим, что говорил Обердофер внизу, но если ты не хочешь, чтобы он слышал, что ты говоришь наверху, то умерь, пожалуйста, свой голос. Не забывай, дружище, что перегородки здесь — это только дранка и штукатурка.

— Черт бы побрал эти перегородки! Вам все равно, что о вас болтают? А мне наплевать, что меня слышат. Все равно этот немец обращается с нами хуже некуда. Я все-таки скажу — вам это нужно знать.

— Ну ладно. Что же он говорил?

— А вот что. Я слыхал, как он говорил одному приятелю, что заставит вас заплатить не только за номер, за еду и стирку, но и за все разбитые бутылки, зеркала и за все, что было поломано и разбито в тот вечер.

— Заставит заплатить меня?

— Да, вас, мастер Морис. И ничего не потребует с янки. Ведь это подлость! Только проклятый немец мог такое придумать! Пусть платит тот, кто заварил эту кашу, а не вы, потомок Джеральдов из Баллибаллаха!

— А ты не слышал, почему он считает, что я должен платить за все?

— Как же, мастер Морис! Этот жулик говорил, что вы — синица в руках и что он не выпустит вас, пока вы всего не заплатите.

— Ничего, он скоро увидит, что немножко ошибся. Пусть лучше он подает счет журавлю в небе. Я согласен уплатить половину причиненных убытков, но не больше. Можешь ему это передать при случае. А по совести говоря, Фелим, не знаю, как я даже это смогу сделать... Наверно, много вещей было перебито и переломано. Мне помнится, что-то здорово дребезжало, когда мы дрались. Кажется, разбилось зеркало или часы, или что-то в этом роде...

— Большое зеркало, мастер Морис, и что-то стеклянное, что было на часах. Говорят, что оно стоит двести долларов. Враки! Наверно, не больше половины.

— Пусть так, для меня сейчас и это тяжело. Боюсь, Фелим, что тебе придется съездить на Аламо и привезти все наши сокровища. Чтобы уплатить этот долг, мне необходимо будет расстаться со своими шпорами, серебряным кубком и, быть может, с ружьем.

— Только не это, мастер Морис! Как мы будем жить без ружья?

— Как-нибудь проживем, дружище. Будем есть конину — лассо нам поможет.

— Ей-же-ей, прокормимся не хуже, чем на той бурде, что подает нам старый Доффер! У меня всякий раз после обеда болит живот.

Вдруг без всякого стука открылась дверь, и на пороге появилась неопрятная фигура — женщина или мужчина, трудно было сразу сказать; в жилистой руке она держала плетеную корзинку.

— Ты что, Гертруда? — спросил Фелим, который, по-видимому, уже знал, что перед ним служанка.

— Джентльмен передал это, — ответила она, протягивая корзинку.

— Какой джентльмен, Гертруда?

— Не знаю его. Я никогда раньше его не видела.

— Передал джентльмен? Кто же это может быть? Фелим, посмотри, что там.

Фелим открыл корзинку; в ней было много всякой всячины: несколько бутылок вина и прохладительных напитков, уложенных среди всевозможных сладостей и деликатесов — изделий кондитера и повара. Не было ни письма, ни даже записочки, однако изящная упаковка не оставляла сомнений, что посылка приготовлена женской рукой.

Морис перебрал и пересмотрел все содержимое корзинки — по мнению Фелима, чтобы определить, во что все это обошлось. Но на самом деле мустангер думал совсем о другом — он искал записку.

Но в корзинке не оказалось ни клочка бумаги, ни даже визитной карточки. Щедрость этого подарка, который, надо сказать, был очень кстати, не оставлял сомнений, что его прислал богатый человек. Но кто же это мог быть?

Когда Морис задавал себе этот вопрос, в его воображении вставал прекрасный образ, и мустангер невольно связывал его с неизвестным благодетелем. Неужели это была Луиза Пойндекстер?

Несмотря на некоторую неправдоподобность, он все же хотел верить, что это так, и, пока он верил, сердце его трепетало от счастья.

Однако чем больше он думал, тем больше сомневался, и от его уверенности осталась лишь неопределенная, призрачная надежда.

— «Джентльмен передал», — повторил Фелим, не то разговаривая сам с собой, не то обращаясь к хозяину. — Гертруда сказала, что это джентльмен. Видно, добрый джентльмен. Но только кто?

— Не имею ни малейшего представления, Фелим. Может быть, кто-то из офицеров форта? Хотя сомневаюсь, чтобы кто-нибудь из них мог проявить ко мне такое внимание.

— Само собой разумеется, это не они. Офицеры и вообще мужчины тут ни при чем.

— Почему ты так думаешь?

— Почему я так думаю? Ох, мастер Морис, вам ли это спрашивать? Ведь это дело женских пальчиков. Ей-ей! Гляньте-ка, до чего аккуратно завернуто. Никогда мужчине так не сделать. Да-да, это женщина и, смею вас уверить, настоящая леди.

— Глупости, Фелим! Я не знаю ни одной леди, которая могла бы проявить ко мне такое участие.

— Не знаете? Вот уж неправда, мастер Морис! А я знаю. И если бы она не позаботилась о вас, то это было бы черной неблагодарностью. Разве вы не спасли ей жизнь?

— О ком ты говоришь?

— Как будто вы сами не догадываетесь, сударь! Я говорю о той красотке, что была у нас в хижине: прискакала на крапчатом, которого вы ей подарили и даже гроша ломаного за него не взяли. Если это не ее подарок, то Фелим О'Нил самый большой дурень во всем Баллибаллахе!.. Ах, мастер Морис, заговорил я о родных краях, и вспомнились мне те, кто там живет... А что бы сказала голубоглазая красотка, если бы только узнала, в какой опасности вы находитесь?

— Опасность? Да все уже прошло. Доктор сказал, что через недельку можно будет выходить. Не тужи, дружище!

— Нет, я не про то. Не об этой опасности я говорил. Сами знаете, о чем я думаю. Нет ли у вас сердечной раны, мастер Морис? Иной раз прекрасные глаза ранят куда больнее, чем свинцовая пуля. Может, кто-нибудь ранен вашими глазами, потому и прислал все это?

— Ты ошибаешься, Фелим. Наверно, корзину прислал кто-нибудь из форта. Но, кто бы это ни был, я не вижу причин, почему мы должны церемониться с ее содержимым. Давай-ка попробуем.

Больной получил очень большое удовольствие, лакомясь деликатесами из корзинки, но мысли его были еще приятнее — он мечтал о той, чья забота была ему так дорога.

Неужели этот великолепный подарок сделала молодая креолка — кузина и, как говорили, невеста его злейшего врага?

Это казалось ему маловероятным.

Но если не она, то кто же?

Мустангер отдал бы лошадь, целый табун лошадей, лишь бы подтвердилось, что щедрый подарок прислан Луизой Пойндекстер.

Прошло два дня, а тайна оставалась нераскрытой.

Вскоре больного опять порадовали подарком. Прибыла такая же корзинка с новыми бутылками и свежими лакомствами.

Они опять начали расспрашивать служанку, но результаты были те же: «Джентльмен привез, незнакомый джентльмен, тот же самый, что и тогда». Она могла только добавить, что он был «очень черный», что на нем была блестящая шляпа и что он подъехал к гостинице верхом на муле.

Казалось, Морис не был доволен этим описанием неизвестного доброжелателя; но никому, даже Фелиму, не поверил он своих мыслей.

Два дня спустя после того, как была получена третья корзинка, доставленная тем же джентльменом в блестящей шляпе, Морису пришлось забыть свои мечты. Это нельзя было объяснить содержимым корзинки, которое ничем не отличалось от прежних. Дело скорее было в письме, привязанном лентой к ее ручке.

— Это всего лишь Исидора, — пробормотал Морис, взглянув на подпись.

Потом, равнодушно развернув листок, стал читать написанное по-испански письмо. Вот оно — в точном переводе.

«Дорогой сеньор!

В течение недели я гостила у дяди Сильвио. До меня дошли слухи о вашем ранении, а также о том, что вас плохо обслуживают в гостинице. Примите, пожалуйста, этот маленький подарок, как память о той большой услуге, которую вы мне оказали. Я пишу уже в седле. Через минуту я уезжаю на Рио-Гранде.

Мой благодетель, спаситель моей жизни... больше того — моей чести! До свидания, до свидания!

Исидора Коварубио де Лос-Льянос».

— Спасибо, спасибо, милая Исидора! — прошептал мустангер, складывая письмо и небрежно бросая его на одеяло. — Всегда признательная, внимательная, добрая! Не будь Луизы Пойндекстер, может быть, я полюбил бы тебя!

Глава XXIII

КЛЯТВА МЕСТИ

Томившийся в своей комнате Колхаун, наверно, позавидовал бы такому вниманию. Несмотря на то что он лежал дома и был окружен роскошью, он не мог утешать себя мыслью, что есть кто-то на свете, кто привязан к нему. Черствый эгоист, он не верил в дружбу — и у него не было друзей; прикованный к постели, мучимый страхом, что его раны могут оказаться смертельными, он терзался сознанием, что всем совершенно безразлично, останется ли он жив или умрет.

Если к нему и проявляли какое-то внимание, то только в силу родственных обязанностей. Иначе и не могло быть. Его поведение в отношении двоюродной сестры и двоюродного брата вряд ли могло вызвать их привязанность. Его дядя, гордый Вудли Пойндекстер, испытывал к нему отвращение, смешанное со страхом.

Правда, это чувство появилось совсем недавно. Как уже известно, Пойндекстер был должником своего племянника. Долг был так велик, что фактически Кассий Колхаун стал владельцем асиенды Каса-дель-Корво и мог в любую минуту объявить себя ее хозяином.

За последнее время Колхаун пустил в ход все свое влияние, чтобы добиться руки Луизы, — он уже давно был страстно влюблен в нее. Скоро он понял, что ему вряд ли удастся получить ее согласие, потому что она в ответ на его ухаживания даже не пыталась скрывать свое равнодушие. Поэтому он решил добиться ее согласия через отца, хорошо сознавая свою власть над ним.

Неудивительно, что к отставному капитану во время его тяжелой болезни было проявлено меньше симпатии, чем это могло быть при других обстоятельствах.

Пока больной чувствовал, что ему грозит смерть, он был как будто мягче к окружающим. Но это длилось недолго. Как только Колхаун почувствовал, что начинает выздоравливать, к нему сразу вернулась вся его дикая необузданность, усиленная горьким сознанием недавнего поражения.

Всю жизнь он любил щеголять своей наглостью и верховодить в любой компании, которая собиралась около него. Сознание, что никто в Техасе больше не поверит в его доблесть, причиняло ему несказанные мучения.

Появиться в роли потерпевшего поражение перед всеми дамами и, главное, перед той, которую он обожал, сознавать, что виновником его поражения был безвестный авантюрист, которого он считал своим соперником в любви, — это было выше его сил. Даже обыкновенному человеку было бы тяжело под таким душевным гнетом, — Колхаун же не находил себе места.

Он вовсе не собирался смириться с этим, как поступил бы обыкновенный человек, — он решил мстить. Поэтому, едва избавившись от страха за свою жизнь, он начал упорно размышлять о мести.

Морис-мустангер должен умереть! И если не от его руки, то от руки кого-нибудь другого. Найти соучастника не так уж трудно. В обширных прериях Техаса наемные убийцы встречаются не реже, чем в итальянских городах. Увы, нет такого уголка на всем земном шаре, где золото не управляло бы кинжалом убийцы! А у Колхауна золота было больше чем достаточно, чтобы подкупить какого-нибудь негодяя.

В уединении своей комнаты, выздоравливая от ран, Колхаун обдумывал план убийства мустангера.

Он не собирался этого делать сам, потому что боялся новой встречи со столь грозным противником — даже в том случае, если бы ему удалось напасть на него врасплох. Поражение сделало его трусливым, и он хотел найти исполнителя — руку, которая нанесла бы удар за него. Где же его искать?

К несчастью, он знал или, быть может, ему только казалось, что он знал подходящего человека. Это был мексиканец, в то время находившийся в поселке, — такой же мустангер, как и Морис, но один их тех, от кого молодой ирландец держался в стороне.

Как правило, люди этой своеобразной профессии пользовались в Техасе дурной славой. Ремеслом мустангера обычно занимались мексиканцы или метисы; однако нередко бывало, что этим делом увлекался француз или американец. Это были обычно подонки цивилизованного общества, нередко преступники, которые волнениями опасной охоты, быть может, заглушали упреки совести.

Когда мустангеры появлялись в поселках, они досаждали мирным жителям своими постоянными драками и дебошами. Повстречаться же с ними в пустынной прерии нередко было опасно для жизни. В истории Техаса неоднократно упоминаются случаи, когда компания мустангеров превращалась на время в разбойничью банду; переодетые и загримированные индейцами, они часто грабили путешественников.

Кассий Колхаун вспомнил об одном из таких головорезов. Он вспомнил, что встречался с ним неоднократно в баре гостиницы, видел его и в тот вечер, когда дрался на дуэли. Этот мустангер был одним из тех, кто нес его домой на носилках. Припомнилось ему также, с какой злобой говорил мексиканец о Морисе Джеральде.

Потом Колхаун узнал, что мексиканец ненавидит Мориса почти так же, как он сам.

На нем и остановил свой выбор Колхаун. Он вызвал мексиканца к себе и после этого часто разговаривал с ним, запершись в своей комнате.

У окружающих не возникло никаких подозрений. Впрочем, Колхаун об этом и не беспокоился. Его посетитель торговал лошадьми и рогатым скотом — у них могли быть дела. Такое объяснение выглядело вполне естественным. Даже сам мексиканец вначале думал именно так, потому что при их первых встречах разговор носил почти исключительно деловой характер. Хитрый южанин не собирался выдавать свои намерения малознакомому человеку. И только после одной очень выгодной для мексиканца сделки, за бутылкой вина, Колхаун стал осторожно допытываться, как относится мексиканец к Морису-мустангеру.

Беседа убедила отставного капитана, что на этого человека он может положиться, что он окажет ему любую услугу, вплоть до убийства.

Мексиканец не скрывал своей ненависти к молодому мустангеру. И, хотя он не сказал ничего определенного о причине этой ненависти, Кассий Колхаун по некоторым намекам понял, что причина у них одна и та же — то, что уже издревле, со времен Трои, вызывает ссоры между мужчинами: женщина!

Прекрасной Еленой в данном случае оказалась одна черноокая сеньорита с берегов Рио-Гранде, которую Морис время от времени навещал. Она стала предпочитать общество мустангера-ирландца обществу своего соотечественника. Мексиканец не назвал имени девушки, а Колхаун и не старался узнать его, но, слушая рассказ, втайне надеялся, что девица, которая отвергла мексиканца, покорит сердце его соперника.

Пока капитан выздоравливал, он несколько раз виделся с человеком, которого хотел сделать орудием своей мести, и у них была полная возможность обо всем договориться.

Договорились они или нет и каковы были их дьявольские намерения, осталось известно только им одним. Окружающие лишь заметили, что Кассий Колхаун и Мигуэль Диас, по прозванию Эль-Койот[1], постоянно бывают вместе, и все удивлялись этой странной дружбе.

Глава XXIV
НА АСОТЕЕ

На техасских плантациях нет бездельников. День начинается с восходом солнца. Колокол, гонг или пастуший рожок, созывая черных невольников на работу, поднимает и рабовладельцев с их удобных постелей.

Так было в Каса-дель-Корво при старых хозяевах. Семья американского плантатора не изменила этому обычаю — прав-

[1] Эль-Койот *(исп.)* — степной волк.

да, не из желания следовать традиции, но по требованию самой природы. Ароматное утро солнечного Техаса, где царит почти непрерывная весна, жаль проводить в постели. Отдыхают в полдень, когда все в природе никнет под жгучими лучами солнца.

На рассвете же все с новой радостью встречают восходящее светило. Тропические птицы расправляют свои яркие крылья, цветы — влажные от росы лепестки, как бы в ожидании жгучего поцелуя первых солнечных лучей. Все живое снова славит солнце.

Прекрасна, как птицы, порхающие в рощах Техаса, нежна, как цветы, расцветающие в его долинах, была девушка, которая появилась на крыше дома Каса-дель-Корво.

Сама Аврора, встающая со своего ложа, вряд ли выглядела свежее, чем молодая креолка, когда она смотрела на розовую завесу, из-за которой медленно поднимался золотой диск солнца.

Она стояла на восточной стороне асотеи; ее рука лежала на каменном парапете, еще влажном от ночной росы. Перед ее глазами был сад, расположенный в излучине реки, над ним откос противоположного берега, а еще дальше широко расстилалась прерия.

Смотрела ли она на чудесный вид, которым нельзя было не любоваться? Нет.

Она не замечала и восходящего солнца, хотя казалось, что она, словно язычница, молится ему.

Слушала ли она мелодичное пение птиц, звенящее над садом и рощей?

Нет, она ничего не слышала и ничего не замечала. Ее взгляд был рассеян, и мысли ее были далеко.

Казалось, ни ясное утро, ни пение птиц не радовали ее — тень печали лежала на прекрасном лице.

Она была одна, никто не заметил ее грусти и не спросил, чем она вызвана.

Невольно сорвавшийся шепот выдал ее тайну:

— Может быть, он тяжело ранен? Может быть, смертельно?

О ком говорила она с таким волнением?

О человеке, который лежал совсем близко, внизу, в одной из комнат асиенды, — о своем кузене Кассии Колхауне?

Вряд ли это было так. Еще накануне доктор сказал, что больной на пути к выздоровлению, что опасности для жизни больше нет. И если бы кто-нибудь подслушал ее монолог, который она продолжала тем же грустным голосом, то он убедился бы, что она говорила о ком-то другом.

— Я не могу даже никого послать к нему. Я никому не доверяю. Где он теперь? Наверно, ему нужна помощь, участие... Если бы я могла послать ему хотя бы весточку так, чтобы никто не знал! И куда пропал Зеб Стумп?

Девушке почему-то казалось, что Зеб может появиться с минуты на минуту, и она стала смотреть на равнину по ту сторону реки, где вдоль берега тянулась дорога. Это была проезжая дорога между фортом Индж и плантациями на нижней Леоне; она пересекала прерию на некотором расстоянии от реки и приближалась к ней только в одном месте — там, где русло делало резкий изгиб, врезаясь в крутой берег. В направлении к форту дорога была видна на протяжении полумили, ее пересекала тропинка, которая вела через брод к асиенде. Вниз по реке, приблизительно на таком же расстоянии, саванна переходила в заросли, за которыми уже ничего не было видно.

Молодая креолка смотрела в сторону форта Индж, откуда мог приехать Зеб Стумп, но ни его и никого другого не было видно.

Это не должно было бы огорчить ее. Ведь он не обещал приехать. Она смотрела в этом направлении чисто инстинктивно.

Но что-то более сильное, чем инстинкт, заставило ее через некоторое время обернуться и устремить взгляд в противоположную сторону.

Если она надеялась там кого-нибудь увидеть, то на этот раз ожидания не обманули ее. Из зарослей появился всадник. Креолке сначала показалось, что это мужчина в костюме, напоминающем арабский. Но потом она рассмотрела, что это женщина, которая сидит на лошади по-мужски. Лицо всадницы было почти все закрыто прозрачным шарфом. Но Луиза все же заметила красивый овал смуглого лица, яркий румянец на щеках, блестящие, как звезды, глаза.

Ни эксцентричная манера ездить верхом, ни шарф, ниспадавший с плеч всадницы, не помешали Луизе заметить, что она хорошо сложена.

За незнакомкой, отставая от нее ярдов на пятнадцать, ехал человек на муле; по тому, что он держался на почтительном расстоянии, а также по одежде всадника можно было догадаться, что это ее слуга.

— Кто эта женщина? — прошептала Луиза Пойндекстер и быстро поднесла к глазам лорнет, чтобы лучше разглядеть удивительную всадницу. — Кто же она? — повторила креолка свой вопрос более спокойным тоном, опустив лорнет и продолжая рассматривать всадницу невооруженным глазом. — Мексиканка, конечно, а всадник на муле — ее слуга. Какая-нибудь знатная сеньора, наверно. Я думала, что они все переехали в Мексику... В руках у ее спутника корзинка. Интересно, что в ней такое? И зачем они едут в форт или в поселок? Уже третий раз на этой неделе я вижу, как она проезжает мимо нас. Она живет, вероятно, где-нибудь на плантациях, расположенных ниже по реке. Что за эксцентричная манера ездить верхом! Я слыхала, что это принято у мексиканок. Что, если бы и я стала так ездить? Несомненно, так удобнее. Но в Штатах сочли бы такую езду неженственной. Воображаю, как возмутились бы наши пуританские мамаши! Ха-ха-ха! Можно представить себе их ужас!..

Но смех сразу оборвался. Выражение лица креолки мгновенно изменилось, словно кочующая тучка заволокла диск солнца. Но это не была грусть, которая перед этим омрачала лицо девушки, хотя, судя по внезапно побледневшим щекам, ею овладело не менее серьезное чувство.

Причину этой перемены можно было бы связать только с движениями задрапированной шарфом всадницы на том берегу реки. Из лесных зарослей выскочила вилорогая антилопа. Не успела она сделать первый прыжок, выскочив из-за лошади, как та галопом помчалась вдогонку за испуганным животным. Наездница, сорвав с лица вуаль, сделала в воздухе несколько кругообразных движений правой рукой.

— Что она делает? — прошептала девушка на асотее. — А! Да ведь это лассо!

Сеньора не замедлила показать, с каким совершенством она владеет этим национальным оружием; она ловко набросила лассо на шею антилопы и затянула петлю. Оглушенное животное упало.

Быстро подъехавший слуга соскочил со своего мула и, наклонившись над вытянувшимся вилорогом, ударом ножа заколол его, затем, взвалив тушу на спину мула, он снова вскочил в седло и поехал за всадницей. А сеньора уже успела свернуть лассо и, опустив на лицо шарф, продолжала путь как ни в чем не бывало.

Тень набежала на лицо креолки в тот момент, когда петля лассо взвилась в воздух. Эта тень была вызвана не удивлением, нет, — совсем иным чувством, мыслью гораздо более неприятной.

И, хотя рука с лорнетом заслоняла лицо Луизы, все же можно было заметить, что оно оставалось печальным, пока всадники не скрылись из виду, и даже после того, как они исчезли среди акаций.

«Неужели же, неужели это она? Моих лет, сказал он, ростом немного ниже меня. Все это вполне подходит, насколько я могу судить на таком расстоянии. Живет на Рио-Гранде, время от времени гостит на Леоне у родственников. Кто же это? И почему я не спросила у него, как ее зовут? Неужели же, неужели это *она*?»

Глава XXV
НЕОТДАННЫЙ ПОДАРОК

Еще несколько минут после того, как сеньора с лассо и ее слуга исчезли из виду, Луиза продолжала стоять в раздумье. Ее унылая поза и выражение лица говорили о том, что мысли девушки не стали веселее.

Нет, наоборот. Один или два раза до этого в ее воображении уже вставал образ искусной наездницы, и не раз она задумывалась над тем, зачем молодая мексиканка едет в эту сторону. После случая с антилопой ее догадки перешли в подозрения.

Луиза вздохнула с облегчением, когда из зарослей — как раз в том месте, где скрылись два всадника, — показался еще один; она обрадовалась еще больше, когда заметила, что он свернул на тропинку, ведущую к асиенде. Подняв лорнет, креолка узнала в нем Зеба Стумпа. Ее лицо просветлело и стало почти веселым. Она сочла хорошим предзнаменованием, что в грустные минуты сомнений появлялся этот честный обитатель лесов.

— Как раз тот, кого я ждала! — с радостью воскликнула девушка. — Возможно, через него я смогу послать весточку; и, может быть, он скажет, кто эта сеньора? Он, наверно, встретился с ней на дороге. Это даст мне возможность, не вызывая подозрений, начать разговор на эту тему. После того, что произошло, я должна быть осторожна даже с ним. О, если бы я была уверена, что нравлюсь ему, я не стала бы беспокоиться! Как ужасно его равнодушие! И ко мне, Луизе Пойндекстер! Нет, так больше продолжаться не может: я должна освободиться от этого ига хотя бы ценой разбитого сердца!

Вряд ли следует объяснять, что человек, о нежной дружбе которого так мечтала Луиза, был отнюдь не Зеб Стумп.

В это время охотник уже подъехал к самой асиенде и остановил лошадь.

— Дорогой мистер Стумп! — радушно приветствовал его голос, который старый охотник так любил слушать. — Как я рада вас видеть! Слезайте с лошади и идите ко мне сюда. Я знаю, что вам любой подъем нипочем и вы не испугаетесь этой каменной лестницы. Отсюда такой прекрасный вид, вы не пожалеете!

— Увидеть вас, мисс Луиза, будет для меня лучшим вознаграждением; ради этого я согласен залезть не только на крышу этого дома, но и на пароходную трубу... Одну минуточку, я только отведу свою старую кобылу в конюшню и тут же приду — это будет сделано в мгновение ока.

Соскочив со своей клячи, он обратился к ней с такими словами:

— Не унывай, старушка! Держи выше голову, и, может быть, Плутон угостит тебя кукурузой на завтрак.

— Эгей! Масса Стумп! — раздался голос чернокожего кучера, только что появившегося во дворе. — Негр сделает это самое — даст ей досыта желтой кукурузы. Эгей! А вы ступайте к молодой мисса. Плутон присмотрит за кобылой.

— Черт побери, ты негр хоть куда! В следующий раз, Плутон, когда я забреду в эти края, я подарю тебе опоссума, с таким нежным мясом, как у двухлетней курицы. Вот что я обещаю тебе!

Сказав это, Зеб стал подниматься по каменной лестнице, перескакивая через две-три ступеньки. Он быстро поднялся на асотею, где молодая хозяйка дома еще раз радостно приветствовала гостя.

Старый охотник сразу заметил, как сильно была взволнована девушка, когда она вела его в дальний угол асотеи, и понял, что приглашен сюда не только для того, чтобы полюбоваться красивым видом.

— Скажите мне, мистер Стумп... — сказала Луиза, ухватившись за рукав его куртки и вопросительно заглядывая в серые глаза охотника, — вы, наверно, все знаете? Как его здоровье? Опасно ли он ранен?

— Если вы спрашиваете о мистере Колхауне...

— Нет-нет, о нем я все знаю! Я говорю не о нем.

— Но, мисс Луиза, я знаю еще только одного человека из наших мест, который был тоже ранен, — это Морис-мустангер. Так, может, вы о нем спрашиваете?

— Да-да, о нем. Вы понимаете, что, хотя он и поссорился с моим двоюродным братом, я не могу оставаться безучастной к нему. Вы ведь знаете, что Морис Джеральд спас меня — можно сказать, дважды вырвал из когтей смерти. Скажите, он очень опасно ранен?

Это было сказано с таким волнением, что шутки оказались неуместны. Зеб поспешил ответить:

— Да нет же, никакой опасности нет. Одной пулей прострелило ему ногу выше щиколотки: эта рана не опаснее царапины. Вторая попала в мякоть левой руки. И тут тоже ничего серьезного. Только крови он потерял порядочно. Теперь он уже совсем молодец и через несколько дней сможет встать с постели. Парень говорит, что если бы он проехался верхом по прерии, так это излечило бы его скорее, чем все доктора Техаса. Я тоже так думаю. Но его лечит хирург форта, и он пока вставать не разрешает.

— А где он сейчас?

— В гостинице. Там же, где они стрелялись.

— Там, наверно, плохо ухаживают за ним? Я слыхала, что эта гостиница никуда не годится. Его, наверно, кормят совсем не так, как надо кормить больного... Подождите минутку, мистер Стумп, я сейчас вернусь. Мне хочется послать ему кое-что. Я знаю, что вы это сделаете для меня. Не правда ли? Я уверена в этом.

Не дожидаясь ответа, Луиза направилась к лестнице и быстро спустилась вниз. Скоро она вернулась, держа в руке большую корзину, нагруженную всякими лакомствами и напитками.

— Милый мистер Стумп, вы ведь передадите это мистеру Джеральду? Сюда Флоринда положила всякие пустячки: немного освежающих напитков, немного варенья и еще кое-что. Во время болезни хочется полакомиться, а в гостинице вряд ли можно достать что-нибудь вкусное. Только не говорите ему, от кого это, и никому не говорите! Хорошо? Я знаю, что вы не скажете, мой добрый великан!

— Вы можете положиться на старика Зеба Стумпа, мисс Луиза. Ни одна душа не узнает, от кого эти лакомства, только, поверьте, у парня всего вдоволь. Ему так много привозят всякой всячины, что он мог бы накормить целую ватагу сластоежек.

— А! Ему уже привозят! Кто же?

— А вот этого Зеб Стумп не может сказать, потому что сам не знает. Я только слыхал, что корзинки с едой передавал мексиканец, чей-то слуга, а от кого — не знаю. Я и сам его видел. Только несколько минут назад встретил его недалеко от вашей асиенды; он, должно быть, сопровождал девушку, которая сидела на лошади по-мужски, — большинство мексиканок так ездят. Я думаю, он ее слуга, потому что ехал сзади; в руках у него была корзинка, точь-в-точь такая, какую мистер Морис только недавно получил. Стало быть, он опять вез разные разности для больного.

В дальнейших расспросах не было нужды. Эти слова объяснили слишком много, все стало мучительно ясно: у Луизы Пойндекстер есть соперница. Мексиканка с лассо, вероятно, была возлюбленной, а может быть, и невестой мустангера.

И не случайно, — хотя Зеб Стумп и мог так подумать, — корзинка, которую креолка, не выпуская из рук, поставила на парапет, выскользнула и упала вниз на каменные плиты двора. Бутылки разлетелись мелкими осколками, а их содержимое хлынуло волной вдоль стены.

Хотя движение руки, опрокинувшее корзину, казалось нечаянным, непроизвольным, однако оно было точно рассчитано. Перегнувшись через парапет, Луиза посмотрела вниз и почувствовала, что и сердце ее разбито, как осколки стекла, которые блестят на камнях.

— Ах, как жаль! — сказала девушка, стараясь не выдать своего волнения. — Все пропало! Что скажет Флоринда? Ну, ничего, мистер Джеральд, по вашим словам, окружен таким вниманием, что вряд ли мой подарок ему нужен. Я рада, что его не забывают, — ведь он так много сделал для меня. Но только, пожалуйста, мистер Стумп, ни слова никому! Не говорите и о том, что я спрашивала о нем. Ведь он дрался на дуэли с моим двоюродным братом, и это может вызвать ненужные разговоры. Вы обещаете, милый Зеб?

— Готов хоть поклясться! Ни одного слова никому, мисс Луиза. Можете положиться на старика Зеба.

— Я знаю это. Пойдемте же отсюда. Солнце начинает сильно припекать. Спустимся вниз и посмотрим, не найдем ли мы там вашего любимого мононгахильского виски. Пойдемте!

Молодая креолка, притворяясь веселой, прошла через асотею скользящей походкой и, напевая «Новоорлеанский вальс», стала спускаться по лестнице. Старый охотник с удовольствием принял это приглашение и последовал за Луизой; хотя он уже давно привык со стоическим равнодушием относиться к женским чарам и мысли его в эту минуту были сосредоточены главным образом на обещанном любимом напитке, он все же залюбовался красивыми плечами девушки, словно выточенными из слоновой кости.

Но любоваться ему пришлось недолго: Луиза распрощалась с ним, как только они спустились вниз. После того как Зеб невольно выдал ей тайну мустангера, общество старого охотника уже больше не интересовало ее. Она оставила его наслаждаться виски, а сама поспешила к себе в комнату, чтобы скрыть от всех свое горе.

Первый раз в жизни Луиза Пойндекстер испытывала муки ревности. Это была ее первая настоящая любовь — ибо она полюбила Мориса Джеральда.

«Заботливость мексиканской сеньориты едва ли можно объяснить простой дружбой. Вероятно, их связывают более тесные узы», — так размышляла удрученная креолка.

Судя по тому, что Морис говорил ей и что она видела собственными глазами, сеньора с лассо — именно та женщина, которая должна была завоевать любовь такого человека.

Ее фигура, приближенная лорнетом, показалась Луизе безукоризненной. Лица ей не удалось хорошенько рассмотреть. Было ли оно так же прекрасно? Было ли оно таким, что могло очаровать человека, так хорошо владеющего своими страстями, как Морис Джеральд?

Луиза не находила себе покоя. Она горела нетерпением снова увидеть мексиканку и рассмотреть ее лицо. Как только Зеб Стумп уехал, она распорядилась оседлать крапчатого мустанга, переехала вброд речку и поднялась на противоположный берег.

Направляясь в сторону форта, она, как и предполагала, встретила мексиканскую сеньору, которая ехала обратно, — нет, не сеньору, если говорить точнее, а сеньориту — девушку ее лет.

Там, где они встретились, дорога была затенена деревьями, и мексиканка ехала с открытой головой, небрежно отбросив шарф на плечи. Пышные черные, цвета воронова крыла, волосы обрамляли прелестное смуглое личико.

Обе девушки, следуя правилам приличия, обменялись лишь беглым взглядом. Но, отъехав немного, как та, так и другая не могла удержаться от желания украдкой рассмотреть соперницу, и обе обернулись.

По-видимому, их мысли были не столь уж различны. Не только Луиза слыхала о мексиканской сеньорите, но и та знала о ее существовании.

Мы не станем передавать, что думала сеньорита после этой встречи. Достаточно будет сказать, что мысли креолки стали еще мрачнее, чем до прогулки, и что поза ее на обратном пути в Каса-дель-Корво выдавала глубокое отчаяние. «Как хороша! — подумала она, проехав мимо девушки, которую считала своей соперницей. — Да, слишком хороша, чтобы быть ему только другом».

Луиза пыталась быть беспристрастной, мысленно разговаривая сама с собой, иначе она была бы более сдержанна в похвалах мексиканской сеньорите.

«Можно ли сомневаться, в каких они отношениях! — продолжала она. — Он любит ее! Он любит ее! Это объясняет его равнодушие ко мне. А я, безумная, хотела найти счастье в этом роковом чувстве! Надо забыть его, сбросить эти путы со своего сердца! Забыть! Легко сказать, но могу ли я это сделать? Я не должна с ним больше встречаться. По крайней мере, это в моих силах. После того, что произошло, он больше не появится у нас в доме. Наши встречи могут быть только случайными, а я буду всячески избегать их. О Морис Джеральд, укротитель диких коней, ты покорил сердце, которое будет страдать долго и, быть может, никогда не забудет этого урока!»

Глава XXVI
СНОВА НА АСОТЕЕ

Забыть горячо любимого человека невозможно. Время, конечно, — хороший целитель для сердца, не получившего ответа в любви, а разлука помогает еще больше. Но ни время, ни разлука не могут заглушить тоски о потерянном возлюбленном или же успокоить сердце, не знавшее счастливой любви.

Луизе Пойндекстер нелегко было бороться с овладевшим ею чувством: хотя оно вспыхнуло недавно, но пламя разгоралось быстро, преодолевая все преграды. Это чувство стало настолько сильным, что девушку больше не смущали такие препятствия, как недовольство отца или неравенство их общественного положения. И, встреть она взаимность, ни то, ни другое не остановило бы ее. Она уже достигла совершеннолетия, и согласие отца не было для нее обязательным; что же касается второго препятствия, то человек, искренне любящий, не боится пренебречь общественными предрассудками. Любви не свойственна такая мелочность. Во всяком случае, ее не было в глубоком чувстве Луизы Пойндекстер. Это не было первым разочарованием в жизни Луизы. Но это было первое разочарование, которое грозило нарушить ее душевный покой. И она это понимала. Она предвидела, что ее ждут страдания, но надеялась, что время исцелит эту рану.

Вначале ей казалось, что она заглушит боль сердца силой воли, что ей поможет ее прирожденная жизнерадостность. Но шли дни, а облегчения не наступало. Она не могла изгнать из памяти образ человека, который целиком завладел ее мечтами.

В иные минуты Луиза ненавидела его, или, вернее, хотела ненавидеть. Тогда ей казалось, что она могла бы убить его или, если бы его убивали на ее глазах, не сделала бы попытки прийти ему на помощь. Но это были лишь мимолетные настроения, которые сменялись более спокойными размышлениями, и тогда она считала, что сама во всем виновата и должна терпеть.

Чем больше она думала, тем больше сознавала, что, будь он даже ее злейшим врагом, врагом всего человечества — самим Люцифером, с которым она когда-то его сравнила, — она все равно не перестала бы любить его.

Презирать и ненавидеть Мориса Луиза была не в силах. Она лишь пыталась быть к нему равнодушной. Но это была тщетная попытка.

Каждый день Луиза много раз поднималась на асотею и смотрела на дорогу, где она впервые увидела свою соперницу. Больше того: несмотря на свое решение избегать встреч с человеком, который сделал ее несчастной, она садилась на лошадь и ездила по дороге, по улицам поселка с одним только намерением — встретить его.

Через три дня после неприятного открытия она снова увидела с асотеи мексиканскую сеньориту, направляющуюся к форту, в сопровождении того же слуги с корзинкой в руках. Наблюдая за ними, Луиза дрожала от ревности, завидуя той, которая предвосхитила ее заботу о больном.

Луиза знала теперь о ней больше, чем прежде, хотя и не очень много. Это была донья Исидора Коварубио де Лос-Льянос, дочь владельца большой асиенды на Рио-Гранде и племянница асиендадо, чье поместье было расположено в миле от Каса-дель-Корво ниже по течению Леоны.

Молодая мексиканка пользовалась репутацией эксцентричной особы, хорошо владеющей лассо, способной укротить любого дикого мустанга, но не свои капризы.

Эти сведения не уничтожили ревнивых подозрений креолки — наоборот, они укрепили их.

Ей нравились такие черты характера. Она сама любила независимость. Луизе казалось, что это должно нравиться и другим. Морис Джеральд вряд ли составлял исключение.

Прошло еще несколько дней, но девушка с лассо больше не показывалась.

«У него зажили раны, он уже больше не нуждается в неустанной заботе», — так размышляла креолка, стоя на асотее. Она всматривалась в даль, держа перед глазами лорнет.

Это было утром, вскоре после восхода солнца, в час, когда обычно проезжала всадница.

Девушка смотрела в ту сторону, откуда раньше появлялась ее соперница.

Случайно взглянув в противоположную сторону, Луиза вдруг замерла, не веря своим глазам. Она увидела Мориса Джеральда верхом на лошади — он приближался со стороны форта.

Хотя он сидел в седле несколько напряженно и ехал медленной рысью, это, без сомнения, был он. Луиза ясно увидела его через лорнет и сразу заметила, что его левая рука в лубке.

Узнав его, молодая креолка спряталась за парапет, и из ее груди вырвался подавленный крик.

Чем был вызван этот грустный возглас? Тем ли, что девушка заметила раненую руку, или она разглядела в лорнет болезненную бледность лица?

Нет. Это не был крик жалости или удивления — это был стон наболевшего сердца.

Больной был на пути к выздоровлению. Он больше не нуждался в заботах сестры милосердия. Теперь он ехал к ней сам.

Притаившись за парапетом асотеи, под прикрытием цветущей юкки, Луиза следила за проезжающим всадником; подняв к глазам лорнет, она могла уловить каждое его движение, даже выражение лица.

Она почувствовала некоторое облегчение, заметив, что он бросил несколько взглядов на Каса-дель-Корво, и ей стало еще приятней, когда Морис остановился в тени деревьев придорожной рощицы и долго, внимательно смотрел в сторону асиенды.

У Луизы мелькнула надежда, что он думал о ней, когда глядел на асиенду.

Но это был лишь проблеск радости, гаснущий словно солнечный свет во время затмения, который снова сменился мрачной тоской.

Морис Джеральд пришпорил коня и скрылся в зарослях чапараля, в которых терялась дорога.

Куда же он ехал? Конечно, навестить донью Исидору Коварубио де Лос-Льянос.

И можно ли было утешаться тем, что не прошло и часа, как он уже проехал обратно? Ведь они могли встретиться в ближнем лесу — почти на глазах у ревнивой соперницы, заслоненные лишь легкой листвой.

Ее не утешило и то, что, проезжая мимо, мустангер опять взглянул на асиенду, опять остановился за рощей и долго смотрел в сторону Каса-дель-Корво.

Этот взгляд был насмешливым, а может быть, торжествующим. Конечно, Морис может торжествовать. Но зачем такая жестокость? Зачем он остановился здесь, когда на его губах еще не остыли поцелуи Исидоры?

Глава XXVII
«Я ЛЮБЛЮ ТЕБЯ!»

Луиза Пойндекстер опять на асотее, опять одна со своим горем. Широкая каменная лестница приводила ее на место, где ее ждали все новые и новые испытания. Уже не раз давала она себе клятву, что не будет подниматься туда — по крайней мере, в ближайшее время. Но ее воля уступала чему-то более сильному, и клятва нарушалась на следующий же день, прежде чем солнце успевало осушить росу на траве прерии.

Как и накануне, она стояла на асотее, всматриваясь в дорогу по ту сторону реки. Как и накануне, она увидела проезжающего всадника с рукой на перевязи. Как и накануне, она пригнулась, прячась за парапетом.

Всадник ехал в том же направлении, как и накануне; он бросил, как и накануне, взгляд на асиенду и, остановившись за рощицей, долго смотрел в сторону Каса-дель-Корво.

Надеждой и страхом затрепетало сердце молодой креолки. Она уже готова была показаться из-за своего прикрытия, но страх одержал верх, а через минуту всадник уже уехал.

Куда?

Конечно, на свидание с доньей Исидорой Коварубио де Лос-Льянос.

Можно ли в этом сомневаться!

Как бы то ни было, она скоро это узнает. Не прошло и двадцати минут, как на той же дороге появилась другая лошадь, леопардовой масти, со всадницей на спине.

Ревнивое сердце креолки не могло дольше мучиться сомнениями. Никакая правда не могла причинить ей бóльших страданий, чем те, которые она испытывала от своих подозрений. И Луиза решила узнать правду — быть может, роковую для ее гаснущей надежды.

Девушка направилась в заросли, где двадцать минут назад скрылся мустангер. Она ехала под колеблющимися тенями акаций, по мягкой траве у края дороги, чтобы лошадь случайно не ударила копытом о камень. Перистые ветви акаций спускались так низко, что цеплялись за перья ее шляпы. Всадница сидела, пригнувшись в седле, словно опасаясь, что ее заметят, и в то же время сама внимательно смотрела вперед.

Она поднялась на вершину холма, откуда была видна вся окрестность. Перед ней был дом, окруженный высокими деревьями. Это была богатая асиенда. Луиза знала, что здесь живет дон Сильвио Мартинес, дядя Исидоры.

На равнине виднелись и другие дома, но только на этот дом, только на дорогу к нему был устремлен тревожный взор креолки.

Некоторое время она продолжала наблюдать, но никто не появлялся ни в асиенде, ни около нее. На дороге, ведущей к усадьбе, так же как и на проезжей, тоже никого не было видно. По лугу бродило несколько лошадей, но все они были не оседланы.

«Сеньорита могла выехать ему навстречу... Или Морис зашел к ним в дом?

Где они сейчас? В лесу или в доме? Если они в лесу, то знает ли об этом дон Сильвио? Если же Морис в гостях у них, то как к этому относится дядя Исидоры, и вообще дома ли он сам?»

Размышления Луизы были прерваны ржанием лошади и позвякиванием подков о камни на дороге.

Луиза посмотрела вниз. Мустангер поднимался прямо к ней по обрывистому склону. Она могла бы заметить его и раньше, если бы не всматривалась так внимательно в даль.

Он был по-прежнему один; и не было никаких оснований предполагать, что он недавно расстался с кем-то и тем более с возлюбленной.

Прятаться было поздно. Крапчатый мустанг уже ответил на приветствие старого знакомого. Всадница была вынуждена остаться на месте, поджидая мустангера.

— Здравствуйте, мисс Пойндекстер, — сказал он, подъезжая. В прерии не принято, чтобы дамы здоровались первыми. — Вы одна?

— Одна, сэр. Почему вы удивляетесь?

— Заросли — не очень подходящее место для таких прогулок. Впрочем, вы мне как-то говорили, что вам нравятся прогулки в одиночестве.

— Вам они тоже как будто нравятся, мистер Джеральд. Только вряд ли вы страдаете от одиночества... Не так ли?

— Я езжу один именно потому, что люблю одиночество. К сожалению, мне приходится жить в гостинице. Там настолько шумно, что и здоровому человеку тяжело, — а я это особенно остро чувствую. Поэтому прогулка верхом по этим тихим местам доставляет мне несказанное наслаждение. Прохладная тень акаций и ветерок, неутомимо играющий веерообразной листвой, могут восстановить силы даже умирающего. Вы не находите?

— Вам лучше судить об этом, — смущенно ответила Луиза. — Ведь вы так часто посещаете эти места...

— Часто! Я только второй раз проезжаю здесь, с тех пор как снова смог сесть в седло... Но, простите, мисс Пойндекстер... откуда вы знаете, что я проезжал здесь?

— Ах, — ответила Луиза, краснея и бледнея, — я не могла не заметить этого! Я привыкла проводить бо́льшую часть дня на асотее. Там так приятно — чудесный вид, и особенно хорошо по утрам, когда дует прохладный ветерок и пение птиц доносится со всех сторон из сада... С нашей крыши далеко видна эта дорога. И я видела вас, когда вы проезжали мимо, то есть пока вы не скрылись под тенью акаций.

— Значит, вы видели меня? — сказал Морис, смутившись. Но его смущение было вызвано не ее последней фразой, которой он просто не понял: он вспомнил, как смотрел на асиенду, остановившись за рощицей.

— Ну конечно. Ведь дорога проходит в шестистах ярдах от нашего дома. Я даже смогла разглядеть ту сеньориту, которая проезжала здесь верхом, хотя ее лошадь не так заметна, как ваша. Я видела, как она искусно набросила лассо на шею бедной маленькой антилопы, и сразу догадалась, что это та самая молодая девушка, о талантах которой вы мне так любезно рассказывали.

— Исидора?

— Исидора!

— Ах, да! Она ведь здесь гостила некоторое время.

— И была очень внимательна к мистеру Джеральду?

— Да, вы правы, она действительно была очень добра, хотя я еще не имел возможности поблагодарить ее. Несмотря на ее дружеское отношение ко мне, она ненавидит нас, иностранцев-захватчиков, и никогда не согласилась бы переступить порог гостиницы мистера Обердофера.

— В самом деле? Наверно, она предпочитает видеться с вами под тенью акаций?

— Я совсем не видел ее — во всяком случае, уже много месяцев — и, вероятно, не увижу еще долго: она вернулась домой на Рио-Гранде.

— Это правда, мистер Джеральд? Вы не видели ее с тех пор... Она уехала от своего дяди?

— Да, она уехала! — ответил Морис с удивлением. — Конечно, я ее не видел и узнал, что она здесь гостила, только потому, что, пока я лежал, она присылала мне всякие лакомства, которые, по правде сказать, были очень кстати. Кухня гостиницы Обердофера не заслуживает особых похвал, да и его отношение ко мне оставляет желать лучшего. Донья Исидора, надо сказать, очень щедро отблагодарила меня за ту маленькую услугу, которую я ей когда-то оказал.

— Услугу? Можно спросить, какую, мистер Джеральд?

— Конечно. Это вышло случайно. Мне посчастливилось однажды вырвать донью Исидору из рук индейцев — Дикого Кота и его соплеменников, семинолов. Они напали на нее, когда она ехала от Рио-Гранде к берегам Леоны навестить своего дядю, дона Сильвио Мартинеса, — вон там виднеется его дом. Негодяи были пьяны, и ей угрожала если не смерть, то во всяком случае большая опасность. Бедняжке было бы очень трудно ускользнуть от них, если бы я не подоспел вовремя.

— Это вы называете маленькой услугой? Вы очень скромны, мистер Джеральд. Если бы я попала в подобное положение и кто-нибудь спас меня, то...

— Чем бы вы отплатили ему? — спросил мустангер с волнением.

— Я полюбила бы его, — быстро ответила Луиза.

— Если это так, — прошептал Морис, наклонившись к Луизе, — я отдал бы полжизни, чтобы увидеть вас в руках Дикого Кота и его пьяных товарищей, и еще полжизни, чтобы спасти вас от них!

— Это правда, Морис Джеральд? Не шутите — ведь я не ребенок. Я хочу знать правду! Скажите, вы искренни со мной?

— Поверьте мне, это правда!

Луиза Пойндекстер приподнялась в стременах и положила руку на плечо мустангера. Отвечая на его поцелуй, она горячо прошептала:

— Я люблю тебя!

Глава XXVIII
ОТНЯТОЕ РАЗВЛЕЧЕНИЕ

С тех пор как в Техасе появились англосаксонские переселенцы, — можно даже сказать, со времени колонизации Техаса потомками конкистадоров, что случилось на столетие раньше, — самым важным для ее жителей были отношения с индейцами.

Были ли индейцы, законные хозяева страны, в состоянии войны с переселенцами или же с ними удавалось заключить перемирие, — все равно они оставались постоянной темой разговоров. В первом случае толковали о нависшей опасности, во

---

[1] Томагавк — индейское оружие: маленький топорик. «Закопать томагавк» — значит заключить мир.

втором — обсуждался вопрос, надолго ли краснокожие вожди решили закопать свои томагавки[1].

Эта тема обсуждалась везде и всюду — за завтраком, обедом или ужином. В асиенде ли плантатора или же в лачуге охотников слова «медведь», «пума», «пекари»[1] произносились реже и с меньшим страхом, чем слово «индеец». Индейцами в Техасе пугали детей, но и родители боялись их не меньше.

Даже высокие каменные стены Каса-дель-Корво, делавшие асиенду похожей на крепость, не избавили ее обитателей от страхов, волновавших население всей пограничной полосы.

До сих пор семья Пойндекстера имела лишь слабое представление об индейцах, и то только понаслышке; но день за днем она все больше узнавала о «грозе здешних мест».

Они уже начинали верить, что эта опасность не простая выдумка; а если кто-нибудь еще сомневался, то письмо от майора, коменданта форта, присланное недели через две после пикника, должно было рассеять последние сомнения.

Письмо привез конный стрелок рано утром. Оно было вручено плантатору, когда тот садился за сервированный для завтрака стол, вокруг которого уже собралась вся его семья: дочь Луиза, сын Генри и племянник Кассий Колхаун.

— Поразительные новости! — воскликнул Пойндекстер, быстро пробежав глазами бумагу. — И весьма неприятные, если это правда. Но раз майор так уверен, сомневаться не приходится.

— Неприятные новости, папа? — спросила дочь, сильно покраснев, а сама подумала: «Что мог майор написать? Я встретила его вчера в зарослях. Он видел меня с... Неужели об этом? Боже, если отец узнает!..»

— «Команчи на тропе войны» — вот что пишет майор, — сказал Пойндекстер.

— И только-то? — непроизвольно вырвалось у Луизы, как будто в этом известии не было ничего тревожного. — Ты напугал нас. Я думала, случилось что-нибудь более страшное.

— Более страшное? Что за глупости ты болтаешь, дитя мое! В Техасе нет ничего страшнее команчей на тропе войны, нет ничего опасней.

Возможно, Луиза с этим не согласилась, подумав о других опасностях, избежать которых было не легче. Может быть, она вспомнила табун диких жеребцов или след лассо на выжженной прерии. Она ничего не ответила.

Разговор продолжал Колхаун:

— А майор уверен, что индейцы решили начать войну? Что он пишет, дядя?

— Пишет, что уже несколько дней ходили эти слухи, но он не придавал им особого значения. Теперь же все подтвердилось.

---

[1] Пекари — американская дикая свинья.

Вчера вечером в форт явился Дикий Кот — вождь семинолов — со своими соплеменниками. Они сообщили, что по всему Техасу команчи в своих селениях поставили раскрашенные шесты и целый месяц пляшут танец войны, что несколько отрядов уже двинулись в поход и каждую минуту могут появиться на Леоне!

— А сам Дикий Кот разве лучше? — спросила Луиза, вспомнив случай, рассказанный мустангером. — Неужели этому предателю можно доверять? Судя по всему, он такой же враг белым, как и своим соплеменникам.

— Ты права, дочка. Майор в постскриптуме дает ему точно такую же характеристику. Он советует быть осторожным с этим двуличным негодяем, который, конечно, перейдет на сторону команчей, как только это ему покажется выгодным... Ну что ж, — продолжал плантатор, откладывая в сторону письмо и возвращаясь к своему кофе и вафлям, — я надеюсь, что мы совсем не увидим здесь краснокожих — ни команчей, ни семинолов. Надо думать, что, выйдя на тропу войны, команчи отступят перед зубчатыми парапетами Каса-дель-Корво и не посмеют тронуть нашу асиенду...

В это время в дверях столовой, где они сидели за завтраком, показалась черная физиономия кучера, и разговор перешел на другую тему.

— Что тебе надо, Плутон? — спросил его Пойндекстер.

— Хо-хо! Масса Вудли, этому малому совсем ничего не надо. Я только заглянул; только надо сказать мисс Луи: пусть скорее кончает завтрак — крапчатая стоит с седлом на спине и ждет, чтоб ей сунули железку в рот. Крапчатая не хочет стоять на камнях, рвется на мягкую траву прерии.

— Ты едешь кататься, Луиза? — спросил плантатор с явным неудовольствием.

— Да, папа. Я хотела проехаться.

— Нельзя!

— Вот как!

— Пойми меня: я не хочу, чтобы ты ездила одна. Это неприлично.

— Почему ты так думаешь, папа? Ведь я часто ездила одна.

— Да, к сожалению, слишком часто.

Последнее замечание заставило девушку слегка покраснеть, хотя она не была уверена, что имеет в виду отец.

Но Луиза не стала допытываться. Наоборот, она предпочла замять этот разговор, что было ясно по ее ответу.

— Если ты против, папа, я не буду больше кататься по прерии. Но неужели ты решил держать меня взаперти, когда вы, мужчины, ездите по делам? Вот какую жизнь я должна вести в Техасе!

— Ты меня не так поняла, Луиза. Я вовсе не против того, чтобы ты выезжала на прогулки, но пусть тебя кто-нибудь сопровождает. Выезжай с Генри или с Кассием. Я только запрещаю тебе ездить одной. На это у меня есть причины.

— Причины? Какие?

Этот вопрос невольно сорвался с губ Луизы. Она тут же пожалела, что не сдержалась. Она со страхом ждала ответа.

Но он немного успокоил ее.

— Какие же еще причины тебе нужны? — сказал плантатор, видимо с облегчением ссылаясь на удобный повод. — Да прежде всего вот это письмо майора. Не забывай, что Техас — это не Луизиана, где девушка может ехать спокойно куда ей только заблагорассудится, не боясь, что ее оскорбят или ограбят. Здесь же, в Техасе, даже ее жизни грозит опасность. Например, индейцы.

— Индейцев мне нечего бояться — я никогда не отъезжаю от дома дальше чем на пять миль.

— На пять миль! — саркастически воскликнул отставной капитан. — Это то же самое, что отъехать на пятьдесят миль, кузина Лу. Ты с таким же успехом можешь встретить индейцев на расстоянии ста шагов от ворот дома, как и на расстоянии ста миль. Когда они на тропе войны, их можно ждать в любом месте и в любое время. По-моему, дядя Вудли прав: крайне безрассудно тебе ездить одной.

— О, ты так думаешь? — резко сказала креолка, с презрением взглянув на двоюродного брата. — Не скажете ли вы мне, сэр, чем вы сможете мне помочь, если я действительно встречу команчей? Хотя я уверена, что этого не может случиться. Хорошо же мы будем выглядеть — вдвоем среди военного отряда раскрашенных дикарей! Ха-ха! В опасности окажешься ты, а не я. Я-то ускачу, а ты останешься с ними. Вот уж действительно опасность — на расстоянии пяти миль от дома! Поищи-ка в Техасе всадника — не исключая и дикарей, — который мог бы догнать меня на моей милой Луне! Тебе это вряд ли удастся, Каш!

— Замолчи, дочка! — строго сказал Пойндекстер. — Я не хочу слушать такую нелепую болтовню... Не обращай на нее внимания, Кассий. И, помимо индейцев, здесь много всякого сброда — их следует опасаться не меньше. Запомни: я запрещаю тебе ездить далеко, как ты это делала раньше!

— Пусть будет по-твоему, папа, — покорно ответила Луиза, вставая из-за стола. — Конечно, я послушаюсь тебя, но знай, что я могу заболеть, если мне придется сидеть дома... Иди, Плутон, — обратилась она к негру, который все еще стоял в дверях и улыбался. — Отведи Луну в кораль, на пастбище — куда хочешь. Пусть она бежит в свою родную прерию, если это ей нравится. Она мне больше не нужна.

С этими словами девушка гордо вышла из комнаты, предоставив мужчинам, которые все еще сидели за столом, размышлять над ее словами.

Но это не были ее последние слова. Когда она спешила по коридору в свою комнату, у нее сорвалось шепотом несколько вопросов, на которые ничего определенного нельзя было ответить:

— Что отец мог узнать? Может быть, это только подозрения? Кто мог ему рассказать? Знает ли он о нашей встрече?

Глава XXIX
ЭЛЬ-КОЙОТ У СЕБЯ

Колхаун встал из-за стола почти так же внезапно, как и Луиза. Но, в отличие от нее, он не прошел к себе, а вышел из дому.

Он все еще страдал от ран, но значительно окреп и мог уже ходить по саду, дойти до конюшни, до кораля поблизости от дома...

Но на этот раз он отправился дальше. Под влиянием ли услышанного или в связи с полученным известием, но слабость, казалось, оставила его, и, опираясь на палку, он пошел по направлению к форту Индж.

Пройдя по пустырю, лежавшему на полпути между асиендой и фортом, он, прихрамывая, подошел к зарослям акации, приютившимся под тенью других, более высоких деревьев. В самой гуще зелени стояла сплетенная из прутьев и обмазанная глиной хижина — хакале, типичное жилище юго-западного Техаса.

Это обиталище было вполне под стать хозяину, Мигуэлю Диасу — жестокому полудикарю, недаром заслужившему прозвище «Эль-Койот».

Далеко не всегда этого волка можно было найти в его логовище, — хакале Мигуэля Диаса, пожалуй, не заслуживало лучшего названия, — здесь он только иногда ночевал. Лишь изредка, после удачной охоты, он мог позволить себе пожить немного около поселка, предаваясь грубым развлечениям.

Колхауну повезло: он застал хозяина дома, хотя и навеселе, — это, впрочем, было его обычное состояние. Правда, мексиканец не был вдребезги пьян, он успел хорошенько выспаться и немного прийти в себя.

— А, это вы, сеньор! — закричал Эль-Койот, увидев в дверях гостя. — Какими судьбами? Берите стул. Вот он стоит. Стул! Ха-ха-ха!

Эль-Койот расхохотался, глядя на предмет, который он назвал стулом. Это был просто череп мустанга, который использовался для сидения. Грубо сколоченный стол из горбылей юкки, второй такой же череп и служившая постелью куча тростника, на которой лежал хозяин, завершали обстановку жилища Мигуэля Диаса.

Утомленный длинной прогулкой, Колхаун воспользовался приглашением и опустился на череп. Не теряя времени, он сразу приступил к делу.

— Сеньор Диас, — сказал он, — я пришел сюда для...

— Сеньор американо! — воскликнул полупьяный мустангер, прервав объяснения. — Карамба![1] Знаю, знаю, зачем вы пожаловали! К чему лишние церемонии! Я должен убрать с дороги этого дьявола ирландца!

— Так вот, я же обещал вам сделать это за пятьсот долларов, когда придет время и подвернется случай. Мигуэль Диас всегда держит слово. Только время еще не пришло и удобного случая не было. Черт возьми! Убить человека как полагается требует умения. Даже в прериях нападают на след. А если узна́ют, то для меня это не шутки! Вы забываете, сеньор капитан, что я мексиканец. Будь я американец, как вы, то легко укокошил бы дона Морисио. Стоит только сказать, что была ссора, и я вышел бы сухим из воды. Проклятие! Для мексиканцев другой закон. Если кто-нибудь из нас вонзит мачете в сердце человека, это назовут убийством. И тогда вы, американцы, в вашем глупом суде с двенадцатью «честными присяжными» постановите: «Повесить». Карамба! Меня это не устраивает. Я ненавижу этого ирландца, как и вы, но лезть в петлю не собираюсь. Я должен выждать, пока придет время и подвернется удобный случай — черт побери, и время и случай!

— И то и другое пришло! — воскликнул Колхаун, наклонившись к мексиканцу. — Вы сказали, что легко смогли бы это сделать, если бы только начались неприятности с индейцами.

— Конечно, я это говорил, и если бы это было так, то...

— Значит, вы еще не знаете новостей?

— Каких новостей?

— Да ведь команчи на тропе войны!

— Черт возьми! — воскликнул Эль-Койот, вскакивая со своей тростниковой постели со стремительностью волка, почуявшего добычу. — Святая Дева! Неужто это правда, сеньор?

— Не больше и не меньше. Эта весть только что получена в форту. У меня сведения от самого коменданта.

— Тогда... — ответил мексиканец в раздумье, — тогда дон Морисио может умереть. Команчи могут убить его. Ха-ха-ха!

— Вы уверены в этом?

— Я был бы больше уверен, если бы за его скальп заплатили тысячу долларов, а не пятьсот.

— Он стоит этой суммы.

---

[1] Черт побери! *(исп.)*

— Какой суммы?
— Тысячи долларов.
— Вы обещаете?
— Да.
— В таком случае, команчи снимут с него скальп, сеньор капитан! Можете возвращаться в Каса-дель-Корво и спать спокойно. Будьте уверены, что, как только представится случай, ваш враг останется без волос. Вы понимаете меня?
— Да.
— А теперь готовьте вашу тысячу долларов.
— Они ждут вас.
— Карамба! Я их живо заработаю! До свидания, будьте здоровы... Пресвятая Дева! — воскликнул бандит, как только его посетитель ушел. — Вот повезло! Получить тысячу долларов за то, чтобы укокошить человека, которого я хотел убить даром! Команчи на тропе войны! Карамба! Неужели это правда? Если так, то надо достать свой костюм для этого маскарада. Три долгих года перемирия с индейцами он валяется у меня без дела. Да здравствуют индейцы на тропе войны! И пусть увенчается успехом мой маскарад!

Глава XXX
ВОЗДУШНАЯ ПОЧТА

Луиза Пойндекстер, увлекаясь теми видами спорта, которые принято считать мужскими, конечно, не пренебрегала и стрельбой из лука. Она в совершенстве владела этим искусством.

Обращаться с луком она научилась у индейцев племени юма; последние остатки этого некогда могучего племени можно до сих пор встретить в дельте Миссисипи, у залива Атчафалая, и в окрестностях Пойнт Купе.

Она привезла свой лук из Луизианы, но он долго лежал без дела, даже нераспакованный. С тех пор как она переехала в Техас, у нее еще не было случая вспомнить о нем. Красивый лук из апельсинового дерева и оперенные стрелы, забытые, валялись в кладовой.

Но пришло время, когда она вспомнила о них. Это было вскоре после разговора за завтраком, когда отец запретил ей выезжать одной на прогулки.

Она беспрекословно подчинилась этому приказанию; больше того, она не только перестала выезжать одна, но и вообще отказалась от верховой езды.

Крапчатый мустанг уныло стоял в конюшне или бегал по коралю, удивляясь, почему он больше не чувствует на спине седла — единственного напоминания о том, что он пленник.

Но Луиза не забывала своей любимицы. Правда, она больше не ездила кататься, но все же ежедневно навещала Луну и следила за тем, чтобы ее хорошо кормили. Лошадь кормили лучшим зерном из закромов Каса-дель-Корво, самой сочной травой саванны, поили студеной водой Леоны.

Плутон старательно ухаживал за ней. Он так усердно тер ее скребницей и щетками, что шерсть ее блестела не хуже, чем кожа его черного лица.

Почти все свободное время Луиза отдавала теперь стрельбе из лука.

Местом для упражнений ей служил сад с прилегающими зарослями. С трех сторон его подковой охватывала река; с четвертой он замыкался задней стеной асиенды.

Сад был очень стар; об этом свидетельствовали не только могучие деревья, но и потрескавшиеся статуи, которые украшали его. Они были сделаны резцом испанских мастеров и изображали героев далекого прошлого. Здесь вы могли увидеть великого Конде, Кампеадора[1], Фердинанда и его энергичную королеву; великого мореплавателя, которому принадлежит честь открытия Америки; двух знаменитых конкистадоров Кортеса и Пизарро; и прославленную своей красотой и преданностью любимому человеку индианку Малинче[2].

Но не среди этих каменных изваяний упражнялась Луиза в стрельбе из лука, хотя не раз можно было видеть, как она стоит перед статуей Малинче, рассматривая ее прекрасное лицо. Луиза не находила в себе силы упрекать красавицу индианку за то, что она полюбила испанского полководца. Молодая креолка чувствовала в глубине души, что не ей упрекать Малинче. Ведь и она сама, забыв обо всем на свете, отдала свое сердце человеку, далеко не столь знаменитому, как Кортес, хотя, по ее мнению, не менее заслуживающему славы.

Нет, не среди этих статуй Луиза Пойндекстер занималась стрельбой из лука. Она уходила под тень высоких деревьев, которые, следуя изгибу реки, образовали полукруглую рощу между берегом и садом. Здесь росли посаженные несколько столетий назад самой природой тутовые деревья, кедры и гикори, которые пощадил садовник, когда он разбивал сад.

Креолка любила сидеть под зелеными сводами этих лесных великанов или бродить по берегу прозрачной реки, которая сонно струилась мимо.

---

[1] Конде (1621 — 1686) — французский полководец. Сид Кампеадор (1040 — 1089) — знаменитый испанский рыцарь, прославившийся в войнах с маврами.

[2] Малинче (Марина) — переводчица Кортеса, ставшая потом его женой.

Здесь Луиза могла быть совсем одна, а в последнее время она искала уединения. Отец даже в минуты самого сурового настроения не стал бы возражать против этого. Он был спокоен за нее: стены Каса-дель-Корво, на которые невозможно было взобраться без помощи высокой лестницы, глубокая и широкая река были ее надежной защитой. Плантатор не только не возражал против этих уединенных прогулок, но, наоборот, был доволен ими. Возникшие было у него подозрения, для которых, надо сказать, имелись основания, начали рассеиваться.

В конце концов это могло быть лишь обычной сплетней. Возможно, он стал жертвой злых языков. Очень вероятно, что встреча его дочери с Морисом-мустангером не была преднамеренной. Ведь могли же они случайно встретиться в зарослях! И едва ли Луизе было удобно не поздороваться с человеком, который дважды спас ей жизнь. Вероятно, она просто еще раз выразила ему свою признательность.

То, что она безропотно отказалась от верховой езды, казалось, подтверждало это предположение. Обычно она смирялась не так легко — значит, эти поездки не были ей особенно дороги.

Так рассуждал любящий отец, у которого не было другого способа разобраться в характере своей дочери. Если бы они жили в другой стране или принадлежали к другому кругу, он, быть может, задал бы прямой вопрос и потребовал бы прямого ответа. Но на Миссисипи это не принято; там десятилетний сын или дочь, которой еще не исполнилось пятнадцати, возмутились бы и назвали бы это допросом с пристрастием.

Едва ли Вудли Пойндекстер мог рассчитывать на дочернее почтение Луизы. Его красавица дочь за последние годы привыкла к поклонению и комплиментам, а это часто портит человека.

Несмотря на то что он был ее отцом и, по закону, имел над ней власть, он прекрасно понимал, насколько эта власть призрачна.

Поэтому он был доволен ее послушанием и радовался, что теперь, вместо безудержной скачки по прерии, она довольствуется прогулками в саду, где развлекается стрельбой из лука по маленьким птичкам, которые, на свою беду, приближаются к ней.

Почему вы рассуждаете так наивно, пятидесятилетний отец? Разве вы забыли свою молодость, забыли, как вы мечтали, как вы обманывали и притворялись, какие «сказки» научились рассказывать, чтобы скрыть то, что, возможно, было самым благородным чувством в вашей жизни!

Но отец красавицы Луизы, казалось, ни о чем не вспоминал, хотя ему было что вспомнить. Он забыл все, что тогда волновало его, иначе он нашел бы случай, чтобы пойти за дочерью в сад и, не выдавая своего присутствия, посмотреть, что она делает в зарослях кустарника, окаймляющих берег реки.

Тогда он узнал бы, что Луиза совсем не столь жестока, как могло показаться, — она целилась не в птиц, которые так доверчиво порхали вокруг нее. Не для этого натягивала она лук; привязав клочок бумаги к наконечнику стрелы, она посылала ее в рощу на противоположном берегу реки.

И он заметил бы нечто еще более интересное: через некоторое время эта же стрела, словно недовольная тем местом, куда она попала, возвращалась в руки девушки с тем же — или, быть может, похожим — клочком бумаги, привязанным к ее наконечнику.

Непосвященному наблюдателю эти полеты стрелы могли показаться странным, даже сверхъестественным явлением. Но так как посторонних наблюдателей не было, то удивляться было некому. А двум участникам этой игры, по очереди натягивавшим лук и посылавшим взад и вперед одну и ту же стрелу, все было понятно.

Любовь смеется над препятствиями.

Лишенные возможности видеться, Морис и Луиза придумали эту воздушную почту.

Глава XXXI
УДАЧНАЯ ПЕРЕПРАВА

Воздушная почта существовала недолго. Разве могут влюбленные довольствоваться перепиской, оставаясь на расстоянии полета стрелы! Любящие сердца должны гореть и биться совсем близко.

Морис Джеральд и Луиза Пойндекстер не могли больше переносить разлуку. Наконец они встретились — не в предательском свете солнца, но в тиши полуночи, и только звезды были немыми свидетелями их тайны. Уже дважды виделись они в роще за садом. Дважды они обменялись любовными клятвами при мерцающем свете звезд. Они условились о третьем свидании.

А у плантатора, который так гордился своей дочерью, не было и тени подозрения, что она жестоко обманывает его. Его дочь, его единственная дочь, гордая аристократка, красивая и одаренная, которая могла бы сделать блестящую партию, любит простого охотника за лошадьми! Если бы ему это приснилось, он вскочил бы со своей мягкой постели, как от звуков трубы, возвещающей конец мира. У него не возникло ни малейшего подозрения. Все это было слишком неправдоподобным, слишком чудовищным. И если бы такая мысль пришла ему в голову, она показалась бы ему нелепой.

Он был доволен той безропотной покорностью, с которой дочь приняла его последнее запрещение. Ему, правда, было бы приятнее, если бы она более точно исполнила его желание и не отказалась совсем от прогулок по прерии, но ездила бы в сопровождении брата или кузена. Она же до сих пор не соглашалась на это, а он не настаивал. Он охотно уступил ее капризу. Ведь пока Луиза оставалась дома, не могло возникнуть никаких новых сплетен. Ее уступчивость настолько обезоружила его, что он почти жалел о своем запрещении. Успокоившись, он уже подумывал о том, чтобы его отменить.

Была одна из тех лунных ночей, которые бывают только на юге; такая ночь, когда серебристый диск луны плавно скользит по сапфировому небу, а горы в прозрачном воздухе вырисовываются так ясно, что кажется, можно коснуться их рукой; когда ветерок затихает и большие листья тропических деревьев замирают в неподвижности, словно прислушиваясь к удивительному хору ночных голосов зверей, птиц, пресмыкающихся и насекомых.

Это была такая ночь, когда хочется гулять вдвоем с той единственной ненаглядной, которая по какому-то таинственному велению природы завладела вашим сердцем, когда вы мечтаете о том, чтобы белые руки обвились вокруг вашей шеи и прекрасные глаза смотрели на вас с тем волнующим выражением, которое милее всего бывает при таинственном свете луны...

Уже давно барабан пехотинцев и горн кавалеристов возвестили о том, что гарнизону форта Индж пора ложиться спать. Короче говоря, было уже около полуночи, когда от дверей гостиницы Обердофера отъехал всадник. Он поехал по дороге вдоль Леоны и скоро оставил за собой поселок.

Как уже упоминалось, эта дорога проходила мимо асиенды Каса-дель-Корво по противоположному берегу реки. Упоминалось также, что она пересекала полосу открытой прерии, где была одна небольшая роща.

Эта одинокая купа деревьев, одна из тех, которые жители прерии называют островками леса, стояла у дороги, по которой скакал всадник, только что выехавший из поселка.

Доехав до рощи, всадник соскочил с лошади и привязал ее к дереву. Затем он снял с луки седла длинную веревку, сплетенную из конского волоса, свернул ее кольцом и, надев на руку, бесшумно прошел через рощу к реке.

Прежде чем выйти из-под прикрытия густой тени деревьев, он вопросительно посмотрел на небо и на ярко светившую луну. Во взгляде его мелькнула тревога.

— Нет смысла ждать, пока эта красавица скроется, — озабоченно пробормотал он. — Видно, она решила не ложиться до самого утра.

Потом он поглядел на открытое место, отделявшее его от воды. На противоположном берегу темнела асиенда Каса-дель-Корво.

— Что, если сейчас кто-нибудь там не спит?.. Вряд ли это вероятно в такой поздний час. Конечно, если кого-нибудь мучит нечистая совесть... Ба! Да ведь там есть такой человек! Если он не спит, то наверняка заметит меня. Если бы это касалось только меня, я бы ничуть не беспокоился. Что делать? Надо рисковать — другого выхода нет. Луна зайдет только через несколько часов, а на небе нет ни облачка. Я не могу заставлять Луизу ждать. Ничего не поделаешь, будь что будет!

С этими словами он быстро, но осторожно пересек открытое место и подошел к крутому обрыву над рекой.

Не задерживаясь здесь, он ловко спустился по извилистой, но, очевидно, хорошо ему знакомой тропинке к самой воде.

Через минуту он уже стоял на берегу, как раз напротив того места, где в тени огромного тополя покачивался на воде маленький челнок.

Некоторое время человек внимательно всматривался в заросли на противоположном берегу, по-видимому проверяя, не прячется ли там кто-нибудь.

Убедившись, что в зарослях никого нет, он взял свое лассо и, сделав несколько круговых движений, перекинул его через реку.

Петля захлестнула колышек на носу челнока, и человек перетащил его к себе; он прыгнул в него, взял весла, которые лежали на дне, и, вставив их в уключины, переправился на другой берег, подведя челнок к месту, где он стоял раньше.

Выйдя на берег, он вытащил челн на песок, чтобы его не унесло течением. Потом ночной гость Каса-дель-Корво прокрался в тень тополя; казалось, он ждал либо условного сигнала, либо появления кого-то, с кем заранее договорился встретиться.

Если бы кто-нибудь заметил его в эту минуту, то мог бы принять его за вора, который собирается ограбить Каса-дель-Корво. Но, услышав шепот, срывавшийся с уст незнакомца, он понял бы, что все подозрения его несправедливы. Правда, он мечтал о сокровище, скрытом за стенами дома, но это были не деньги, не драгоценности, не фамильное серебро — это была хозяйка дома.

Вряд ли нужно объяснять, что человек, который оставил свою лошадь в роще и так удачно переправился через реку, был Морис-мустангер.

Глава XXXII
СВЕТ И ТЕНЬ

Недолго пришлось Морису ждать под тополем. В то самое мгновение, когда он прыгнул в челнок, одно из окон асиенды, выходившее в сад, тихонько приоткрылось и не закрывалось некоторое время, как будто кто-то хотел выйти и колебался, не зная, свободен ли путь.

Маленькая белая рука с драгоценными кольцами на тонких пальцах придерживала открытую раму, освещенную луной; через несколько минут стройный силуэт девушки появился на лестнице, которая вела в сад.

Это была Луиза Пойндекстер.

Несколько секунд она стояла прислушиваясь. Всплеск весла? Не почудилось ли ей это? Цикады наполняли воздух своим неугомонным стрекотаньем, и легко можно было ошибиться. Впрочем, это не имело значения. Условленный час настал, а она не принадлежала к тем, кто требует пунктуальности, и кроме того, только что провела в ожидании целых два часа, которые показались ей вечностью.

Неслышно спустилась Луиза по каменной лестнице, проскользнула в сад, тихонько прошла через кустарник, мимо статуй и наконец очутилась под тополем. Здесь ее встретили объятия мустангера.

Счастливые минуты летят быстро, и скоро приходит час расставания.

— Завтра ночью мы опять увидимся, милый? Завтра ночью?

— Если бы я только мог, я сказал бы тебе: да, завтра, и послезавтра, и опять, и опять, моя любимая!

— Но почему же? Почему ты не можешь этого сказать?

— Завтра утром я уезжаю на Аламо.

— Вот как! Разве это необходимо?

Вопрос прозвучал невольным упреком. Каждый раз, когда она слышала упоминание об уединенной хижине на Аламо, в ней просыпалось какое-то неприятное чувство. Но почему? Ее встретили там радушно. Казалось бы, это посещение могло стать одним из самых приятных воспоминаний ее жизни. Но это было не так.

— Мне действительно нужно туда поехать.

— Нужно? Тебя там ждут?

— Только мой слуга Фелим. Надеюсь, что с ним ничего не случилось. Я отослал его туда дней десять назад, еще до этих слухов об индейцах.

— Только Фелим и больше никто? Ты говоришь правду, Морис? Милый, не обманывай меня! Только он, ты сказал?

— Почему ты спрашиваешь об этом, Луиза?

— Я не могу тебе сказать почему. Я бы умерла от стыда, если бы призналась в том, что мне иногда приходит в голову.

— Не бойся, скажи мне все, что ты думаешь. Я не мог бы ничего скрыть от тебя. Ну, говори же, радость моя!

— Ты этого хочешь, Морис?

— Конечно, хочу. Я уверен, что разрешу все твои недоумения. Ведь если кто-нибудь узнает о наших встречах, их могут дурно истолковать. Поэтому я и уезжаю на Аламо.

— Чтобы там остаться?

— Всего лишь на один или два дня. Только для того, чтобы собрать свои вещи и сказать последнее прости моей жизни в прерии.

— Вот как?

— Ты, кажется, удивлена?

— Нет! Только недоумеваю. Я не могу понять тебя, и, вероятно, мне это никогда не удастся.

— Но ведь все очень просто. Я принял важное решение и знаю, что ты простишь меня, когда я тебе о нем скажу.

— Простить тебя, Морис! За что?

— За то, что я не открыл тебе моей тайны. Я не тот, за кого ты меня принимаешь...

— Но ведь ты такой, каким мне кажешься: благородный, смелый, красивый, необыкновенный человек. О Морис! Если бы ты только знал, как ты дорог мне и как я тебя люблю!

— Голубка моя, не больше, чем я тебя, но ради нашего счастья мы должны решиться на разлуку.

— На разлуку?

— Да, любимая. Но мы расстанемся ненадолго.

— На сколько?

— На время, которое понадобится пароходу, чтобы пересечь Атлантический океан туда и обратно.

— Целая вечность! Но зачем?

— Мне необходимо съездить на родину — в Ирландию, в страну, которую здесь презирают, как ты сама знаешь. Всего лишь двадцать часов назад я получил оттуда важное известие. И я спешу туда поехать и надеюсь по возвращении доказать твоему гордому отцу, что бедный мустангер, который завоевал сердце его дочери... Завоевал ли я его, Луиза?

— Нужно ли тебе об этом спрашивать! Ты знаешь, что покорил мое бедное сердце и ему никогда не вырваться из злой неволи. Не смейся надо мной, Морис, — я навеки твоя раба!

Снова объятия, снова нежные поцелуи и любовные клятвы.

Затихло стрекотанье кузнечиков в зеленой траве, замолкли цикады на листьях деревьев, не доносились больше крики пересмешника с макушки высокого тополя, и козодой взлетел еще выше в лунном свете; казалось, все в природе притихло, чтобы не мешать влюбленным...

Но нет, не поэтому наступила тишина: раздался шум шагов по усыпанной гравием дорожке, и, несмотря на то что они были легки и почти бесшумны и услышать их можно было, только обладая очень острым слухом, именно из-за них умолкли ночные голоса.

Но влюбленные ничего не слышали. Они не видели и темной тени человека — или, быть может, дьявола, — которая скользила среди цветов, то замирая у статуи, то прячась в кустарнике, пока, наконец, не остановилась за деревом — шагах в десяти от того места, где они обменялись поцелуем. В минуты счастья, когда все кругом затихло, они совсем не подозревали, что эта тишина помогает подслушать их любовные признания, а предательская луна выдает каждое движение.

Человек, черной тенью скрывавшийся за деревом, подслушал каждое их слово, даже любовные вздохи и шепот; а в серебристом свете луны он отчетливо видел их малейшие жесты.

Нужно ли говорить, кто был этот гнусный шпион? Имя Кассия Колхауна напрашивается само собой.

Это был он.

Глава XXXIII
МУЧИТЕЛЬНОЕ ОТКРЫТИЕ

Как случилось, что кузен Луизы Пойндекстер бодрствовал в такой поздний час ночи или, вернее, в такой ранний час утра? Был ли он предупрежден об этом свидании или же у него просто возникли какие-то необъяснимые подозрения, которые заставили его выйти из спальни и пойти проверить, все ли благополучно в саду?

Другими словами, случайно ли он заметил влюбленных или действовал по заранее обдуманному плану?

Справедливо первое — чистая случайность или, вернее, случайность вместе с лунной ночью помогли отставному капитану открыть тайну, которая жгла теперь его душу адским огнем.

Стоя в полночь на асотее, куда он поднялся, сам не зная зачем, и отравляя благоухающий ароматом цереуса ночной воздух дымом своей сигары, Кассий Колхаун, по-видимому, ничем особенно не был встревожен. Раны, нанесенные ему мустангером, уже зажили; правда, мысль о поражении все еще мучила его, но горечь воспоминаний до некоторой степени смягчалась надеждой на месть, для осуществления которой уже были сделаны первые шаги.

Колхаун, как и отец Луизы, был очень доволен, что она отказалась от своих далеких прогулок верхом, — именно по его совету Пойндекстер запретил дочери ездить одной. Так же как и отец Луизы, он не подозревал, чем было вызвано ее увлечение стрельбой из лука, и смотрел на это, как на невинную забаву. Он даже стал льстить себя надеждой, что равнодушие Луизы могло быть в конце концов притворством с ее стороны или просто плодом его фантазии. За последнее время она была менее резка с ним, и он уже готов был усомниться в своих ревнивых предположениях.

До сих пор у него не было никаких доказательств, что она увлечена молодым ирландцем; а так как за последнее время ничего, что вызвало бы новые подозрения, не произошло, то он решил, что это была лишь ложная тревога.

Успокоенный этими мыслями, Колхаун поднялся на асотею; он небрежно зажег сигару и курил ее с беззаботным видом, не оставлявшим сомнений, что он пришел сюда в этот поздний час без всякого дела. Возможно, что ему захотелось уйти из своей душной комнаты и подышать свежим воздухом или, быть может, полюбоваться чудесной луной, хотя такие романтические желания были не в его характере.

Как бы там ни было, он зажег сигару, оперся о парапет асотеи и стоял, повернувшись лицом к реке.

Он не встревожился, увидев всадника на противоположном берегу реки, только что выехавшего из зарослей и продолжавшего свой путь по открытой равнине. Эта дорога была ему хорошо известна. Он решил, что какой-то путник хочет воспользоваться прохладой ночи, а такая ночь могла соблазнить даже самого усталого человека отказаться от отдыха. Это мог быть сосед-плантатор, возвращающийся домой из поселка, где он задержался на лишний час, зайдя в бар гостиницы.

Днем, быть может, он узнал бы всадника, но при лунном свете мог лишь различить, что это был человек верхом на лошади.

Отставной капитан машинально следил за ним взглядом, как порой, задумавшись о чем-то, следят за щепкой, уносимой волной вниз по течению.

Только когда всадник, приблизившись к роще, свернул в нее, Колхаун заинтересовался его поведением.

— Что бы это могло означать? — пробормотал он, быстро бросив окурок сигары. — Черт возьми! Он спешился! — продолжал он, когда незнакомец уже без лошади появился на ближней опушке рощи. — Направляется сюда, прямо к излучине... Спустился с обрыва, и так быстро, что, по-видимому, он хорошо знает дорогу. Неужели он думает забраться в сад? Но как?.. Вплавь? Боюсь, что такая игра не стоит свеч. Не вор ли это?

Это была первая догадка Колхауна, но он отказался от нее почти тотчас же, как она пришла ему в голову. Правда, в испано-американских странах даже нищие ездят верхом, тем более мог себе это позволить вор.

И все же казалось маловероятным, что человек в полночь прискачет на лошади воровать фрукты или овощи.

«Но что же ему здесь нужно?»

То, что он оставил лошадь в роще, а сам пробирался к реке пешком — и очень осторожно, насколько можно было разглядеть при неверном свете луны, — заставляло сомневаться в честности его намерений и говорило скорее о каком-то злом умысле.

Что это за умысел?

Человек исчез под обрывом, и Колхаун уже не мог больше его видеть с асотеи. Заросли, окаймлявшие противоположный берег, скрыли неизвестного.

«С какой целью он там бродит?»

Отставной капитан уже в десятый раз задавал себе этот вопрос, все больше и больше тревожась, когда вдруг он услышал плеск, словно кто-то нырнул в воду. Звук был негромкий, но очень четкий.

— Всплеск весла... — пробормотал он. — Клянусь всеми святыми, он перетянул челнок и переправляется прямо в сад! Что же, наконец, ему здесь понадобилось?

Не желая больше оставаться на крыше и ломать себе голову в догадках, Колхаун решил потихоньку спуститься вниз, разбудить мужчин и пойти всем вместе на облаву.

Он уже поднял руку с парапета и собрался идти, когда до него долетел новый звук, заставивший его снова наклониться и посмотреть в сад. Этот звук совсем не был похож на удар весла и доносился не с реки. Послышался скрип не то дверных петель, не то открываемого окна. Скрип раздался внизу, почти под тем местом, где стоял Колхаун.

Когда он перегнулся через парапет, чтобы узнать, в чем дело, лицо его стало бледным, как луна, которая осветила его; сердце болезненно сжалось.

Окно было открыто в спальне его кузины Луизы. Он знал это окно. Девушка уже стояла на ступеньках лестницы, ведущей в сад, и, видимо, собиралась спуститься...

В белом, падающем свободными складками платье, с небольшим платком на голове, она напоминала прелестную нимфу ночи, которую луна одела серебристым сиянием.

Колхаун сразу понял, что ее появление как-то связано с человеком, который переправлялся через реку.

А кем мог быть этот человек? Кем, как не Морисом-мустангером! Тайное свидание! В этом не могло быть никаких сомнений — белое платье бесшумно мелькнуло в саду и исчезло в тени деревьев на берегу.

Словно пораженный громом, Колхаун стоял на асотее в каком-то оцепенении. Только после того, как белое платье исчезло в саду и послышался тихий разговор, долетавший из-за деревьев, он пришел в себя и решил, что надо действовать.

Он уже не собирался никого будить — во всяком случае, не сейчас. Он первый должен стать свидетелем позора кузины — и тогда... и тогда...

В эту минуту он не был в состоянии строить какие-то определенные планы; и, слепо следуя своему гнусному порыву, он второпях спустился с асотеи, прошел через весь дом и вышел в сад.

Его охватила неожиданная слабость — у него даже подкашивались ноги, когда он спускался по каменной лестнице. Они продолжали дрожать, и когда он спешил по дорожкам сада, и когда он, прокравшись за ствол дерева, никем не замеченный, наблюдал сцену, которая ранила его в самое сердце.

Он слышал их клятвы, их любовные признания, решение мустангера уехать завтра на рассвете, его обещание скоро вернуться и полувысказанные мечты о будущем. С горечью слушал он, как Луиза пыталась уговорить мустангера не уезжать и как, наконец, Морис убедил ее в необходимости этого отъезда.

Он был свидетелем их последнего нежного объятия, которое заставило его с раздражением топнуть ногой по гравию, отчего и замолкли в испуге цикады.

Почему в эту минуту он не бросился вперед и не положил конец мучительному для него свиданию, почему не вонзил нож в своего соперника, повергнув его безжизненным к своим ногам и к ногам его возлюбленной? Почему он не сделал этого с самого начала? Разве ему нужны были еще какие-нибудь доказательства? Не потому ли, что при свете луны он заметил, как блестел за поясом мустангера шестизарядный револьвер Кольта?

Как бы то ни было, несмотря на жгучее желание отомстить, что-то не только удержало капитана от мести, но и заставило удалиться в самый мучительный для него миг — миг последнего объятия; он бросился домой, оставив влюбленных в неведении, что за ними следили.

Глава XXXIV

«РЫЦАРСКИЕ» ПОБУЖДЕНИЯ

Куда же направился Кассий Колхаун?

Конечно, не в свою спальню. Разве мог спать человек, терзаемый такими муками!

Он спешил в комнату своего двоюродного брата, Генри Пойндекстера.

Не теряя времени, чтобы взять свечу, он шел быстрыми шагами по извилистым коридорам.

Свеча, впрочем, и не понадобилась.

Ставни не были закрыты, и лунные лучи, проникая сквозь оконные решетки, достаточно хорошо освещали комнату.

Можно было различить ее скромную обстановку: умывальник, небольшой столик, несколько стульев и кровать с пологом из кисеи для защиты от надоедливых москитов.

Юноша спал тем беззаботным сном, каким наслаждаются только люди с чистой совестью. Его красивая голова спокойно лежала на подушке, по которой раскинулись в беспорядке густые блестящие кудри. Колхаун приподнял кисею, и лунный луч упал на лицо юноши, осветив его мужественные, благородные черты. Как не похоже было это лицо на лицо склонившегося над ним двоюродного брата, тоже красивое, но отмеченное печатью низменных страстей!

— Проснись, Генри, проснись! — будил кузена Колхаун, тряся его за плечо.

— А? Это ты, Каш? Что такое? Надеюсь, не индейцы?

— Хуже, гораздо хуже! Скорее! Вставай и посмотри. Скорее, а то будет поздно! Вставай и посмотри на свой позор, на позор своей семьи! Скорее же, иначе имя Пойндекстеров станет посмешищем всего Техаса!

После такого предупреждения, конечно, никому из членов семьи Пойндекстеров не захотелось бы спать. Юноша сразу вскочил и с недоумением посмотрел на кузена.

— Не теряй времени на одевание! — заявил взволнованный Колхаун. — Впрочем, надень панталоны — и хватит. К черту одежду — сейчас не до этого! Скорее! Скорее!

Через секунду Генри был уже одет в свой обычный незатейливый костюм — панталоны и блузу из хлопчатобумажной ткани — и уже спешил за кузеном в сад, все еще не понимая, зачем тот разбудил его так бесцеремонно.

— В чем дело, Кассий? — спросил он, когда Колхаун знаком дал ему понять, что нужно остановиться. — Скажи, что все это означает?

— Посмотри сам... Стань ближе ко мне. Взгляни через этот просвет между деревьями, туда, где обычно стоит твоя лодка. Видишь там что-нибудь?

— Что-то белое... Как будто женское платье... Это женщина?

— Ты прав — это женщина. Как ты думаешь, кто она?

— Не знаю. Ну, кто же это?

— Рядом с ней другая фигура, темная.

— А это как будто мужчина... Да, мужчина.

— А кто он, как ты думаешь?

— Откуда мне знать, Каш? А ты знаешь?

— Да, знаю. Этот мужчина — Морис-мустангер.

— А женщина?

— Луиза, твоя сестра, в его объятиях.

Словно раненный в сердце, юноша пошатнулся, а затем бросился вперед.

— Стой! — сказал Колхаун, удерживая его. — Ты забываешь, что ты безоружен, а мустангер вооружен. Возьми вот это и это, — продолжал он, передавая ему свой нож и револьвер. — Я хотел сам пустить их в ход, но подумал, что лучше будет, если это сделаешь ты как брат и защитник своей сестры. Вперед, Генри! Только смотри не попади в нее! Подкрадись тихонько. И как только они разойдутся, стреляй ему в живот. А если все шесть пуль не прикончат его, тогда заколи ножом! Я буду поблизости и приду к тебе на помощь, если понадобится. Вперед! Подкрадись к этому мерзавцу и отправь его в ад!

Генри Пойндекстер не нуждался в этих подлых наставлениях. Забыв обо всем, он бросился вперед и через несколько секунд уже был около сестры:

— Низкий негодяй! — закричал он, встав перед мустангером. — Выпусти мою сестру из твоих грязных объятий!.. Луиза, отойди в сторону и дай мне убить его! Отойди, сестра, отойди!

Если бы Луиза послушалась, Мориса Джеральда через мгновение уже, вероятно, не было бы в живых; он смог бы избежать смерти, только если бы у него поднялась рука на Генри: при том искусстве, с каким мустангер владел своим револьвером, он успел бы выстрелить первым.

Вместо того чтобы вынуть револьвер из кобуры или вообще как-нибудь защищаться, Морис-мустангер пробовал освободиться из объятий девушки, которая продолжала стоять, прильнув к нему, — только за ее жизнь он боялся.

Генри понимал, что, если он выстрелит в мустангера, он рискует убить сестру; опасаясь этого, юноша медлил спускать курок.

Это промедление спасло всех троих. Молодая креолка, быстро оценив положение, вдруг оставила возлюбленного и схватила брата за руки. Она знала, что Морис не будет стрелять, нужно было только остановить Генри.

— Беги, беги! — закричала она мустангеру, стараясь удержать брата, который был вне себя от гнева. — Генри заблуждается, я все ему объясню. Скорее, Морис, скорее спасайся!

— Генри Пойндекстер, — сказал молодой ирландец, уже готовый повиноваться ей, — вы напрасно считаете меня негодяем. Дайте мне время, и я докажу, что ваша сестра правильнее поняла меня, чем ее отец, брат или кузен. Если через шесть месяцев вы не убедитесь, что я достоин ее доверия, ее любви, то можете убить меня при первой встрече, как трусливого койота, который попался вам на пути. А пока прощайте!

Слушая мустангера, Генри постепенно перестал вырываться из рук сестры — пожалуй, более сильных, чем его собственные.

Его попытки освободиться становились все слабее и наконец совсем прекратились в тот момент, когда с реки донесся плеск воды, возвещавший, что человек, нарушивший покой Каса-дель-Корво, возвращается в дикую прерию, которая стала его второй родиной.

Впервые мустангер возвращался со свидания таким способом. Два предыдущих раза он переплывал реку в челноке, и нежная женская рука с помощью маленького лассо, которое ей подарили вместе с мустангом, затем подтягивала хрупкое суденышко к месту его постоянного причала.

— Брат, ты несправедлив к нему! Уверяю тебя, ты несправедлив! — воскликнула Луиза, как только мустангер скрылся из виду. — О Генри, дорогой, если бы ты только знал, как он благороден! У него никогда и в мыслях не было обидеть меня; вот только сейчас он рассказал мне, что собирается сделать, чтобы предупредить сплетни — я хочу сказать, чтобы сделать меня счастливой. Поверь мне, брат, он джентльмен! Но все равно, кем бы он ни был, — пусть даже простолюдином, за которого ты его принимаешь, — я не могу не любить его!

— Луиза, скажи мне правду. Говори со мной так, как если бы ты говорила сама с собой. Из того, что я видел здесь, я, больше чем из твоих слов, понял, что ты любишь его. Скажи, не злоупотребил ли он твоей доверчивой любовью?

— Нет! Нет! Нет! Клянусь тебе! Он слишком благороден. Зачем ты так незаслуженно оскорбил его, Генри?

— Я оскорбил его?

— Да, Генри, грубо, несправедливо.

— Я готов извиниться перед ним. Я догоню его и попрошу прощенья за свою несдержанность. Если ты говоришь правду, сестра, я должен это сделать. Я немедленно догоню его. Ты ведь знаешь, что он понравился мне с первой встречи. А теперь, дорогая Луиза, я провожу тебя в дом. Иди к себе и ложись. А сам я немедленно отправлюсь к гостинице и, может быть, еще застану его там. Я не найду себе покоя, пока не извинюсь перед ним за свою грубость!

Возвращаясь домой, Генри бережно вел сестру под руку; он сожалел о своем поступке, и гнев его исчез без следа. Юноша спешил вернуться в асиенду, рассчитывая сейчас же отправиться вдогонку за мустангером и извиниться за то, что, погорячившись, незаслуженно обидел его.

Когда брат и сестра вошли в дом, третий человек, который до этого крадучись пробирался через кусты, выпрямился и пошел вслед за ними по каменным ступенькам. Это был их кузен Кассий Колхаун.

Он тоже задумал отправиться вслед за мустангером.

Глава XXXV
НЕГОСТЕПРИИМНЫЙ ХОЗЯИН

«Жалкий трус! Дурак! Сам я тоже дурак, что понадеялся на него. Я должен был предвидеть, что она сумеет уговорить этого щенка и даст негодяю возможность улизнуть. Я мог бы сам выстрелить в него из-за дерева, убить, как крысу, не рискуя ровно ничем, даже своим именем! Дядя Вудли только поблагодарил бы меня за это, все оправдали бы мой поступок. Моя кузина, девушка из знатной семьи, обманута каким-то бродягой — торговцем лошадьми! Кто бы осудил меня? Такой случай, черт побери! И как я упустил его? А теперь неизвестно, когда он снова представится».

Так размышлял отставной капитан, следуя на некотором расстоянии за Луизой и Генри, которые направились к дому.

— Неужели этот желторотый птенец говорил серьезно? — бормотал он про себя, входя во двор. — Неужели он собирается извиниться перед человеком, который одурачил его сестру? Это было бы очень смешно, если бы не было так печально. Судя по шуму в конюшне, он действительно поскачет извиняться... Так и есть — он седлает свою лошадь.

Дверь конюшни, как это было принято в мексиканских поместьях, выходила на мощеный двор. Она была полуоткрыта; но в тот момент, когда Колхаун взглянул на нее, кто-то толкнул ее изнутри и широко открыл. На пороге появился человек, который вел за собой оседланную лошадь.

На голове этого человека была панама, на плечах — плащ. Колхаун сразу узнал своего двоюродного брата и его вороного коня.

— Дурак! Так, значит, ты выпустил его! — злобно проворчал капитан, когда юноша приблизился. — Верни мне нож и револьвер. Эти игрушки не для твоих нежных ручек. Почему ты не пустил их в ход, как я тебе сказал? Почему ты свалял такого дурака?

— Да, я действительно свалял дурака, — спокойно сказал молодой плантатор. — Я это знаю. Я грубо и незаслуженно оскорбил порядочного человека.

— «Оскорбил порядочного человека»! Ха-ха-ха! Ты с ума сошел!

— Я действительно был бы сумасшедшим, если бы последовал твоему совету, Кассий. К счастью, я не зашел так далеко. Но все-таки успел наделать столько глупостей, что вполне заслужил название дурака; и все же, я надеюсь, он поймет, что я погорячился, и извинит меня. Во всяком случае, я еду сейчас же, не теряя ни минуты.

— Куда ты едешь?

— Вдогонку за Морисом-мустангером, чтобы извиниться перед ним за свой недостойный поступок.

— «Недостойный поступок»! Ха-ха-ха! Ты, конечно, шутишь?

— Нет. Я говорю совершенно серьезно. Поедем вместе, и ты сам это увидишь.

— Тогда я еще раз скажу, что ты действительно сумасшедший. И не только сумасшедший, но круглый идиот!

— Ты не очень вежлив, кузен Кассий; хотя после того, что я сам наговорил, охотно прощаю тебе твою резкость. Может быть, когда-нибудь и ты последуешь моему примеру и извинишься за свою грубость.

С этими словами благородный юноша вскочил на коня и быстро выехал из ворот асиенды.

Колхаун стоял не двигаясь, пока топот копыт удалявшейся лошади не замер вдали.

Потом, словно очнувшись, он решительным шагом направился через веранду в свою комнату; скоро он вышел в старом плаще, прошел в конюшню и оседлал своего коня. Он провел его по мощенному камнем двору осторожно, словно вор. Только за воротами асиенды, где начиналась мягкая трава, Колхаун вскочил в седло и пришпорил коня.

Милю или две он ехал по той же дороге, что и Генри Пойндекстер, но явно не собирался догонять его: топота копыт коня Генри уже давно не было слышно, а Колхаун ехал медленной рысью.

Отставной капитан ехал вверх по реке. На полпути к форту он остановил лошадь и, окинув внимательным взглядом заросли, круто свернул на боковую тропу, ведущую к берегу.

— Не все еще потеряно, только теперь это обойдется дороже, — бормотал он про себя. — Это будет мне стоить тысячу долларов. И пусть! Надо, наконец, отделаться от этого проклятого ирландца, который отравляет мне жизнь! По его словам, рано утром он будет на пути к своей хижине. В котором часу, интересно знать? Для жителей прерий, кажется, встать на рассвете — это уже поздно. Ничего, у нас еще хватит времени! Койот успеет опередить Мориса. Это, видно, та дорога, по которой мы ехали на охоту за дикими лошадьми. Он говорил о своей хижине на Аламо. Так называется речка, на берегу которой мы устраивали пикник. Его лачуга, наверно, недалеко оттуда. Эль-Койот должен знать, где она стоит; во всяком случае, он знает, как туда добраться. Для нас этого уже достаточно. Зачем нам лачуга? Хозяин просто до нее не доедет: ведь по дороге ему могут встретиться индейцы — и даже наверно встретятся.

В эту минуту отставной капитан подъехал к хижине, но не к той, о которой думал, а к хакале мустангера-мексиканца, — она-то и была целью его путешествия.

Соскочив с седла и привязав уздечку к ветке дерева, он подошел к двери.

Она была открыта настежь. Изнутри доносился звук, в котором нетрудно было узнать храп.

Но это был не храп человека, спящего спокойным, глубоким сном. Он то умолкал, то сменялся каким-то хрюканьем, переходившим в нечленораздельные восклицания, в которых с некоторым трудом можно было разобрать ругательства. Не оставалось сомнений, что хозяин хакале изрядно выпил.

— Силы ада! Тысяча чертей! — бормотал спящий и тут же начинал взывать чуть ли не ко всему католическому пантеону: — Иисус! Святая Дева! Святая Мария! Матерь Божия!

Колхаун остановился на пороге и прислушался.

— Про-про-кля-тие! — услышал он. — Хорошие новости, клянусь кровью Христовой! Да, сеньор американо! Новости прекрасные! Индейцы... Эти... команчи на тропе войны. Да благословит Бог команчей!

— Этот мерзавец вдребезги пьян! — сказал Колхаун вслух.

— Эй, сеньор! — воскликнул мексиканец, наполовину разбуженный звуком человеческого голоса. — Кому такая честь?.. Нет, не то! Я счастлив вас видеть, я, Мигуэль Диас, Эль-Койот, как меня называют бродяги. Ха-ха-ха! Койот! Ба, а как вас зовут? Ваше имя, сеньор? Тысяча чертей, кто вы такой?

Приподнявшись на своем тростниковом ложе, Эль-Койот некоторое время сидел, тупо глядя на нежданного гостя, прервавшего его пьяные сновидения.

Но это продолжалось недолго. Бормоча что-то непонятное, мексиканец снова растянулся на постели. Громкий раскатистый храп возвестил, что хозяин больше не сознает присутствия своего гостя.

— Вот и еще одна возможность потеряна! — разочарованно прошипел Колхаун, поворачиваясь, чтобы выйти. — Трезвый дурак и пьяный негодяй — ничего не скажешь, ценные помощники для осуществления моих планов! Проклятие! Всю ночь мне не везет! Пройдет по крайней мере три часа, пока эта свинья проспится. Целых три часа! Тогда будет слишком поздно, слишком поздно...

С этими словами Колхаун взял своего коня под уздцы и остановился, словно в нерешительности.

— Здесь оставаться нет никакого смысла. Уже начнет светать, когда он придет в себя. С таким же успехом я могу вернуться домой и ждать там или же...

Он не высказал вслух новой мысли, которая пришла ему в голову. Но какова бы она ни была, его колебания кончились.

Резким движением сорвав уздечку с ветви, Колхаун вскочил в седло и поскакал в сторону, противоположную той, откуда он приехал к хакале Эль-Койота.

Глава XXXVI
ТРОЕ НА ОДНОМ ПУТИ

Никто не станет отрицать, что поездка верхом по прерии — одно из приятнейших удовольствий на свете.

Если у вас хорошая лошадь, сзади к седлу привязан туго набитый мешок с припасами, у луки болтается полная фляжка, а из седельной кобуры торчит туго набитый портсигар, вы можете быть уверены, что такое путешествие вам не наскучит.

А друг, который скачет бок о бок с вами, если он, так же как и вы, любит природу, превратит это трудное путешествие в незабываемое удовольствие.

Но если с вами будет та, кому вы отдали свое сердце, вы испытаете радость, которая останется в вашей памяти на всю жизнь.

О, если бы такое милое общество было уделом всех путешественников по прерии, то глухие просторы западного Техаса были бы наводнены туристами! Огромная дикая равнина покрылась бы бесчисленными тропами, а саванна кишела бы высокомерными франтами.

Но лучше, чтобы все оставалось так, как есть. Когда вы направляетесь в прерию, стоит вам выехать за черту поселений и свернуть в сторону от «большой дороги», обозначенной следами пяти-шести лошадей, которые прошли здесь раньше вашей, — и вы будете ехать часами, неделями, месяцами, а может быть, и целый год, не повстречав ни одного человека.

Только тот, кто сам путешествовал по огромной равнине Техаса, может оценить всю ее необъятность: при виде ее вас охватывает чувство, подобное тому, которое испытываешь, созерцая бесконечность.

Вероятно, легче всего меня поймет моряк. Как корабль, который может пересечь Атлантический океан — даже по самым оживленным водным путям, — не встретив ни одного паруса, так и человек может месяцами ехать по прерии юго-западного Техаса в полном одиночестве. Но даже океан не создает впечатления такого бесконечного пространства. Путешествуя по океану, вы не замечаете, что продвигаетесь вперед. Обширная лазорево-синяя поверхность с опрокинутым над ней куполом, тоже лазоревым, но только чуть светлее, все время вокруг вас и над вами, и вы не видите перемен. Вам начинает казаться, что вы стоите неподвижно в центре огромного круга, под огромным сводом, и у вас нет возможности воспринять целиком всю грандиозность нескончаемого водного простора.

Иное дело — в прерии. Островки леса, холмы, деревья, точно вехи, сменяют друг друга и говорят вам о том, что вы преодолеваете необъятное пространство.

Путешественник по прерии — и особенно в юго-западном Техасе — редко любуется ее дикой прелестью в одиночестве; те, кому приходится бросать вызов опасностям, таящимся в диких равнинах, где обитают команчи, ездят вдвоем, втроем, но чаще компаниями по десять — двадцать человек.

Но все-таки здесь иногда можно встретить одинокого путешественника. Так, например, в ту ночь, когда разыгралась драма в саду Каса-дель-Корво, по меньшей мере три путника поодиночке пересекали равнину, простирающуюся к юго-западу от берегов Леоны.

В ту минуту, когда Колхаун, досадуя на неудачу, покидал хакале мустангера-мексиканца, можно было видеть, как первый путник выезжал из поселка по направлению к реке Нуэсес или одному из ее притоков.

Пожалуй, лишним будет добавлять, что он ехал верхом, так как в Техасе пешеходы встречаются лишь в городах и на плантациях.

Всадник сидел на прекрасной лошади; ее ровный, упругий шаг говорил о том, что она способна выдержать долгое путешествие.

Предполагалось ли такое путешествие или нет, трудно было сказать. Всадник был одет так, как обычно одевается любой техасец, собирающийся проехать десяток-другой миль. Вероятнее всего, он возвращался домой. Вряд ли в такой поздний час он выехал из дому. Серапе, небрежно наброшенное на плечи, быть может, предназначалось только для защиты от ночной росы.

Но так как в эту ночь роса не выпадала, то возможно, что всадник действительно собрался в далекий путь, тем более что в том направлении, куда он ехал, поблизости не было ни одного селения.

Несмотря на это, он совсем не спешил, словно ему было безразлично, когда он достигнет цели своего путешествия.

Наоборот, казалось, он был погружен в воспоминания, которые так сильно захватили его, что он не обращал никакого внимания на окружающее.

Конь был предоставлен самому себе, поводья висели свободно, но он не останавливался, а шел уверенным шагом, словно по знакомой тропе.

Так ехал первый путник, не подгоняя своего коня ни хлыстом, ни шпорами, пока не исчез в туманной дали, едва освещенной месяцем.

Почти в ту самую минуту, когда первый всадник скрылся из виду, на окраине поселка появился второй и поехал по той же дороге — словно они сговорились.

Судя по его одежде, он, вероятно, тоже отправился в дальний путь.

На нем был темный широкий плащ, ниспадавший сзади свободными складками на круп лошади.

В отличие от первого, этот всадник явно куда-то торопился и все время подгонял своего коня хлыстом и шпорами.

Казалось, он хотел кого-то догнать. Возможно, он догонял первого всадника... Судя по его поведению, это было вполне вероятно. Время от времени он наклонялся вперед и внимательно всматривался в даль, как будто ждал, что увидит силуэт, вырисовывающийся на фоне неба.

Вскоре второй всадник тоже исчез и как раз в том же месте, где скрылся из виду его предшественник. Так показалось бы тому, кто наблюдал бы за ним из форта или поселка.

И по странному совпадению, — если это было совпадением, — как раз в тот момент, когда скрылся второй всадник, на окраине маленького техасского селения показался третий; он стал продвигаться в том же направлении, что и два первых.

Как и они, он был одет так, словно отправился путешествовать. На нем был ярко-красный плащ, совершенно скрывавший его фигуру. Из-под широкой полы виднелось короткое охотничье ружье, лежащее поперек седла.

Как и первый всадник, он ехал медленно — даже для человека, которому предстоит еще долгий путь. Тем не менее он проявлял большое беспокойство и этим напоминал всадника, который ехал непосредственно впереди него.

Однако в поведении этих двух людей была и большая разница. В то время как всадник в темном плаще, казалось, догонял кого-то, всадник в красном, наоборот, постоянно оборачивался, как будто его интересовало лишь то, что происходило сзади.

Иногда он оглядывался, приподнимаясь в стременах, иногда поворачивал коня, внимательно всматриваясь в дорогу, по которой только что проехал, и все время прислушиваясь, как будто ждал, что вот-вот кто-то его догонит...

Продолжая то и дело оборачиваться, и этот всадник скоро скрылся вдали; он не догнал никого, но и его никто не догнал.

Разделенные почти одинаковым расстоянием, три всадника двигались по прерии, не видя друг друга.

И никто не мог бы сразу охватить взглядом всех троих или даже двоих, разве только сова с вершины какого-нибудь высокого холма или козодой, охотящийся в небесах за ночными бабочками.

Час спустя, когда три путешественника отъехали от форта Индж на десять миль, их взаимное положение значительно изменилось.

Первый всадник только что подъехал к длинной просеке, врезавшейся наподобие аллеи в гущу лесных зарослей, которые простирались направо и налево, насколько хватало глаз. Просеку можно было бы сравнить с широким проливом: ее зеленая поверхность была обрамлена более темной зеленью деревьев, точно поверхность воды, граничащая с берегом. Заходившая луна освещала ее примерно на полмили. Дальше просека круто сворачивала в черную тень деревьев.

Прежде чем въехать в эту просеку, первый из трех всадников явно проявил нерешительность: он сдержал своего коня и секунду или две всматривался в даль. Его внимание было сосредоточено на дороге среди лесных зарослей, назад он не оборачивался.

Но он колебался недолго.

Приняв решение, он пришпорил коня и поехал вперед.

И как раз в этот момент его заметил всадник в черном плаще, ехавший за ним по той же дороге; теперь он был от него на расстоянии только полумили.

Увидев его, всадник в черном плаще слегка вскрикнул. Казалось, он был доволен, что наконец догоняет человека, за которым едет уже десять миль. Погнав коня еще быстрее, он тоже въехал в просеку. Но первый всадник уже исчез в черных тенях на повороте.

Второй всадник без колебаний последовал за ним и скоро также исчез из виду.

Прошло довольно много времени, прежде чем этого места достиг третий всадник.

Он не въехал в лес, как первые два всадника, а повернул в сторону, к опушке; здесь он привязал свою лошадь и через заросли наискосок вышел на просеку.

По-прежнему он оглядывался назад, словно то, что делалось там, интересовало его гораздо больше происходящего впереди. Он подошел к затененному месту просеки и скрылся в темноте, как и первые всадники.

Прошел час, а неугомонный хор ночных голосов в зарослях, дважды прерванный стуком лошадиных копыт и один раз шагами человека, продолжал звучать.

Но вот лесные голоса снова замолкли; на этот раз они оборвались все сразу и надолго. Звук, заставивший их умолкнуть, не был похож ни на топот лошадиных копыт, ни на шорох шагов человека, ступающего по мягкой траве. Это был сухой треск ружейного выстрела.

И подобно тому, как по мановению дирижерской палочки мгновенно обрывается игра оркестра, так и певцы прерии все сразу замолкли, услышав этот резкий звук, который внушал им особый страх.

Перестала мяукать тигровая кошка в зарослях, не стало слышно завываний койота, бродившего по опушке леса, и даже ягуар, которому не страшен никакой лесной зверь, тоже испугался выстрела и перестал рычать.

Но за выстрелом не последовало ни стонов раненого человека, ни визга подстреленного животного, и ягуар, набравшись храбрости, снова стал пугать обитателей леса своим хриплым рычаньем.

Друзья и враги — птицы, звери, насекомые, пресмыкающиеся, — не обращая внимания на его рев, доносившийся издалека, снова завели свой оглушительный концерт. И скоро в зарослях установился обычный шум, и, даже стоя рядом, надо было кричать, чтобы услышать друг друга.

Глава XXXVII

ЗАГАДОЧНОЕ ИСЧЕЗНОВЕНИЕ

Колокол Каса-дель-Корво дважды прозвонил, приглашая к завтраку, а еще раньше протрубил рожок, созывая невольников с дальних уголков плантации.

Те, кто работал вблизи, расположились около своих хижин на траве или на бревнах и принялись за еду.

Семья плантатора, собравшись в столовой, уже готова была сесть за стол, но оказалось, что не все еще в сборе.

Не было Генри.

Сначала этому не придали никакого значения, и все ждали, что он вот-вот появится.

Но прошло несколько минут, а Генри все не было. Плантатор с некоторым удивлением сказал, что не в привычках сына опаздывать к столу.

На юго-западе Америки принято, что к утреннему завтраку вся семья собирается в определенный час и все вместе садятся за стол. Этот обычай возник в связи с некоторыми особенностями местного меню. Виргинский бисквит, вафли, гречневые оладьи — все это вкусно только прямо с огня. И час, когда завтракают в столовой, — час мучений для кухарки у раскаленной плиты.

Лентяи, которые любят поспать и опаздывают к завтраку, рискуют получить холодные оладьи или остаться без вафель, — вот почему на южных плантациях таких лентяев мало.

Поэтому и в самом деле могло показаться странным, что Генри Пойндекстера все еще не было за столом.

— Куда же пропал мальчик? — ни к кому не обращаясь, спросил отец уже в четвертый раз.

Ни Колхаун, ни Луиза ничего не ответили. Луиза и сама задала такой же вопрос. Однако в ее взгляде и в тоне сквозило что-то странное, но это можно было заметить, лишь внимательно всмотревшись в ее лицо.

Едва ли это объяснялось отсутствием ее брата за завтраком. Такой пустяк вряд ли мог кого-нибудь взволновать, а Луиза в эту минуту, несомненно, была сильно взволнована.

Чем же? Никто не спросил ее. Отец не заметил ничего странного в ее взгляде, и тем более кузен, который сам старался скрыть какую-то неприятную мысль под маской напускного спокойствия.

С тех пор как Колхаун вошел в столовую, он не произнес еще ни одного слова и, вопреки своей привычке, ни разу не посмотрел на Луизу.

Сидя за столом, он заметно нервничал и, когда появлялся слуга, раз или два даже вздрогнул.

Не оставалось сомнений, что он чем-то сильно взволнован.

— Очень странно, что Генри опоздал к завтраку, — чуть ли не в десятый раз повторил плантатор. — Неужели он еще спит?.. Нет, Генри никогда не встает так поздно. Но если он даже куда-нибудь ушел, то он должен был услышать рожок... Может быть, он все-таки в своей комнате... Плутон!

— Я здесь, масса Вудли! Вы меня звали?

На Плутона, кроме обязанностей кучера, были возложены также обязанности лакея, прислуживающего за столом.

— Пойди в спальню Генри и, если он там, скажи ему, что мы уже кончаем завтракать.

— Его там нет, масса Вудли.

— Разве ты был у него в комнате?

— Да... нет, я хотел сказать — нет. Я не был у него в комнате, но я был в конюшне — хотел накормить его лошадь, масса Вудли. Нет ее там, не было все утро — я встал чуть свет. И седла нет, и уздечки нет, и массы Генри тоже нет. Он выехал, когда еще все в доме спали.

— Ты в этом уверен? — спросил плантатор, серьезно взволнованный таким сообщением.

— Еще бы нет, масса Вудли! Там в конюшне только лошадь массы Колхауна. Крапчатая бегает в загоне, вороного массы Генри нигде не видно.

— Это еще не означает, что мистера Генри нет в его комнате. Иди сейчас же и посмотри.

— Иду сию же минуту, масса! Увидите, Плутон правду говорит. Молодого джентльмена там нет. Масса Генри там, где его лошадь.

— Ничего не могу понять... — сказал плантатор, когда Плутон вышел из комнаты. — Генри уехал из дому, да еще ночью. Куда же он поехал? Я не могу себе представить, к кому бы он мог поехать в такое позднее время. Он отсутствовал, по словам негра, всю ночь. Наверно, был в форте с молодежью. Надеюсь, не в баре...

— О нет, он, конечно, туда не поедет, — вмешался Колхаун, озадаченный как будто не меньше самого плантатора. Однако он не стал высказывать никаких предположений и ни слова не сказал о сцене, разыгравшейся в саду.

«Надеюсь, Кассий об этом ничего не знает, — подумала Луиза. — Если так, то все может остаться тайной между мной и братом. Я всегда сумею уговорить Генри... Но почему же его до сих пор нет? Я не ложилась всю ночь, ожидая его. Он, наверно, догнал Мориса, и они побратались. Я надеюсь, что это так, хотя местом их примирения мог оказаться и бар. Генри очень воздержан, но под влиянием таких переживаний он мог изменить своим привычкам. И его нельзя за это осуждать, тем более что в таком обществе с ним не случится ничего дурного».

Трудно сказать, как далеко зашли бы размышления Луизы, если бы они не были прерваны появлением Плутона.

Вид у него был такой сосредоточенный, словно он собирался сообщить что-то очень важное.

— Ну что же, — закричал плантатор, не дав ему заговорить, — там он?

— Нет, масса Вудли! — взволнованно ответил негр. — Там его нет, массы Генри нет. Но... — продолжал он нерешительно, — Плутону грустно сказать это... Его лошадь там...

— Его лошадь там? Надеюсь, не в его спальне?

— Нет, масса. И не в конюшне. Она около ворот.

— Его лошадь у ворот? Но почему тебе грустно говорить об этом?

— Потому что, масса Вудли, потому что... лошадь эта массы Генри... потому что вороной...

— Да говори же ты толком, косноязычный! Что «потому что»? Надеюсь, голова у лошади цела? Или, может быть, она потеряла хвост?

— О, масса Вудли, негр не этого боится! Пусть бы лошадь потеряла голову и хвост. Плутон боится, что она потеряла своего всадника.

— Что? Лошадь сбросила Генри? Чепуха, Плутон! Невозможно, чтобы лошадь сбросила такого наездника, как мой сын. Невозможно!

— Я и не говорю, что сбросила. Я боюсь беды похуже этой. Дорогой старый масса, я больше ничего не скажу! Выйдите, пожалуйста, к воротам и посмотрите сами.

Сбивчивая речь Плутона и особенно его тон и жесты встревожили всех: не только плантатор, но и его дочь и племянник быстро встали со своих мест и поспешили к воротам асиенды.

То, что они увидели, могло вызвать лишь самые мрачные предположения.

Один из негров-невольников стоял, держа за уздечку оседланную лошадь. Она была совсем мокрой от ночной росы, и, очевидно, рука грума еще не касалась ее. Лошадь била копытом и храпела, словно она только что спаслась от какой-то страшной опасности. Она была забрызгана чем-то темным — темнее росы, темнее ее шерсти: плечи, передние ноги, седло были в темных пятнах запекшейся крови.

Откуда примчалась эта лошадь?

Из прерии. Негр поймал ее на равнине, когда она с волочащимися между ног поводьями, руководимая инстинктом, бежала домой — к асиенде.

Кому она принадлежала?

Этого вопроса никто не задал. Все знали, что это лошадь Генри Пойндекстера.

Никто не спросил, чьей кровью запачкана лошадь. Все трое подумали об одном человеке: о сыне, о брате, о кузене.

Бурые пятна, на которые они смотрели полными отчаяния глазами, были пятнами крови Генри Пойндекстера. Они не сомневались в этом.

Глава XXXVIII
НА ПОИСКИ

Быстро, но, по-видимому, верно истолковав мрачные свидетельства, обезумевший от горя отец вскочил в окровавленное седло и поскакал к форту.

Колхаун последовал за ним.

Весть о случившемся скоро облетела всю округу. Быстрые всадники разнесли ее вверх и вниз по реке, к самым отдаленным плантациям.

Индейцы вышли на тропу войны — они снимают скальпы, уже совсем поблизости, — Генри Пойндекстер стал их первой жертвой.

Генри Пойндекстер — благородный и великодушный юноша, у которого не было ни одного врага во всем Техасе. Кто же еще, кроме индейцев, мог пролить эту невинную кровь? Только команчи могли быть так жестоки.

Никто из всадников, собравшихся на площади форта Индж, не сомневался, что это преступление совершено команчами. Не знали только — как, когда и где.

Капли крови ясно отвечали на первый вопрос. Хозяин лошади был застрелен или пронзен копьем. Кровавых пятен больше всего было с правой стороны, где они выглядели так, словно что-то их смазало; то же было заметно и на плече лошади и на крыле седла; по-видимому, этот след оставило тело всадника, соскользнувшее на землю.

Некоторые из присутствующих, умудренные опытом пограничной жизни, довольно уверенно определяли даже время, когда было совершено преступление.

По их словам, кровь была пролита не больше десяти часов назад.

Был уже полдень. Следовательно, убийство было совершено в два часа ночи.

Третий вопрос был, пожалуй, самым важным, во всяком случае теперь, когда преступление уже было совершено.

Где оно было совершено? Где искать труп?

И, наконец, где искать убийц?

Эти вопросы обсуждал совет военных и плантаторов, спешно созванный в форте Индж; председателем был комендант форта; убитый горем отец безмолвно стоял рядом с ним.

Где же искать преступников и место преступления?

На компасе прерий, так же как и на компасе, указывающем путь мореплавателям, тридцать два румба; поэтому экспедиция, отправляющаяся на поиски военного отряда команчей, может выбирать среди тридцати двух возможных направлений, из которых только одно правильное.

Все знали, что команчи живут на западе. Но это было слишком неопределенно, так как они кочевали на пространстве в сотни миль.

Кроме того, индейцы вышли на тропу войны, и на такое изолированное поселение, как на Леоне, они могли напасть и с востока: это была обычная стратегическая хитрость команчей — опытных воинов.

Ехать наобум было бы просто неразумно, а как узнать, который из тридцати двух возможных путей правильный?

Предложение разделиться на небольшие группы и поехать в разные стороны не встретило одобрения, и майор его отклонил.

Индейцев могла быть целая тысяча, а против них удалось бы выслать отряд человек в сто — не больше; пятьдесят драгун из форта и примерно столько же всадников с плантаций. Необходимо было держаться всем вместе, иначе, в случае нападения, отряд легко уничтожат по частям.

Довод сочли основательным. Даже убитый горем отец и кузен, который, казалось, был не менее опечален, согласились подчиниться благоразумному мнению большинства, поддержанному самим майором.

Итак, было решено, что на розыски надо отправиться одним сильным отрядом.

Но в каком же направлении? Об этом все еще продолжали спорить.

Рассудительный капитан Слоумен предложил расспросить, в каком направлении поехал в последний раз человек, который, как предполагают, убит. Кто же последний видел Генри Пойндекстера?

Прежде всего, обратились с расспросами к его отцу и двоюродному брату.

Плантатор в последний раз видел сына за ужином и предполагал, что после этого тот пошел спать.

Ответ Колхауна был уклончивым. Он беседовал со своим кузеном несколько позже, и у него создалось впечатление, что после того, как они распрощались, юноша пошел к себе.

Почему Колхаун скрыл то, что действительно произошло? Почему он умолчал о сцене в саду, свидетелем которой был?

Не потому ли, что боялся оказаться в унизительном положении, рассказав о той роли, которую сыграл в ней?

Как бы то ни было, но он скрыл правду, и ответ, который он дал, вызвал у присутствующих сомнение.

Ложь стала бы более очевидной, если бы у них были основания для подозрений или если бы было больше времени для размышления. Но неожиданно дело получило совершенно новый оборот. Хозяин гостиницы, Обердофер, не дожидаясь приглашения, сам пришел на это совещание. Пробравшись через толпу, он объявил, что хочет сообщить важные сведения, которые, вероятно, помогут ответить на вопрос, когда в последний раз видели Генри Пойндекстера и в каком направлении он выехал.

На ломаном английском языке немец рассказал следующее. Морис-мустангер, который жил в его гостинице после дуэли с капитаном Колхауном, в этот вечер куда-то уехал, что было уже не в первый раз за последнее время.

Вернулся он очень поздно. Хозяин еще не ложился спать, так как в баре кутила молодежь. Мустангер спросил счет, чего он давно уже не делал, и, к удивлению хозяина, уплатил по нему все до последнего цента.

Где он достал эти деньги и почему так поспешно уехал, одному Богу известно. Он же, Обердофер, знает только, что Морис Джеральд, покидая его гостиницу, захватил с собой все свое снаряжение, словно отправляясь на охоту за дикими мустангами.

Поэтому хозяин гостиницы решил, что мустангер отправился на охоту.

Но какое же отношение все это имело к делу? Очень большое. Хотя выяснилось это только в самом конце объяснения, когда свидетель перешел наконец к более существенным фактам, а именно: двадцать минут спустя после того, как уехал мустангер, в дверь постучал Генри Пойндекстер — он хотел видеть мистера Мориса Джеральда. Когда ему сказали, что тот уехал, и объяснили, в какую сторону и когда, молодой Пойндекстер быстро поскакал в указанном направлении, как бы намереваясь догнать мустангера.

Это было все, что знал Обердофер, и все, что он смог рассказать.

Хотя в полученных сведениях и были некоторые неясности, все же из них можно было исходить, приступая к розыскам. Если Генри Пойндекстер уехал вместе с Морисом-мустангером или же вслед за ним, то, значит, его надо искать на той же дороге, по которой должен был ехать мустангер.

Знает ли кто-нибудь, где дом Мориса-мустангера?

Никто точно этого не знал; некоторые предполагали, что это, должно быть, где-то в окрестностях Нуэсес, на ее притоке Аламо.

Итак, чтобы найти следы пропавшего юноши или его труп, решено было двинуться в сторону Аламо: быть может, там найдут и труп Мориса-мустангера. И тогда надо будет отомстить за зверское убийство двоих, а не одного.

Глава XXXIX
ЛУЖА КРОВИ

Несмотря на то что этот отряд был многочисленнее обычного отряда пограничных жителей, разыскивающих заблудившегося соседа, он продвигался с чрезвычайной осторожностью.

Для этого были серьезные основания: индейцы на тропе войны.

Вперед были высланы разведчики и следопыты, на обязанности которых лежало находить следы и разгадывать их значение.

В прерии, простирающейся почти на десять миль к западу от Леоны, они не нашли никаких следов. Земля там была такая твердая и сухая, что на ней оставила бы отпечатки копыт только лошадь, скачущая галопом. Но таких следов там не было.

В десяти милях от форта равнину пересекали лесные заросли, которые тянулись далеко на северо-запад и юго-восток — настоящие техасские джунгли, где деревья сплошь обвиты лианами, что делает этот лес почти непроходимым как для человека, так и для лошади.

Через эти заросли, как раз по прямой от форта, шла просека — наиболее короткий путь к реке Нуэсес. Окаймленная правильными рядами деревьев, просека производила впечатление настоящей аллеи. Быть может, это была старая военная тропа команчей, проложенная во время их походов на Тамаулипас, Коауилу и Нуэво Леон?[1]

Следопыты знали, что эта просека выходит на Аламо, и повели отряд по ней.

Вскоре всадники заметили, что один из следопытов, который отправился вперед пешком, стоит на опушке, поджидая их.

— В чем дело? — спросил майор, обогнав остальных и подъезжая к нему. — Следы?

— Да, майор, и очень много. Посмотрите сюда! Вот тут, где земля мягкая, видите?

— Следы лошади.

— Двух лошадей, майор, — сказал следопыт, почтительно поправляя майора.

— Верно, двух.

— Дальше как будто четыре следа, но они оставлены все теми же двумя лошадьми. Они идут сперва вверх по этой просеке и затем возвращаются назад.

— Хорошо, Спенглер. Что ты об этом скажешь?

— Я по просеке далеко не ходил, и многое еще остается загадочным, — ответил Спенглер, который служил разведчиком в форте, — но тем не менее очевидно, что тут убили человека.

— Какие у тебя доказательства? Разве ты нашел труп?

— Нет.

— Так что же ты нашел?

— Кровь — целую лужу крови, точно ее выпустили из жил бизона. Идите и посмотрите сами. Но, — продолжал он шепотом, — если вы хотите, чтобы я как следует разобрался в следах, прикажите остальным не подъезжать ближе. Особенно тем, кто впереди.

Очевидно, это замечание относилось к плантатору и его племяннику, потому что следопыт украдкой посмотрел на них.

— Хорошо! — ответил майор. — Не беспокойся, Спенглер, тебе никто не помешает... Джентльмены! Я прошу вас несколько минут не трогаться с места. Дальше ехать нельзя, потому что Спенглеру надо разобраться в следах. Он может взять с собой только меня.

Приказ майора был облечен в вежливую форму просьбы, потому что он говорил с людьми, ему непосредственно не под-

---

[1] Тамаулипас, Коауила и Нуэво Леон — штаты Мексики.

чиненными. Но все беспрекословно выполнили это распоряжение и остались на своих местах, в то время как сам майор отправился вслед за разведчиком.

Проехав шагов пятьдесят, Спенглер остановился.

— Видите, майор? — сказал он, указывая на землю.

— Тут и слепой увидит, — ответил офицер. — Лужа крови, и ты прав — такая большая, что можно подумать, будто здесь зарезали бизона. Если же это кровь человека, то можно не сомневаться, что его уже нет в живых.

— Он умер раньше, чем эта кровь потемнела, — сказал следопыт.

— Как ты думаешь, Спенглер, чья это кровь?

— Это кровь того, кого мы разыскиваем: сына старика плантатора. Поэтому я не хотел, чтобы отец шел с нами.

— Мне кажется, от него не надо скрывать правду. Все равно он ее со временем узнает.

— Это правильно, майор. Но все-таки нам надо сначала выяснить, как убили парня, а вот в этом-то я и не могу разобраться.

— Не можешь разобраться? Он убит индейцами, конечно! Его же убили команчи?

— Только не они, — уверенно ответил следопыт.

— Почему ты так думаешь, Спенглер?

— Если бы здесь были индейцы, то мы нашли бы следы не двух, а сорока лошадей.

— Это верно. Сомнительно, чтобы команчи рискнули нападать в одиночку.

— Ни один из команчей, майор, и вообще никто из индейцев не совершал этого убийства. На просеке видны следы только двух лошадей. Вы видите, это следы подков, эти же отпечатки ведут и обратно. Команчи не ездят на подкованных лошадях, разве только на краденых. И на той и на другой лошади были белые всадники, а не краснокожие. Один ряд следов оставлен большим мустангом, другой — американской лошадью. Когда они ехали к западу, мустанг шел впереди, это можно определить по тому, что его следы перекрыты. На обратном пути впереди была американская лошадь, а мустанг шел за ней; но сказать, на каком расстоянии один всадник следовал за другим, пока трудно. Наверно, разобраться будет легче, если мы отправимся к месту, где оба они повернули назад. Это должно быть недалеко.

— Хорошо, едем туда, — сказал майор. — Я сейчас распоряжусь, чтобы никто не следовал за нами.

Отдав распоряжение громким голосом, чтобы все его услышали, майор поехал за Спенглером.

Следы были заметны еще на протяжении почти четырехсот ярдов; но майор мог различить их только на более мягкой земле — в тени деревьев. Следопыт сказал, что его предположение подтвердилось: в направлении к западу мустанг шел впереди, а на обратном пути он был позади американской лошади.

Дальше этого места следов не было; здесь обе лошади повернули назад.

Прежде чем отправиться в обратный путь, они простояли некоторое время под большим тополем. Земля вокруг, вся изрытая копытами, красноречиво говорила об этом.

Спенглер сошел с лошади и стал внимательно изучать следы.

— Они были здесь вместе, — сказал он через несколько минут, продолжая разглядывать землю. — И довольно долго. Но оба оставались в седлах и спокойно разговаривали. Это еще больше запутывает дело. Должно быть, они поссорились после...

— Если ты говоришь правду, Спенглер, то ты настоящий колдун! Скажи, пожалуйста, как ты узнал все это?

— По следам, майор, по следам! Это очень просто. Я вижу, что следы местами перекрывают друг друга. Значит, лошади были здесь одновременно, но им не стоялось, и они перебирали ногами. Всадники оставались здесь довольно долго — успели выкурить по целой сигаре. Вот здесь и окурки. Тем, что от них осталось, и трубки не набить.

Следопыт наклонился, поднял окурок сигары и передал ее майору.

— Поэтому, — продолжал следопыт, — я и решил, что всадники не могли быть враждебно настроены друг к другу. Люди не курят вместе, если собираются через минуту перерезать друг другу глотки или размозжить голову. Ссора могла произойти только после того, как сигары были выкурены. Что она произошла, в этом я не сомневаюсь. И один из них прикончил другого — это так же верно, как то, что вы сидите в седле. Кто погиб — нетрудно догадаться. Бедный мистер Пойндекстер больше никогда не увидит своего сына!

— Все это очень загадочно, — заметил майор.

— Да, черт возьми!

— Но тело — где же оно может быть?

— Вот над этим-то я и ломаю себе голову. Если бы убили индейцы, то меня нисколько не удивило бы, что труп пропал. Они могли унести его с собой. Но здесь не было индейцев — ни одного краснокожего не было. Поверьте мне, майор, что один из этих двух всадников прихлопнул другого. Но что он сделал с трупом, вот этого я не понимаю! И, наверно, только он сам может это сказать.

— Чрезвычайно странно! — воскликнул майор. — Чрезвычайно загадочно!

— Может быть, нам еще и удастся разгадать эту тайну, — продолжал Спенглер. — Надо найти следы лошадей после того, как они ускакали с места, где было совершено преступление. Может, и удастся что-нибудь узнать... Здесь нам больше нечего делать. Давайте возвращаться, майор. Надо ему сказать?

— Мистеру Пойндекстеру?

— Да.

— Ты убежден, что убитый — его сын?

— Ну нет! Этого я не могу утверждать. Я только убежден в том, что старик Пойндекстер подъедет сюда на одной из двух лошадей, которые были свидетелями преступления, — на американской лошади. Я сравнивал следы. И если только молодой Пойндекстер сидел именно на этой лошади, то я боюсь, что мало надежды увидеть его живым. Очень подозрительно, что второй поехал следом за ним.

— Спенглер, есть ли у тебя какие-нибудь предположения, кто был этот второй?

— Никаких. Если бы не рассказ старика Доффера, я никогда не вспомнил бы о Морисе-мустангере. Правда, это след подкованного мустанга, но я не могу ручаться, что это именно его мустанг. Вряд ли... Молодой ирландец, правда, не стерпит обиды, но, мне кажется, он не из тех, кто убивает из-за угла.

— Я думаю, ты прав.

— Так вот, если молодой Пойндекстер был убит и убил его Морис Джеральд, то между ними, наверно, был честный поединок, и сын плантатора оказался побежденным. Вот как я это понимаю. Но вот исчезновение трупа — а потеряв две кварты[1] крови, ни один человек не выживет — ставит меня в тупик. Надо пойти дальше по следам. Может, они и приведут нас к разгадке... Сказать старику, что я думаю?

— Нет, пожалуй, не стоит. Он уже достаточно много знает. Ему легче будет прийти к этой ужасной правде постепенно. Не говори ему ничего о том, что мы видели. Вернись к тому месту, где кровь, и поищи обратный след, а я постараюсь провести отряд вслед за тобой так, чтобы никто ничего не заметил.

— Хорошо, майор, — сказал следопыт. — Мне кажется, я догадываюсь, куда поведет обратный след. Дайте мне десять минут на это дело и трогайтесь в путь по моему сигналу.

Сказав это, Спенглер поехал обратно к луже крови. Там после беглого осмотра он повернул в боковую просеку.

В условленное время раздался его громкий свист. Судя по звуку, следопыт отошел почти на целую милю и теперь находился где-то в стороне от места ужасного преступления.

Услышав сигнал, майор, который уже успел вернуться к своему отряду, отдал распоряжение двигаться. Он ехал рядом со

---

[1] Кварта — 2,14 литра.

стариком Пойндекстером и несколькими другими богатыми плантаторами, но никого не посвятил в загадочное открытие следопыта.

Глава XL
МЕЧЕНАЯ ПУЛЯ

Прежде чем отряд догнал разведчика, случилось небольшое происшествие. Майор повел своих людей не по просеке, а напрямик через лес. Этот путь был выбран не случайно: майор хотел избавить отца от лишних страданий, помешав ему увидеть кровь — кровь его сына, как предполагал следопыт. Ужасное место осталось в стороне; никто, кроме майора и следопыта, не знал о печальном открытии, и отряд продвигался вперед в счастливом неведении.

Они пробирались по узкой звериной тропе, так что два всадника едва могли ехать рядом; местами тропа расширялась в полянки, но через несколько ярдов опять сужалась и уходила в заросли.

Когда всадники выехали на одну из полянок, какой-то зверь выскочил из кустов и бросился бежать по траве. Красновато-желтая шкура грациозного зверя была испещрена узорами темных пятен; его гладкое цилиндрическое тело с длинным хвостом на гибких сильных ногах казалось олицетворением быстроты и силы. Это был ягуар — зверь, редкий даже в такой глуши.

Соблазн для охотников оказался слишком велик, и, несмотря на мрачность задачи экспедиции, двое выстрелили вслед убегающему животному.

Это был Кассий Колхаун и молодой плантатор, ехавший рядом с ним.

Ягуар свалился мертвым; пуля прошла вдоль всего спинного хребта хищника.

Кому из двух принадлежала честь удачного выстрела? Оба, и Колхаун и молодой плантатор, приписывали ее себе. Они стреляли вместе, но в цель попала только одна пуля.

— Я вам докажу! — уверенно заявил отставной капитан, слезая с лошади.

Подойдя к убитому ягуару, он достал нож и, обратившись к присутствующим, сказал:

— Пуля находится в теле животного, не так ли, джентльмены? Если эта пуля моя, то на ней будут мои инициалы — «К. К.» с полумесяцем. Мои пули сделаны по специальному заказу, и я всегда могу узнать убитую мной дичь.

Колхаун хвастливо поднял извлеченную пулю — нетрудно было догадаться, что он сказал правду. Более любопытные подошли посмотреть: пуля действительно была помечена инициалами Колхауна, и спор, таким образом, закончился не в пользу молодого плантатора.

Вскоре после этого отряд подъехал к месту, где ждал следопыт, который и повел его дальше.

Здесь уже не было отпечатков копыт двух подкованных лошадей. Можно было разглядеть лишь след одной лошади, но он был так мало заметен, что местами рассмотреть его мог лишь следопыт.

След этот шел через заросли, время от времени выходил на полянки и наконец, описав круг, вывел их на ту же просеку, только несколько дальше к западу.

Хотя Спенглер и не был первоклассным следопытом, он ехал по этому следу так быстро, что остальные едва поспевали за ним.

Он уже догадывался, какая лошадь оставила этот след. Он знал, что это был мустанг, который стоял под тополем, в то время как его всадник курил сигару, — тот самый мустанг, чьи глубокие отпечатки копыт остались на земле, пропитанной человеческой кровью.

Пока следопыт оставался один, он прошел также и по следу американской лошади. Он понял, что этот след приведет обратно в прерию, по которой они ехали сюда, и затем, вероятно, к плантациям на Леоне.

Но след мустанга, казалось, обещал гораздо больше, и Спенглер снова занялся им; этот след мог привести к разгадке кровавой тайны, а быть может, даже к логову убийцы.

Но он озадачил следопыта не меньше, чем перекрывающие друг друга следы двух лошадей.

Он тянулся не прямо, как это обычно бывает, когда управляет лошадью всадник: он то извивался, то петлял, то шел прямо, то кружил, как будто на мустанге не было всадника либо всадник заснул в седле.

Мог ли быть таким след лошади, на которой скакал преступник, спешивший скрыться после только что совершенного убийства?

Спенглер так не думал. Он вообще не знал, что и думать. Он был совершенно сбит с толку, о чем откровенно сказал майору, когда тот спросил его о характере следа.

Однако то, что вскоре предстало перед его глазами и что одновременно увидели все спутники, не только помогло раскрыть тайну, а, наоборот, сделало ее еще более необъяснимой.

Больше того: догадки и размышления вдруг превратились во всепоглощающий ужас. И никто не стал бы утверждать, что для этого не было оснований.

Неужели вы не ужаснулись бы, если бы увидели всадника, уверенно сидящего в седле, с ногами, вдетыми в стремена, крепко держащего в руках поводья, и на первый взгляд такого же, как сотни других, но, присмотревшись внимательней, заметили бы в нем какую-то странность и вдруг поняли бы, что у него не хватает... головы!

Именно такое зрелище и предстало их взорам. Резким движением все они одновременно осадили лошадей, словно перед зияющей пропастью.

Солнце уже заходило, его огненный диск почти касался травы, и красные лучи били прямо в глаза, ослепляя и не давая ничего рассмотреть. Тем не менее все ясно увидели, что странная фигура, представшая перед их глазами, — всадник без головы.

Если бы только один из присутствовавших заявил, что он видел всадника без головы, его, наверно, осмеяли бы и назвали сумасшедшим. Даже если бы это утверждали двое, их тоже обвинили бы в безумии.

Но то, что одновременно увидели все, не могло подлежать сомнению, и, наоборот, если кто-нибудь стал бы отрицать это, то сумасшедшим сочли бы его.

Но никто не усомнился. Все напряженно смотрели в одну сторону — на то, что было либо всадником без головы, либо умело сделанным чучелом.

Было ли это чучело? А если нет, то что же?

Этот вопрос возник у всех одновременно. И так как никто не мог найти ответа даже для самого себя, то все молчали.

Военные и штатские молча сидели в седлах, ожидая объяснения, которого не мог никто дать.

Были слышны только подавленные возгласы удивления и ужаса. Но никто не высказал никакой догадки.

Всадник без головы — призрачный или реальный — в ту минуту, когда они его увидели, въезжал в просеку, на противоположном конце которой остановился отряд. Если бы он продолжал свой путь, то подъехал бы прямо к ним, — конечно, если бы у них хватило мужества дождаться его.

Но он остановился почти одновременно с ними и, казалось, глядел на них с таким же недоверием, как они на него.

Наступила такая тишина, что было слышно, как упал в траву окурок сигары. Вот тогда-то те немногие, у кого хватило храбрости, смогли рассмотреть странного наездника, но большинство дрожали от страха, потеряв всякую способность соображать. Но и те, кто осмелился взглянуть на эту таинственную фигуру, стараясь понять, что же это такое, были ослеплены лучами заходящего солнца. Они только увидели силуэт большой красивой лошади со всадником на спине. Тело человека было труднее разглядеть, так как он был закутан во что-то вроде плаща, ниспадающего с плеч.

Но какое все это имело значение, если у всадника не было головы? Человек без головы, верхом на лошади, сидит в седле с непринужденным изяществом; на его каблуках блестят шпоры, в одной руке зажаты поводья, другая же, как и полагается, свободно опущена на бедро.

Что же это такое? Не привидение ли? Разве это может быть живым человеком?

Те, кто смотрел на него, были людьми, которые не верили ни в призраки, ни в сверхъестественные видения. Многим из них не раз приходилось в дикой глуши бороться с самыми суровыми и неожиданными капризами природы. Не таким людям верить в привидения!

И все же при виде столь необычайного явления даже самые здравомыслящие стали сомневаться в его реальности и повторяли про себя:

«Это привидение. Конечно, это не может быть человеком!»

Величина всадника без головы подтверждала догадки, что перед ними сверхъестественное явление. Он казался вдвое больше обыкновенного человека на обыкновенной лошади. Он был скорее похож на великана на гигантском коне; возможно, это было обманчивым впечатлением, которое объяснялось преломлением солнечных лучей, проходивших горизонтально через колеблющийся воздух над раскаленной равниной.

Но сейчас было не до рассуждений, не было даже времени, чтобы как следует разглядеть это чудовищное видение, на которое все присутствующие устремили взгляды, заслоняя рукой глаза от слепящего солнца.

Ни цвета его одежды, ни масти его лошади нельзя было различить. Видны были только очертания его фигуры — черный силуэт на золотом фоне неба. Но какой стороной он к ним ни поворачивался, это было все то же необъяснимое явление — всадник без головы.

Что же это такое? Не привидение ли? Разве это может быть живым человеком?

— Это дьявол на лошади! — вдруг крикнул один из бывалых пограничных жителей, которого ничем нельзя было испугать. — Клянусь, это сам дьявол!

Его грубый смех, сопровождаемый ругательством, еще сильнее испугал более робких из присутствующих и, казалось, произвел впечатление даже на всадника без головы. Он круто повернул свою лошадь, а она дико заржала и поскакала прочь.

Всадник без головы помчался прямо к солнцу и вскоре скрылся из виду, словно въехал в сверкающий диск.

Глава XLI
ЧЕТЫРЕ ВСАДНИКА

Отряд всадников, возглавляемый майором, был не единственным, выехавшим из форта Индж в это знаменательное утро.

Гораздо раньше, почти на самом рассвете, по тому же направлению — к реке Нуэсес — проследовал небольшой отряд из четырех человек.

Он вряд ли выехал на поиски трупа Генри Пойндекстера. В тот ранний час еще никто не подозревал, что юноша убит или хотя бы пропал. Лошадь без седока еще не принесла печальную весть. Поселок спал, не зная, что пролита невинная кровь.

Несмотря на то что оба отряда выехали из одного и того же места и в одном и том же направлении, между всадниками этих отрядов не было ничего общего. Те, которые выехали раньше, были испанцы, или, вернее, в их жилах испанская кровь была смешана с ацтекской, — другими словами, это были мексиканцы.

Чтобы заметить это, не требовалось ни особых знаний, ни наблюдательности, достаточно было лишь взглянуть на них. Их манера ездить верхом, узкие бедра, особенно заметные благодаря высоким седлам, накинутые на плечи яркие серапе, бархатные брюки, большие шпоры на сапогах и, наконец, черные сомбреро с широкими полями — все это выдавало в них мексиканцев или же людей, которые переняли обычаи мексиканцев.

Но четыре всадника, бесспорно, были мексиканцами. Смуглая кожа, черные, коротко подстриженные волосы, острые бородки, правильный овал лица — все это характерно для людей испано-ацтекского типа, живущих теперь на древней земле Монтесумы[1].

Один из всадников был более крепко сложен, чем его спутники. Его лошадь была лучше других, костюм богаче, оружие более тонкой работы, да и по всему остальному было видно, что он предводитель этой четверки.

Ему было под сорок, хотя он выглядел моложе благодаря гладкой коже щек и тщательно подстриженным коротким бакенбардам.

Его можно было бы, пожалуй, назвать красивым, если бы не холодный, тяжелый взгляд и не угрюмое выражение лица, выдававшее грубость и жестокость его натуры.

Даже улыбка красиво очерченного рта с двумя ровными рядами белых зубов не могла сгладить этого впечатления — в ней было что-то сатанинское.

---

[1] Монтесума — верховный вождь ацтеков в период завоевания Мексики испанцами.

Не за наружность назвали его товарищи именем животного, хорошо известного на равнине Техаса. Он получил незавидное прозвище Эль-Койота за свой характер и поведение.

Как случилось, что Эль-Койот ехал по прерии так рано утром — по-видимому, совсем трезвый, да еще во главе отряда? Ведь всего несколько часов назад он лежал в своем хакале пьяным и не только не сумел вежливо принять гостя, но даже, кажется, не понял, что к нему пришли.

Эту внезапную и до некоторой степени странную перемену не так уж трудно объяснить. Достаточно будет рассказать, что произошло с того момента, как Колхаун уехал от него, и до нашей встречи с Эль-Койотом и тремя его соотечественниками.

Уезжая, Колхаун не закрыл дверь хакале, и она оставалась открытой до утра, а Эль-Койот продолжал спать.

На рассвете он проснулся от холода и сырости. Это немного протрезвило его. Вскочив с кровати, он начал, шатаясь, ходить по хижине, проклиная холод и дверь, которая этот холод впустила.

Можно было подумать, что он тут же закроет ее. Однако он этого не сделал. Дверь была единственным отверстием, дававшим доступ свету, если не считать щелей в старых стенах, — а свет был нужен, чтобы выполнить намерение, ради которого он встал.

Но серый свет раннего утра, проникавший через открытую дверь, еще слабо освещал хижину. Эль-Койот шарил кругом, спотыкаясь и ругаясь, пока, наконец, не нашел того, что искал: большую тыквенную бутыль с двумя отверстиями, посредине перехваченную ремешком, — она служила сосудом для воды, но чаще для спиртных напитков.

Запах, который распространился кругом, когда мексиканец откупорил бутыль, говорил о том, что в ней совсем недавно была водка; но из яростной ругани ее владельца стало ясно, что теперь она уже пуста.

— Тысяча чертей! — закричал он, со злобным разочарованием встряхивая бутыль, чтобы окончательно убедиться, что в ней ничего нет. — Ни капли! Блоху и ту не утопишь! А мой язык прилипает к зубам. Глотка горит, точно через нее пропустили целую жаровню горячих углей. Черт побери! Я не могу больше терпеть. Что же делать? Уже светает. Придется отправиться в поселок. Может, сеньор Доффер уже открыл свою западню, чтобы ловить ранних пташек. Если так, то к нему явится койот!

Повесив бутыль на шею и набросив серапе, Эль-Койот отправился в поселок.

Гостиница была на расстоянии всего лишь нескольких сот ярдов от его хакале, на том же берегу реки; эта тропа была так хорошо ему знакома, что он смог бы пройти по ней с завязанными глазами. Через двадцать минут он уже, шатаясь, приближался к вывеске «На привале».

Ему посчастливилось: Обердофер хлопотал в баре, обслуживая ранних гостей — нескольких солдат, которые тайком ушли из казарм, чтобы промочить горло после сна.

— Майн готт, мистер Диас! — сказал хозяин, приветствуя нового гостя и бесцеремонно оставляя шестерых клиентов, пивших в кредит, ради одного, который, как он знал, заплатит наличными. — Майн готт! Вы ли это так рано на ногах? Я знаю, чего вы хотите. Вы хотите, чтобы я наполнил вашу тыквенную бутыль мексиканской водкой аг... аг... Как вы это называете?

— Агвардиенте! Вы угадали, кабальеро. Это как раз то, чего я хочу.

— Один доллар! Это стоит один доллар.

— Карамба! Я платил достаточно часто, чтобы помнить цену. Вот вам монета, а вот посуда. Наполните ее, да поживее!

— Вы торопитесь, герр Диас? Я не заставлю вас ждать. Собираетесь поохотиться в мустанговой прерии? Боюсь, что ирландец опередил вас. Он уехал еще ночью. Он покинул мой дом уже после полуночи — поздний час для путешествия. Странный человек этот мустангер — мистер Морис Джеральд! Никто никогда не знает, чего от него ждать. Но я ничего не могу сказать против него. Он был хорошим постояльцем, расплатился по своему большому счету, как богатый человек, и у него еще много осталось. Майн готт, его карманы были набиты долларами!

Мексиканец живо заинтересовался сообщением о том, что ирландец поехал в «мустанговую прерию», как выразился Обердофер. Свой интерес он выдал сначала легким возгласом удивления, а потом и нетерпением, которое сквозило во всех его жестах, пока он слушал болтовню немца.

Однако он постарался скрыть свое волнение. Вместо того чтобы расспрашивать Обердофера, он ответил с небрежным видом:

— Это меня не касается, кабальеро. В прерии достаточно мустангов — хватит для всех, чтобы поохотиться. Поживее, сеньор, давайте мое агвардиенте.

Немного огорченный, что ему не дали посплетничать, немец быстро наполнил тыквенную бутыль. Не пытаясь больше продолжать разговор, он протянул ее мексиканцу, взял доллар, швырнул его в ящик с деньгами и вернулся к солдатам, более разговорчивым, потому что они пили в кредит.

Несмотря на жажду, Диас вышел из бара, не открывая бутылки и как будто даже забыв о ней.

Он был теперь взволнован чем-то, что было сильнее желания выпить.

Он не сразу вернулся домой, а зашел сначала в три хижины на окраине поселка, в которых жили такие же любители легкой наживы, и только после этого отправился в свое хакале.

На обратном пути Эль-Койот заметил следы подкованной лошади и увидел, что ее привязывали к дереву вблизи хакале.

— Карамба! Капитан-американец был здесь сегодня ночью. Черт побери! Я что-то смутно вспоминаю, но мне казалось, что я это видел во сне. Догадываюсь, зачем он сюда приезжал. Он узнал об отъезде дона Морисио. Он, верно, еще заедет, когда решит, что я уже проспался. Ха-ха! Все будет сделано и без него. Мне не потребуется его дальнейших указаний. Тысяча долларов! Вот это деньги! Как только я их получу, я поеду на Рио-Гранде и попробую поладить с Исидорой.

Произнеся этот монолог, Эль-Койот оставался в своем хакале лишь столько времени, сколько ему понадобилось, чтобы наспех проглотить несколько кусков жареного мяса и запить их хорошим глотком агвардиенте. Затем он поймал и оседлал свою лошадь, надел огромные шпоры, привязал к седлу маленький карабин, сунул в кобуры по револьверу, прицепил к поясу мачете в кожаных ножнах, вскочил в седло и быстро ускакал.

Перед тем как выехать в прерию, он еще раз заехал на окраину поселка и там дождался всадников, которые должны были сопровождать его и которых он уже предупредил, что их помощь понадобится в одном тайном деле.

Трое приятелей Эль-Койота, казалось, уже были посвящены в его планы. Во всяком случае, они знали, что местом действия будет Аламо. Когда в начале пути Диас свернул в сторону, они крикнули ему, что он едет не по той дороге.

— Я хорошо знаю Аламо, — сказал один из них, тоже мустангер. — Не раз я охотился там за лошадьми. Это место лежит на юго-запад отсюда. Самая близкая дорога туда идет вон через ту просеку. Вы взяли слишком на запад, дон Мигуэль.

— Вот как? — презрительно сказал Диас. — Вы, должно быть, американец, сеньор Висенте Барахо. Вы забываете, что наши лошади подкованы. Индейцы не ездят прямо из форта Индж на Аламо, чтобы... Надеюсь, вы понимаете меня?

— Верно! — ответил Барахо. — Прошу прощенья, дон Мигуэль! Карамба! Я об этом и не подумал.

Без дальнейших пререканий трое сообщников Эль-Койота последовали за ним. Они ехали молча, пока, наконец, не достигли лесных зарослей на несколько миль дальше просеки, о которой упомянул Барахо.

Оказавшись под прикрытием леса, все четверо сошли с лошадей и привязали их к деревьям; после этого они приступили к делу, которое можно сравнить только с тем, что происходит за кулисами провинциального театра перед представлением мелодрамы из жизни дикарей.

Глава XLII
ГРИФЫ СЛЕТАЮТСЯ

Стая черных грифов, кружащих над прерией, — картина обычная для южного Техаса, и тот, кто путешествовал там, конечно, видел это зрелище.

Слетевшись целыми сотнями, они описывают в воздухе широкие круги и спирали; они то спускаются вниз, почти касаясь травы, то вдруг взвиваются вверх на неподвижно распростертых крыльях, — на фоне неба отчетливо выделяются их зубчатые контуры.

Путешественник, который увидит это впервые, невольно остановит свою лошадь, чтобы понаблюдать за птицами. Даже тот, для кого стая грифов не новость, невольно задумается: для чего собрались эти хищники?

Ведь эти мерзкие птицы слетаются неспроста. И увидит ли путешественник или нет, он знает, что на земле, как раз на том месте, над которым кружат хищники, лежит убитое животное, а может быть, и человек, мертвый или умирающий.

Наутро после той мрачной ночи, когда три всадника пересекли равнину, эту картину можно было наблюдать над зарослями, куда они въехали. Стая черных грифов кружила над макушками деревьев в том месте, где просека делала поворот.

На рассвете ни одного грифа еще не было видно. Но не прошло и часа после восхода солнца, как сотни грифов уже парили здесь на широко распростертых крыльях; их черные тени скользили по яркой зелени леса.

Техасец, попав в просеку и заметив эту зловещую стаю, сразу догадался бы, что здесь побывала смерть.

Проехав дальше, он нашел бы подтверждение этому — лужу крови, затоптанную лошадиными копытами.

Но хищники кружили не над самой лужей. Центром описываемых ими кругов, казалось, было место немного в стороне, среди деревьев; там, наверно, и находилась привлекавшая их добыча.

В этот ранний час не было ни одного путника — ни техасца, ни чужестранца, чтобы проверить правильность этого предположения; и, тем не менее, это была правда.

В лесу на расстоянии четверти мили от лужи крови лежало то, что привлекало внимание хищников. Но это был не зверь, а человек — красивый юноша, лицо которого оставалось прекрасным и в смерти.

Но был ли он мертв?

На первый взгляд казалось, что он умер, и черные птицы тоже считали его мертвым. Его неподвижность и неестественная поза убеждали их в этом.

Он лежал на спине, запрокинув голову, не закрывая лица от солнца. Его руки и ноги были неподвижно распростерты на каменистой земле, словно он потерял способность владеть ими.

Вблизи рос огромный старый дуб, но юноша не был защищен его тенью — он лежал за пределами лиственного шатра, и лучи солнца, только что начавшие проникать в чащу, скользили по бледному лицу, которое казалось еще бледнее от отсвета белой панамы, лишь слегка прикрывавшей лоб.

Его черты не были искажены смертью, но еще меньше было похоже на то, что он спит. Глаза его были лишь полузакрыты, и под ресницами виднелись расширенные остекленевшие зрачки.

Был ли он мертв?

Несомненно, черные птицы считали его мертвым.

Но они ошиблись.

Разбудил ли юношу луч солнца, упавший на полузакрытые веки, или отдых восстановил его силы, но он пошевелился и широко открыл глаза.

Вскоре он немного приподнялся и, опираясь на локоть, недоумевающе посмотрел вокруг.

Грифы взвились высоко в воздух и некоторое время не спускались.

— Умер я или жив? — прошептал юноша. — Сон это или явь? Что это? Где я?

Солнечный свет ослеплял его. Он прикрыл глаза рукой, но и тогда видел все как в тумане.

— Деревья надо мной, вокруг меня... подо мной, кажется, камни — недаром у меня болят все кости. Лесная чаща... Как я попал сюда?.. — Вспомнил! — сказал он после минутного размышления. — Я ударился головой о дерево. Вот оно — и тот самый сук, который выбил меня из седла. Левая нога болит. Да, помню, — я стукнулся о ствол. Черт побери, она, кажется, сломана...

Юноша попытался встать. Но это ему не удалось. Больная нога отказывалась служить — от ушиба или вывиха она сильно распухла в колене.

— Где же вороной? Убежал, конечно. Теперь он уже, наверно, в конюшне Каса-дель-Корво. А впрочем, какая разница — все равно я не мог бы сесть в седло, если бы даже он стоял здесь рядом... А тот? — добавил он немного погодя. — О Боже, что это было за зрелище! Неудивительно, что вороной испугался... Что же мне делать? Нога, должно быть, сломана. Без посторонней помощи я не могу двинуться с места. Нет никакой надежды, что кто-нибудь сюда придет. Во всяком случае, не раньше, чем я стану добычей этих отвратительных птиц. Фу, что за мерзкие твари! Они разевают клювы, как будто уже собираются позавтракать мной!.. Долго ли я здесь лежал? Солнце поднялось не очень высоко. Я сел в седло на рассвете. Наверно, я пролежал без сознания около часа. Черт возьми, дело плохо... Нога, по-видимому, сломана, судя по тому, как она болит, а хирурга здесь нет. Каменистая постель в глуши техасских зарослей... Они тянутся на много миль — нечего и думать самому отсюда выбраться. И никто сюда не придет. На земле — волки, а в воздухе — грифы... И как это я не подобрал поводьев?! Быть может, я в последний раз сидел в седле...

Лицо молодого человека омрачилось. Оно становилось все печальнее, по мере того как он осознавал опасность положения, в которое попал из-за простой случайности.

Еще раз он попробовал встать, с большим трудом поднялся, но тут же обнаружил, что служить ему может только одна нога, — на другую нельзя было ступить.

Пришлось опять лечь.

Так он пролежал еще часа два. Время от времени он принимался звать на помощь. Наконец, убедившись, что его никто не услышит, он перестал кричать.

Крик вызвал жажду или, быть может, ускорил ее появление — при состоянии, в котором он находился, она была неизбежна.

Жажда росла и наконец заглушила все остальные ощущения, даже боль в ноге.

— Я погибну от жажды, если останусь здесь, — шептал раненый. — Надо попробовать добраться до воды. Насколько я помню, где-то поблизости есть ручей. Я доберусь до него хотя бы ползком — на коленях и на руках. На коленях? Но ведь я могу опираться только на одно колено... Все равно надо попытаться. Чем дольше я пробуду здесь, тем будет хуже. Солнце начинает палить. Оно уже жжет мне голову. Я могу потерять сознание, и тогда — волки, грифы...

Он вздрогнул от ужасной мысли и замолчал.

Через некоторое время раненый снова заговорил:

— Если бы только я знал дорогу! Я хорошо помню этот ручей. Он течет в сторону меловой прерии где-то на юго-восток отсюда. Попробую ползти в этом направлении. К счастью, я могу теперь ориентироваться по солнцу. Если мне удастся добраться до воды, то, может быть, все еще и обойдется. Только бы хватило сил!

С этими словами он начал пробираться через заросли; волоча больную ногу, он полз по каменистой земле, словно огромная ящерица, у которой перебили позвоночник.

Он полз и полз...

Это было мучительно, но ужас перед тем, что его ожидало, был еще мучительней и гнал его вперед.

Он хорошо знал, что неизбежно умрет от жажды, если не найдет воды. Эта мысль заставляла его снова ползти.

Ему часто приходилось останавливаться и отдыхать, чтобы собраться с силами. Человеку трудно передвигаться на четвереньках, особенно, когда одна нога отказывается служить.

Юноша продвигался медленно, страдая от боли. Это было особенно мучительно, потому что раненый сомневался, верное ли он выбрал направление. Только страх смерти заставлял его продолжать путь.

Раненый прополз уже около четверти мили, как вдруг у него мелькнула мысль, что он может попробовать другой способ передвижения:

«Я смог бы, пожалуй, встать, если бы только у меня был костыль... Слава Богу, я не потерял нож!.. А вот и подходящее деревце — молодой дубок».

Он вытащил из-за пояса охотничий нож, срезал деревце и сделал что-то вроде костыля, так что можно было опираться на развилок.

С помощью костыля юноша встал на ноги и заковылял дальше.

Он знал, что опаснее всего менять направление, и поэтому, как и раньше, пошел на юго-восток.

Это было не так просто. Солнце — его единственный компас — достигло высшей точки своего пути, а в широтах южного Техаса в это время года полуденное солнце стоит почти в зените. Кроме того, путнику часто приходилось сворачивать с прямого направления, чтобы обойти непролазную чащу. Правда, находить дорогу ему помогал легкий уклон местности; он знал, что, следуя ему, может прийти к воде.

Так, понемногу пробираясь вперед, часто останавливаясь для непродолжительного отдыха, он прошел целую милю и тут наткнулся на звериную тропу. Правда, она была еле заметна, но шла прямо и, по-видимому, вела к водопою — к какому-нибудь ручью, болотцу или роднику.

Он был бы рад любому из них. Не обращая больше внимания ни на солнце, ни на уклон, раненый пошел по тропе.

Время от времени он возвращался к своему первому способу передвижения — полз на четвереньках, так как идти, опираясь на костыль, было очень утомительно.

Но скоро радость сменилась разочарованием: тропа затерялась на поляне, окруженной густой стеной зарослей. К своему отчаянию, юноша понял, что пошел не в ту сторону.

Как ни тяжело это было, но пришлось повернуть обратно, другого выхода не было. Оставаться на поляне было равносильно самоубийству.

Он поплелся назад по тропе и миновал то место, где впервые вышел на нее. Подгоняемый мучительной жаждой, раненый напрягал последние силы, но с каждой минутой их становилось все меньше.

Деревья, между которыми ему приходилось пробираться, были по большей части акации, перемежающиеся с кактусами и агавой. Они почти не защищали от лучей полуденного солнца, которые легко проникали сквозь ажурную листву и жгли его, как огонь.

Он обливался по́том, жажда становилась все мучительней, пока не стала просто нестерпимой.

Ему не раз попадались на глаза сочные плоды мескито; чтобы их сорвать, нужно было лишь протянуть руку. Но юноша знал, что они приторно-сладкие и не утоляют жажду, что не поможет ему и едкий сок кактуса или агавы.

В довершение всех бед, несчастный заметил, что поврежденная нога совсем перестает его слушаться. Она сильно распухла. Каждый шаг причинял ему невероятную боль. Если даже он и на пути к ручью, хватит ли у него сил добраться до него? Если нет, это означает верную гибель. Оставалось одно: лечь здесь, среди зарослей, и умереть.

Смерть придет не сразу. Хотя у него невыносимо болела ушибленная голова и разбитое колено, он знал, что эти повреждения не смертельны. Ему грозила самая мучительная и жестокая из всех смертей — смерть от жажды.

Эта мысль заставила раненого напрячь последние силы. И, несмотря на то что он продвигался медленно и испытывал при этом тяжкие страдания, он упорно брел и брел вперед.

А черные грифы всё парили над ним, не отставая и не перегоняя. Они пролетели уже больше мили, но ни один не оставил преследования. Число их даже увеличивалось: завидев добычу, к стае присоединились новые хищники. И, хотя добыча была еще жива и двигалась, инстинкт подсказывал птицам, что конец ее близок.

Их черные тени снова и снова мелькали на тропе, по которой брел раненый. Казалось, что это реет сама смерть...

Вокруг была полная тишина: грифы летают бесшумно и даже, предвкушая добычу, не оглашают воздух криками. Палящее солнце угомонило кузнечиков и лягушек; даже безобразная рогатая ящерица дремала в тени камня.

Единственными звуками, которые нарушали тишину молчаливого леса, был шорох одежды страдальца, цеплявшейся за колючие растения, и изредка его крик, когда он тщетно взывал о помощи.

Шипы кактусов и агавы исцарапали его лицо, руки и ноги, не оставив живого места, и кровь смешивалась с по́том.

Раненый уже был близок к отчаянию — вернее, он уже отчаялся; в полном изнеможении, в последний раз напрасно позвав на помощь, он упал ничком на землю, не веря больше в возможность спасения.

Но вполне вероятно, что именно это и спасло его. Ухо его прижалось к земле, и он услыхал слабый, едва различимый звук.

И, как ни был слаб этот звук, раненый услышал его, потому что именно этого звука он так напряженно ждал, — это было журчанье воды.

Вскрикнув от радости, он вскочил на ноги, словно был здоров, и пошел на этот звук.

Он налегал на свой импровизированный костыль с удвоенной силой; казалось, даже больная нога стала его лучше слушаться: бодрость и любовь к жизни боролись со слабостью и страхом смерти.

Любовь к жизни одержала верх.

Через десять минут раненый уже лежал, растянувшись на траве около прозрачного ручья, и недоумевал, как простая жажда могла причинить такие страшные мучения.

Глава XLIII
КУБОК И БУТЫЛЬ

Заглянем в хижину мустангера. Опять его верный слуга сидит на табурете посреди комнаты. Опять его собака лежит перед очагом, уткнувшись носом в теплый пепел.

Человек и собака находятся почти на том же расстоянии друг от друга, как и в прошлый раз; их позы почти те же. И все же в хижине заметны большие перемены.

Обитая лошадиной шкурой дверь по-прежнему висит на петлях. По-прежнему на стенах блестит ковер из шкур мустангов. Тот же простой стол, та же постель, те же два табурета, та же шкура, на которой обычно спит Фелим.

Но другое «имущество», прежде выставленное напоказ, теперь исчезло: не видно на стене ружья, не видно серебряного кубка, охотничьего рога. Нет ни седла, ни уздечки, нет веревки, серапе. Книги, чернила, перья, бумага тоже куда-то исчезли.

Можно подумать, что хакале ограбили индейцы.

Впрочем, нет, — иначе Фелим не сидел бы так невозмутимо на своем табурете и у него на голове не было бы копны рыжих волос.

Хотя со стен все снято, но все вещи остались в хижине, только находятся в другом месте. На полу в беспорядке лежит несколько тюков и свертков, перевязанных веревкой, и среди них кожаный сундучок. По-видимому, вещи уложены для предстоящего переезда.

Несмотря на все эти перемещения, большая бутыль с виски по-прежнему стоит в углу на своем обычном месте. Фелим видит ее чаще, чем любой другой предмет в комнате, потому что, куда бы он ни смотрел, его взор возвращается к соблазнительному сосуду в ивовой плетенке.

— А, мое сокровище, вот ты где! — произносит он, вероятно в двадцатый раз посматривая на бутыль. — Ведь в твоем прекрасном животике больше двух кварт, а тебе небось от этого никакого проку нет. Вот если бы хоть десятая часть попала в мой желудок, это было бы не вредно для пищеварения! Не так ли, Тара? Как ты думаешь, старый мой песик?

Услыхав свое имя, собака подняла голову и вопросительно посмотрела кругом, как бы спрашивая, чего от нее хотят.

Поняв, что слуга разговаривает сам с собой, она снова улеглась.

— Можешь не отвечать, старина! Я и сам это знаю. Ей-ей, хорошо бы пропустить стаканчик! Но я не смею и капли выпить после того, что мне сказал хозяин. Ну и намучился же я сегодня с этими сборами — прямо язык прилип к гортани, как будто я пытался проглотить липкий пластырь! Какая досада, что мистер Морис взял с меня слово не трогать бутыли! И кому она теперь нужна? Он же сам сказал, что, когда вернется из поселка, пробудет здесь только одну ночь. Небось двух кварт он за один вечер не выпьет! Разве только старый греховодник Стумп с ним приедет... Черт бы побрал этого пьяницу! Он вылакает и больше! Одно утешение: слава Богу, наконец-то мы вернемся в наш старый Баллибаллах! Вот уж когда напьюсь я настоящего ирландского виски, а не этой американской чепухи! Гип-гип, ура! Только подумаешь, и то уже сердце радуется! Гип-гип, ура!

Подбрасывая свою войлочную шляпу под потолок, размечтавшийся ирландец еще несколько раз прокричал «ура». Потом, немного успокоившись, он некоторое время просидел в молчании, как бы мысленно перебирая те удовольствия, которые ждут его в Баллибаллахе.

Но скоро его мысли вернулись в хижину и снова обратились к бутыли в углу. На этот раз он смотрел на нее с еще большей жадностью.

— Сокровище ты мое! — сказал Фелим, обращаясь к бутыли. — Уж очень ты хороша собой! Ведь ты же не выдашь меня, если я тебя разок поцелую? Только один поцелуй! Что же в этом плохого? Даже хозяин ничего не скажет, если вспомнит, как мне пришлось повозиться. Сколько пыли я наглотался! А потом, он и не рассчитывает, конечно, что я сдержу свое слово на этот раз, — ведь мы же уезжаем. А как не промочить горло на дорогу? Без этого нельзя — пути не будет. Я так и скажу хозяину — авось он не рассердится. Да вот еще что: ведь он опоздал уже на целых десять часов. Скажу, что выпил лишь капельку, потому что очень о нем беспокоился. Наверняка он ничего не скажет. Я только понюхаю немного, а уж там — как судьбе угодно будет... Лежи, Тара, я никуда не ухожу.

Собака поднялась, видя, что Фелим направился к двери.

Но Тара не поняла намерений Фелима. Он вышел лишь посмотреть, не видно ли хозяина на тропе, которая ведет к хижине, и не помешает ли он ему осуществить задуманное.

Убедившись, что никого нет, Фелим прошмыгнул в угол, открыл бутыль, поднес ее к губам и выпил далеко не «капельку».

Поставив бутыль на место, ирландец снова сел на табурет.

Довольно долго он просидел молча; потом снова заговорил сам с собой, то и дело обращаясь с вопросами к Таре и к бутыли в ивовой плетенке.

— Не могу понять, почему так долго нет хозяина! Сказал, что вернется к восьми утра, а теперь шесть вечера, если только техасское солнце не врет. Небось его что-то задержало... Как ты думаешь, Тара?

На этот раз Тара утвердительно фыркнула — ей в нос попал пепел.

— Святой Патрик! Не случилось ли чего? Что же будет с нами, Тара? Ах ты, старый мой пес! Тогда нам с тобой долгонько не видать Баллибаллаха. Разве только если продать хозяйские вещи? Кубок из чистого серебра — он один оплатит нам дорогу. Черт побери, вот что мне пришло в голову: ведь я никогда еще не пил из этой красивой посудины! Наверняка выпивка вкуснее покажется. Надо попробовать — сейчас как раз удачное время.

Говоря это, он достал кубок из чемодана, еще раз открыл бутыль и налил полстакана виски.

Выпив все залпом, Фелим почмокал губами, словно определяя качество напитка.

— Черт его знает, вкуснее ли так, — сказал он, все еще держа в одной руке кубок, а в другой бутыль. — Пожалуй, что из самой бутыли вкуснее, если только мне память не изменяет. Надо попробовать из той и из другой посудины зараз, а тогда только и можно сказать, из какой вкуснее.

Ирландец поднес бутыль к губам и после нескольких глотков поставил ее на место.

Потом он снова задумчиво почмокал, как настоящий знаток.

— А ведь я опять ошибся, — сказал он, покачав головой. — Совсем не верно. Из серебра-таки вкуснее. Или это мне почудилось? Надо проверить: придется еще раз выпить чуточку из кубка, — ведь я пил дважды из бутыли и только один раз из серебряной посудины. Справедливость дороже всего — так уж повелось на белом свете. И почему я должен обращаться хуже с этой чудесной кружечкой, чем с большой бутылью в плетенке? Так не годится, черт побери!

Серебряный кубок снова появился на сцене, и снова часть содержимого бутыли была перелита в него, для того чтобы без задержки попасть в ненасытную глотку сомневающегося знатока.

Решил ли он в конце концов в пользу кубка или принял сторону бутыли — так и осталось неизвестным. Отведав виски в четвертый раз, ирландец как будто сообразил, что на время хватит, и отставил оба сосуда.

Тут его осенила мысль, и, вместо того чтобы вернуться к своему табурету, он решил выйти из хижины и посмотреть, не едет ли хозяин.

— Пойдем, Тара! — закричал он, направляясь к дверям. — Пойдем, старый пес, поднимемся на обрыв и посмотрим, не видно ли на равнине хозяина. Мастеру Морису будет приятно, если он увидит, что мы с тобой о нем беспокоимся.

Пройдя через поросшую лесом речную долину, ирландец в сопровождении собаки поднялся по откосу и очутился на границе прерии.

Перед его глазами лежала довольно пустынная равнина. Она простиралась на восток на расстояние около мили.

Заходящее солнце светило ему в спину; небо было безоблачно. На плоской равнине кое-где торчали кактус или одинокая юкка. Больше ничто не заслоняло дали. Даже койот не мог бы пробежать здесь незамеченным.

На самом горизонте виднелась темная полоса — лес или заросли по берегам какого-нибудь ручья.

Фелим молча смотрел в ту сторону, откуда должен был приехать хозяин.

Ждать ему пришлось недолго. Из-за деревьев на горизонте показался всадник, направлявшийся к Аламо. Хотя их разделяла еще целая миля, верный слуга сразу узнал в нем своего хозяина. Полосатое серапе, сотканное индейцами племени навахо, которое Морис всегда брал с собой в дорогу, нельзя было не узнать. Его яркие полосы — красные, белые, синие — отчетливо выделялись на темном фоне равнины.

Правда, Фелима удивило, почему хозяин набросил серапе на плечи в такой душный вечер, вместо того чтобы свернуть его и привязать к седлу.

— Тара, песик мой! Чудно что-то! Сейчас такая жара, что впору на камнях варить мясо, а он этого будто и не замечает. Не схватил ли он простуду в этой конуре у Обердофера? Наша хибарка — настоящий дворец по сравнению с ней. Свинья и та не захотела бы там жить.

Фелим некоторое время молча наблюдал за всадником. Тот приближался...

Слуга снова заговорил, но уже совсем другим тоном. Хотя в его голосе еще слышались не то удивление, не то шутливость, но это была вымученная шутливость.

— Господи Боже мой! — воскликнул он. — Что же это он придумал? Натянул серапе на голову... Нет, это он, наверно, шутит, Тара. Он хочет, чтобы мы с тобой удивились. Ему вздумалось подшутить над нами... Господи, что это? Похоже, что у него нет головы. Право, нет! Что же это значит? Пресвятая Дева! Ведь, если не знать, что это хозяин, можно до смерти напугаться! Да хозяин ли это? Наш хозяин вроде повыше. А голова? Святой Патрик, спаси нас и помилуй, где же она? Вряд ли под серапе. Не похоже как будто... Что же все это значит, Тара?

Тон ирландца снова изменился — в нем слышался ужас; соответственно изменилось и выражение его лица. Собака, стоявшая немного впереди Фелима, тоже была встревожена. Она чуть присела и, казалось, готова была прыгнуть вперед. Испуганными глазами она уставилась на всадника, который был теперь уже на расстоянии каких-нибудь полутораста шагов.

Когда Фелим задал последний вопрос, закончивший длинную тираду, Тара жалобно завыла, будто отвечая ему.

Вслед за этим собака, словно почуяв недоброе, сорвалась с места и бросилась навстречу странной фигуре, которая вызвала такое недоумение и у Фелима и у нее.

На бегу она отрывисто взвизгивала; этот визг был совсем не похож на тот бархатистый, ласковый лай, каким она обычно приветствовала возвращающегося домой мустангера.

Когда она, не переставая визжать, подбежала к всаднику, гнедой, в котором Фелим уже давно узнал лошадь хозяина, круто повернул и поскакал обратно.

Когда лошадь поворачивалась, Фелим увидел — или ему показалось, что он увидел, — то, от чего кровь застыла в его жилах и мороз пробежал по коже.

Это была голова — голова всадника, но не на ее законном месте — не на плечах, а в его руке, у передней луки седла!

Когда лошадь повернулась к нему боком, Фелим увидел — или ему показалось, что он видит, — страшное, окровавленное лицо, наполовину заслоненное кобурой.

Больше он ничего не видел. В следующую секунду Фелим повернулся спиной к равнине и помчался вниз по откосу со всей скоростью, на которую только были способны его подкашивающиеся ноги.

Глава XLIV
ЧЕТВЕРО КОМАНЧЕЙ

Фелим бежал, не останавливаясь и не оглядываясь; его рыжие волосы встали дыбом и чуть было не сбросили шляпу с головы. Прибежав в хижину, он закрыл дверь и забаррикадировал ее тюками и свертками, которые лежали на полу.

Но и после этого он не чувствовал себя в безопасности. Разве могла защитить дверь, хотя бы даже запертая на засов, против привидения?

А то, что он видел, конечно было привидением. Разве кто-нибудь когда-нибудь встречал такое? Человек едет верхом на лошади и держит в руке собственную голову! Разве кто-нибудь когда-нибудь слыхал о таком? Конечно, нет, — во всяком случае, не Фелим О'Нил.

Вне себя от ужаса, он метался по хижине: то садился на табурет, то снова вскакивал и подкрадывался к двери, не смея, однако, ни открыть ее, ни даже заглянуть в щелку.

Порою он дергал себя за волосы, судорожно сжимал руками виски и протирал глаза, точно стараясь убедиться, что он не спал и на самом деле видел эту жуткую фигуру.

Только одно обстоятельство немного успокаивало Фелима: спускаясь по откосу, он, пока голова его была еще над краем обрыва, оглянулся и увидел, что всадник без головы уже далеко от Аламо и скачет галопом к лесу.

Если бы не это воспоминание, ирландец, метавшийся по хижине, был бы перепуган еще больше.

Долго он был не в силах говорить и только иногда испускал какие-то бессвязные восклицания.

Через некоторое время к Фелиму вернулось если не спокойствие, то, по крайней мере, способность рассуждать, и он снова обрел дар речи. Тут посыпались бесконечные вопросы и восклицания. На этот раз он обращался только к самому себе. Тары не было около него, и она не могла принять участия в разговоре.

Он говорил тихим шепотом, словно опасаясь, что его кто-нибудь подслушивает за стеной хакале.

— Господи Боже ты мой! Не может быть! Это не он! Святой Патрик, защити меня! Но кто же тогда? Ведь все было как у него! Лошадь, полосатое серапе, гетры на ногах, да и сама голова... вот разве только лицо не его. На лицо я тоже посмотрел, да только не разобрал, — где уж там, когда оно все в крови! Ах! Это не мог быть мастер Морис! Нет! Нет! Это был сон. Я спал, и мне все привиделось. А может, виски виновато? Но я не был настолько пьян, чтобы такое почудилось. Два раза глотнул из кубка, два раза из бутыли — вот и все. От этого я не стал бы пьян. Я выпивал вдвое больше — и то ничего, даже язык не заплетался. Ей-богу! А если я был пьян, то как же я теперь трезвый? Ведь не прошло и получаса, как я видел все это, а я трезв, как судья. Кстати, вот и сейчас-то не худо бы выпить капельку. А то ведь я глаз не сомкну всю ночь и все буду думать. Что это за наваждение? И где хозяин, если это не он? Святой Патрик! Охрани бедного, одинокого грешника — ведь кругом него только духи и привидения...

После этого обращения к католическому святому ирландец с еще большим благоговением обратился за помощью к другому богу, издревле известному под именем Вакха[1].

Последний услышал его мольбы. Уже через час после того, как Фелим преклонил колени перед алтарем языческого божества, представленного в образе бутыли с мононгахильским виски, он освободился от всех страданий и лежал на полу хакале, позабыв не только о зрелище, которое насмерть перепугало его, но даже о собственном существовании.

В хижине Мориса-мустангера не слышно ни звука — даже часы не напоминают своим тиканьем о том, что время уходит в вечность и что еще одна ночь спустилась на землю.

Звуки слышны лишь снаружи. Но это привычные звуки — ночные голоса леса: журчит ручей, шепчутся встревоженные ветерком листья, стрекочут цикады. Изредка раздаются крики какого-нибудь зверя...

Наступила полночь, но от только что взошедшей яркой луны светло, как утром. Серебристые лучи, освещая землю, проникают в самую чащу леса и бросают полосы света среди черных теней деревьев.

Отдавая предпочтение тени перед светом, продвигаются несколько всадников.

Их немного — всего лишь четверо, но вид их внушает страх. Обнаженные красные тела, татуировка на щеках, огненные перья, торчащие на голове, сверкающее оружие в руках — все это свидетельствует о дикой и опасной силе.

---

[1] Вакх — в греческой мифологии бог вина.

Откуда они?

Они в военном наряде команчей. Взгляните на их раскраску, головной убор с орлиными перьями, обнаженные руки и грудь, штаны из оленьей кожи — и вы сразу узнаете в них индейцев, которые вышли на разбой.

Это, должно быть, команчи; а если так, то они приехали с запада.

Куда они едут?

На этот вопрос ответить еще легче. Всадники направляются к хижине, где лежит мертвецки пьяный Фелим. По-видимому, цель их набега — хакале Мориса Джеральда.

Можно ли сомневаться, что их намерения враждебны! Недаром они в военном наряде и подкрадываются с такой осторожностью.

Недалеко от хакале они соскакивают со своих лошадей, привязывают их к деревьям и дальше идут пешком.

Они продвигаются крадучись, стараются не шуршать опавшей листвой и держатся в тени; часто останавливаются, зорко всматриваясь в темноту, прислушиваясь; главарь подает команду жестами. По всему видно, что они хотят пробраться к хижине незаметно для тех, кто находится внутри.

И, кажется, это им вполне удается. Они стоят у стены, и, судя по всему, их никто не увидел.

В хижине такая же полная тишина, какую соблюдают они сами. Оттуда не доносится ни одного звука, даже пения сверчка.

А ведь один из обитателей хижины дома. Однако человек может напиться до того, что потеряет способность не только говорить и храпеть, но даже громко дышать; именно до такого состояния и дошел Фелим.

Четверо команчей подкрадываются к двери и осторожно осматривают ее.

Она заперта, но по бокам ее есть щели.

К этим щелям они прикладывают уши и, притаившись, слушают.

Не слышно ни храпа, ни дыхания.

— Возможно... — шепчет главарь одному из товарищей на чистейшем испанском языке, — возможно, что он еще не вернулся домой. Хотя, казалось бы, ему уже давно пора быть тут. Может быть, он снова куда-нибудь уехал? Помнится, за домом должен быть навес для лошадей. Если мустангер в хижине, то мы найдем там его гнедого. Подождите здесь, друзья, пока я схожу и посмотрю.

Нескольких секунд оказалось достаточно, чтобы обследовать примитивную конюшню. Она была пуста.

Столько же времени потребовалось на то, чтобы осмотреть тропинку, которая вела к конюшне. На ней не было лошадиных следов — во всяком случае, свежих.

Убедившись в этом, главарь вернулся к своим товарищам, которые все еще стояли у двери.

— Проклятие! — воскликнул он, уже не понижая голоса. — Его здесь нет и сегодня не было.

— Надо бы войти в хижину и удостовериться, — предложил один из воинов на хорошем испанском языке. — Что дурного, если мы посмотрим, как ирландец устроил свое жилье в прерии?

— Само собой, — ответил третий тоже на языке Сервантеса. — Давайте-ка заглянем и в его кладовую. Я так голоден, что способен есть сырое мясо.

— Клянусь Богом! — прибавил четвертый, и последний, на том же благозвучном языке. — Я слыхал, что у него есть и свой погребок. Если это так...

Главарь не дал ему закончить фразу. Напоминание о погребке произвело на него магическое действие, и он тут же приступил к делу.

Он толкнул дверь ногой.

Но она не открылась.

— Карамба! Она заперта изнутри. Чтобы в его отсутствие никто не мог войти — ни львы, ни тигры, ни медведи, ни бизоны, ни — ха-ха-ха! — индейцы!

Еще один сильный удар ногой по двери. Но она не поддается.

— Забаррикадирована, и чем-то довольно тяжелым — толчком не откроешь. Ладно, посмотрим, в чем там дело.

Он вынимает мачете из ножен. В шкуре мустанга, натянутой на легкую раму, появляется большая дыра.

В нее индеец просовывает руку и ощупью исследует препятствие.

Тюки и свертки быстро сдвинуты с места, и дверь распахивается.

Дикари входят. Через раскрытую дверь в хижину врывается лунный свет.

Там, растянувшись на полу, лежит человек.

— Черт побери!

— Он спит?

— Умер, наверно, а не то он нас услышал бы.

— Нет, — сказал главарь, нагибаясь над лежащим, — всего только мертвецки пьян. Это слуга мустангера. Я его знаю. Судя по нему, видно, что хозяина дома нет и давно не было. Надеюсь, эта скотина не опустошил весь погреб, чтобы довести себя до такого блаженного состояния... Ага, бутыль! Благоухает, как роза. Слава Мадонне Гваделупской, осталось и на нашу долю.

В несколько секунд остатки виски были выпиты. Каждому хватило приложиться по одному разу, а на долю главаря пришлось и больше, — несмотря на его высокое положение, у него не хватило такта, чтобы протестовать против неравного дележа.

Что же дальше?

Рано или поздно хозяин дома должен вернуться.

Гости, безусловно, хотят с ним повидаться, — иначе зачем бы они пришли сюда в такой поздний час? Особенно ждет встречи с ним главарь.

Что нужно четырем индейцам от Мориса-мустангера?

Это можно узнать из их разговора — им нечего скрывать друг от друга.

Они хотят убить его!

Это нужно главарю; остальные — только соучастники и помощники.

Дело слишком серьезное, тут не до шуток. Он получит за это тысячу долларов, а кроме того, удовлетворит свою жажду мести. Три его сообщника получат по сотне долларов.

Для читателя, наверно, уже ясно, кто скрывается под маской индейцев. Эти команчи — всего лишь мексиканцы, их главарь — Мигуэль Диас, мустангер.

— Надо устроить засаду, — говорит Эль-Койот. — Теперь он уже, наверно, скоро вернется. Вы, Барахо, поднимитесь на обрыв и следите, когда он появится на равнине. Остальные пусть остаются со мной. Он приедет со стороны Леоны. Мы можем встретить его под откосом у большого кипариса. Это самое подходящее место.

— Не лучше ли нам прикончить этого? — предлагает кровожадный Барахо, указывая на Фелима — к счастью, не сознающего, что происходит вокруг.

— Мертвый не выдаст! — присоединяется другой заговорщик.

— Наоборот, мертвый-то и выдаст, — возразил Диас. — И зачем? Он и так не лучше мертвого, пьяница несчастный. Пусть себе живет. Я подрядился убить только его хозяина. Идите-ка, Барахо. Быстрей, быстрей! Отправляйтесь на обрыв. Дон Морисио может появиться с минуты на минуту. Надо действовать без промаха. Может быть, нам никогда больше не представится такой случай. Лезьте на обрыв. При таком освещении вы увидите его издалека. Как только заметите его, бегите к нам. Не мешкайте, чтобы мы успели устроить засаду у кипариса.

Барахо подчиняется, но с видимой неохотой. Ему не повезло в прошлую ночь — он много проиграл в монте Эль-Койоту, и ему хочется отыграться. Он хорошо знает, чем займутся его товарищи.

— Быстрей же, сеньор Висенте! — командует Диас, заметив его колебания. — Если мы потерпим неудачу, вы потеряете больше, чем могли бы выиграть в монте. Идите же! — продолжает

Эль-Койот подбадривающим тоном. — Если он не появится в течение часа, кто-нибудь сменит вас. Идите!

Барахо подчиняется; выйдя из хижины, он направляется на свой пост — на обрыв.

Остальные располагаются в хижине, где они уже зажгли свечу.

На столе перед ними появляется не ужин, а колода испанских карт — неизменный спутник каждого мексиканского бродяги.

Дама и валет уже на столе, и игра в монте начинается. В азарте игры незаметно летит время. Проходит час...

Эль-Койот держит банк.

Крики: «Дама бита!», «Валет выиграл!» — то и дело раздаются в стенах хижины, обтянутых лошадиными шкурами.

Серебряные доллары звенят на столе. Тихо шуршат карты.

Но вот игру прерывает громкий вопль.

Это вскрикнул очнувшийся пьяница, обнаружив странное общество, собравшееся под крышей хакале.

Игроки вскакивают из-за стола, и все трое обнажают мачете. Жизнь Фелима висит на волоске.

Только случайность спасает ирландца.

В дверях появляется запыхавшийся Барахо.

Собственно говоря, никакие объяснения не нужны, но он с трудом шепчет:

— Едет! Уже приближается к обрыву... Скорей, друзья, скорей!

Ирландец спасен. Убивать его нет времени, даже если бы это и имело смысл. Им предстоит более выгодное убийство.

Через несколько секунд ряженые уже у подножия откоса, по которому должен спуститься всадник.

Они устраивают засаду под большим кипарисом и ждут приближения жертвы.

Скоро раздается топот копыт. Слышен стук подков, но звуки долетают неравномерно, точно лошадь скачет по неровной поверхности. Наверно, всадник спускается по откосу.

Но его еще не видно. Склон погружен во мрак, так же как и затененная деревьями речная долина, и лишь рядом с тем местом, где прячутся убийцы, лежит узкая полоса лунного света. Но тропа проходит не там. Всаднику придется проехать в тени кипариса.

— Не убивайте его! — шепчет Мигуэль Диас повелительным тоном. — Он мне нужен живым — часа на два. У меня есть на то свои причины. Хватайте его и лошадь. Это не опасно — ведь мы нападем неожиданно и застигнем его врасплох. А если он будет сопротивляться, мы его пристрелим. Но первым стреляю я!

Сообщники обещают выполнить этот приказ.

Скоро им предоставляется возможность доказать искренность их обещания. Тот, кого они ждут, уже спустился с откоса и въезжает в тень кипариса.

— Клади оружие! Слезай! — кричит Эль-Койот, хватая лошадь под уздцы, а трое остальных бросаются на всадника.

Тот не оказывает никакого сопротивления — не отбивается, не хватается за нож, не стреляет и даже не вскрикивает от негодования.

Перед ними — всадник, твердо сидящий в седле; они касаются его руками, но он словно ничего не чувствует.

Сопротивляется только конь. Он становится на дыбы, пятится и тянет за собой нападающих прямо в полосу лунного света.

Боже милостивый! Что это такое?

Мексиканцы все, как один, отшатываются, с криком бросаются прочь. Это крик дикого ужаса.

Ни секунды дольше не остаются они под кипарисом — они бегут со всех ног к чаще, где привязаны их лошади.

С лихорадочной поспешностью они вскакивают в седло и быстро мчатся прочь.

Они увидели то, что поразило ужасом и более отважные сердца: они увидели всадника без головы.

Глава XLV

ОБОРВАВШИЙСЯ СЛЕД

Было ли это привидение? Ведь не могло же это быть человеком!

Такой вопрос задавали себе Эль-Койот и его охваченные ужасом товарищи. Об этом же спрашивал себя и перепуганный Фелим, пока у него совсем не помутилось в голове от неоднократного обращения к бутыли и он не забыл на время свои страхи.

О том же думали и сто других людей, которые видели всадника без головы, — те, кто ехал с майором.

Этот жуткий призрак появился перед их глазами в более ранний час и в месте, которое отстояло на пять миль дальше к востоку.

Он появился с запада — солнце слепило им глаза: они различили только его силуэт и не увидели ничего, что делало его похожим на Мориса-мустангера.

Фелим смотрел на всадника без головы, стоя спиной к заходящему солнцу; ирландец заметил в нем большое сходство со своим хозяином, хотя и не был уверен, что это действительно он.

Четыре мексиканца, знавшие Мориса-мустангера по виду, взглянув на странного всадника при свете луны, пришли к тому же заключению.

И Фелим и мексиканцы испытали при виде всадника без головы дикий ужас.

Хотя участники поисков и не были так напуганы этим загадочным явлением, но и они не знали, как его объяснить.

До момента его исчезновения никто из них и не пытался искать объяснения, если не считать шутливого замечания техасского старожила.

— Что вы об этом думаете, господа? — спросил майор, обращаясь к своим спутникам. — Признаюсь, я совершенно озадачен.

— Проделка индейцев? — предположил кто-то. — Приманка, чтобы завлечь нас в засаду?

— Плохая приманка, сказал бы я, — заметил другой. — Меня, во всяком случае, такая приманка не привлечет.

— Я полагаю, что индейцы тут ни при чем, — сказал майор. — Что ты по этому поводу думаешь, Спенглер?

Следопыт только покачал головой.

— Может ли это быть переряженный индеец? — снова обратился к нему майор.

— Я знаю не больше вашего, майор, — ответил следопыт. — Наверно, что-нибудь в этом роде. Одно из двух: либо это человек, либо чучело.

— Конечно, это чучело, — отозвались несколько человек с заметным облегчением.

— Кто бы он ни был — человек, дьявол или чучело, — заявил член отряда, первым высказавший свое мнение, — я не вижу, почему бы нам не узнать, куда ведет его след, если, конечно, он оставляет следы.

— Мы скоро это узнаем, — ответил Спенглер. — След, по которому мы идем, ведет в ту сторону. Можно двигаться, майор?

— Конечно. Подобный пустяк не должен мешать нашим поискам. Вперед!

Всадники поскакали вперед, некоторые из них не без колебания. В отряде были люди, которые быстро повернули бы обратно, будь они предоставлены самим себе. К ним принадлежал и Колхаун. Когда он увидел всадника без головы, он оцепенел от страха; его глаза вдруг остекленели, губы побелели, нижняя челюсть отвисла, и он с трудом сдерживал дрожь.

Его искаженное страхом лицо, конечно, привлекло бы внимание, если бы не общее смятение. Но все, не отрывая глаз, смотрели на всадника без головы, пока странный призрак не исчез. Когда же отряд двинулся вперед, отставной капитан держался в задних рядах, и никто не обращал на него внимания.

Спенглер был прав: то место, где таинственный всадник простоял некоторое время, лежало как раз на пути отряда.

Но там не оказалось никаких следов, словно это действительно был призрак.

Впрочем, объяснялось это очень просто. В том месте, где лошадь повернула, — и еще на много миль дальше, — поверхность земли была густо усыпана белой галькой. Охотники называли это место «меловой прерией». Кое-где камни были смещены и поцарапаны — по-видимому, подковой. Однако только глаз опытного следопыта мог различить эти следы.

Пропал и след, по которому они шли, — след подкованного мустанга; земля была сильно изрыта недавно побывавшим здесь диким табуном, и поэтому отыскать какой-то определенный след было невозможно.

Они могли бы отправиться дальше, в том направлении, куда поехал всадник без головы. Солнце, а позже вечерняя звезда указывали бы им путь. Но их интересовал всадник на подкованном мустанге, и полчаса гаснувшего дневного света были потеряны на тщетные поиски — след затерялся в меловой прерии.

Когда солнце село, Спенглер сказал, что больше ничего сделать нельзя.

Оставалось только вернуться к лесу и расположиться биваком на опушке.

Решено было возобновить поиски на рассвете.

Однако этого сделать не удалось — во всяком случае, в намеченное время. Помешало неожиданное обстоятельство.

Не успели они разбить лагерь, как появился курьер с депешей для майора. Бумага была из штаба в Сан-Антонио-де-Бехар от командующего округом. Она была послана в форт, а оттуда привезена сюда.

Майор отдал приказ седлать коней, и, прежде чем успел высохнуть пот на усталых лошадях, драгуны уже снова сидели на них.

Депеша извещала о появлении команчей в окрестностях Сан-Антонио, в пятидесяти милях к востоку от Леоны.

Теперь это уже не было пустыми разговорами. Набег начался поджогами и убийствами.

Майор получил распоряжение, не теряя времени, собрать отряд и прислать его в Сан-Антонио. Этим и объяснялся поспешный отъезд драгун.

Конечно, поиски следов могли бы продолжать плантаторы, но дружба и даже родительская любовь склоняются перед необходимостью: они отправились, захватив с собой лишь ружья, и теперь голод гнал их домой.

Отказываться от поисков никто не собирался. Они должны были возобновиться, лишь только участники сменят лошадей и запасутся провизией, и продолжаться, как все заявили, «пока несчастный юноша не будет найден».

Несколько человек остались со Спенглером, чтобы пройти по следу американской лошади, который, по мнению следопыта, должен был привести назад к Леоне. Остальные отправились в форт вместе с драгунами.

Прежде чем распрощаться с Пойндекстером и его друзьями, майор рассказал им о печальных открытиях, сделанных Спенглером. Сам он больше не мог принимать участия в поисках и считал, что те, кто будет их продолжать, должны знать об этом важном обстоятельстве.

Ему было неприятно вызывать подозрения против молодого ирландца, к которому он питал симпатию, но долг был превыше всего. И, хотя майор не верил в виновность Мориса-мустангера — вернее, считал ее маловероятной, тем не менее он вынужден был признать, что против Мориса имеются серьезные улики.

Но плантатор и его друзья ни на минуту не усомнились в виновности мустангера. Теперь, когда стало очевидно, что индейцы здесь ни при чем, Морис Джеральд был во всеуслышание объявлен убийцей.

В том, что было совершено убийство, никто не сомневался. Рассказ Обердофера освещал начало трагедии. Лошадь Генри Пойндекстера с окровавленным седлом была свидетельством ее конца. Промежуточные звенья были без труда восстановлены отчасти на основании находок Спенглера, отчасти просто по догадкам.

Однако никто серьезно не задумался, что могло толкнуть мустангера на это преступление. Ссора с Колхауном казалась всем достаточной причиной. Очевидно, Джеральд перенес свою вражду к Колхауну на всю семью Пойндекстеров.

Это было нелогично, но люди, которые ищут преступника, редко рассуждают логично. Они думают только о том, чтобы наказать его.

С этой мыслью участники поисков расстались; они должны были снова встретиться на следующее утро и отправиться по следам и, живыми или мертвыми, найти двух пропавших людей.

Те, кто остался со Спенглером, расположились лагерем на полянке, выбранной майором.

Их было всего человек десять. В более сильном отряде теперь не было нужды. Команчей в этих местах больше уже не ждали. Не предвиделось и других опасностей. С тем, что им было поручено, справились бы двое или трое.

Некоторые остались из любопытства, другие — просто за компанию. Это были по большей части молодые сыновья плантаторов; официальным главой этого отряда был Колхаун, но подразумевалось, что руководить поисками будет следопыт Спенглер.

Расставшись с товарищами, они не легли спать, а расположились у ярко пылающего костра.

Еды и вина было вдоволь — драгуны, возвращавшиеся в форт, оставили им свои запасы и полные фляги.

Однако, несмотря на это и на веселое потрескивание огня, настоящего оживления не было.

У всех на душе была тяжесть, мешавшая им наслаждаться удовольствием, выше которого, вероятно, нет ничего на земле.

Что перед ним тихие радости домашнего очага! Временами в просторах прерии я и сам тосковал о них. Но теперь, оглядываясь назад и беспристрастно сравнивая то и другое, я не могу не воскликнуть: «Верните мне костер и моих товарищей-охотников, дайте мне еще раз посидеть с ними у потрескивающего огня — и я отдам вам все накопленное мною богатство и всю мою ненужную славу! Я буду счастлив отдать вам все это вместе с заботой и трудом, которые требуются, чтобы удержать их».

Мрачное настроение молодежи объяснить было легко: они все еще не могли оправиться от ужаса, который внушил им всадник без головы.

Они ломали себе голову, пробуя объяснить случившееся, иногда даже подсмеивались над таинственным призраком, но никак не могли освободиться от гнетущего чувства, и ни одна догадка их не удовлетворяла. И Спенглер и Колхаун разделяли общее настроение.

Последний, казалось, был мрачнее всех. Он сидел, нахмурившись, в тени деревьев, поодаль от костра, и, с тех пор как уехали драгуны, не проронил ни слова. По-видимому, ему не хотелось присоединяться к тем, кто грелся у пылающего огня; он предпочитал уединение, как будто опасаясь любопытных взглядов.

Взгляд его по-прежнему блуждал, а лицо сохраняло след пережитого ужаса.

— Послушайте, Каш Колхаун! — закричал ему один из молодых людей, уже сильно опьяневший. — Идите-ка сюда, старина, и выпейте с нами. Мы все сочувствуем вашему горю и поможем вашей семье отомстить убийце. Но не нужно так поддаваться печали! Идите сюда и хлебните виски. Это будет вам очень полезно, уверяю вас!

То ли Колхауну понравилась причина, которой объясняли его уединение, то ли ему на самом деле вдруг захотелось побыть в компании, но он принял приглашение и, подойдя к костру, сел рядом с остальными. Однако, прежде чем сесть, он выпил глоток из протянутой ему фляги.

С этой минуты он изменился, как по волшебству. Его мрачное настроение рассеялось, он стал так весел, что вызвал даже удивление у окружающих. Такое поведение казалось неуместным для человека, у которого лишь утром, как предполагали, был убит двоюродный брат.

Придя как гость, он скоро стал вести себя как хозяин. После того как все фляги были осушены, капитан стал разливать вино из своих, запас которых казался неистощимым. Из его вместительных седельных сумок появлялась фляга за флягой, оставленные его многочисленными друзьями, уехавшими с майором.

Собравшиеся у костра молодые техасские повесы, воодушевленные примером своего предводителя, не отказались от его угощения; они болтали, пели, плясали и хохотали. Потом усталость взяла свое: они расположились на траве и заснули; некоторых из них, возможно, впервые в жизни мучили пьяные кошмары.

Отставной капитан улегся последним.

Лег он последним, но встал первым. Едва только окончился кутеж, едва только раздался храп его собутыльников, возвестивший, что они заснули, он поднялся и крадучись стал пробираться среди них.

Такой же осторожной поступью он прошел на край лагеря — туда, где была привязана к дереву его лошадь.

Отвязав поводья и бросив их на шею коня, он вскочил в седло и бесшумно уехал.

По его поведению не было заметно, что он пьян. Наоборот, он казался вполне трезвым и действовал, очевидно, по заранее намеченному плану.

Какому же?

Может быть, он отправился на розыски тела из любви к погибшему брату? Или хотел показать особое рвение, отправившись один?

Судя по срывавшимся у него фразам, можно было подумать, что им действительно руководили подобные намерения.

— Слава Богу, светит луна, и в моем распоряжении добрых шесть часов. Пока эти юнцы проспятся, хватит времени обыскать каждый уголок зарослей на две мили в окружности; и, если только труп там, я обязательно найду его. Но что же это могло означать? Если бы это видел только я, то подумал бы, что сошел с ума. Но ведь все видели, все до одного! Силы небесные! Что же это может быть?

Не успел он произнести эти слова, как с его губ сорвался крик удивления и ужаса. Он круто остановил лошадь, словно ему грозила смертельная опасность.

Колхаун ехал по боковой тропе к уже известной нам просеке. Он как раз сворачивал на нее, когда вдруг увидел, что по лесу едет еще кто-то.

Другой всадник, на коне, по-видимому, не хуже его собственного, ехал по просеке — не медленным шагом, как он, а быстрой рысью.

Еще задолго до того, как неизвестный всадник успел приблизиться, Колхаун разглядел, что у него нет головы.

Ошибки быть не могло: бледные лучи луны освещали только плечи всадника — головы не было. Это не могло быть иллюзией, созданной лунным светом. Колхаун уже видел эту фигуру при ярком солнечном свете.

Но теперь Колхаун увидел больше — он увидел голову: она висела у бедра всадника, наполовину прикрытая кобурой, запачканная кровью, страшная... Он узнал лошадь, полосатое серапе на плечах всадника, гетры из шкуры ягуара — весь костюм Мориса-мустангера.

У Колхауна было достаточно времени, чтобы все подробно рассмотреть. Скованный ужасом, он стоял на боковой тропе, не в силах двинуться с места. Лошадь, казалось, разделяла испуг своего хозяина. Дрожа всем телом, она тоже не делала никаких попыток убежать, даже когда всадник без головы вдруг остановился перед ними и его гнедой конь, храпя, встал на дыбы.

Только после того как гнедой с диким ржанием, которому эхом ответил вой бежавшей за ним собаки, повернул и поскакал дальше по просеке, — только тогда Колхаун пришел в себя и снова обрел способность говорить.

— Господи! — вскрикнул он дрожащим голосом. — Что все это значит? Что это — человек или дьявол? Или весь этот день был только жутким сном? Или я сошел с ума? Сошел с ума, сошел с ума!

После этой бессвязной речи Колхаун решительно дернул поводья и круто повернул лошадь; он поскакал обратно той же дорогой, но только гораздо быстрее, по-видимому отказавшись от своего намерения. Он ни разу не остановился, пока не вернулся в лагерь.

Здесь, тихонько прокравшись к костру, он лег рядом со своими спящими собутыльниками. Но заснуть ему не удалось — ни на минуту не сомкнул он глаз; его трясло, как в лихорадке. Наступившее утро осветило мертвенную бледность его лица и блуждающие, полубезумные глаза.

Глава XLVI

ТАЙНОЕ ПРИЗНАНИЕ

На рассвете в асиенде Каса-дель-Корво и вокруг нее царило лихорадочное возбуждение.

Во дворе толпились люди со всевозможным оружием. У одних были длинные охотничьи ружья, или двустволки, у других — пистолеты, револьверы, у третьих — большие ножи или даже томагавки.

Не меньшим разнообразием отличалась и их одежда: красные фланелевые рубашки, куртки из цветных байковых одеял и кентуккской бумазеи, коричневые брюки из домотканой шерсти и голубые бумажные, войлочные шляпы и кожаные шапки, высокие сапоги из дубленой кожи и гетры из оленьей шкуры. Такое сборище сильных, вооруженных людей можно было нередко видеть в пограничных селениях Техаса.

Ни пестрота их одежды, ни оружие ничего не говорили о цели, с которой они собрались. Будь их намерения самыми мирными, они все равно пришли бы вооруженные и в такой же одежде.

Но мы знаем, для чего они здесь собрались.

Большинство из них ездили накануне с драгунами; теперь к ним присоединились и другие — жители отдаленных плантаций, а также охотники, которых накануне не было дома.

Количество людей, толпившихся в это утро во дворе Каса-дель-Корво, было больше, чем накануне, хотя тогда в поисках участвовали еще и солдаты.

Военных в толпе не было совсем, но среди собравшихся были члены добровольной милиции, которые, хотя и не принадлежали к регулярной армии, назывались «регулярниками».

Они не отличались от остальных ни одеждой, ни оружием, — посторонний ни за что не узнал бы регулярника, — но они все были знакомы друг с другом.

Все говорили об убийстве — об убийстве Генри Пойндекстера; то и дело слышалось имя Мориса-мустангера.

Оживленные толки вызвало также появление в прерии загадочного всадника без головы. Те, кто накануне видел его, рассказывали о нем тем, кого там не было.

Некоторые сначала не верили, считая этот рассказ шуткой. Однако им скоро пришлось сдаться перед единодушным свидетельством очевидцев, и существование всадника без головы было признано всеми.

Конечно, начались попытки разгадать это удивительное явление и были выдвинуты самые разные предположения. Но только одно из них казалось более или менее правдоподобным — это известное уже предположение пограничного жителя, что лошадь была настоящая, а всадник — чучело.

Для чего и кем это было сделано, никто даже и не пытался объяснить.

Дело, которое собрало этих людей, не требовало особых приготовлений. Все были уже готовы.

Их лошади стояли перед асиендой; некоторых держали под уздцы слуги плантатора, но большинство было привязано к чему попало.

Все знали, зачем они собрались, и ждали только, чтобы Вудли Пойндекстер, который возглавлял отряд, подал знак к отправлению.

Плантатор медлил, надеясь, что найдется проводник, который мог бы указать путь на Аламо и привести отряд к хижине Мориса-мустангера.

Такого человека среди присутствующих не оказалось. Плантаторы, лавочники, юристы, охотники, торговцы лошадьми и рабами — все одинаково плохо знали долину Аламо.

Только один человек в поселке мог бы взять на себя обязанность проводника — старый Зеб Стумп. Но Зеба Стумпа нигде не могли отыскать. Он ушел на охоту, и те, кого за ним послали, один за другим возвращались ни с чем.

Правда, одна из обитательниц асиенды могла бы привести отряд к жилищу предполагаемого убийцы. Но Вудли Пойндекстер не знал этого.

И хорошо, что не знал. Если бы у гордого плантатора хоть на миг возникли подозрения, что его дочь может быть проводником к уединенной хижине на Аламо, он горевал бы не только о погибшем сыне, но и о заблудшей дочери.

Последний из посланных на поиски Зеба Стумпа вернулся к асиенде без него. Ждать больше не стали — жажда мщения была слишком велика. Отряд тронулся в путь.

Не успели они отъехать от Каса-дель-Корво, как те двое, кто мог бы указать им дорогу на Аламо, встретились в стенах самой асиенды.

Эта встреча не была ни тайной, ни преднамеренной. Она была случайной. Зеб Стумп только что вернулся с охоты и принес на асиенду дичь, добытую с помощью его не знающего промаха ружья.

Для Зеба Стумпа Луиза Пойндекстер была, конечно, дома. Больше того: ей очень хотелось поговорить с ним, так хотелось, что накануне весь день, с самого восхода солнца и до заката, она не спускала глаз с дороги за рекой.

Едва шумный отряд успел скрыться из виду, как Луиза, снова поднявшись на асотею, заметила охотника, медленно приближавшегося верхом на своей старой кобыле, нагруженной обильной добычей. Зеб Стумп, несомненно, направлялся к асиенде.

Луиза очень обрадовалась, увидев огромную, неуклюжую фигуру. Она знала, что это надежный друг, которому можно поверить самые сокровенные тайны, а у нее была тайна, которую она хотела ему поверить, тайна, которая вот уже сутки мучила ее.

Еще задолго до того, как Зеб Стумп появился во дворе, девушка уже спустилась на веранду, чтобы встретить его.

Веселый и беспечный, приближался охотник к асиенде, очевидно ничего не подозревая о событии, погрузившем весь дом в глубокую печаль.

Когда он заметил, что ворота заперты на засов, на лице его появилось недоумение.

Это было необычно — во всяком случае, при новых владельцах асиенды.

Угрюмое лицо негра, который встретил Зеба Стумпа в воротах, еще больше удивило его.

— Что с тобой, дружище Плутон? Ты выглядишь словно енот, у которого отрубили хвост. И почему это у вас среди бела дня вдруг ворота на запоре? Надеюсь, ничего не случилось?

— Ох, масса Стумп, случилось! Именно случилось, несчастье случилось! Этому малому тяжко говорить, — большое, большое несчастье!

— Несчастье? — воскликнул охотник. — Какое несчастье, негр? Говори же скорее, ведь ничего не может быть страшнее того, что написано у тебя на лице! Не случилось ли чего с твоей молодой хозяйкой? Мисс Луиза...

— С мисс Луизой ничего не случилось. Но вроде этого... Молодая мисс дома. Войдите, масса Стумп. Она сама скажет вам про несчастье.

— А твой хозяин? Он дома?

— Нет-нет! Его сейчас нет. Масса сейчас далеко от дома. Уехал четверть часа назад. Его нет сейчас дома. Он уехал в прерию, где дикие лошади. Туда, где была охота месяц назад. Вы ведь знаете, масса Зеб?

— В прерию, где дикие лошади? Что понесло его туда? Кто же поехал с ним?

— С ним масса Колхаун и много других белых джентльменов. С ним много народу поехало.

— Ну, а ваш молодой мастер Генри — он, наверно, тоже поехал с ними?

— Ох, масса Стумп, это и есть наше горе! Вся наша беда. Масса Генри уехал тоже. И больше не вернулся обратно. Лошадь прибежала домой, вся вымазанная кровью. Люди говорят, что масса Генри помер!

— Умер? Ты, наверно, шутишь? Или же всерьез говоришь?

— Ох, масса Стумп! Очень горько этому малому говорить, но это сама правда. Все поехали искать, где он лежит.

— На, отнеси это на кухню. Здесь индюк и дикие куры. Где мисс Луиза?

— Я здесь, мистер Стумп. Идите сюда! — ответил серебристый голосок, хорошо знакомый охотнику, но на этот раз такой грустный, что Зеб Стумп с трудом узнал его. — Увы! Все, что Плутон вам сказал, — все это правда. Мой брат пропал. Его никто не видел с позавчерашнего вечера. Его лошадь вернулась домой с пятнами крови на седле. О Зеб, даже страшно подумать!

— Еще бы! Он уехал куда-то, а его лошадь вернулась одна... Я не хочу причинить вам лишней боли, мисс Луиза, но, раз поиски продолжаются, может быть, я смогу помочь, а для этого мне надо знать подробности.

Луиза рассказала Зебу все, что знала. Она умолчала только о сцене в саду и о том, что ей предшествовало. В подтверждение того, что Генри, наверно, поехал за мустангером, она сослалась на рассказ Обердофера.

Ее голос прерывался от нестерпимого горя, которое сменилось негодованием, когда она заговорила о том, что убийцей ее брата считают Мориса.

— Это ложь! — вскричал охотник, разделяя ее возмущение. — Клевета! Подлец это придумал! Еще чего! Мустангер не из тех, кто пойдет на такое дело. И зачем ему это? Если бы еще между ними была неприязнь — так ведь ее же не было! Я отвечаю за мустангера — он не раз хвалил мне вашего брата. Правда, он терпеть не мог вашего двоюродного брата, — а кто его любит, хотел бы я знать? Простите, что я так говорю вам. Вот если бы между вашим братом и мустангером произошла ссора, то...

— Нет-нет! — закричала креолка, выдав себя в порыве горя. — Все было улажено. Генри хотел извиниться, он сам сказал, что неправ, а Морис...

Удивленный взгляд собеседника заставил ее замолчать. Закрыв лицо руками, она зарыдала.

— Эх, эх! — пробормотал Зеб. — Значит, между ними все-таки что-то было... Вы сказали, мисс Луиза, что была... ссора между вашим братом и...

— Милый, милый Зеб! — воскликнула она, отнимая руки от лица и глядя прямо в глаза великану-охотнику. — Обещайте мне, что вы сохраните мою тайну! Обещайте мне как друг, как честный и порядочный человек. Вы обещаете, правда?

Охотник вместо обещания поднял свою огромную руку и затем выразительно ударил себя по левой стороне груди.

Через пять минут он был уже посвящен в тайну, которую женщина редко поверяет мужчине и открывает лишь тому, кто действительно заслуживает самого глубокого доверия.

Зеб Стумп удивился этому признанию меньше, чем можно было ожидать; он только пробормотал про себя: «Я так и думал, что тут что-то будет, — особенно после той скачки по прерии».

— Что же тут такого, мисс Луиза! — продолжал он сочувственно. — Стыдиться здесь нечего — вот что я вам скажу. Женщина всегда остается женщиной, в прерии так же, как и везде на свете. И, если вы отдали свое сердце мустангеру, это еще не значит, что вы сделали плохой выбор. Хоть он и ирландец, да не из простых, уж вы мне поверьте! А все остальное, что вы мне рассказали, подтверждает то, что я говорил: он не мог совершить этого преступления, если только оно вообще было совершено. Какие есть доказательства? Только то, что лошадь вернулась с пятнами крови на седле?

— Увы, найдены и другие улики. Его вчера искали целый день. Долго ехали по следам и что-то нашли, но не сказали — что. По-моему, отец не хотел, чтобы я об этом знала, а других я боялась спросить. Они снова поехали сегодня, незадолго перед тем, как я увидела вас на дороге.

— А мустангер? Что он говорит в свое оправдание?

— О, я думала, что вы знаете! Ведь его тоже не могут найти. Боже мой, Боже мой! Может быть, и он погиб от той же руки, которая убила моего брата!

— Так, значит, они ездили по следам? Наверно, по следам мустангера? Если только он жив, он в своей хижине на Аламо. Почему они не поехали туда?.. А, понимаю! Ведь, кроме меня, никто не знает толком, где это. И если их ведет молокосос Спенглер, то он, конечно, потеряет след в меловой прерии. Так они опять туда же поехали?

— Да. Я слышала, как кто-то из них упомянул об этом.

— Ну, если они поехали на поиски мустангера, поеду и я. Бьюсь об заклад, я найду его раньше их!

— Потому-то мне и хотелось вас видеть. С отцом сейчас поехало много всякого сброда. Я слышала, как они ругались, когда уезжали. Среди них были те, которых называют регулярниками. Они говорили о линчевании. Некоторые из них клялись, что будут мстить без пощады. О Боже! Что, если они найдут его и Морис не сможет как следует доказать свою невиновность!.. В порыве необузданной злобы — а ведь среди них еще Кассий Колхаун! — вы представляете, что они могут с ним сделать?! Милый Зеб, ради меня, ради него, — ведь он ваш друг! — поскорее поезжайте на Аламо! Их непременно надо опередить и предупредить Мориса. Ваша лошадь не из быстроногих. Возьмите мою, возьмите любую из нашей конюшни...

— Вы правы, — прервал ее охотник, собираясь уходить. — Это действительно может кончиться плохо для парня; я сделаю все, что в моих силах, чтобы помочь ему. Не беспокойтесь, мисс Луиза. Времени хватит, — они еще поплутают по прерии, пока найдут хижину. Я успею доехать и на своей старушке, а к вашей крапчатой у меня душа не лежит. Моя-то стоит оседланная, если только Плутон не расседлал ее. Не горюйте — может, с вашим братишкой ничего дурного и не случилось. А что Морис-мустангер чист, это для меня ясно как Божий день.

Сказав это, старый охотник неуклюже поклонился и вышел; а девушка убежала к себе в комнату, чтобы успокоить свое взволнованное сердце молитвой о спасении любимого.

Глава XLVII
ПЕРЕХВАЧЕННОЕ ПИСЬМО

Подгоняемые паническим страхом, Эль-Койот и трое его товарищей кинулись к своим лошадям и кое-как вскарабкались в седла.

Они и не думали возвращаться к хижине мустангера. Наоборот, они хотели только одного — как можно дальше уехать от уединенного жилища и от его хозяина, который появился перед ними в таком странном облике.

В том, что это был «дон Морисио», никто из них не сомневался. Все четверо знали его, Диас — лучше других, но каждый из них достаточно хорошо, чтобы узнать во всаднике без головы ирландца. Они узнали его лошадь, гетры, серапе работы индейцев навахо, отличавшееся от обычных мексиканских серапе своим ярким рисунком, и, наконец, его голову.

Они не задержались, чтобы рассмотреть лицо. На голове все еще была шляпа — черное глянцевое сомбреро, которое обычно носил Морис-мустангер. Они видели, как оно заблестело, попав в полосу лунного света.

Кроме того, они увидели большую собаку, и Диас сразу узнал в ней собаку ирландца. Со свирепым рычаньем пес кинулся на них. Правда, это было уже излишне, так как они и без того бросились бежать.

Четыре всадника во весь опор промчались по лесным зарослям низины и поднялись в прерию по обрывистому склону, минуя место, где предполагали совершить убийство.

Но и там они не остановились, а продолжали скакать галопом, пока не очутились снова в лесных зарослях, где недавно так ловко перерядились в команчей.

Обратная метаморфоза была совершена гораздо быстрее и с меньшей тщательностью. Водой из фляг они торопливо смыли военную раскраску, быстро вытащили из дупла свои обычные костюмы, с не меньшей поспешностью переоделись и поскакали к Леоне.

На обратном пути они говорили только о всаднике без головы. Охваченные ужасом мексиканцы никак не могли себе объяснить это сверхъестественное явление. Так ничего и не решив, они распрощались на окраине поселка и разошлись по своим хижинам.

— Проклятие! — воскликнул Эль-Койот, переступив порог своего хакале и бросившись на тростниковую постель. — Едва ли уснешь после этого. Господи, что за страшилище! Кровь стынет в жилах! И нечем отогреться — фляга пуста. Бар закрыт. Все спят. Матерь Божия! Что бы это могло быть? Привидение? Нет. Я ведь сам трогал его тело, и Висенте тоже схватил его с другого бока. Не могли же мы ошибиться! А если это чучело, то для чего и кому оно нужно? Кому, кроме меня и моих товарищей, понадобилось устраивать маскарад в прерии? Тысяча чертей! Какая жуткая маска!.. Стой, да не опередили ли меня? Может, кто-нибудь другой уже заработал тысячу долларов? Может, это был ирландец, убитый, обезглавленный, с собственной головой в руках? Нет, не может быть — чудовищно, неправдоподобно, невероятно! Тогда что же?.. Ага, понял! Его могли предупредить о нашем посещении или, во всяком случае, он мог что-нибудь заподозрить. И эта комедия была разыграна, чтобы испугать нас. Наверно, он же сам и был свидетелем нашего постыдного бегства. Проклятие! Но кто мог выдать нас? Никто. Ведь никто не знал о моем плане. Как же он мог тогда подготовить такую дьявольскую шутку?.. Ах да, я забыл! Ведь мы ехали по прерии среди бела дня. Нас могли видеть и разгадать наши намерения. Ну конечно же! А потом, пока мы переодевались в лесу, он и успел все подготовить. Другого объяснения нет. Дураки! Испугались чучела! Карамба! Это ему не поможет. Завтра же снова отправлюсь на Аламо. Я заработаю эту тысячу, хотя бы мне понадобился для этого год! Впрочем, дело не в деньгах. Хватит того, что я потерял Исидору. Может, это и не так, но даже подозрение невыносимо. Если я только узнаю, что она любит его, что они встречались после того, как... О Боже! Я сойду с ума! И в своем безумии уничтожу не только человека, которого ненавижу, но и женщину, которую люблю! О донья Исидора Коварубио де Лос-Льянос! Ангел красоты и демон коварства! Я могу задушить тебя в объятиях или заколоть кинжалом! То или другое должно быть твоей судьбой. И тебе предоставляю я выбор!

Эта угроза, а также объяснение таинственного явления несколько успокоили его, и он скоро заснул.

Проснулся он, когда к нему в дверь заглянул утренний свет и вместе с ним посетитель.

— Хосе! — воскликнул Эль-Койот с удивлением и заметной радостью в голосе. — Это ты?

— Да, сеньор, это я.

— Рад видеть тебя, друг Хосе. Донья Исидора тоже здесь? Я хочу сказать — на Леоне?

— Да, сеньор.

— Так скоро? Ведь еще не прошло и двух недель, как она уехала отсюда, не так ли? Меня не было в поселке, но я слыхал об этом. Я ждал от тебя весточки. Почему же ты мне не писал?

— Только потому, сеньор дон Мигуэль, что не было, с кем послать. Мне нужно было сообщить вам кое-что, чего нельзя доверить чужому. К сожалению, вы не поблагодарите меня за то, что я вам расскажу. Но моя жизнь принадлежит вам, и я обещал, что вам будет известно все.

Эль-Койот подскочил как ужаленный:

— Про него и про нее! Я вижу это по твоему лицу. Твоя госпожа встречалась с ним?

— Нет, сеньор. По крайней мере, насколько я знаю, они не виделись после той первой встречи.

— Что же тогда? — спросил Диас с видимым облегчением. — Она была здесь, пока он жил в гостинице? Что-нибудь произошло?

— Да, дон Мигуэль. Три раза я отвозил ему корзинку с лакомствами от доньи Исидоры. В последний раз было приложено и письмо.

— Письмо! Ты знаешь содержание, ты читал его?

— Благодаря вам, благодаря вашей доброте к бедному мальчику, я смог это сделать и даже смог переписать его.

— Оно с тобой?

— Да! Вот видите, дон Мигуэль, вы не зря посылали меня в школу! Вот что донья Исидора писала ему.

Диас нетерпеливо выхватил у него записку и с жадностью стал читать. Но она как будто даже успокоила его.

— Карамба! — равнодушно сказал он, складывая письмо. — В этом нет ничего особенного, друг Хосе. Она лишь благодарит его за оказанную услугу. Если это все...

— Нет, еще не все, сеньор дон Мигуэль. Из-за этого я к вам и пришел! У меня поручение в поселок. Прочитайте.

— А! Другое письмо?

— Да, сеньор. На этот раз подлинное письмо, а не мои каракули.

Диас дрожащими руками взял протянутый ему листок бумаги, развернул и стал читать:

«Сеньору дону Морисио Джеральду.

Дорогой друг, я снова здесь, в гостях у дяди Сильвио. Жить без вестей от вас я больше не в силах. Неизвестность убивает меня. Сообщите мне, поправились ли вы после вашей болезни? О, если бы это было так! Как я хочу посмотреть вам в глаза — в ваши красивые, выразительные глаза, чтобы убедиться, что вы совсем здоровы! Умоляю вас, подарите мне эту радость. Через полчаса я буду на вершине холма, за домом моего дяди.

Приходите же, я жду вас!

Исидора Коварубио де Лос-Льянос».

— Проклятие! Любовное свидание! — негодующе воскликнул Диас. — Этого иначе не назовешь. И назначает его — она. Ха! Ее приглашение будет принято; только не тем, кому оно любезно предназначено. Опоздания не будет ни на минуту, и, клянусь богом мести... Слушай, Хосе! Эта записочка ни к чему. Того, кому она адресована, уже нет ни в поселке, ни где-нибудь поблизости. Бог знает, где он сейчас. В этом есть какая-то тайна. Но ничего. Иди в гостиницу и все равно спроси, там ли он. Ты должен выполнить поручение. Письма не бери — оставь его у меня. Я тебе его отдам, когда ты зайдешь на обратном пути, и ты вернешь его своей хозяйке. Вот тебе доллар — выпей в баре. У сеньора Доффера прекрасное агвардиенте. Прощай!

Хосе не стал спрашивать объяснений и, взяв свой доллар, молча вышел из хакале.

Не успел он скрыться из виду, как Диас тоже покинул свое жилище. Второпях оседлав лошадь, он вскочил на нее и поехал в противоположном направлении.

Глава XLVIII
ИСИДОРА

Солнце только что поднялось над горизонтом; его круглый диск, словно щит из червонного золота, засиял над самой травой прерии. Золотые лучи проникали сквозь гущу лесных зарослей, там и сям разбросанных по саванне. Капли росы все еще висели на акациях, отягощая их перистую листву и заставляя ветви клониться к земле — деревья словно оплакивали разлуку с ночью, с ее влажным прохладным ветерком, боялись встречи со жгучим зноем дня. Птицы уже щебетали на ветках — разве могли они спать в сиянии такой зари! Но вряд ли где-нибудь, кроме прерий Техаса, можно встретить в этот ранний час бодрствующего человека. В этих краях час солнечного восхода — самое приятное время дня и мало кто проводит его в постели или в уединении комнаты.

На берегу Леоны, в трех милях ниже форта Индж, показался человек, который пренебрег сном ради прогулки по зарослям чапараля. Он не идет пешком, он сидит на горячей лошади, которой не нравится, когда сдерживают ее шаг. По этому описанию вы, может быть, подумаете, что всадник — мужчина; но ведь действие происходит в южном Техасе, где все еще живут испано-мексиканцы, и вполне возможно, что всадник — женщина. Этому предположению не противоречат ни круглая шляпа на голове всадника, ни серапе, из-за утренней прохлады наброшенное на плечи, ни то, что он сидит в седле по-мужски — манера ездить верхом, которую в Европе считают для женщин неприличной.

Присмотревшись внимательнее, вы убедитесь, что это действительно женщина. Взгляните на маленькую ручку, которая держит поводья, на маленькую ножку в стременах, на изящную, женственную фигуру, вырисовывающуюся даже под тяжелым серапе, и, наконец, на великолепные, свернутые узлом блестящие волосы, которые выбиваются из-под полей сомбреро.

Теперь уже не остается сомнений, что перед вами женщина, хотя некоторые ее привычки необычны для женщины. Это донья Исидора Коварубио де Лос-Льянос.

Ей уже минуло двадцать лет — по мексиканским понятиям, ее нельзя назвать юной. Жгучая брюнетка, она очень хороша собой. Но красота ее — это красота тигрицы, внушающая скорее страх, чем нежную любовь.

Взгляните ей в глаза, и вы сразу почувствуете незаурядный для женщины характер: твердость, решимость, не знающая предела отвага отражаются на прекрасном лице. В нежных, словно выточенных чертах вы не найдете никаких признаков слабости, ни тени пугливости. Алый румянец, разлитый по смуглой коже, не исчезнет даже в минуту смертельной опасности.

Девушка едет одна по лесистой долине Леоны. Невдалеке виден дом, но она удаляется от него. Это асиенда ее дяди, дона Сильвио Мартинеса, из ворот которой она недавно выехала.

Непринужденно и уверенно сидит молодая мексиканка в седле. Под ней горячий конь, он порывается встать на дыбы; но вам нечего беспокоиться о молодой всаднице — она прекрасно справляется с ним.

Легкое, как раз по силам девушки, лассо висит на седельной луке; оно аккуратно свернуто: видно, что Исидора не жалеет для этого времени и, должно быть, хорошо умеет пользоваться им. И это действительно так — она бросает его с ловкостью профессионального мустангера. Исидора гордится своим искусством — это одно из ее любимых развлечений.

Она едет не по большой дороге вдоль берега реки, а по боковой тропе, которая ведет от асиенды ее дяди и соединяется с большой дорогой только около вершины близлежащего холма — вернее, обрывистого берега речной долины.

Тропинка круто поднимается вверх — так круто, что лошадь начинает тяжело дышать. Наконец всадница достигает вершины обрыва, где проходит проезжая дорога.

Исидора натягивает поводья, но не для того, чтобы дать лошади отдохнуть, а потому, что она достигла цели своей поездки.

Вблизи дороги — круглая поляна в два или в три акра величиной; она покрыта травой. Это словно прерия в миниатюре. Колючие заросли, совсем не похожие на лес, из которого Исидора только что выехала, окружают поляну со всех сторон. Три едва заметные тропинки расходятся от нее в разных направлениях, прорезая чащу кустарника.

На середине поляны Исидора натягивает поводья и треплет свою лошадь по шее, чтобы успокоить ее. Хотя вряд ли это нужно — крутой подъем настолько утомил коня, что он уже не рвется вперед и не проявляет нетерпения.

— Я приехала раньше назначенного часа! — воскликнула молодая всадница, доставая из-под своего серапе золотые часы. — А может быть, он и вовсе не приедет? Ах, только бы он достаточно окреп, чтобы приехать!.. Я вся дрожу. Или это дышит моя лошадь? О нет, это меня бьет лихорадка. Я никогда еще не испытывала такого волнения. Это страх? Да, вероятно. Как странно, что я боюсь любимого человека, единственного человека, которого я когда-либо любила! Ведь нельзя же назвать любовью то, что я испытывала к дону Мигуэлю. Это был самообман. Как хорошо, что я от этого избавилась! На свое счастье, я увидела, что он трус. Это открытие низвело героя моих романтических грез с его пьедестала. Как я рада этому! Теперь я ненавижу дона Мигуэля, потому что он, кажется, стал... Святая мадонна, неужели это правда, что он стал разбойником! Но я не испугалась бы встречи с ним даже в этом уединенном месте. Боже мой, бояться того, кого любишь, кого считаешь благородным и добрым, и в то же время не испытывать страха перед тем, кого глубоко ненавидишь, зная, что он жесток и коварен! Непонятно! Непостижимо! И все-таки в этом нет ничего непонятного. Я дрожу не от страха перед опасностью, а от боязни оказаться нелюбимой. Вот почему я сейчас дрожу. Вот почему я не могу спокойно спать по ночам с того дня, когда Морис Джеральд освободил меня из рук пьяных дикарей. Я никогда не говорила ему о своих чувствах. И я не знаю, как он примет мое признание. Но он все-таки должен узнать. Я не могу больше терпеть эту мучительную неизвестность. Я предпочитаю отчаяние, даже смерть, если только мои мечты обманут меня... А! Я слышу топот копыт! По дороге скачет лошадь. Это он? Да! Я вижу сквозь деревья яркие цвета нашего национального костюма. Морису Джеральду нравится носить этот костюм. Неудивительно — он так ему к лицу. Святая Дева! Я закутана в серапе, на голове моей сомбреро. Он примет меня за мужчину! Долой эту безобразную маску! Я женщина, и он должен увидеть перед собой женщину!

В одно мгновение Исидора срывает с себя серапе и шляпу — даже на сцене перевоплощение едва ли могло произойти быстрее. И вот на фоне густых колючих зарослей вырисовывается легкая женственная фигура и прекрасная голова, достойная резца Кановы[1].

---

[1] Канова Антонио (1757 — 1822) — знаменитый итальянский скульптор.

Слегка привстав в стременах и наклонившись вперед, прекрасная всадница вся превратилась в ожидание.

Вопреки всему, она не обнаруживает и тени страха. Губы не дрожат, на лице не заметно бледности.

Наоборот, в ее взгляде, устремленном вперед, — призыв гордой любви, призыв орлицы, ожидающей своего орла.

Но вдруг во всем ее облике происходит внезапная перемена. Она узнает приближающегося всадника. Золотое шитье ввело ее в заблуждение. Всадник в мексиканском наряде — не Морис Джеральд, а Мигуэль Диас.

Радость на ее лице сменяется унынием. Девушка опускается в седло, и вздох, вырывающийся из ее груди, — почти крик отчаяния. На ее лице не видно страха, только разочарование и обида.

Эль-Койот заговорил первым:

— Ах, это вы, сеньорита! Кто бы ожидал увидеть вас в таком уединенном месте — розу среди этих колючих зарослей!

— А какое, собственно, вам до этого дело, дон Мигуэль Диас?

— Странный вопрос, сеньорита. Конечно, это мое дело, и вы сами это знаете. Вы прекрасно знаете, как безумно я вас люблю. Дураком я был, когда признался в этом и объявил себя вашим рабом. Вот это-то и охладило так быстро ваши чувства.

— Вы ошибаетесь, сеньор. Я никогда не говорила вам, что люблю вас. Если я сказала, что восхищаюсь вашим искусством наездника, вы не имели права толковать мои слова иначе. Я восхищалась вашим искусством, а не вами. И кроме того, это было три года назад. Я тогда была еще девочкой, в том возрасте, когда такие вещи производят сильное впечатление, когда мы настолько глупы, что ценим больше внешний блеск, а не душевные качества. Но теперь я стала старше, и вполне естественно, что ко многому отношусь иначе.

— Черт побери, но почему же вы внушали мне ложные надежды? Помните день клеймения скота, когда я укротил самого неистового быка и усмирил самую дикую лошадь вашего отца? Ведь ни один вакеро не смел подойти к ним. В этот день вы улыбнулись мне и поглядели на меня с любовью. Не отрицайте этого, донья Исидора! Я достаточно хорошо знаю людей и легко мог угадать по вашему лицу, что вы думали и что чувствовали. Но сейчас вы изменились. Почему же? Потому, что я был покорен вашими чарами, или, вернее, потому, что имел глупость признаться в этом. И вы, как это обычно бывает у женщин, потеряли интерес к побежденному. Ведь это так, сеньорита, не отрицайте!

— Нет, это не так, дон Мигуэль Диас. Я никогда ни словом, ни взглядом не признавалась вам в любви. Вы были для меня просто искусным наездником и благородным кабальеро. Во всяком случае, так мне тогда казалось. Но кем вы стали теперь? Вы знаете, что о вас говорят здесь и на Рио-Гранде?

— Я не считаю нужным отвечать на клевету — исходит ли она от предателей-друзей или от лживых врагов. Я здесь для того, чтобы получать объяснения, а не давать их.

— От кого?

— От вас, прелестная донья Исидора.

— Вы слишком самоуверенны, дон Мигуэль Диас. Не забывайте, сеньор, с кем вы разговариваете! Вспомните, что я дочь...

— ...одного из самых гордых асиендадо в Тамаулипас и племянница не менее гордого плантатора в Техасе. Я обо всем этом подумал. Вспомнил также, что когда-то и я владел асиендой, а сейчас я — всего лишь охотник за лошадьми. Карамба! Это не беда! Вы не из тех женщин, которые могут презирать человека только из-за того, что он небогат. Бедный мустангер, по-видимому, может так же рассчитывать на вашу благосклонность, как и владелец сотни табунов. И у меня есть доказательство вашего великодушия.

— Какое доказательство? — быстро спросила девушка, в первый раз проявляя беспокойство. — Где это доказательство великодушия, которое вы так любезно мне приписываете?

— В этом очаровательном письме. Вот оно, у меня в руках, подписанное доньей Исидорой Коварубио де Лос-Льянос. Письмо, адресованное такому же бедному мустангеру, как и я. Вряд ли необходимо давать его вам в руки. Ведь вы можете узнать его и на расстоянии?

Она узнала письмо. Гневный взгляд, брошенный на Диаса, показал это.

— Как оно попало к вам? — спросила Исидора, не пытаясь скрыть своего негодования.

— Это неважно. Оно у меня, а я давно этого добивался. Не для того, чтобы узнать, что вы перестали интересоваться мною — для меня это было ясно и так, — но чтобы иметь доказательство, что вы увлечены другим. Оно говорит о том, что вы любите его, яснее не скажешь. Вы мечтаете посмотреть в его красивые глаза. Так знайте же, что вы никогда не увидите их!

— Что это значит, дон Мигуэль Диас?

Голос ее слегка дрогнул, словно она боялась услышать ответ. И неудивительно: выражение лица Эль-Койота внушало страх.

Заметив ее испуг, он сказал:

— Ваши опасения вполне справедливы. Если я потерял вас, донья Исидора, то никому другому вы тоже не будете принадлежать — так я решил.

— Не понимаю...

— Я уже сказал: никто другой не назовет вас своей, и, уж конечно, не Морис-мустангер.

— Вот как!

— Да! Именно так. Обещайте мне, что вы никогда больше не встретитесь с ним, или вы не уйдете с этого места!

— Вы шутите, дон Мигуэль!

— Нет, я говорю совершенно серьезно, донья Исидора.

Искренность этих слов не подлежала сомнению. Несмотря на трусость мексиканца, взгляд его выражал холодную и жестокую решимость, а рука уже взялась за рукоятку мачете.

Даже отважной Исидоре стало не по себе. Она видела, что ей грозит опасность, избежать которой нелегко. С самого начала эта встреча ее встревожила, но она надеялась, что появление Мориса прервет неприятный разговор и даст ему другое направление.

Молодая мексиканка жадно прислушивалась, не раздастся ли топот коня, и время от времени бросала взгляд на заросли в ту сторону, откуда она ждала этого звука.

Теперь эта надежда рухнула. Раз письмо оказалось в руках мексиканца, значит, оно не попало к тому, кому было адресовано.

Ждать помощи было бесполезно, и она подумала о бегстве.

Но это было сопряжено с трудностями и большой опасностью. Она могла бы повернуть лошадь и ускакать, но при этом рисковала получить пулю в спину, так как рукоятка револьвера была не дальше от руки Эль-Койота, чем рукоятка мачете.

Исидора вполне оценила всю опасность положения. Любая другая женщина на ее месте растерялась бы, но Исидора Коварубио даже и виду не показала, что угроза произвела на нее хоть какое-нибудь впечатление.

— Чепуха! — воскликнула она с хорошо разыгранным недоверием. — Вы шутите, сеньор. Вы хотите испугать меня. Ха-ха-ха! Но почему мне бояться вас? Я езжу на лошади не хуже вас. И лассо я бросаю так же легко и так же далеко, как и вы. Посмотрите, как ловко я умею с ним обращаться!

С улыбкой произнося эти слова, девушка сняла лассо с седельной луки и стала раскручивать его над головой, как бы демонстрируя свое искусство.

Диас и не догадывался, что у нее были совсем другие намерения. Он был озадачен поведением Исидоры и молча смотрел на нее.

Только когда мексиканец почувствовал, что петля лассо затягивается вокруг его локтей, он понял все, но защищаться было уже поздно. В следующее мгновение его руки были плотно прижаты к бокам и он уже не мог достать ни своего мачете, ни револьвера.

Он хотел было освободиться от петли, но, прежде чем успел схватиться за лассо, сильным толчком был сброшен с седла и без сознания растянулся на земле.

— Ну, дон Мигуэль Диас, — воскликнула Исидора, повернув лошадь, — не грозите мне больше! И не пытайтесь освободиться! Пошевелите только пальцем — и я поскачу вперед! Коварный злодей! Несмотря на твою трусость, ты хотел убить меня, я прочла это в твоих глазах. Но наши роли переменились, и теперь...

Не слыша ответа, она замолчала, все еще туго натягивая лассо и не спуская глаз с упавшего человека.

Эль-Койот неподвижно лежал на земле. Падение с лошади оглушило его — он не только не мог говорить, но и ничего не сознавал. Он казался мертвым.

— Святая Дева! Неужели я убила его! — воскликнула Исидора, осадив свою лошадь немного назад, но все еще не поворачивая ее и готовая в любую минуту пуститься вскачь. — Я не хотела этого, хотя имела на это полное право — ведь он же собирался убить меня... Умер ли он или притворяется, чтобы я подошла к нему? Пусть это решают другие. Я могу теперь смело ехать домой — он меня не догонит. Слуги из асиенды успеют развязать его. Всего хорошего, дон Мигуэль Диас!

С этими словами Исидора вытащила из-за корсажа небольшой кинжал, перерезала веревку около самой седельной луки и, по-видимому не чувствуя упреков совести, поскакала домой, так и не освободив лежащего на земле Диаса от лассо.

Глава XLIX
ЛАССО РАЗВЯЗАНО

Встревоженный орел с криком взвивается в небо. Испуганный гневными голосами, он покинул сук на старом тополе и летит на разведку.

Один взмах могучих крыльев — и он уже парит высоко в небе, зорко осматривая поляну и окружающие ее заросли. На поляне он видит распростертого на земле и, по-видимому, мертвого человека; рядом бегает конь и громко ржет. В зарослях он видит двух всадниц. Одна с непокрытой головой, с развевающимися по ветру волосами, сидя в седле по-мужски, галопом скачет от поляны. Другая всадница на пятнистой лошади сидит боком в дамском седле и направляется к поляне; на ней амазонка и шляпа; едет она более медленным аллюром, но вид у нее тоже взволнованный.

Вот что видит орел со своей высоты.

Обе всадницы нам знакомы. Та, которая скачет от поляны, — Исидора Коварубио де Лос-Льянос, а та, которая направляется к ней, — Луиза Пойндекстер.

Уже известно, почему первая из них покинула поляну. Остается объяснить, почему вторая едет туда.

После разговора с Зебом Стумпом молодая креолка вернулась к себе в комнату и, опустившись на колени перед статуей Мадонны, начала молиться. Как все креолы, она была католичкой и твердо верила в заступничество святых. Странной и печальной была ее молитва: она просила Святую Деву за человека, которого считали убийцей ее брата.

Она ни минуты не сомневалась, что он невиновен в этом ужасном преступлении. Это было невероятно. Если бы у нее возникли хотя бы малейшие подозрения, ее сердце не выдержало бы такого испытания.

Она не просила Мадонну помиловать его. Она просила Небеса защитить его от врагов — от ее друзей.

Рыдания заглушали шепот молитвы. Луиза нежно любила брата и была глубоко потрясена его смертью, но эта печаль не могла заглушить другого чувства, более сильного, чем узы крови. Горюя о погибшем брате, девушка молилась о спасении возлюбленного.

Когда она поднялась с колен, взгляд ее случайно упал на лук, который так часто помогал ей посылать нежные весточки любимому человеку.

«О, если бы я могла послать стрелу, чтобы предупредить его об опасности!»

Эта мысль вызвала другую: не осталось ли следов их тайной переписки в том месте, где они обменивались стрелами?

Луиза вспомнила, что в последний раз Морис переплыл реку, вместо того чтобы переправиться в лодке. Его лассо, наверно, осталось в челне.

Накануне, потрясенная горем, она не подумала об этом.

Лассо могло выдать тайну их ночных свиданий, о которой знали, как она полагала, только они сами и тот, чьи уста навеки умолкли.

Солнце поднялось уже довольно высоко и ярко светило через стеклянную дверь. Луиза распахнула ее, чтобы спуститься в сад и пройти к лодке. Но на веранде она остановилась, услыхав доносившиеся сверху голоса.

Разговаривали двое: ее горничная Флоринда и чернокожий кучер, которые в отсутствие хозяина решили подышать свежим воздухом на асотее.

Внизу можно было отчетливо слышать каждое слово, но Луизу мало интересовал их разговор. Только когда до ее слуха донеслось знакомое имя, она стала прислушиваться.

— Они говорят об этом Джеральде. Морис Джеральд — его имя. Говорят, что он ирландец, но если это правда, то он совсем не такой, как те ирландцы, которых я видел в Новом Орлеане. Он больше похож на джентльмена-плантатора. Вот на кого он похож!

— Ты не думаешь, Плутон, что он убил массу Генри?

— Вот еще что придумала! Он убил массу Генри! Может, еще скажешь, что я убил массу Генри? Будет такая же неправда... Ой, смотри, Флоринда! Ведь это он — легок на помине. Смотри, Флоринда, смотри вон туда!

— Куда?

— Вон туда, на тот берег. Видишь, мужчина на лошади! Это и есть Морис Джеральд, тот самый человек, которого мы встретили в черной прерии. Тот самый, который подарил мисс Лу крапчатую лошадь. Тот самый, которого сейчас все ищут. Они не там его ищут. Они не найдут его в прерии сегодня!

— А ты этому не рад, Плутон? Я уверена, что он не виноват. Он такой красивый и храбрый! Никогда он не мог...

Луиза не стала слушать дальше. Она вернулась в дом и прошла на асотею. Когда она поднималась по лестнице, сердце ее билось так сильно, что его удары, казалось, заглушали звук ее шагов. С большим трудом ей удалось скрыть свое волнение от слуг.

— Почему вы так громко разговариваете? Что вы там увидели? — спросила Луиза, скрывая свои чувства под напускной строгостью.

— Мисс Луиза, посмотрите-ка туда! Молодой джентльмен...

— Какой молодой джентльмен?

— Тот самый, которого разыскивают, тот самый...

— Я никого не вижу.

— Он сейчас за деревьями. Смотрите туда, туда! Вон черная шляпа, бархатная куртка и блестящие серебряные пуговицы. Это он — тот самый молодой джентльмен.

— Ты, верно, ошибаешься, Плутон. Здесь многие так одеваются. Расстояние слишком велико, чтобы узнать человека, особенно теперь, когда его уже почти не видно... Все равно, Флоринда, беги вниз, приготовь мою шляпу и амазонку. Я хочу проехаться верхом. А ты, Плутон, оседлай мне Луну, только скорее! Я боюсь, что солнце поднимется слишком высоко. Ну, живо, живо!

Как только слуги спустились по лестнице, Луиза еще раз подошла к парапету; она с трудом переводила дыхание от бурного волнения. Теперь ей никто не помешает рассмотреть хорошенько, кто там, на холме, среди зарослей.

Но было уже поздно: всадник скрылся.

«Сходство большое и в то же время это как будто не он. Если это Морис Джеральд, то зачем бы ему ехать туда?»

И сердце ее сжалось. Она вспомнила, что однажды уже задавала себе этот вопрос.

Она больше не стала задерживаться на асотее. Через десять минут Луиза уже была на другом берегу, в зарослях, где скрылся всадник.

Она ехала быстро, внимательно глядя вперед.

Поднявшись на обрыв над долиной Леоны, Луиза вдруг натянула поводья. До нее донеслись чьи-то голоса...

Она прислушалась. Хотя звуки были едва слышны, все же можно было различить два голоса: женщины и мужчины.

Какого мужчины, какой женщины? Ее сердце снова сжалось.

Девушка подъехала ближе. Снова остановилась... Снова прислушалась...

Говорили по-испански. Это ее не успокоило. С Исидорой Коварубио де Лос-Льянос Морис Джеральд стал бы говорить по-испански. Креолка знала этот язык достаточно хорошо, чтобы понять смысл разговора. Но она была еще слишком далеко и не могла разобрать слов. Голоса звучали возбужденно, словно говорившие были охвачены гневом, — это вряд ли было неприятно Луизе.

Она подъехала еще ближе; еще раз натянула поводья... еще раз прислушалась. Мужского голоса уже не было слышно. Голос женщины звучал отчетливо и твердо — казалось, она грозила.

Потом наступила тишина, прерванная коротким топотом копыт, и затем снова тишина; затем прозвучал голос женщины — вначале громкий, словно угрожающий, потом приглушенный, как будто она разговаривала сама с собой, — и опять тишина, прерванная топотом копыт, словно лошадь, удаляясь, скакала галопом.

Вот и все, да еще крик парившего над поляной орла, которого вспугнули сердитые голоса.

Голоса доносились с поляны, хорошо знакомой Луизе: с этим местом у нее были связаны дорогие воспоминания. Девушка еще раз остановилась, почти на самой опушке. Она боялась ехать дальше, боялась узнать горькую правду...

Наконец она перестала колебаться и выехала на поляну.

Там взад и вперед бегала оседланная лошадь. На земле лежал какой-то человек, руки которого были стянуты лассо. Рядом валялись сомбреро и серапе, но, по-видимому, принадлежавшие не ему. Что же здесь могло произойти?

Мужчина был одет в живописный мексиканский костюм. На лошади — нарядный чепрак мексиканской работы.

Сердце Луизы наполнилось радостью. Мертв этот человек или жив, но он безусловно тот, кого она видела с асотеи, и не Морис Джеральд.

До последней минуты Луиза всем сердцем надеялась, что это не он, и ее надежды сбылись.

Она подъехала ближе и взглянула на распростертого человека; посмотрела на его лицо, которое было обращено вверх, потому что он лежал на спине. Ей показалось, что она где-то видела его, хотя и не была в этом уверена.

Было ясно, что он — мексиканец. Не только одежда, но и черты лица выдавали испано-американский тип.

Его наружность показалась ей довольно красивой.

Но не это заставило Луизу соскочить с лошади и с участием наклониться над ним. Она поторопилась помочь ему, радуясь, что он оказался не тем, кого она боялась найти здесь.

— Кажется, он жив, — прошептала она. — Да, он дышит.

Петля лассо душила его. В одно мгновение Луиза ослабила ее; петля поддалась легко.

«Теперь он может дышать свободнее. Но что же тут произошло? На него набросили лассо, когда он сидел на лошади, и стащили на землю? Это наиболее вероятно. Но кто это сделал? Я слышала здесь женский голос — я не могла ошибиться... Но вот мужская шляпа и серапе, которые принадлежат не ему. Может быть, здесь был другой мужчина, который уехал с женщиной? Но отсюда ускакала только одна лошадь... А, он приходит в себя! Слава Богу! Я сейчас все узнаю».

— Вам лучше, сэр?

— Сеньорита, кто вы? — спросил дон Мигуэль Диас, поднимая голову и с беспокойством озираясь вокруг. — Где она?

— О ком вы говорите? Я никого здесь не видела, кроме вас.

— Карамба! Как странно! Разве вы не встретили женщину верхом на серой лошади?

— Я слышала женский голос, когда подъезжала сюда.

— Правильнее сказать — дьявольский голос, потому что Исидора Коварубио де Лос-Льянос настоящий дьявол!

— Разве это сделала она?

— Будь она проклята! Да!.. Где же она? Скажите мне, сеньорита.

— Я не знаю. Судя по топоту ее лошади, она спустилась по склону холма. Наверно, это так, потому что я подъехала с другой стороны.

— А!.. Вниз по склону холма — значит, она поехала домой... Вы были очень добры, сеньорита, освободив меня от этой петли, — я не сомневаюсь, что это сделали вы. Может быть, вы не откажете и помочь мне сесть на лошадь? Я надеюсь, что смогу удержаться в седле. Здесь, во всяком случае, мне нельзя больше оставаться. Мои враги недалеко... Пойди сюда, Карлито! — сказал он лошади и как-то особенно присвистнул. — Подойди поближе, не бойся этой прекрасной сеньориты. Не она сыграла с нами эту злую шутку. Ну, иди сюда, мой конь, не бойся!

Лошадь, услышав свист, подбежала к хозяину, который уже поднялся на ноги, и позволила ему взять себя под уздцы.

— Если вы мне поможете, добрая сеньорита, я, пожалуй, смогу сесть в седло. Как только я буду на лошади, мне нечего опасаться преследования.

— Вы думаете, что вас будут преследовать?

— Кто знает? Как я уже сказал вам, у меня есть враги. Впрочем, неважно... Я чувствую еще большую слабость. Вы ведь не откажетесь помочь мне?

— Я охотно окажу вам любую помощь, какая только в моих силах.

— Очень вам признателен, сеньорита!

С большим трудом удалось молодой креолке подсадить мексиканца в седло. Он покачнулся, но удержался в нем.

Подобрав поводья, он сказал:

— Прощайте, сеньорита! Я не знаю, кто вы. Вижу только, что вы не мексиканка. Американка, я думаю... Но это все равно. Вы так же добры, как и прекрасны. И, если только когда-нибудь представится случай, Мигуэль Диас отплатит вам за эту услугу.

Сказав это, Эль-Койот тронул поводья; он с трудом удерживал равновесие и поэтому ехал шагом.

Несмотря на это, он скоро скрылся из виду, — деревья заслонили его, как только он пересек поляну.

Он поехал не по одной из трех дорог, а по узкой, едва заметной тропе.

Молодой креолке все это показалось сном, и скорее странным, чем неприятным.

Но эта иллюзия быстро рассеялась, когда она подняла и прочитала валявшееся на земле письмо, потерянное Диасом. Письмо было адресовано «дону Морисио Джеральду» и подписано «Исидора Коварубио де Лос-Льянос».

Луиза взобралась в седло почти с таким же трудом, как только что уехавший мексиканец.

Переезжая Леону на обратном пути в Каса-дель-Корво, она остановила лошадь посередине реки и в каком-то оцепенении долго смотрела на поток, пенящийся у ее ног. На ее лице было выражение глубокого отчаяния. Будь это отчаяние хоть немного глубже — и воды Леоны сомкнулись бы над ее головой.

Глава L

СХВАТКА С КОЙОТАМИ

Лиловые тени техасских сумерек уже спускались на землю, когда раненому, проделавшему мучительный путь сквозь колючие заросли, наконец удалось добраться до ручья.

Он утолил жажду и растянулся на траве, забыв о своей тревоге.

Нога болела, но не очень сильно. О будущем он сейчас не думал — он слишком устал.

Ему хотелось только одного — отдохнуть; и прохладный ветерок, покачивавший перистую листву акации, убаюкивал его.

Грифы улетели на ночлег в заросли; избавленный хоть на время от их зловещего присутствия, он скоро заснул.

Но спал он недолго. Снова разболелись раны и разбудили его. Именно боль, а не лай койотов, не давала ему спать до утра.

Он не боялся койотов, которые рыскали кругом; они, как шакалы, нападают только на мертвых или на умирающих, а он знал, что рана его не смертельна.

Ночь тянулась мучительно долго; страдальцу казалось, что день никогда не наступит.

Утро пришло наконец, но и оно не принесло радости — вместе с ним опять появились черные птицы, а койоты не ушли. Над ним в ярком свете нового дня снова парили грифы, а вокруг него повсюду раздавалось отвратительное завывание койотов.

Он подполз к ручью и снова напился.

Теперь он почувствовал голод и огляделся в поисках пищи.

Неподалеку рос гикори. На его ветках футах в шести над землей висели орехи.

Раненому удалось доползти до дерева, хотя это причинило ему мучительные страдания.

Костылем он сшиб несколько орехов и немного утолил голод.

Что же делать дальше?

Уйти отсюда было невозможно. Малейшее движение причиняло ему невыносимую боль, напоминая о том, что он совершенно не способен передвигаться.

Он до сих пор не знал, что случилось с его ногой, — она так распухла, что он ничего не мог прощупать. Все же ему казалось, что у него раздроблено или вывихнуто колено. И в том и в другом случае пройдет много дней, прежде чем он сможет владеть ногой. А что ему делать до тех пор?

Несчастный почти не надеялся на помощь. Ведь он кричал до хрипоты, но никто не услышал; и, несмотря на это, время от времени снова раздавался его глухой крик — это были слабые проблески надежды, борющейся с отчаянием.

Он был вынужден оставаться на месте. Придя к этому заключению, юноша растянулся на траве, решив терпеть, пока хватит сил.

Ему потребовалась вся сила воли, чтобы вынести эти страдания, и все-таки с его губ иногда срывались стоны.

Совершенно измученный болью, он уже не замечал, что делается вокруг. Черные птицы по-прежнему кружили над ним; но он уже привык к этому и не обращал на них внимания даже тогда, когда свист их крыльев раздавался над самой его головой.

Но что это? Какие-то новые звуки?

Послышался топот маленьких ног по песчаному берегу ручейка, он сопровождался прерывистым дыханием.

Раненый оглянулся, чтобы узнать, в чем дело.

«А, это только койоты», — подумал он, завидев десятка два этих животных, снующих взад и вперед по берегу.

До сих пор юноша не испытывал страха перед этими трусливыми животными — он презирал их. Но он встревожился, заметив их свирепые взгляды и угрожающее поведение. Сомневаться не приходилось — они готовились к нападению. Он вспомнил, как ему рассказывали, что эти животные, обычно трусливые и безвредные, набрасываются на человека, когда он слаб и не может защищаться, особенно если их возбуждает запах крови.

А он был весь изранен шипами кактусов. Его одежда пропиталась кровью. В душном воздухе распространялся тяжелый запах, и койоты не могли не почуять его. Очевидно, этот запах дразнил хищников, доводя их до неистовства.

Как бы то ни было, юноша не сомневался, что они собираются на него напасть.

У него не было другого оружия, кроме охотничьего ножа, который он, к счастью, не потерял. Его ружье и револьвер были привязаны к седлу, и лошадь ускакала вместе с ними.

Раненый вытащил нож и, опираясь на правое колено, приготовился защищаться.

Минута промедления — и было бы уже поздно. Ободренные безнаказанностью, осмелевшие от запаха крови, который усиливался по мере их приближения, подгоняемые врожденной свирепостью, койоты наконец бросились на раненого человека.

Шестеро волков одновременно впились зубами в его руки, ноги и тело.

Рванувшись, он стряхнул их и нанес несколько ударов ножом. Один или два были ранены и с визгом отскочили. Но на него уже набросились другие...

Борьба стала отчаянной, смертельной. Несколько хищников были убиты, но остальные продолжали атаку, казалось, с еще большим ожесточением.

Началась свалка. Койоты лезли друг на друга, чтобы вцепиться в жертву. Нож поднимался и опускался, но руки человека слабели, и удары все реже достигали цели.

Он терял последние силы. Смерть смотрела ему в глаза...

И в эту роковую минуту юноша вскрикнул. Как ни странно, это не был крик отчаяния — это был крик радости. И еще удивительнее, что, услышав его, койоты отступили.

Схватка прекратилась. На короткое время водворилась тишина. Но не возглас человека был причиной этой перемены, а то, что его вызвало.

Послышался топот лошади, за которым последовал громкий собачий лай.

Раненый продолжал кричать, взывая о помощи. Лошадь, казалось, была совсем близко. Вряд ли всадник мог не услышать его.

Но ответа не было. Всадник проехал мимо.

Топот копыт становился все глуше... Отчаяние снова овладело юношей.

А хищники, набравшись храбрости, еще раз ринулись в атаку.

Снова разгорелась жестокая борьба. Несчастный потерял последнюю надежду и продолжал защищаться, движимый только отчаянием.

И вдруг койоты отпустили жертву: на сцене появилось новое действующее лицо, и раненый воспрянул духом.

Всадник остался глухим к его крикам, но собака пришла на помощь. Огромная собака с громким лаем стремительно выскочила из кустов.

— Друг! Какое счастье! Друг!

Собака, выбравшись из чащи, перестала лаять и с открытой пастью бросилась на койотов, уже отступавших в испуге.

Вот один уже у нее в зубах. Она встряхивает его словно крысу, и через секунду он уже корчится на земле с переломанной спиной.

Другого постигает та же участь. Третьей жертвы не было: испуганные койоты, поджав хвосты, с визгом убежали. Все они скрылись в густых зарослях.

Юноша больше ничего не видел — силы оставили его. Он только протянул руку, с улыбкой обнял своего спасителя и, что-то ласково прошептав, впал в забытье.

Однако он скоро пришел в себя.

Приподнявшись на локте, он огляделся. Он увидел страшную кровавую картину. Но если бы он не терял сознания, то был бы свидетелем еще более жуткого зрелища.

Во время его обморока через поляну проехал всадник. Это его конь топотом своих копыт спугнул койотов, это он остался глух к мольбам о помощи. Всадник прискакал слишком поздно и не для того, чтобы помочь. По-видимому, он просто хотел напоить лошадь.

Лошадь вошла в ручей, напилась, вышла на противоположный берег, пробежала по поляне и скрылась в зарослях.

Всадник не обратил внимания на распростертое тело, только лошадь фыркнула, увидев его, и испуганно покосилась на трупы койотов.

Лошадь была не очень крупная, но прекрасно сложена. О всаднике сказать этого было нельзя — у него отсутствовала голова.

Впрочем, голова была, но не на своем месте. Она находилась у передней луки седла, и казалось, что всадник держит ее в руке.

Страшное зрелище!

Когда всадник без головы проезжал через поляну, собака с лаем проводила его до опушки зарослей — она давно бегала за ним по пятам, скитаясь там, где скитался он.

Но теперь она отказалась от этой бесплодной дружбы; она вернулась к раненому и улеглась рядом с ним.

Как раз в эту минуту сознание вернулось к нему, и он вспомнил все, что было раньше.

Приласкав собаку, он прикрыл плащом голову, защищаясь от палящего солнца, и заснул.

Собака лежала у ног раненого и тоже дремала; но она часто просыпалась, поднимала голову и злобно рычала, когда грифы шуршали крыльями слишком близко над ее головой.

Молодой человек бредил. С его губ срывались какие-то странные слова: то любовные клятвы, то бессвязные речи о каком-то убийстве.

Глава LI

ДВАЖДЫ ПЬЯНЫЙ

Вернемся снова в уединенную хижину на Аламо, так внезапно покинутую картежниками, которые расположились под ее кровом в отсутствие хозяина.

Близился полдень следующего дня, а хозяин все еще не возвращался. Бывший грум Баллибаллаха по-прежнему был единственным обитателем хижины. По-прежнему он лежал пьяный, растянувшись на полу. Правда, с тех пор, как мы его видели в последний раз, он уже успел протрезвиться, но теперь был снова пьян после нового обращения к богу вина.

Чтобы объяснить все, надо рассказать, что произошло дальше в ту ночь, когда игроки в монте так неожиданно бежали из хижины.

Вид трех краснокожих дикарей, сидевших за столом и поглощенных игрой в карты, протрезвил Фелима больше, чем сон.

Несмотря на явный комизм этой сцены, Фелим не заметил в ней ничего смешного и приветствовал непрошеных гостей неистовым воплем.

Но в том, что за этим последовало, не было уже ничего смешного. Впрочем, что именно последовало, он ясно себе не представлял. Он помнил только, что трое раскрашенных воинов внезапно прекратили игру, швырнули карты на пол и, нагнувшись над ним, стали размахивать ножами. Потом к ним вдруг присоединился четвертый, и все они, толкая друг друга, выбежали из хижины.

Все это произошло в течение каких-нибудь двадцати секунд. И, когда он опомнился, в хакале уже никого не было.

Спал он или бодрствовал? Спьяну он видел все это или во сне? Произошло ли это на самом деле или было новым, непостижимым для ума явлением, вроде того, которое до сих пор стояло перед его глазами?

Нет, это не могло ему померещиться. Он видел дикарей слишком близко, чтобы сомневаться в их реальности. Он слышал, как они разговаривали на непонятном языке. Это наверняка было индейское наречие. Кроме того, на полу валялись карты.

Фелим и не подумал поднять хотя бы одну из них, чтобы узнать, настоящие ли они. Он был для этого достаточно трезв, но у него не хватало мужества. Разве мог он быть уверен, что эти карты не обожгут ему пальцы? Как знать — ведь они могли принадлежать самому дьяволу.

Несмотря на путаницу в мыслях, Фелим все же сообразил, что оставаться в хижине опасно. Раскрашенные картежники могут вернуться, чтобы продолжать игру. Они оставили здесь не только свои карты, но и все имущество мустангера. Правда, что-то заставило их внезапно удалиться, но они могут так же внезапно и вернуться.

При этой мысли ирландец решил действовать. Погасив свечу, чтобы его никто не заметил, он крадучись выбрался из хижины.

Через дверь он выйти не осмелился. Луна ярко освещала лужайку перед домом. Дикари могли быть где-нибудь поблизости...

Он выбрался через заднюю стену, сорвав одну из лошадиных шкур и протиснувшись между жердями.

Очутившись снаружи, Фелим скользнул в тень деревьев.

Он не успел еще далеко отойти, как заметил впереди что-то темное. Он услышал, как несколько лошадей грызут удила и бьют копытами. Фелим остановился и спрятался за ствол кипариса.

Скоро ирландец убедился, что это действительно лошади. Ему показалось, что их было четыре. Они, несомненно, принадлежали тем четырем воинам, которые превратили хижину мустангера в игорный дом. По-видимому, лошади были привязаны к дереву, но ведь хозяева могли быть рядом...

При этой мысли Фелим хотел уже повернуть назад. Но вдруг он услышал голоса, доносившиеся с противоположной стороны, — голоса нескольких человек, говоривших повелительным и угрожающим тоном.

Потом последовали крики ужаса и лай собаки. Затем наступила тишина, нарушаемая лишь треском ломающихся ветвей, точно несколько человек в паническом страхе бежали сквозь кусты.

Фелим продолжал прислушиваться; шум становился все громче, — бегущие приближались к кипарису.

Кипарис был окружен молодыми побегами, в черной тени которых и укрылся Фелим.

Едва успел слуга спрятаться, как появились четыре незнакомца и, не останавливаясь, кинулись к лошадям.

Пробегая мимо, они обменялись несколькими словами, которых ирландец не понял; но в их тоне звучал ужас. Лихорадочная поспешность этих людей подтвердила его предположение. По-видимому, они бежали от какого-то врага, который напугал их до смерти.

Рядом с кипарисом была небольшая поляна, ярко освещенная луной. Четыре беглеца должны были пересечь эту поляну, чтобы добраться до своих лошадей. И, когда они попали в полосу лунного света, Фелим отчетливо увидел их обнаженные красные спины.

Он узнал в них четырех индейцев, которые так бесцеремонно расположились в хижине мустангера.

Фелим оставался в своем тайнике до тех пор, пока по доносившемуся топоту не определил, что всадники поднялись по крутому откосу на равнину и быстрым галопом помчались прочь, явно не собираясь возвращаться.

Тогда он вышел из своего убежища и, всплеснув руками, воскликнул:

— Святой Патрик! Что же это означает? Что этим чертям здесь понадобилось? И кто гонится за ними? Ясно, что кто-то здорово их напугал. Не тот ли самый? Клянусь, что это он! Я слышал, как рычала собака, а ведь она убежала за ним. О Господи, что же это такое? А вдруг он, в погоне за ними, прискачет сюда?

Боязнь повстречаться с загадочным всадником заставила Фелима снова спрятаться под деревом. В трепетном ожидании он простоял еще некоторое время.

— В конце концов, это, наверно, всего лишь шутка мастера Мориса. Он возвращался домой, и ему захотелось напугать меня. Хорошо, что он подоспел как раз вовремя и напугал краснокожих — ведь они собирались ограбить и убить нас. Дай-то Боже, чтобы это был он! Только я ведь его уже давно видел... Сколько же времени прошло? Помню, что выпил я изрядно, а теперь хоть бы в одном глазу... Да, не нашли ли они мою бутыль, эти индейцы? Я слыхал, что они любят это зелье не меньше нас, белых. Да ведь если они отыскали бутыль, то там, наверно, и капли не осталось! Надо вернуться и проверить. Их теперь нечего бояться. Они так понеслись, что теперь и след их уже простыл.

Снова выбравшись из своего убежища, Фелим направился к хакале.

Он пробирался с опаской и несколько раз останавливался, чтобы проверить, нет ли кого-нибудь поблизости.

Успокаивая себя правдоподобным объяснением случившегося, Фелим все же по-прежнему боялся новой встречи с всадником без головы, который дважды появлялся около хижины и теперь мог быть уже внутри.

Если бы не надежда найти «капельку» в бутыли, он, пожалуй, не решился бы до утра вернуться домой. Однако желание выпить было сильнее страха, и Фелим, хотя и нерешительно, вошел в темную хижину.

Света он не зажег — в этом не было нужды: он достаточно хорошо знал хижину и особенно то место, где обычно стояла бутыль.

Но в заветном углу бутыли не оказалось.

— Черт бы их побрал! — воскликнул он с досадой. — Похоже, что они до нее добрались! А то — почему ее нет на месте? Я оставил ее там. Отлично помню, что оставил ее там... Ах, вот ты где, моя драгоценная! — продолжал он, нащупав наконец ивовую плетенку. — Да ведь они осушили ее, скоты эдакие! Чтоб на том свете черти припекли этих краснокожих воров! Украсть вино у спящего! Ах ты, Господи! Что же мне теперь делать? Опять спать ложиться? Да разве заснешь без выпивки с мыслями о них и о том, другом? А ведь ни капли не осталось... Стой! Пресвятая Дева, Святой Патрик и все остальные! Что это я говорю? А полная фляга! Я ведь ее в чемодане запрятал. Наполнил до самого горлышка, чтобы дать мастеру Морису в дорогу, когда он в последний раз собирался в поселок. А он забыл ее захватить с собой. Помилуй Бог, если только индейцы добрались своими грязными лапами до нее, я сойду с ума!.. Гип-

гип, ура! — закричал Фелим после того, как некоторое время рылся в чемодане. — Ура! Вот счастье-то! Краснокожим невдомек было сюда заглянуть. Фляга полна — никто и не дотронулся до нее! Гип-гип, ура!

После этого радостного открытия ирландец пустился плясать по темной хижине.

Затем наступила тишина, потом скрипнула отвинчиваемая пробка, и громкое бульканье возвестило, что жидкость быстро переливается из узкого горлышка фляги в горло ирландца.

Через некоторое время этот звук сменился чмоканьем и возгласами удовольствия.

Бульканье сменялось чмоканьем, а чмоканье — бульканьем до тех пор, пока не раздался стук упавшей на пол пустой фляги.

После этого пьяные выкрики некоторое время чередовались с пением, диким хохотом и бессвязными рассуждениями о краснокожих и безголовых всадниках, повторяясь все тише и тише, пока, наконец, пьяное бормотание не перешло в громкий храп.

Глава LII
ПРОБУЖДЕНИЕ

Второй сон Фелима длился дольше первого. Уже близился полдень, когда он наконец очнулся, и то от ведра холодной воды, вылитой ему прямо на голову. Это отрезвило его не хуже, чем вид краснокожих дикарей.

Душ ему устроил Зеб Стумп.

Выехав из ворот Каса-дель-Корво, старый охотник направился самой короткой дорогой или, вернее, тропой к реке Нуэсес.

Не тратя времени на изучение следов, он пересек прерию и выехал к известной читателю просеке.

Сопоставляя слова Луизы Пойндекстер с тем, что он сам знал о людях, которые отправились на поиски, старый охотник понял, что Морису грозит опасность.

Вот почему он торопился приехать на Аламо раньше их; вот почему он старался избежать встречи с ними по дороге.

Он знал, что, если он встретится с отрядом, никакие увертки не помогут, и ему волей-неволей придется указать дорогу к жилищу предполагаемого убийцы.

На повороте просеки Зеб, к своему огорчению, увидел сбившихся в кучу «регулярников» — они, по-видимому, изучали следы.

Старого охотника утешало только то, что сам он остался незамеченным.

— Черт бы их побрал! — пробормотал он с горечью. — Как это я не догадался, что могу встретить их здесь! Теперь надо вернуться и ехать другой дорогой. Это задержит меня на час. Поворачивай, старуха! Нам с тобой не повезло. Тебе придется сделать лишних шесть миль. Живей, моя кобылка! Назад! Но-но!

Сильным рывком натянув поводья, Зеб заставил кобылу повернуть и поскакал обратно.

Выехав из просеки, он направился сначала вдоль опушки, а потом снова въехал в заросли по той же тропе, которой накануне воспользовались Диас и трое его сообщников. Отсюда он скакал без остановок и приключений, пока не спустился в долину Аламо.

Недалеко от хижины мустангера он слез с лошади и со своей обычной осторожностью продолжал путь пешком.

Дверь, обтянутая лошадиной шкурой, была закрыта, но в ней зияла дыра. Что бы это могло значить?

Зеб не только не мог ответить на этот вопрос, но даже не знал, что предположить.

Еще с большей осторожностью стал он подкрадываться к хижине, — можно было подумать, что он выслеживает антилопу.

Охотник обошел хижину под прикрытием деревьев и пробрался к навесу позади нее; опустившись на колени, он стал прислушиваться.

Перед его глазами была щель — там, где одна из жердей была сдвинута, а лошадиная шкура сорвана. Зеб посмотрел на нее с удивлением, но, прежде чем он успел догадаться, что тут произошло, из хакале донесся звучный храп — так храпеть мог только Фелим.

Зеб Стумп заглянул в щель и действительно увидел спящего на полу Фелима.

Теперь предосторожности были излишни. Охотник поднялся на ноги и, снова обогнув хижину, вошел через дверь, которая оказалась незапертой.

Прежде чем будить Фелима, он внимательно осмотрел все, что лежало на полу.

— Вещи-то упакованы! — удивился он. — А! Вспоминаю: парень говорил, что собирается на днях уехать отсюда. Этот молодец не просто спит, а мертвецки пьян. Ну и разит от него! Интересно, оставил ли он хоть каплю виски? Вряд ли... А вот и бутыль без пробки валяется, рядом фляга — тоже совсем пустая. Черт бы побрал этого пьяницу — он способен поглотить не меньше жидкости, чем вся меловая прерия!.. Испанские карты! Целая колода валяется на полу. Что он с ними делал? Должно быть, выпивая, раскладывал пасьянс. Но кто прорезал дыру в двери и откуда эта щель в стене? Наверно, он сможет мне объяснить. Разбужу его и спрошу... Фелим! Фелим!

Ирландец не пошевелился.

— Эй, Фелим! Фелим!

Ответа опять не последовало. Охотник закричал так громко, что голос его был, вероятно, слышен на расстоянии полумили, но Фелим продолжал безмятежно спать.

Зеб стал изо всех сил трясти пьяницу; в ответ послышалось лишь какое-то бурчанье, но оно сейчас же перешло в прежний раскатистый храп.

— Если бы не его храп, я подумал бы, что он умер. Но он мертвецки пьян, в этом нет сомнения. Как же привести его в чувство? Растолкать — ничего не получится. Черт побери, попробую-ка вот что...

Взгляд старого охотника остановился на стоявшем в углу ведре. Оно было до краев наполнено водой, которую Фелим принес из ручья и, на свою беду, не успел еще израсходовать.

Зеб с усмешкой поднял ведро и выплеснул всю воду прямо в физиономию спящего.

Это привело к желаемым результатам: если холодный душ и не протрезвил Фелима,то, во всяком случае, разбудил его. Испуганный вопль ирландца слился с веселым хохотом старого охотника.

Наконец оба успокоились и могли приступить к серьезному разговору.

Фелим все еще находился под влиянием пережитых ужасов и был очень рад Зебу Стумпу, несмотря на бесцеремонную шутку, которую тот сыграл с ним.

Не дожидаясь вопросов, он начал подробно рассказывать — насколько позволяли ему заплетающийся язык и затуманенный мозг — о странных видениях и происшествиях, которые чуть не лишили его рассудка.

От него Стумп впервые услышал о всаднике без головы.

Несмотря на то что в окрестностях форта Индж и по всей Леоне стало уже известно о появлении этой странной фигуры, Зеб не встретил еще никого, кто бы мог сообщить ему эту из ряда вон выходящую новость; старый охотник проехал по поселку еще на заре и никуда не заходил, кроме Каса-дель-Корво. Он разговаривал только с Плутоном и с Луизой Пойндекстер; но ни слуга, ни молодая хозяйка асиенды еще ничего не слыхали о странном всаднике, которого накануне встретил отряд майора. Плантатор по той или иной причине умолчал о нем, а его дочь ни с кем больше не разговаривала.

Сначала Зеб посмеялся над «человеком без головы» и назвал это «пьяными бреднями Фелима».

Однако, когда Фелим стал настаивать, что это правда, охотник призадумался, особенно сопоставляя это с другими известными ему обстоятельствами.

— Ну вот, как я мог ошибиться! — доказывал ирландец. — Разве я не видел мастера Мориса так же ясно, как вижу вас! Видел все, кроме головы. Но и голову потом увидел, когда он повернул лошадь, чтобы ускакать. На нем были его мексиканское серапе и гетры из пятнистой шкуры. И мог ли я не узнать его красивого коня! И я же говорю вам, что Тара убежала за ним. Потом я слышал, как она рычала на индейцев,

— Индейцы? — воскликнул охотник, недоверчиво качая головой. — Индейцы, которые играют испанскими картами? Белые индейцы, наверно.

— Вы думаете, что это были не индейцы?

— Неважно, что я думаю. Сейчас нет времени рассуждать об этом. Рассказывай дальше, что ты видел и слышал.

Когда Фелим наконец закончил свое повествование, Зеб не стал больше задавать вопросов. Он вышел из хижины и сел на траву.

Ему хотелось разобраться в своих мыслях, а он, по его собственному признанию, не умел этого делать взаперти.

Вряд ли нужно говорить, что рассказ Фелима еще больше все запутывал.

До этого надо было объяснить лишь исчезновение Генри Пойндекстера; теперь дело осложнялось еще тем, что и мустангер не вернулся домой, хотя, по словам слуги, он должен был приехать еще накануне утром.

Совсем загадочным был удивительный рассказ о том, что мустангера видели в прерии верхом на лошади, но без головы или, вернее, с головой, которую он держал в руке. Это могла быть только какая-то шутка.

Однако странное время для шуток — ведь только что совершено убийство, и половина жителей поселка ищет виновника преступления. Особенно маловероятно, чтобы такую шутку сыграл предполагаемый убийца.

Перед Зебом Стумпом раскрылась картина странного сцепления обстоятельств или, вернее, какого-то нагромождения событий. Происшествия без видимых причин, причины без видимых следствий, преступления, совершенные по непонятным побуждениям. Необъяснимые, сверхъестественные явления...

Ночное свидание Мориса Джеральда с Луизой Пойндекстер, ссора с ее братом, узнавшим об этой встрече, отъезд Мориса в прерию, Генри, отправившийся вдогонку, чтобы просить у Джеральда прощения, — все это было вполне естественно и понятно.

Но дальше начинались путаница и противоречия. Зеб Ступп знал о расположении Мориса Джеральда к Генри Пойндекстеру. Морис неоднократно говорил о юноше и никогда не обнаруживал и тени вражды; наоборот, он всегда восхищался великодушным характером Генри.

Предположение, что Морис мог внезапно превратиться из друга юноши в его убийцу, казалось слишком неправдоподобным. Зеб поверил бы этому лишь в том случае, если бы увидел все собственными глазами.

Проведя целых полчаса в размышлениях, Зеб, несмотря на свой ясный и острый ум, так и не смог разобраться во всех этих запутанных обстоятельствах.

Только в одном он не сомневался: четыре всадника, которые, по его мнению, не могли быть индейцами, сделали набег на хижину мустангера и, возможно, были как-то причастны к убийству. Однако появление этих людей в хакале и отсутствие его хозяина навели Стумпа на еще более грустные предположения: ему казалось теперь, что убит не один человек и что в лесных зарослях следует разыскивать два трупа.

При этой мысли тяжелый вздох вырвался из груди старого охотника. Он любил молодого ирландца почти отеческой любовью, и мысль о том, что Морис Джеральд предательски убит в глухой чаще и что тело его терзают грифы и койоты, причиняла старику невыносимую боль.

Еще раз обдумав это, он снова вздохнул. Наконец мучительная тревога заставила его вскочить на ноги, и он начал быстро ходить взад и вперед, бормоча клятвы мести.

Старый охотник был так поглощен печалью и гневом, что не заметил, как мимо него пробежала собака мустангера.

Когда Фелим приветствовал ее радостным криком, Зеб Стумп обернулся, но, казалось, не обратил на нее внимания. Он вышел из задумчивости, только когда Фелим, вскрикнув от изумления, позвал его.

— Что такое, Фелим? Что случилось? Змея тебя укусила?

— Мистер Стумп, поглядите на Тару! Смотрите, у нее на шее что-то привязано! Этого не было, когда она ушла. Как вы думаете, что это?

Действительно, на шее собаки был ремешок из оленьей кожи, а под ним торчало еще что-то — какой-то маленький пакетик.

Зеб вытащил нож и наклонился к собаке; та в испуге попятилась, но потом, поняв, что ее не обидят, позволила подойти к себе.

Охотник разрезал ремешок и развернул пакетик — в нем была визитная карточка.

На карточке было что-то написано, как будто красными чернилами, но на самом деле кровью.

Любой охотник, даже живущий в самой глуши, умеет читать. Зеб не был исключением. Он довольно быстро разобрал красные каракули. У него вырвался радостный крик:

— Он жив, Фелим! Он жив! Посмотри на это... Э, да ты ведь неграмотный! Спасибо старику учителю, что заставил меня выдолбить весь букварь. Ну, да не об этом речь. Он жив! Он жив!

— Кто? Мастер Морис? Слава тебе Господи...

— Стой! Сейчас не до молитв. Достань одеяло и ремни. А я пока схожу за своей кобылой. И поживее! Если мы потеряем полчаса, то будет уже поздно.

Глава LIII
КАК РАЗ ВОВРЕМЯ

— Если мы потеряем полчаса, то будет уже поздно.

С этими словами старый охотник выбежал из хижины. Он был прав, но не совсем: нельзя было терять не только получаса, но даже полминуты. Когда охотник произносил эти слова, человеку, написавшему записку кровью, опять грозила смертельная опасность — его снова окружили койоты.

Но не этого должен был он бояться. Ему предстояла смертельная схватка с еще более страшным врагом.

Для читателя, наверно, уже ясно, что раненый человек в панаме и плаще — Морис Джеральд. После описанной схватки с койотами, закончившейся благополучно благодаря вмешательству верной Тары, он решил, что теперь можно отдохнуть.

Зная, что верный пес защитит его как от крылатых, так и от четвероногих хищников, молодой человек скоро забылся глубоким сном.

Когда он проснулся, то почувствовал, что силы отчасти вернулись к нему, и смог спокойно обдумать свое положение.

Собака спасла его от койотов; нет сомнения, что он может рассчитывать на нее и в случае новых нападений. Но что же дальше? Ведь она не в силах помочь ему добраться до хижины, а оставаться здесь — значит умереть от голода или от ран.

Раненый поднялся на ноги, но зашатался от слабости и, сделав один-два шага, принужден был снова лечь.

В эту тяжелую минуту его вдруг осенила счастливая мысль: «Тара может отнести в хижину записку».

— Если бы я только мог заставить ее уйти! — сказал он, испытующе глядя на собаку. — Поди сюда, моя хорошая, — продолжал он, обращаясь к своему бессловесному другу. — Я хочу, чтобы ты была моим почтальоном и отнесла письмо. Понимаешь? Погоди, пока я напишу, тогда я объясню тебе получше...

Хорошо, что у меня с собой визитные карточки, — сказал он, нащупывая бумажник. — Карандаша нет. Но это не беда. Чернил тут хватит. А вместо пера мне послужит шип вот этой агавы.

Он подполз к растению, отломил один из шипов, которыми заканчивались длинные листья, окунул его в кровь койота, вынул карточку и стал писать.

Кончив письмо, раненый взял обрывок ремешка и обвязал его вокруг шеи собаки; тщательно завернув карточку в кусочек клеенки, оторванной от подкладки панамы, он заткнул пакетик за самодельный ошейник.

Теперь оставалось заставить собаку отнести это послание.

Это было трудно. Верный пес, несмотря на свой незаурядный ум, никак не мог понять, почему он должен покинуть в беде того, кому был так беззаветно предан. Не помогли ни ласки, ни уговоры.

И только после того, как человек, совсем недавно спасенный им, с притворной злобой закричал на него и ударил костылем, — только после этого пес покорился и ушел.

Несмотря на свою преданность, Тара не выдержала такого обращения. Обиженная, она поплелась в заросли, иногда оборачиваясь и бросая на хозяина взгляды, полные упрека.

— Бедняга! — с сожалением сказал Морис, когда она скрылась из виду. — Это все равно что ударить себя или самого близкого друга. Ну, ничего, я не останусь у нее в долгу, если мне доведется ее снова увидеть. А теперь мне надо подумать о защите от новых нападений койотов. Они наверняка явятся, заметив, что я остался один.

Он знал, что надо делать.

Вблизи стояло дерево гикори, о котором уже упоминалось. На высоте шести-семи футов от его ствола почти параллельно отходили два толстых сука.

Мустангер снял плащ, расстелил его на траве и проколол ножом несколько дырочек в полах.

Потом он размотал свой шелковый шарф и разорвал его по длине на две полосы.

После этого он растянул плащ между ветвями и привязал его к ним полосками шарфа. Получилось что-то вроде гамака, в котором мог поместиться взрослый человек.

Морис знал, что койоты не умеют лазить по деревьям и что, устроившись на этой висячей постели, он может совершенно спокойно наблюдать за их стараниями добраться до него.

Он устроил это приспособление, так как был уверен, что койоты вернутся. И действительно, вскоре они снова показались из чащи: они выходили с опаской и, сделав шаг-два, останавливались, чтобы осмотреться, а затем продолжали подкрадываться к месту недавней битвы.

Убедившись, что собаки нет, они скоро собрались всей стаей. Морис стал свидетелем проявления отвратительной жестокости этих трусливых животных.

Сначала они с противоестественной жадностью пожрали трупы своих погибших собратьев; это было проделано с такой быстротой, что зритель, наблюдавший с дерева, вряд ли успел бы сосчитать до двадцати.

Потом внимание койотов привлек человек. Подвешивая свой гамак, мустангер не пытался замаскировать его — он подвесил его достаточно высоко, и ему казалось, что другие меры предосторожности не нужны.

Темный плащ с лежащим в нем человеком бросался в глаза.

По-видимому, вкус крови еще больше раздразнил аппетит хищников, и они стояли теперь под деревом, облизываясь после своего страшного обеда. Это было отвратительное зрелище.

Морис почти не обращал на них внимания, даже когда койоты подпрыгивали, пытаясь вцепиться в него или подняться по стволу дерева. Он был уверен, что ему ничего не грозит.

Однако существовала опасность, о которой он забыл.

Он вспомнил о ней, только когда койоты отказались от бесплодных попыток и, тяжело дыша, улеглись под деревом.

Из всех зверей, обитающих в прерии и зарослях чапараля, койот — самый хитрый. Охотники скажут вам, что «хитрее этой твари нет». Он хитер, как лиса, и свиреп, как волк. Его можно приручить, но в любое время он готов укусить руку, которая ласкает его. Ребенок может прогнать его палкой, но он не колеблясь нападет на раненого или обессиленного путника. В одиночку он пуглив, как заяц; но в стае, — а они всегда нападают стаей, — его трусость не так заметна. Порой, сильно изголодавшись, койот проявляет свирепость, которую можно принять за храбрость.

Но самое страшное в койоте — его хитрость; вспомнив об этом, мустангер начал тревожиться.

Когда хищники поняли, что им не добраться до человека, — а на это потребовалось немного времени, — стая не разбежалась, но уселась на траве; а из зарослей выбегали все новые койоты. Не оставалось сомнений, что они решили взять его измором.

Казалось, это не должно было бы встревожить мустангера, поскольку они не могли добраться до гамака.

Он бы и не беспокоился, если бы ему снова не захотелось пить.

Он рассердился на себя за свою непредусмотрительность: почему он не подумал об этом, прежде чем забраться на дерево! Взять с собой запас воды было бы нетрудно. Ручей был рядом, а вогнутые листья агавы могли послужить сосудами.

Но теперь было уже поздно. Вода у подножия дерева дразнила его, и жажда от этого становилась еще мучительнее. Добраться до ручья он мог только через кольцо койотов, а это означало верную смерть. Он почти не надеялся, что собака вернется и второй раз спасет его; и совсем не надеялся на то, что записка попадет в руки человеку, которому она предназначалась. Было сто шансов против одного, что этого не случится.

После большой потери крови жажда бывает особенно сильной. Муки несчастного становились все нестерпимее. Долго ли суждено им продолжаться?

На этот раз у мустангера начался бред. Ему казалось, что уже не сто, а целая тысяча волков окружает дерево. Они придвигались все ближе и ближе. Глаза их горели страшным огнем. Красные языки касались плаща, в ткань впивались острые зубы. Раненый уже чувствовал зловонное дыхание хищников...

В минуту просветления он понял, что все это галлюцинация: койоты, которых по-прежнему было только сто, продолжали лежать на траве, ожидая развязки. Она наступила прежде, чем у мустангера снова начался бред. Он увидел, что все койоты внезапно вскочили и убежали в чащу.

Было ли это галлюцинацией? Нет, теперь он не бредил.

Что же могло спугнуть их?

Морис радостно вскрикнул. Наверно, вернулась Тара. А может быть, с ней и Фелим. Ведь времени прошло достаточно, чтобы собака успела доставить записку. Койоты сторожили его уже больше двух часов.

Морис приподнялся и, перегнувшись через сук, окинул взглядом поляну. Ни собаки, ни слуги не было видно. Ничего, кроме ветвей и кустов.

Он прислушался. Ни звука, кроме завывания койотов, которые, очевидно, все еще продолжали отступать. Уж не бредит ли он снова? Что могло обратить их в бегство?

Но все равно дорога свободна. Теперь можно было подойти к ручью. Вода сверкала перед его глазами. Ее журчание ласкало слух.

Он спустился с дерева и, пошатываясь, направился к берегу.

Но, прежде чем наклониться к воде, Морис еще раз оглянулся. Даже мучительная жажда не заставила его забыть загадку, которую он пытался разрешить. Как объяснить эту внезапную перемену?

По-прежнему надеясь, что койотов испугала собака, он все-таки испытывал тревогу. Предчувствие его не обмануло. Среди зелени блеснула желтая пятнистая шкура. Длинное гибкое тело выползало из кустов, изгибаясь, как змея. Сомнений не оставалось — это был «тигр» Нового Света, внушающий не меньший ужас, чем его азиатский родич — ягуар.

Его появление объяснило, почему разбежались койоты.

Намерения хищника были очевидны: он тоже почуял кровь и спешил к месту, где она была пролита.

Ягуар не спускал глаз с человека; он шел прямо на него сначала медленно, припадая к земле, потом быстрее и быстрее, готовясь к прыжку.

Взбираться на дерево было бесполезно: ягуар лазает по деревьям, как кошка. Мустангер знал это.

Впрочем, все равно было поздно. Зверь уже оказался между мустангером и деревом, которое служило ему убежищем, а другого подходящего вблизи не было.

Но Морис и не думал об этом; он вообще потерял способность мыслить — отчасти от потрясения, отчасти потому, что его мозг был затуманен лихорадкой.

Чисто инстинктивно он бросился прямо в ручей и остановился, только когда вода дошла ему до пояса.

Если бы Морис мог рассуждать, он понял бы, что это бесполезно, — ведь ягуар не только лазает по деревьям, как кошка, но и плавает, как выдра. Он так же опасен в воде, как и на суше.

Морис не думал об этом. Он только бессознательно чувствовал, что мелкий ручей едва ли спасет его. Он перестал в этом сомневаться, когда ягуар, дойдя до воды, подобрался, готовясь к прыжку.

Морис в отчаянии ждал.

Защищаться он не мог: у него не было ни ружья, ни револьвера, ни ножа, ни даже костыля. В рукопашной схватке с хищником его ждала неминуемая гибель.

Дикий крик вырвался у несчастного, когда он увидел, что пятнистый зверь взвился в воздух.

Одновременно раздался визг ягуара, и, промахнувшись, зверь тяжело упал в воду.

На крик мустангера, точно эхо, ответил крик из зарослей, но еще раньше прозвучал сухой треск выстрела.

Огромная собака выскочила из кустов и прыгнула в ручей, туда, где исчез под водой ягуар. К берегу быстро приближался человек гигантского роста. Другой, поменьше, следовал за ним, оглашая воздух торжествующими возгласами.

Раненому показалось, что он бредит, а потом его сознание окончательно помутилось. Он хотел задушить ласкавшегося к нему верного пса и отбивался от сильных объятий друга, который поднял его и бережно вынес на берег.

Страшная действительность сменилась для него ужасами горячечных кошмаров.

Глава LIV

ПАЛАНКИН ПРЕРИИ

Это Зеб Стумп вынес мустангера на берег.

Прочитав записку, старый охотник поспешил к месту, которое было в ней указано.

К счастью, он подоспел на расстояние ружейного выстрела как раз в ту секунду, когда ягуар готовился прыгнуть.

Пуля не остановила прыжка страшного хищника — его последнего прыжка, — хотя и попала прямо в сердце.

Но это выяснилось потом, — пока надо было думать о другом. Когда старый охотник бросился в воду, чтобы убедиться, что его выстрел был смертельным, он сам подвергся нападению; но в него вцепились не когти ягуара, а руки человека, которого он только что спас.

Правда, нож мустангера остался на берегу; но безумец чуть не задушил Зеба. Охотнику пришлось бросить ружье и собрать все свои силы, чтобы отразить неожиданное нападение.

Борьба продолжалась довольно долго. Наконец Зебу удалось схватить молодого ирландца в свои сильные объятия и отнести на берег.

Но на этом дело не кончилось; как только Морис почувствовал себя свободным, он кинулся к гикори с такой быстротой, словно больная нога больше не мешала ему.

Охотник угадал его намерение. Благодаря своему высокому росту он увидел окровавленный нож, лежавший на плаще. За ним-то и бежал мустангер.

Зеб бросился вдогонку; еще раз схватил он безумца в свои медвежьи объятия и оттащил его от дерева.

— Лезь на дерево, Фелим! — закричал Зеб. — И скорее спрячь нож. Парень лишился рассудка. От него так и пышет жаром. У него горячка...

Фелим немедленно повиновался и, вскарабкавшись на дерево, взял нож.

Но борьба на этом не окончилась. Больной снова кинулся душить своего спасителя — он громко кричал, грозил и дико вращал глазами.

Минут десять длилась эта отчаянная схватка.

Наконец мустангер в полном изнеможении опустился на траву; по его телу пробежала судорожная дрожь, он глубоко вздохнул и затих, словно жизнь покинула его.

Фелим принялся громко причитать над ним.

— Перестань завывать, проклятый дурень! — закричал Зеб. — От одного твоего воя можно помереть. Это обморок. Он мне наставил таких синяков, что с ним уж наверно ничего серьезного нет... Ну конечно, — продолжал он, наклонившись над больным и внимательно осматривая его. — Я не вижу ни одной опасной раны. Правда, колено сильно распухло, но кость цела, иначе он не смог бы ступить на ногу. А все остальное пустяки — царапины. Только откуда они? Ведь ягуар его не задел! Пожалуй, они больше похожи на следы когтей домашней кошки. А, все понятно! Прежде чем сюда явился ягуар, парню пришлось отбиваться от койотов. Кто бы подумал, что у этих трусливых тварей хватит храбрости напасть на человека! А вот нападают, если им встретится калека вроде него, — черт бы их побрал!

Охотник разговаривал сам с собой, потому что Фелим, обрадованный тем, что хозяин не только не умер, но и вообще вне опасности, перестал причитать и с ликующими возгласами, прищелкивая пальцами, пустился в пляс.

Его радостное возбуждение передалось и Таре. Вдвоем с Фелимом они исполнили что-то вроде залихватской ирландской джиги.

Зеб не обращал внимания на это комическое представление; он еще раз наклонился над неподвижно лежащим мустангером и снова стал его осматривать.

Убедившись, что опасных ран нет, Зеб Стумп поднялся и начал рассматривать валявшиеся на земле вещи. Он обратил внимание на панаму, которая все еще оставалась на голове мустангера, и у него появилась странная мысль.

Шляпы из гуакильской травы, неправильно называемые панамами, не были редкостью в этих местах. Но охотник знал, что молодой ирландец обычно носил мексиканское сомбреро — головной убор совершенно другого типа. Впрочем, мустангер мог изменить своей привычке.

Однако Зебу показалось, что он уже видел эту шляпу раньше, но на другой голове.

Он наклонился и взял ее в руки — конечно, не из желания проверить, честным ли путем досталась она ее теперешнему владельцу. Ему хотелось найти разгадку тайны или, вернее, целого ряда таинственных происшествий, над которыми он тщетно ломал голову. Заглянув внутрь панамы, охотник заметил клеймо фабриканта шляп в Новом Орлеане и надпись, сделанную от руки: «Генри Пойндекстер».

Теперь он стал исследовать плащ. На нем Стумп тоже увидел приметы, доказывавшие, что он принадлежал тому же владельцу.

— Очень странно! — пробормотал старик, глядя на землю и глубоко задумавшись. — Шляпы, головы и все прочее... Шляпы не на тех головах, головы не на своих местах! Ей-богу, здесь что-то нечисто! Если бы у меня не ныл синяк, который мне поставил под левым глазом этот молодец, я бы, пожалуй, усомнился, на месте ли мой собственный череп. От него ждать объяснений сейчас не приходится, — добавил Зеб, взглянув на Мориса. — Разве только после того, как у него пройдет горячка. А кто знает, когда это будет?.. Ладно, — продолжал охотник после некоторой паузы. — Здесь больше делать нечего. Его надо доставить в хижину. Он писал, что не может сделать ни шагу. Это только горячка придала ему сил, да и то ненадолго. Нога еще больше распухла. Придется его нести...

Охотник, казалось, задумался, как это осуществить.

— Этот все равно ничего не придумает, — продолжал он, взглянув на Фелима, который весело болтал с Тарой. — У пса больше мозгов, чем у него. Ну да ладно. Зато нести будет он — придется ему попотеть. Как же тут быть? Надо положить его на носилки. Пара шестов и плащ или одеяло, которое захватил Фелим, — вот и готово. Да, так и сделаем. Носилки — это как раз то, что нам сейчас нужно.

Теперь ирландец был призван на помощь.

Они срезали и обстругали два деревца, каждое футов десять длиной, поперек них привязали еще два, покороче, сверху растянули сначала одеяло, а потом плащ.

Таким образом были сооружены простые носилки, способные выдержать больного или пьяного.

И надо признаться, мустангер больше напоминал пьяного, потому что он снова начал буйствовать и его пришлось привязать к носилкам.

Эти носилки несли не два человека, как обычно, а человек и лошадь. Передние концы шестов были привязаны к кобыле Зеба, а задние поддерживал Фелим, которому, как и обещал старый охотник, «пришлось попотеть».

Сам же Зеб шел впереди, избрав более легкую роль — вожатого.

Такой способ передвижения нельзя было назвать новым изобретением. Зеб соорудил грубое подобие мексиканского паланкина, который ему, наверно, приходилось видеть на юге Техаса. Разница была лишь в том, что в данном случае отсутствовал обычный балдахин и вместо двух мулов в упряжке шли человек и кобыла.

В этом импровизированном паланкине Морис Джеральд был доставлен в свою хижину.

Уже спустилась ночь, когда эта странная процессия добралась до хакале мустангера.

Сильные, но нежные руки охотника бережно перенесли раненого на его постель из лошадиных шкур.

Мустангер не понимал, где он находится, и не узнавал друзей, склонившихся над ним. Он все еще бредил, но больше не буйствовал. Жар немного спал.

Он не молчал, но и не отвечал на обращенные к нему ласковые вопросы; а если и отвечал, то до смешного нелепо; однако слова его были настолько страшны, что не только не вызывали улыбки, а наводили на грустные мысли.

Друзья мустангера как умели перевязали его раны, и теперь оставалось только ждать наступления утра.

Фелим улегся спать, а Зеб остался у постели мустангера.

Обвинять Фелима в эгоизме было бы несправедливо; его послал спать Зеб, заявив, что нет смысла сидеть около больного вдвоем.

У старого охотника были для этого свои соображения. Он не хотел, чтобы бред больного слышал кто-нибудь, кроме него, — даже Фелим.

И никто, кроме него, не слышал, о чем всю ночь напролет бредил мустангер.

Старый охотник слышал слова, которые его удивляли, и совсем не удивлявшие его имена. Для него не было неожиданностью, что мустангер то и дело повторял имя Луизы, сопровождая его любовными клятвами.

Но часто с уст больного срывалось и другое имя, и тогда речь его становилась иной.

Это было имя брата Луизы.

И слова, сопровождавшие его, были мрачными, бессвязными, почти бессмысленными.

Зеб Стумп сопоставлял все слышанное с уже известными ему фактами, и, прежде чем дневной свет проник в хакале, он уже не сомневался, что Генри Пойндекстера нет в живых.

Глава LV
ДЕНЬ НОВОСТЕЙ

Дон Сильвио Мартинес был одним из немногих мексиканских богачей, не покинувших Техас после захвата страны американцами.

Он мало интересовался политикой, был человеком миролюбивым, уже пожилым и довольно легко примирился с новым положением вещей. Переход в новое подданство, по его мнению, более чем окупался безопасностью от набегов команчей, опустошавших страну до прихода новых поселенцев.

Дикари, правда, не были еще окончательно усмирены, но нападения их стали гораздо реже. Это было уже значительным достижением по сравнению с прошлым.

Дон Сильвио был «ганадеро» — крупным скотоводом. Его пастбища простирались на много миль в длину и ширину, а его табуны и стада исчислялись тысячами голов.

Он жил в длинном, прямоугольном одноэтажном доме, скорее напоминавшем тюрьму, чем жилое здание. Со всех сторон асиенда была окружена загонами для скота — коралями.

Старый владелец асиенды, убежденный холостяк, вел спокойную и уединенную жизнь. С ним жила его старшая сестра. Только когда к ним в гости с берегов Рио-Гранде приезжала их хорошенькая племянница, тихая асиенда оживала.

Исидоре здесь всегда были рады; она приезжала и уезжала, когда ей заблагорассудится, и в доме дяди ей позволяли делать все, что вздумается. Старику нравилась жизнерадостность Исидоры, потому что он сам был далеко не мрачным человеком. Те черты ее характера, которые в других странах могли бы показаться неженственными, были естественны в стране, где загородный дом сплошь и рядом превращался в крепость, а домашний очаг орошался кровью его хозяев.

Дон Сильвио Мартинес сам провел бурную молодость среди опасностей и тревог, и храбрость Исидоры, порой граничащая с безрассудством, не только не вызывала его неудовольствия, но, наоборот, нравилась ему.

Старик любил свою племянницу, как родную дочь. Никто не сомневался, что Исидора будет наследницей всего его имущества. Неудивительно, что все слуги асиенды почитали ее, как будущую хозяйку. Впрочем, ее уважали не только за это: ее беззаботная смелость вызывала всеобщее восхищение, и в поместье нашлось бы немало молодых людей, которые, пожелай она этого, не остановились бы и перед убийством.

Мигуэль Диас говорил правду, когда утверждал, что ему грозит опасность. У него для этого были все основания. Если бы Исидоре вздумалось послать вакеро своего дяди, чтобы они повесили Диаса на первом попавшемся дереве, это было бы исполнено без промедления.

Неудивительно, что он так торопился уехать с поляны.

Как уже упоминалось, Исидора жила по ту сторону Рио-Гранде, милях в шестидесяти от асиенды Мартинеса. Это, однако, не мешало ей часто навещать своих родственников на Леоне.

Она ездила сюда не из корыстных соображений. Она не думала о наследстве — ее отец был тоже очень богат. Она просто любила дядю и тетку. Кроме того, ей нравились поездки от одной реки к другой; она нередко проезжала это расстояние за один день и часто без провожатых.

За последнее время Исидора стала все чаще гостить на Леоне. Не потому ли, что она еще больше привязалась к техасским родственникам и хотела утешить их старость? Или, быть может, что-нибудь другое влекло ее туда?

Ответим с той же прямотой, которая была свойственна характеру Исидоры. Она приезжала на Леону в надежде встретиться с Морисом Джеральдом. Столь же откровенно можно сказать, что она любила его. Возможно, из-за дружеской услуги, которую он ей оказал когда-то; но вернее будет предположить, что сердце отважной Исидоры покорила смелость, которую он тогда проявил.

Хотел ли он ей понравиться — кто знает... Он отрицал это, но трудно поверить, чтобы кто-нибудь мог взглянуть в глаза Исидоры равнодушно.

Морис, быть может, сказал правду. Но нам было бы легче поверить ему, если бы он встретился с Луизой Пойндекстер прежде, чем познакомился с Исидорой.

Однако, судя по всему, у мексиканской сеньориты есть основания предполагать, что Морис к ней неравнодушен.

Исидора больше не находит себе покоя. Ее горячий характер не терпит неопределенности. Она знает, что любит мустангера. Она решила признаться в своей любви и потребовать прямого ответа: любима она или нет? Поэтому она и назначила Морису Джеральду свидание, на которое он не мог приехать.

Этому помешал Мигуэль Диас.

Так думала Исидора, когда она оставила поляну и помчалась к асиенде своего дяди.

Исидора гонит серого коня галопом.

Ее голова обнажена, прическа растрепалась; густые черные волосы рассыпались по плечам, не прикрытым ни шарфом, ни серапе. Последнее она забыла на поляне вместе с сомбреро.

Ее глаза возбужденно блестят; щеки разгорелись ярким румянцем.

Мы знаем теперь почему.

Понятно также, почему она едет с такой быстротой: она сама об этом сказала. Приближаясь к дому, Исидора натягивает поводья. Лошадь замедляет бег, идет рысью, потом шагом и наконец останавливается посреди дороги.

По-видимому, всадница изменила свои намерения или остановилась, чтобы обдумать свои планы. Исидора размышляет.

«Пожалуй, лучше его не трогать. Это вызовет скандал. Пока никто ничего не знает о... к тому же я единственный свидетель. Ах, если бы я могла рассказать обо всем любезным техасцам, то одних моих показаний было бы достаточно, чтобы жестоко наказать его! Но пусть он живет. Он негодяй, но я не боюсь его. После того, что произошло, он не посмеет подойти ко мне близко. Пресвятая Дева! И как только я могла хотя бы на минуту им увлечься!.. Надо послать кого-нибудь освободить его.

Человека, который сохранил бы мою тайну. Бенито, управляющего. Он отважный и верный человек. Слава Богу, вон он! Как всегда, считает скот».

— Бенито! Бенито!

— К вашим услугам, сеньорита.

— Бенито, мой друг, я хочу просить тебя об одном одолжении. Ты не откажешься помочь мне?

— Рад исполнить ваше распоряжение, — отвечает мексиканец, низко кланяясь.

— Это не распоряжение: я прошу оказать мне услугу.

— Приказывайте, сеньорита.

— Ты знаешь то место на вершине холма, где сходятся три дороги?

— Так же хорошо, как корали асиенды вашего дядюшки.

— Прекрасно. Отправляйся туда. Ты найдешь там на земле человека — руки у него связаны лассо. Освободи его, и пусть идет на все четыре стороны. Если он ушибся, то помоги ему как можешь. Только не говори, кто тебя послал. Может быть, ты его знаешь? Пожалуй, да, но это неважно. Ни о чем не спрашивай его. И не отвечай на его вопросы, если он вздумает тебя расспрашивать. Как только он встанет, пусть убирается куда хочет. Ты понял меня?

— Да, сеньорита. Ваши распоряжения будут выполнены в точности.

— Спасибо, друг Бенито. Еще одна просьба: о том, что ты для меня сделаешь, должны знать только трое, больше никто. Третий — это тот человек, к которому я тебя посылаю. Остальных двух ты знаешь.

— Понимаю, сеньорита. Ваша воля для меня закон.

Бенито отъезжает верхом на лошади, хотя об этом можно было бы и не упоминать, потому что люди его профессии редко ходят пешком, даже если им предстоит путь всего в одну милю.

— Подожди! Еще одно! — окликает его Исидора. — Ты увидишь там серапе и шляпу — захвати их с собой. Они мои. Я тебя подожду здесь или встречу на дороге.

Поклонившись, Бенито отъезжает. Но его опять останавливают:

— Я передумала, сеньор Бенито, — я решила ехать с тобой.

Управляющий дона Сильвио уже привык к капризам племянницы своего хозяина. Он беспрекословно повинуется и снова поворачивает лошадь к холму.

Девушка следует за ним. Она сама велела ему ехать впереди. На этот раз у нее есть основания не придерживаться аристократического обычая.

Но Бенито ошибся. Сеньорита Исидора сопровождает его не из-за каприза: у нее для этого есть серьезные причины. Она забыла не только свое серапе и шляпу, но и записку, доставившую ей столько неприятностей.

Об этом Бенито не должен знать — она не может доверить ему всего. Эта записка вызовет скандал, более неприятный, чем ссора с доном Мигуэлем Диасом.

Она возвращается в надежде забрать с собой письмо. Как глупо, что она раньше об этом не подумала...

Но как попало письмо в руки Эль-Койота? Он мог получить его только от Хосе!

Значит, ее слуга — предатель? Или же Диас, повстречавшись с ним, силой заставил его отдать письмо?

То и другое правдоподобно.

От Диаса вполне можно ожидать такого поступка; что же касается Хосе, то уже не в первый раз у нее есть основания подозревать его в вероломстве.

Так размышляет Исидора, поднимаясь по склону холма.

Наконец они уже на вершине и въезжают на поляну; Исидора теперь едет рядом с Бенито.

Мигуэля Диаса на поляне нет — там вообще никого нет, и — что огорчает ее гораздо больше — нигде не видно записки. На траве лежат ее сомбреро, ее серапе, обрывок ее лассо — и больше ничего.

— Ты можешь вернуться домой, сеньор Бенито. Человек, который упал с лошади, наверно, уже пришел в себя и, по-видимому, уехал. И очень хорошо. Но не забывай, друг Бенито, что все должно остаться между нами. Понимаешь?

— Понимаю, донья Исидора.

Бенито уезжает и скоро скрывается за гребнем холма.

Исидора одна на поляне.

Она соскакивает с седла, набрасывает на себя серапе, надевает сомбреро и снова превращается в юного идальго. Медленно садится она в седло; мысли ее, по-видимому, витают где-то далеко.

В эту секунду на поляне появляется Хосе. Она немедленно спрашивает его:

— Что ты сделал с письмом, плут?

— Я доставил его, сеньорита.

— Кому?

— Я оставил его в.. в гостинице, — говорит он, запинаясь и бледнея. — Дона Морисио я не застал.

— Это ложь, мерзавец! Ты отдал его дону Мигуэлю Диасу. Не отрицай! Я видела это письмо в его руках.

— О сеньорита, простите, простите! Я не виноват, уверяю вас, я не виноват!

— Глупец, ты сам себя выдал. Сколько заплатил тебе дон Мигуэль за твою измену?

— Клянусь вам, госпожа, это не измена! Он... он... заставил меня... угрозами, побоями. Мне... мне ничего не заплатили.

— Тогда я тебе заплачу. Больше ты у меня не служишь. А в награду вот тебе — вот и вот!

Раз десять повторяет она эти слова, и каждый раз ее хлыст опускается на плечи слуги.

Он пробует бежать. Напрасно! Она нагоняет его, и он останавливается из страха попасть под копыта разгоряченной лошади.

Только когда на смуглой коже появляются синие рубцы, истязание кончается.

— А теперь убирайся! И не попадайся мне больше на глаза. Пошел прочь!

Как испуганная кошка, Хосе убегает с поляны; он рад, что может скрыть свой позор в колючих зарослях.

Исидора тоже недолго остается на поляне — ее гнев сменяется глубокой печалью. Ей не только не удалось осуществить свое намерение, но ее сердечная тайна попала в руки предателей.

Она снова едет домой.

Вокруг асиенды царит смятение.

Пеоны, вакеро и слуги асиенды мечутся между полем, коралем и двором и в ужасе кричат.

Мужчины вооружаются. Женщины на коленях взывают к Небесам о защите.

— Что случилось? — с недоумением спрашивает Исидора у попавшегося навстречу управляющего.

— Где-то в прерии убили человека, — отвечает он. — Убит американец, сын плантатора, недавно поселившегося в асиенде Каса-дель-Корво. Говорят, это дело рук индейцев.

Индейцы!

Это слово объясняет смятение, охватившее слуг дона Сильвио.

Тот факт, что кого-то убили — весьма незначительное происшествие в этой стране необузданных страстей, — не вызвал бы такого волнения, особенно если убит чужой — «американо».

Но весть о том, что появились индейцы, — это уже совсем другое дело. Это — опасность.

На Исидору эти новости производят совсем другое впечатление. Она не боится дикарей. Но имя погибшего вызывает воспоминания о мучительных подозрениях. Она знает, что у него есть сестра, которую все считают замечательной красавицей. Она сама видела ее и должна была признать, что это правда.

Но мучит ее другое: говорят, что эту несравненную красавицу видели в обществе Мориса Джеральда. И, услышав о смерти ее брата, Исидора снова вспомнила свои ревнивые подозрения.

Но скоро это чувство уступает место тому равнодушию, с которым мы обычно относимся к судьбе незнакомых нам людей.

Проходит несколько часов, и равнодушие сменяется мучительным интересом — точнее, страшными предчувствиями. Распространяются новые слухи. Убийство совершено не команчами, а *Морисом-мустангером*! Индейцев же поблизости нет.

Эти новые сведения успокаивают слуг дона Сильвио, но оказывают совсем другое действие на его племянницу. Она не находит себе места. Полчаса спустя Исидора останавливает свою лошадь около дверей гостиницы Обердофера.

Уже несколько недель по неизвестным причинам Исидора усердно изучала «язык американцев». Ее запас английских слов, хотя еще и очень скудный, оказывается достаточным для того, чтобы расспросить — не об убийстве, но о предполагаемом убийце.

Хозяин, зная, кто перед ним, отвечает на ее вопросы с заискивающей вежливостью. Она узнает, что Морис Джеральд уже выехал из гостиницы, а кроме того, выслушивает все известные подробности убийства.

С печалью в сердце возвращается мексиканка на асиенду своего дяди. Там опять царит смятение. Причина нового беспокойства может показаться смешной, но суеверные пеоны придерживаются другого мнения.

Их встревожил новый невероятный слух: где-то около реки Нуэсес видели человека без головы, который ехал по прерии верхом. Несмотря на кажущуюся нелепость этого слуха, сомневаться не приходится. Об этом знает весь поселок, а кроме того, пастухи дона Сильвио, искавшие заблудившийся скот, сами видели страшного всадника и, бросив поиски, помчались прочь от него, как будто это был дьявол.

Все три пастуха готовы поклясться, что они говорят правду. Но их испуганный вид лучше любой клятвы. К вечеру вся асиенда полна страшными слухами.

Но ничто не может остановить капризную племянницу дона Сильвио, которая, несмотря на уговоры дяди и тетки, решила вернуться на Рио-Гранде. Ее не пугает, что в прерии, через которую лежит ее путь, убили человека. Еще меньше беспокоит ее призрак всадника без головы, которого видели там. То, что пугает большинство, Исидоре кажется только интересным.

Она собирается ехать одна. Дон Сильвио предлагает ей охрану из десяти вооруженных до зубов вакеро.

Исидора отказывается наотрез.

Не возьмет ли она с собой Бенито?

Нет, она предпочитает ехать одна. Она так решила.

На следующее утро Исидора отправляется в путь. Едва рассвело, она уже в седле. Не проходит и двух часов, как она приближается, но не к берегам Рио-Гранде, а к берегу Аламо.

Почему она сделала такой крюк? Не заблудилась ли она?

Нет, заблудившийся путник выглядит совсем иначе. Правда, ее лицо печально, но на нем не заметно растерянности. Да и лошадь ее бежит вперед уверенно, подчиняясь руке седока.

Нет, Исидора не заблудилась. Она знает дорогу.

Лучше было бы для нее, если бы она заблудилась...

Глава LVI

ВЫСТРЕЛ В ДЬЯВОЛА

Всю ночь больной не сомкнул глаз. Он то затихал, то метался в безумном бреду.

Всю ночь старый охотник не отходил от него и слушал его бессвязные речи.

Услышанное только подтвердило его предположение о том, что Морис влюблен в Луизу и что ее брат убит!

Последнее в любом случае опечалило бы старого охотника, но в соединении со всеми известными ему фактами, еще и встревожило его.

Он думал о ссоре... шляпе... плаще... Мысли Зеба метались в лабиринте ужасных догадок. Никогда в жизни не был он так сбит с толку. Он застонал, чувствуя свое бессилие.

Он не следил за дверью, так как знал, что если «регулярники» и придут, то, во всяком случае, не ночью.

Только один раз он вышел: это было под утро, когда лунный свет уже смешивался с первыми лучами зари.

Он вышел потому, что его встревожил протяжный, заунывный вой Тары, бродившей среди зарослей; через секунду собака испуганно вбежала в хижину.

Погасив свечу, Зеб тихонько вышел и стал прислушиваться.

Ночные голоса леса молчали — не оттого ли, что завыла собака? Но почему она завыла?

Охотник сначала взглянул на лужайку перед домом, потом на опушку леса, затем стал всматриваться в темную стену деревьев. Ничего особенного он не заметил — все было, как всегда.

Мрачными контурами выделялся утес на фоне неба, по бокам его чернели вершины деревьев. Между силуэтами вершин виднелся просвет шагов в пятьдесят, — охотник знал, что это край верхней равнины.

Луна ярко освещала край обрыва, и на фоне неба даже змея, казалось, не могла бы проползти незамеченной.

Но и там никого не было видно.

Но зато кое-что можно было услышать. Со стороны равнины донесся тихий звук — как будто лошадь ударила подковой о камень.

Так решил Зеб, напряженно прислушивавшийся, не повторится ли звук.

Он не повторился; но старый охотник не ошибся в своем предположении — из-за вершин деревьев показалась лошадь, идущая вдоль обрыва.

На лошади сидел человек. И лошадь и всадник темными силуэтами вырисовывались на светлеющем небе. Лошадь была безупречна, как изваяние тончайшей работы. Очертания всадника были видны только от седла и до плеч; ноги терялись в тени животного; однако поблескивающие шпоры и стремена показывали, что ноги у всадника были. Но над плечами не было ничего.

Зеб Стумп протер глаза и посмотрел, снова протер и снова посмотрел, но видение оставалось все тем же. Если бы он повторил это восемьдесят раз, то все равно перед глазами его была бы все та же фигура — всадник без головы.

Сомневаться было невозможно. Он видел, как лошадь шла по краю обрыва медленным, но уверенным шагом; однако топота ее копыт не было слышно, словно она не шла, а скользила, как силуэт в театре теней.

Это видение не было мимолетным: Зеб довольно долго смотрел на него — во всяком случае, достаточно долго, чтобы разглядеть все до мелочей, достаточно долго, чтобы убедиться, что это не мираж, не обман зрения, не иллюзия.

Оно исчезало медленно и постепенно: сначала скрылась голова лошади, потом ее шея, передняя часть корпуса, потом всадник — призрачный, чудовищный образ, — и, наконец, круп лошади и ее длинный развевающийся хвост.

— Иосафат!

Это восклицание сорвалось с уст Зеба Стумпа не потому, что он был удивлен исчезновением всадника. В нем не было ничего странного. Призрак скрылся за кулисами — другими словами, за верхушками деревьев, поднимающимися над обрывом.

— Иосафат!

Дважды вырвался у охотника его любимый возглас, и оба раза с выражением безграничного изумления и ужаса.

О чувствах охотника легко было догадаться и по его виду: несмотря на всю его храбрость, он вздрогнул, и даже губы, коричневые от табачного сока, побелели.

Некоторое время Зеб стоял совершенно безмолвно, точно онемев.

Наконец он снова обрел дар речи.

— Черт побери! — пробормотал он очень тихо, все еще не отводя глаз от того места, где только что исчез лошадиный хвост. — Ирландец все-таки был прав. Я думал, что это ему спьяну почудилось! Но нет! Он на самом деле видел, так же как и я. Неудивительно, что малый испугался. У меня у самого до сих пор все поджилки трясутся. Иосафат! Что же это может быть?.. Что же это может быть? — повторил Зеб после некоторого раздумья. — Пожалуй, я добьюсь разгадки! Будь это днем или если бы он был ближе, я бы мог хорошенько рассмотреть его. А почему бы мне не подойти к нему поближе? Черт побери, попробую. Не съест же он меня, если даже это сам дьявол! А если это действительно дьявол, то я еще проверю, нельзя ли выбить черта из седла пулей. Что же, пойдем и познакомимся с этой нечистью, кто бы он ни был.

С этими словами охотник направился к тропинке, которая вела к обрыву.

Ему не нужно было возвращаться за ружьем — он захватил его, когда выскочил из хижины, услышав вой собаки.

Если всадник без головы был существом из плоти и крови, а не выходцем с того света, Зеб Стумп вполне мог рассчитывать на новую встречу с ним.

Когда охотник смотрел на него из дверей хакале, всадник ехал прямо к лощине, по которой можно было спуститься с верхней равнины в долину Аламо. Зеб пошел по той же тропе, рассчитывая встретиться с всадником без головы на краю обрыва, если только тот не переменит направления или не перейдет со своей спокойной иноходи на галоп.

Охотник быстро прикинул, какое расстояние ему надо будет преодолеть и сколько потребуется для этого времени.

Его расчет оказался точным. Когда его голова была почти на уровне равнины, он увидел возвышающиеся над ней плечи всадника.

Еще один шаг вверх по тропе — и открылась вся фигура всадника.

Еще шаг — и лошадь вырисовалась на фоне неба от челки до копыт.

Лошадь остановилась над самым обрывом, видимо собираясь опуститься вниз. Наверно, всадник из осторожности натянул поводья? Или она услышала шаги охотника? Вероятнее всего, она его почуяла.

Как бы то ни было, она стояла прямо перед охотником.

Увидев этот странный силуэт, Зеб остановился. У всякого другого на его месте, наверно, волосы поднялись бы дыбом.

Даже у Зеба «мурашки побежали по спине», как он сам потом признался.

Однако охотник твердо решил выполнить намерение, которое привело его сюда: узнать, кто это — человек или дьявол.

Не теряя времени, Зеб вскинул ружье к плечу; его взгляд скользил вдоль ствола; луна светила так ярко, что можно было прицелиться прямо в грудь всадника без головы.

Еще мгновение — и пуля пронзила бы его сердце; но у охотника вдруг мелькнула мысль:

«А что, если это будет убийство?»

Зеб опустил ружье и минуту колебался.

— Может, это человек? — пробормотал он. — Хотя что-то не похоже... Вряд ли под этой мексиканской тряпкой хватит места для головы. Если это в самом деле человек, то у него, я полагаю, должен быть язык, только где он может помещаться — не знаю... Эй, незнакомец! Поздненько же вы катаетесь! И где это вы забыли свою голову?

Ответа не последовало. Только лошадь фыркнула, услышав человеческий голос. И все.

— Вот что, незнакомец! С вами разговаривает старый Зеб Стумп из штата Кентукки. Он не из тех, над кем можно шутки шутить. Я хочу, чтобы вы объяснились начистоту. Карты на стол, а то потеряете и их и ставку! Ну, отвечайте же, или я выстрелю!

Снова никакого ответа. Даже лошадь только встряхнула головой, по-видимому уже привыкнув к голосу Зеба.

— И черт с тобой! — закричал охотник, выведенный из себя молчанием, которое показалось ему оскорбительным. — Даю тебе еще шесть секунд и, если ты мне не ответишь, я стреляю! Если ты чучело, то это тебе не повредит. А если дьявол, то тем более. Но ежели ты человек, а прикидываешься мертвецом, то заслуживаешь пули за такую дурь. Ну, отвечай! — продолжал он с возрастающим раздражением. — Отвечай, тебе говорят!.. Не хочешь? Ладно! Я стреляю! Раз, два, три, четыре, пять, шесть...

В ту секунду, когда должно было бы прозвучать «семь», если бы счет продолжался, раздался резкий треск выстрела, свист пули и затем глухой удар — это свинец попал во что-то твердое.

Выстрел, казалось, не дал никаких результатов — только лошадь испуганно заржала. Всадник же продолжал спокойно сидеть в седле.

Впрочем, и лошадь как будто не очень испугалась. В ее звучном ржании охотнику почудилась насмешка.

И все же она сорвалась с места и умчалась диким галопом, оставив Зеба в таком глубоком изумлении, какого ему еще не приходилось испытывать.

Несколько секунд после выстрела Зеб Стумп не поднимался с колена.

Если до выстрела у него по спине бегали мурашки, то теперь его пробрала холодная дрожь. Он был не только изумлен — он оцепенел от ужаса. Старый охотник был вполне уверен, что его пуля попала в сердце всадника или, во всяком случае, в то место, где у человека должно быть сердце.

Был ли это человек? Зеб решил, что нет. И эта мысль, быть может, успокоила бы его, если бы не лошадь, не дикое, сатанинское ржание, от которого у него до сих пор стыла кровь и он дрожал, как в лихорадке. Зеб хотел бежать, но не мог встать. И он продолжал стоять на одном колене, в полном оцепенении глядя вслед чудовищному всаднику, пока тот не исчез в залитых лунным светом просторах прерии. Только тогда он оправился настолько, что смог вернуться в хижину.

Лишь очутившись под ее кровом, он пришел в себя и смог спокойно подумать об этом странном происшествии. Он не сразу освободился от мысли, что видел самого дьявола. Но по здравом размышлении он пришел к выводу, что это невероятно. Но никакого другого объяснения ему найти не удалось.

— Вряд ли... — продолжал он все еще с сомнением в голосе, — вряд ли это может быть выходец с того света, — а то как бы я услышал, что пуля об него шлепнулась? Ясно, что свинец попал в какое-то тело, — а ведь духи бестелесные... Ладно! — закончил охотник, по-видимому отказавшись от попытки найти объяснение этому странному явлению. — Нечего больше ломать себе голову! Одно из двух: либо это чучело, набитое тряпками, либо сам сатана!

Когда Зеб вошел в хижину, вместе с ним туда прокрался голубой утренний свет.

Пора было будить Фелима, чтобы тот посидел с больным. Ирландец уже совсем протрезвился и, чувствуя себя немного виноватым, потому что долго спал, был рад принять на себя эту обязанность.

Но, прежде чем уступить ему место, старый охотник сам заново перевязал раны. Зебу были хорошо известны лечебные свойства растений. Вблизи рос кактус нопаль, сок которого — отличное средство для заживления ран. Старик знал, что, если приложить его к ране, она через сутки начнет затягиваться, а через три дня совсем заживет.

Как и большинство местных жителей, Зеб глубоко верил в целебные свойства кактусов, и, если бы поблизости был хоть десяток докторов, он не позвал бы к больному ни одного из них. Он был убежден, что Морису Джеральду не грозит опасность — по крайней мере, от ран.

9-2

Опасность была — но другая.

— Ну, мистер Фелим, — сказал Зеб, заканчивая перевязку, — мы сделали все, чтобы залечить раны, а теперь надо подумать, как бы накормить больного... Ты говоришь, что у тебя нет никакой еды?

— Хоть шаром покати, мистер Стумп. Хуже того: и выпить нечего — ни капли во всем доме.

— Это ты, негодяй, все вылакал! — сердито закричал Зеб. — Если бы не ты, виски хватило бы на все время, пока парень будет поправляться. Что же теперь делать?

— Вы зря меня обижаете, мистер Стумп. Я выпил только из маленькой фляги. Это индейцы осушили большую бутыль. Честное слово!

— Нечего врать-то! Ты бы не свалился только от того, что было в фляжке. Я слишком хорошо знаю твою ненасытную утробу, чтобы поверить этому. Ты немало хлебнул и из большой бутыли.

— Клянусь всеми святыми!

— Пошел ты к черту со своими святыми! В них только дураки верят... Ладно, хватит болтать! Ты высосал все виски — и дело с концом. За двадцать миль за ним не поедешь, а ближе нигде не достать. Придется обойтись без него.

— Как же теперь быть?

— Молчи и слушай, что я тебе скажу. Без выпивки мы обойдемся, но я не вижу смысла подыхать с голоду. Наш больной совсем отощал. Да и я так голоден, что готов съесть хоть койота, а уж от индюка подавно не отвернусь. Ты посиди около парня, а я отправлюсь на речку и посмотрю, не удастся ли чего подстрелить.

— Не беспокойтесь, мистер Стумп, я сделаю все, что надо. Честное слово...

— Замолчи и дай мне договорить!

— Ей-ей, больше ни словечка не скажу.

— Да заткнись же! Запомни хорошенько: если кто сюда забредет, пока меня нет, — дай мне знать. Только не теряй ни минуты.

— Можете быть уверены.

— Смотри же, не подведи!

— Не подведу; только как это сделать, мистер Стумп? Может, вы зайдете далеко и не услышите, как я буду кричать. Как же тогда?

— Вряд ли мне придется идти далеко — на заре дикого индюка у реки подстрелить нетрудно. А впрочем, как знать? — продолжал Зеб после минутного размышления. — Найдется ли у тебя в хижине ружье? Пистолет также годится.

— Ни того, ни другого нет. Хозяин взял их с собой. Должно быть, он оставил их в поселке.

— Плохо дело. Ведь я и в самом деле могу не услышать твоего крика.

Зеб уже переступил было порог, но потом остановился и задумался.

— Есть! — воскликнул он после некоторого размышления. — Придумал! Видишь мою старую кобылу?

— Как же не видеть, мистер Стумп? Конечно, вижу.

— Ладно. А колючие кактусы на краю поляны видишь?

— Вижу.

— Молодчина! Теперь слушай. Поглядывай за дверь. Если кто появится, пока меня нет, беги прямо к кактусу, срежь ветку, да выбирай поколючее, и ткни ее под хвост моей кобыле.

— Господи! Для чего же это?

— Ладно, придется объяснить тебе, — сказал Зеб в раздумье, — а то ты, чего доброго, все напутаешь. Видишь ли, Фелим, мне надо знать, если кто-нибудь сюда заглянет. Я далеко не пойду, но все же может случиться, что я тебя не услышу. Пусть кричит кобыла — у нее, пожалуй, голос погромче твоего. Понял, Фелим? Смотри же, сделай все, как я тебе сказал!

— Ей-же-ей, сделаю!

— Смотри не забудь. От этого может зависеть жизнь твоего хозяина.

С этими словами старый охотник закинул за плечо свое длинное ружье и вышел из хижины.

— А старик-то не дурак, — сказал Фелим, как только Зеб отошел на такое расстояние, что уже не мог слышать его голоса. — Но почему он опасается, что хозяину будет плохо, если сюда кто-то придет? Он даже сказал, что от этого будет зависеть его жизнь. Да, он так сказал. Он мне сказал, чтобы я поглядывал за дверь. Небось он хотел, чтобы я сразу это сделал. Так я пойду погляжу.

Фелим вышел на лужайку и окинул внимательным взглядом все тропы, которые вели к хижине.

Потом он вернулся и встал на пороге, как часовой.

Глава LVII
УСЛОВНЫЙ СИГНАЛ

Фелиму недолго пришлось стоять на страже. Не прошло и десяти минут, как он услышал стук копыт. Кто-то приближался к хижине.

У Фелима сильно забилось сердце.

Густые деревья мешали ему разглядеть всадника, и он никак не мог определить, что это за гость. Однако по топоту копыт он догадался, что едет кто-то один; но как раз это и напугало его. Он меньше встревожился бы, если бы услышал, что скачет отряд. Хотя он уже хорошо знал, что мустангер лежит в хижине, ему очень не хотелось снова встречаться со всадником, который был так похож на его хозяина, если не считать головы.

Сначала Фелим хотел было перебежать лужайку и выполнить распоряжение Зеба. Однако испуг приковал его к месту, и раньше, чем он успел собраться с духом, он убедился, что его опасения напрасны: у незнакомого всадника была голова.

— Вот она — у него на плечах, — сказал Фелим, когда всадник показался из-за деревьев и остановился на противоположном конце поляны. — Настоящая голова, да еще с красивым лицом, только не слишком веселым. Можно подумать, что бедняга недавно схоронил свою бабушку! А ножки-то какие крохотные... Святые угодники, да это женщина!

Пока ирландец рассуждал — то про себя, то вслух, — всадник проехал еще несколько шагов и снова остановился.

На этом расстоянии Фелим окончательно убедился, что он правильно определил пол неизвестного всадника, хотя тот сидел на лошади по-мужски и на нем была мужская шляпа и серапе, что могло ввести в заблуждение и более искушенного человека.

Это действительно была женщина. Это была Исидора.

Фелим впервые увидел мексиканку, так же как и она его. Они никогда раньше не встречались. Он правильно заметил, что лицо ее не было веселым. Напротив, оно было печальным, даже больше того — на нем лежала печать отчаяния.

Когда Исидора показалась из-за деревьев, во взгляде ее сквозило опасение. Когда она выехала на поляну, лицо ее не просветлело — на нем появилось удивление, смешанное с разочарованием.

Вряд ли она была удивлена, увидев хижину: Исидора знала о ее существовании. Она-то и была целью ее путешествия. Девушку, вероятно, удивила странная фигура на пороге. Это был не тот, кого она ожидала здесь встретить.

В нерешительности она подъехала поближе, чтобы расспросить его.

— Не ошиблась ли я? — спросила Исидора «по-американски». — Простите, но я... я думала, что дон Морисио живет здесь.

— Дон Моришо, вы сказали? Нет. Здесь такого нет. Дон Моришо? Я знал одного по фамилии Мориш, он жил недалеко от Баллибаллаха. Я хорошо запомнил этого парня, потому что он надул меня однажды при покупке лошади. Только имя-то его было не Дон, а Пат. Пат Мориш его звали.

— Дон Морисио. Мо-рис, Мо-рис.

— А, Морис! Может быть, вы спрашиваете о моем хозяине, мистере Джеральде?

— Да-да! Сеньор Зераль.

— Ну, если вам нужен мистер Джеральд, то он как раз живет в этой самой хижине, вернее — заезжает сюда после охоты на диких лошадей. Он поселился здесь только на время своей охоты. Ах, если бы вы видели его красивый замок там, на родине, в старой Ирландии! Посмотрели бы на голубоглазую красотку! Бедняжка небось слезами заливается, ожидая его возвращения. Ах, если б вы только видели ее!

Несмотря на ирландский акцент Фелима, мексиканка поняла его.

Ревность — хороший переводчик. Что-то вроде вздоха вырвалось у Исидоры, когда Фелим произнес коротенькое слово «ее».

— Я вовсе не хочу видеть «ее», — поспешила ответить она. — Я хочу видеть его. Он дома?

— Дома ли он? Вот это прямой вопрос. Предположим, я скажу вам, что он дома. Что же тогда?

— Я хочу его видеть.

— Ах, вот оно что! Придется вам подождать. Сейчас не время для гостей: к нему можно пустить только доктора или священника, моя красавица. А вас я не пущу.

— Но мне очень нужно повидать его, сеньор!

— Гм... вам нужно видеть его? Это я уже слышал. Только вам не удастся. Фелим О'Нил редко отказывает красавицам, особенно таким черноглазым, как вы. Но что поделаешь, если нельзя!

— Но почему нельзя?

— На это есть много причин! Первая — потому, что сейчас он не может принять гостей, и особенно даму.

— Но почему же, сеньор, почему?

— Потому что он не одет как следует. На нем одна рубашка, если не считать тряпья, которым мистер Стумп его всего обмотал. Черт побери! Этого, пожалуй, хватило бы, чтобы сшить ему целый костюм — сюртук, жилет и брюки.

— Сеньор, я вас не понимаю...

— Ах, не понимаете! Разве я недостаточно ясно сказал, что он в постели?

— В постели, в этот час! Надеюсь, ничего не...

— ...случилось, вы хотели сказать? К несчастью, случилось, да еще такое, что ему придется пролежать много недель.

— О сеньор, неужели он болен?

— Вот это-то самое и есть. Но что же делать, голубушка, скрывать этого не стоит, — ему-то ни легче, ни хуже не будет от того, что я сказал. Хоть в глаза ему это скажи, он спорить не будет.

— Значит, он болен. Скажите мне, сеньор, чем он болен и почему он заболел?

— Хорошо. Но я могу ответить только на один ваш вопрос — на первый. Его болезнь произошла от ран, а кто их нанес, Бог знает. У него болит нога. А кожа у него такая, точно его сунули в мешок с десятком злых кошек. Клочка здоровой кожи, даже величиной в вашу ладошку, и то не найдется. Хуже того — он не в себе.

— Не в себе?

— Вот именно. Он болтает, как человек, который накануне хватил лишнего и думает, что за ним гоняются с кочергой. Капля винца, кажется мне, была бы для него лучшим лекарством, — но что поделаешь, когда его нет! И фляжка и бутыль — все пусто. А у вас с собой нет хоть маленькой фляжки? Немножко агвардиенте — так, кажется, по-вашему? Мне приходилось пить дрянь и похуже. Глоточек этой жидкости наверняка очень помог бы хозяину. Скажите правду, сударыня: есть ли с вами хоть капелька?

— Нет, сеньор, у меня нет ничего такого. К сожалению, нет.

— Жаль! Обидно за мастера Мориса. Это было бы ему очень кстати. Но что поделаешь, придется обойтись и так.

— Но, сеньор, неужели правда, что мне нельзя его видеть?

— Конечно. Да и к чему? Он ведь все равно не отличит вас от своей прабабушки. Я же вам говорю — он весь израненн и не в себе.

— Тем более я должна его видеть. Может быть, я могу помочь ему. Я в долгу перед ним...

— А, вы ему должны и хотите заплатить? Ну, это совсем другое дело. Но тогда вам незачем его видеть. Я его управляющий, и все его дела идут через мои руки. Правда, я не умею писать, но могу поставить кресты на расписке, а этого вполне достаточно. Смело платите эти деньги мне — даю вам слово, что мой хозяин второй раз их не потребует. Сейчас это будет кстати — мы скоро уезжаем, и нам деньги нужны. Так вот, если деньги с вами, то остальное мы достанем — бумагу, перо и чернила найдем в хижине. Я вам мигом дам расписку.

— Нет, нет, нет! Я не о деньгах говорила. Это долг благодарности.

— Ах, только и всего! Ну, этот долг нетрудно заплатить. И расписки не требуется. Но сейчас платить такие долги не время. Хозяин все равно ничего не поймет. Когда он придет в себя, я скажу ему, что вы тут были и расплатились.

— Но все-таки можно видеть его?

— Говорю вам, что сейчас нельзя.

— Но я должна его видеть!

— Вот еще — должны! Меня поставили караулить и строго приказали никого не впускать.

— Но это ко мне не относится. Ведь я же его друг. Друг дона Морисио.

— Откуда мне это знать? Хоть личико у вас очень хорошенькое, вы можете оказаться его злейшим врагом.

— Но я должна его видеть, должна. Я этого хочу — и увижу.

При этих словах Исидора соскочила с лошади и направилась к двери.

Ее решительный и гневный вид показал ирландцу, что пора выполнить распоряжение Зеба Стумпа. Не теряя времени, он поспешил в хижину и вышел оттуда, вооруженный томагавком; он хотел было проскочить мимо незваной гостьи, но вдруг остановился, увидев, что она целится в него из револьвера.

— Брось топор! — закричала Исидора. — Негодяй, попробуй только замахнись на меня — и ты умрешь!

— На вас, сударыня? — пробормотал Фелим, немного оправившись от испуга. — Святая Дева! Я взял это оружие совсем не для того, чтобы поднять его против вас. Клянусь вам всеми святыми!

— Для чего же вы его взяли? — спросила мексиканка, поняв свою ошибку и опуская револьвер. — Почему вы так вооружились?

— Клянусь вам, только для того, чтобы выполнить распоряжение: мне надо срезать кактус — вон он там растет — и сунуть его под хвост вот этой лошади. Ведь вы же не станете возражать против этого?

Сеньорита замолчала, удивленная этим странным намерением.

Поведение ирландца было слишком нелепо, чтобы заподозрить его в коварстве. Его вид, поза, жесты были скорее комическими, чем угрожающими.

— Молчание — знак согласия. Благодарю вас, — сказал Фелим, больше не опасаясь получить пулю в спину.

Он перебежал лужайку и в точности выполнил все наставления старого охотника.

Мексиканка сначала молчала от удивления, но потом она продолжала молчать, так как говорить было бесполезно.

Едва Фелим выполнил распоряжение охотника, как раздался визг кобылы, сопровождаемый топотом ее копыт; им вторил заунывный вой собаки; и сейчас же целый хор лесных голосов — птиц, зверей и насекомых — подхватил этот неистовый концерт, перекричать который было не под силу простому смертному.

Исидора стояла в молчаливом недоумении. Ничего другого ей не оставалось. До тех пор, пока продолжался этот адский шум, не стоило и пытаться что-нибудь спрашивать.

Фелим вернулся к дверям хакале и снова занял сторожевой пост у двери с удовлетворенным видом актера, хорошо сыгравшего свою роль.

Глава LVIII

ОТРАВЛЕННЫЙ ПОЦЕЛУЙ

Целых десять минут длился этот дикий концерт: кобыла визжала, как недорезанный поросенок, а собака вторила ей заунывным воем, которому отвечало эхо по обоим берегам ручья.

Эти звуки разносились на целую милю. Зеб Стумп вряд ли зашел дальше и непременно должен был их услышать.

Не сомневаясь, что Зеб не замедлит прийти, Фелим твердо стоял на пороге, надеясь, что незнакомка не повторит попытки войти — хотя бы до тех пор, пока он не будет освобожден от обязанностей часового.

Несмотря на все уверения мексиканки, он все еще подозревал ее в коварных замыслах; иначе почему бы Зеб так настаивал, чтобы его вызвали?

Сам Фелим уже оставил мысль о сопротивлении. Ему все еще мерещился блестящий револьвер, и он совсем не хотел ссориться с этой странной всадницей; он без разговоров пропустил бы ее в хижину.

Но был еще один защитник, который более решительно охранял вход в хакале и которого не испугала бы целая батарея тяжелых орудий. Это была Тара.

Протяжный, заунывный вой собаки то и дело сменялся отрывистым злобным лаем. Она тоже почувствовала недоверие к незваной гостье — поведение мексиканки показалось собаке враждебным. Тара загородила собой Фелима и дверь и, обнажив свои острые клыки, ясно дала понять, что проникнуть в хижину можно только через ее труп.

Но Исидора и не думала настаивать на своем желании. Удивление было, пожалуй, единственным чувством, которое она в эту минуту испытывала.

Она стояла неподвижно и молча. Она выжидала. Несомненно, после такого странного вступления должен был последовать соответствующий финал. Сильно заинтригованная, она терпеливо ждала конца этого спектакля.

От ее прежней тревоги не осталось и следа. То, что она видела, было слишком смешным, чтобы испугать, и в то же время слишком непонятным, чтобы вызвать смех.

На лице человека, который вел себя так странно, не было заметно улыбки — оно оставалось совершенно серьезным. Было ясно, что этот чудак совсем и не думал шутить.

Она продолжала недоумевать, пока между деревьями не показался высокий человек в выцветшей куртке и с длинным ружьем в руках. Он почти бежал.

Он направлялся прямо к хижине. Когда девушка увидела незнакомца, на ее лице появилось выражение тревоги, а маленькая рука крепче сжала револьвер.

Это было сделано отчасти из предосторожности, отчасти машинально. И неудивительно: кто угодно встревожился бы, увидев суровое лицо великана, быстро шагавшего к хижине.

Однако, когда он вышел на поляну, на его лице появилось не меньшее удивление, чем то, которое было написано на лице девушки.

Он что-то процедил сквозь зубы, но среди все еще продолжавшегося шума его слова нельзя было расслышать, и только по жестам можно было предположить, что вряд ли они были особенно вежливыми.

Он направился к лошади, которая по-прежнему визжала, и сделал то, чего никто, кроме него, не посмел бы сделать — он поднял хвост у обезумевшей кобылы и освободил ее от колючек, которые так долго ее терзали.

Сразу воцарилась тишина, потому что остальные участники хора, привыкнув к дикому ржанью кобылы, давно уже замолкли.

Исидора все еще ничего не могла понять и, только бросив взгляд на комическую фигуру в дверях хижины, догадалась, что толстяк удачно выполнил какое-то поручение.

Но от самодовольства Фелима не осталось и следа, как только Стумп с грозным видом повернулся к хижине. Даже присутствие красавицы не могло остановить потока его ругани.

— Ах ты, болван! Идиот ирландский! Для чего, спрашивается, ты меня вызвал сюда? Я только что прицелился в огромного индюка, фунтов на тридцать, не меньше. Проклятая кобыла спугнула его, прежде чем я успел спустить курок. Теперь пропал наш завтрак!

— Но, мистер Стумп, вы же сами приказали мне! Вы сказали, что если кто-нибудь придет сюда...

— Ну и дурень же ты! Неужели же это касалось женщины?

— Но откуда я мог знать, что это женщина? Вы бы посмотрели, как она сидит на лошади! Совсем как мужчина.

— Не все ли равно, как она сидит на лошади? Да разве ты раньше не замечал, садовая голова, что все мексиканки так ездят? Сдается мне, что ты на бабу похож куда больше, чем она; а уж глупее ее ты раз в двадцать. В этом я уверен. А ее я видел несколько раз, да и слыхал о ней кое-что. Не знаю, каким ветром ее сюда занесло. И вряд ли от нее это узнаешь — она говорит только на своем мексиканском наречии. А я его не знаю и знать не хочу.

— Вы ошибаетесь, мистер Стумп. Она говорит и по-английски... Правда, сударыня?

— Немножко по-английски, — ответила мексиканка, которая до сих пор слушала молча. — Чуть-чуть.

— Вот те и на! — воскликнул Зеб, слегка смутившись. — Извините меня, сеньорита. Вы немножко болтаете по-английски? Мучо боно — тем лучше. В таком случае, вы можете сказать мне, зачем вы сюда пожаловали. Не заблудились ли вы?

— Нет, сеньор... — ответила она, помолчав.

— Так, значит, вы знаете, где вы?

— Да, сеньор... Да... Это дом дона Морисио Зераль?

— Да, это так. Лучше-то вам его имени не произнести... Эту хижину трудно назвать домом, но он действительно здесь живет. Вы хотите видеть ее хозяина?

— О сеньор, да! Я для этого и приехала.

— Ну что ж, я не стану возражать. Ведь вы ничего плохого не задумали? Но только — что пользы? Он же не отличит вас от своей подметки.

— Он болен? С ним случилось несчастье? Вот он сказал мне об этом.

— Да, я ей сказал об этом, — отозвался Фелим.

— Так и есть, — ответил Зеб. — Он ранен. И как раз сейчас он немножко бредит. Я думаю, серьезного ничего нет. Надо надеяться, что он скоро придет в себя.

— О сеньор, я хочу быть его сиделкой, пока он болен! Ради Бога, разрешите мне войти, и я стану ухаживать за ним. Я его друг, верный друг.

— Что же, я в этом не вижу ничего плохого. Говорят, это женское дело — ухаживать за больными. Правда, я сам не проверял этого с тех пор, как похоронил свою жену. Если вы хотите поухаживать за ним — пожалуйста, раз вы его друг. Можете побыть с ним, пока мы вернемся. Только последите, чтобы он не свалился с кровати и не сорвал свои повязки.

— Доверьтесь мне, сеньор. Я буду оберегать его, как только могу. Но скажите: кто его ранил? Индейцы? Но ведь их нет поблизости. Он с кем-нибудь поссорился?

— Об этом, сеньорита, вы знаете столько же, сколько и я. У него была схватка с койотами. Но у него разбито колено, и койоты тут ни при чем. Я нашел его вчера незадолго до захода солнца в зарослях. Он стоял по пояс в ручье, а с берега на него уже собрался прыгнуть пятнистый зверь, которого вы, мексиканцы, называете тигром. Ну, от этой опасности я его спас. Но что было раньше, это для меня тайна. Парень потерял рассудок, и сейчас от него ничего не узнаешь. Поэтому нам остается только ждать.

— Но вы уверены, сеньор, что у него нет ничего серьезного? Его раны не опасны?

— Нет. Его немного лихорадит. Ну, а что касается ран, так это просто царапины. Когда он придет в себя, все будет в порядке. Через недельку он будет здоров, как олень.

— О, я буду заботливо ухаживать за ним!

— Вы очень добры, но... но...

Зеб заколебался. Внезапная мысль осенила его. Вот что он подумал:

«Это, должно быть, та самая девица, которая посылала ему гостинцы, когда он лежал у Обердофера. Она в него влюблена — это ясно, как Божий день. Влюблена по уши. И другая тоже. Ясно и то, что мечтает он не об этой, а о другой. Если она услышит, как он будет в бреду говорить о той — а он всю ночь только ее и звал, — ведь это ранит ее сердечко. Бедняжка, мне ее жаль — она, кажется, добрая. Но не может же мустангер жениться на обеих, а американка совсем его заполонила. Неладно все это получилось. Надо бы уговорить эту черноглазую уйти и не приходить к нему — по крайней мере, пока он не перестанет бредить о Луизе».

— Вот что, мисс, — обратился наконец Стумп к мексиканке, которая с нетерпением ждала, чтобы он заговорил, — не лучше ли вам отправиться домой? Приезжайте сюда, когда он поправится. Ведь он даже не узнает вас. А оставаться, чтобы ухаживать за ним, незачем, он не так серьезно болен и умирать не собирается.

— Пусть не узнает. Я все равно должна за ним ухаживать. Может быть, ему что-нибудь понадобится? Я обо всем позабочусь.

— Раз так, то оставайтесь, — сказал Зеб, как будто какая-то новая мысль заставила его согласиться. — Дело ваше! Но только не обращайте внимания на его разговоры. Он будет говорить об убийстве и мало ли о чем... Так часто бывает, когда человек бредит. Вы не пугайтесь. Он, наверно, будет говорить и об одной женщине — он все ее вспоминает.

— О женщине?

— Да. Он ее все кличет по имени.

— Ее имя? Сеньор, какое имя?

— Должно быть, это имя его сестры. Я даже уверен в том, что сестру-то он и вспоминает.

— Мистер Стумп, если вы про мастера Мориса рассказываете... — начал было Фелим.

— Замолчи, дурень! Не суйся, куда не надо. Не твоего ума это дело. Пойдем со мной, — сказал он, отходя и увлекая за собой ирландца. — Я хочу, чтобы ты со мной немножко прошелся. Я убил гремучку, когда поднимался вверх по ручью, и оставил ее там. Захвати ее домой, если только какая-нибудь тварь уже не утащила ее. А то мне, может, и не удастся подстрелить индюка.

— Гремучка? Гремучая змея?

— Вот именно.

— Но вы же не станете есть змею, мистер Стумп? Ведь эдак можно отравиться.

— Много ты понимаешь! Там яда уже не осталось. Я отрубил ей голову, а вместе с ней и весь яд.

— Фу! Я все равно лучше с голоду помру, чем возьму в рот хоть кусочек!

— Ну, и помирай себе на здоровье! Кто тебя просит ее есть? Я только хочу, чтобы ты принес змею домой. Ну, идем, и делай, что тебе велят. А то я заставлю тебя съесть ее голову вместе с ядом и с ядовитым зубом!

— Честное слово, мистер Стумп, я совсем не хотел вас ослушаться! Я сделаю все, что вы скажете. Я готов даже проглотить змею целиком! Святой Патрик, прости меня, грешника!

— К черту твоего Святого Патрика! Идем!

Фелим больше не спорил и покорно отправился за охотником в лес.

Исидора вошла в хижину и наклонилась над постелью больного. Страстными поцелуями покрыла она его горячий лоб и запекшиеся губы. И вдруг отшатнулась, точно ужаленная скорпионом.

То, что заставило ее отшатнуться, было хуже, чем яд скорпиона. Это было всего лишь одно слово — одно коротенькое слово.

Стоит ли этому удивляться! Как часто от короткого слова «да» зависит счастье всей жизни! И часто, слишком часто, такое же короткое «нет» влечет за собой страшное горе.

Глава LIX
ВСТРЕЧА В ХАКАЛЕ

День, когда Луиза Пойндекстер освободила Мигуэля Диаса, был для нее мрачным днем — вероятно, самым мрачным во всей ее жизни.

Накануне печаль о потерянном брате сливалась с тревогой о любимом. Но теперь это горе усугубилось черной ревностью.

Горе, страх, ревность — не слишком ли это много для одного сердца?

Вот что испытывала Луиза Пойндекстер, прочтя письмо, содержавшее доказательства измены ее возлюбленного.

Правда, письмо было написано не им, и доказательства нельзя было считать прямыми.

Однако в порыве гнева молодая креолка об этом сначала не подумала. Судя по письму, отношения между Морисом Джеральдом и мексиканкой были более нежными, чем он говорил. Значит, Морис обманывал ее.

Иначе зачем бы эта женщина стала с такой дерзкой откровенностью писать о своих чувствах, о его «красивых, выразительных глазах»?

Это письмо не было дружеским — оно дышало страстью. Так поняла эти строки креолка — ведь и ее сердце сгорало от любви.

И, кроме того, в нем говорилось о свидании! Правда, мексиканка только просила о нем. Но это лишь форма, кокетство уверенной в себе женщины. Оканчивалось письмо уже не просьбой, а приказанием: «Приходите же, я жду вас».

Прочтя эти строки, Луиза судорожно смяла письмо. В этом жесте чувствовалась не только ревность, но и жажда мести.

— Да, теперь мне все ясно! — воскликнула она с горечью. — Не впервые он получает такое письмо, они уже встречались на этом месте. «На вершине холма, за домом моего дяди», — достаточно такого неясного указания! Значит, он часто бывал там.

Но скоро гнев сменился глубоким отчаянием. Ее чувство было смято, растоптано, как листок бумаги, валявшийся у ее ног.

Ею овладели грустные думы. В смятении она принимала самые мрачные решения. Она вспомнила любимую Луизиану и захотела вернуться туда, чтобы похоронить свое тайное горе в монастыре. Если бы в этот час глубокой скорби монастырь был поблизости, она, вероятно, ушла бы из отцовского дома, чтобы искать приюта в его священных стенах. Это был действительно самый мрачный день в жизни Луизы.

После долгих часов отчаяния она немного успокоилась и стала рассуждать разумнее. Она снова перечитала письмо, обдумывая каждое слово.

У нее возникла надежда, что Мориса Джеральда не было в поселке. Такое предположение казалось едва ли вероятным. Странно, если бы этого не знала женщина, которая назначала свидание и так уверенно ждала своего возлюбленного. Но все-таки он мог уехать — он ведь собирался уехать.

Проверить свои сомнения для Луизы Пойндекстер, дочери гордого плантатора, было очень трудно, но другого выхода не оставалось. И, когда сумерки сгустились, она проехала на своем крапчатом мустанге по улицам поселка и остановилась у дверей гостиницы на том самом месте, где всего лишь несколько часов назад стоял серый жеребец Исидоры.

Поселок в этот вечер был совершенно безлюден. Одни отправились на поиски преступника, другие — в поход против команчей. Обердофер был единственным свидетелем неосторожного поступка Луизы. Впрочем, хозяин гостиницы не увидел в нем ничего предосудительного; ему казалось вполне естественным, что сестра убитого юноши хочет узнать новости; именно этим он объяснил себе ее появление.

Туповатый немец и не подозревал, с каким удовлетворением слушала Луиза Пойндекстер его ответы в начале разговора; еще меньше мог он догадаться, какую боль причинил ей случайным замечанием, положившим конец их разговору.

Услышав, что не она первая наводит справки о Морисе-мустангере, что еще одна женщина уже задавала те же вопросы, Луиза, снова охваченная отчаянием, повернула свою лошадь обратно к Каса-дель-Корво.

Всю ночь металась Луиза в бессоннице и не могла найти покоя. В короткие минуты забытья ее мучили кошмарные сновидения.

Утро не принесло ей успокоения, но с ним пришла решимость — твердая, смелая, почти дерзкая.

Поехать одной к берегам Аламо — значило для Луизы Пойндекстер нарушить все правила приличия. Но именно это она намеревалась сделать.

Некому было удержать ее, запретить ей эту поездку. Поиски продолжались всю ночь, и отряд еще не вернулся, в Каса-дель-Корво о нем не было никаких известий. Молодая креолка была полной хозяйкой асиенды и своих поступков, и только она сама знала, что толкнуло ее на этот отчаянный шаг.

Но об этом нетрудно было догадаться.

Луиза Пойндекстер была не из тех, кто может оставаться в неуверенности. Даже любовь, подчиняющая самых сильных, не могла сделать ее покорной. Она должна узнать правду! Может быть, ее ждет счастье, а может быть, гибель всех ее надежд. Даже последнее казалось ей лучше мучительных сомнений.

Она рассуждала почти так же, как и ее соперница!

Разубеждать Луизу было бы бесполезно. Даже слово отца не могло бы ее остановить.

Заря застала Луизу в седле. Выехав из ворот Каса-дель-Корво, она направилась в прерию по уже знакомой тропе.

Сердце ее не раз трепетало от сладостных воспоминаний, когда она проезжала по знакомым и дорогим местам.

В такие минуты она забывала о муках, заставивших ее предпринять эту поездку, думала только о свидании с любимым и мечтала спасти его от врагов, которые, быть может, уже окружили его.

Несмотря на тревогу о возлюбленном, это были счастливые минуты, особенно если сравнить их с теми часами, когда ее терзали мысли о его измене.

Двадцать миль отделяли Каса-дель-Корво от уединенной хижины мустангера.

Такое расстояние могло показаться целым путешествием для человека, привыкшего к европейской верховой езде. Но для жителей прерии нетрудно преодолеть это расстояние за два часа — они мчатся так, словно гонятся за лисой или оленем.

Такое путешествие не скучно даже на ленивом коне, но на быстроногой крапчатой красавице Луне, которая рвалась в родную прерию, оно кончилось быстро — быть может, слишком быстро, к несчастью для нашей наездницы.

Как ни была измучена Луиза, она теперь не испытывала отчаяния — в ее печальном сердце сиял луч надежды.

Но он погас, едва она ступила на порог хакале. Подавленный крик вырвался из ее уст — казалось, сердце ее разорвалось.

В хижине была женщина!

За мгновение перед этим у нее тоже вырвался крик, и возглас Луизы показался его эхом — так похожа была звучавшая в них боль.

И словно второе, более отчетливое эхо, раздался новый крик Исидоры: обернувшись, она увидела женщину, чье имя только что произнес больной, — ту «Луизу», которую он звал с любовью и нежностью в бреду жестокой горячки.

Для молодой креолки все стало ясно, мучительно ясно. Перед ней была женщина, написавшая любовное письмо. Свидание все-таки состоялось! Быть может, в той ссоре на поляне участвовал еще и третий — Морис Джеральд? Не этим ли объясняется его состояние: Луиза успела увидеть, что Морис, весь забинтованный, лежит в постели.

Да, это она написала записку, это она называла его «дорогой» и восторгалась его глазами, это она звала его на свидание; а теперь она около него, нежно ухаживает за ним — значит, он принадлежит ей. О, эта мысль была слишком мучительна, чтобы выразить ее словами!

Не менее ясны и не менее мучительны были и выводы Исидоры. Она уже знала, что для нее нет надежды. Слишком долго ловила она бессвязные речи больного, чтобы сомневаться в горькой правде. На пороге стояла соперница, которая вытеснила ее из сердца мустангера.

Лицом к лицу, со сверкающими глазами стояли они друг перед другом, взволнованные одним и тем же чувством, потрясенные одной и той же мыслью.

Обе влюбленные в одного и того же человека, обе терзаемые ревностью, они стояли около него — а он, увы, не сознавал присутствия ни той, ни другой.

Каждая считала другую своей счастливой соперницей. Луиза не слыхала тех слов, которые утешили бы ее, тех слов, которые до сих пор звучали в ушах Исидоры, терзая ее душу. Обеих переполняла ненависть, безмолвная и потому еще более страшная. Они не обменялись ни словом. Ни одна из них не просила объяснений, ни одна из них не нуждалась в объяснении. Бывают минуты, когда слова излишни. Это было столкновение оскорбленных чувств, выраженное только ненавидящими взглядами и презрительным изгибом губ.

Но они стояли так лишь одно мгновение.

Потом Луиза Пойндекстер повернулась и направилась к выходу. В хижине Мориса Джеральда нет места для нее!

Исидора тоже вышла, почти наступая на шлейф своей соперницы. Та же мысль гнала и ее: в хижине Мориса Джеральда нет места для нее!

Казалось, они обе торопились как можно скорее покинуть то место, где разбились их сердца.

Серая лошадь стояла ближе, крапчатая — дальше. Исидора первая вскочила в седло. Когда она проезжала мимо Луизы, та тоже уже садилась на лошадь.

Снова соперницы обменялись взглядами — ни один из них нельзя было назвать торжествующим, но в них не видно было и прощения. Взгляд креолки был полон грусти, гнева и удивления. Последний же взгляд Исидоры, сопровождавшийся вульгарным ругательством, был полон бессильной злобы.

Глава LX
ПРЕДАТЕЛЬНИЦА

Если бы можно было сравнивать явления внешнего мира с переживаниями человека, то трудно было бы найти более резкий контраст, чем ослепительный блеск солнца над Аламо и мрак в душе Исидоры, когда она покидала хакале мустангера. Бешеные страсти бушевали в ее груди, и сильнее всех была жажда мести. В ней она находила какое-то горькое удовольствие — это чувство спасало ее от отчаяния. Иначе тяжесть ее горя была бы невыносима.

Терзаемая мрачными мыслями, ехала она в тени деревьев. И они не стали радостней, когда, подъехав и обрыву, она увидела сияющее голубое небо — ей показалось, что оно смеется над ней.

Исидора остановилась у подножия склона. Над ней простирались огромные темные ветви кипариса. Их густая тень была ближе тоскующему сердцу, чем радостные лучи солнца.

Но не это заставило ее остановить коня. В голове ее мелькнула мысль чернее тени кипариса. Об этом можно было судить по ее нахмурившемуся лбу, по сдвинутым бровям над черными сверкающими глазами и по злобному выражению лица.

— Почему я не убила ее на месте? — прошептала она. — Может быть, еще не поздно вернуться? Но что изменится, если я убью ее? Ведь этим не вернешь его сердца. Оно для меня потеряно, потеряно навсегда! Ведь эти слова вырвались из глубины его души. Только она живет в его мечтах! Для меня не осталось надежды! Нет, это он должен умереть! Это он сделал меня несчастной... Но, если я убью его, что тогда? Во что превратится моя жизнь? В нестерпимую пытку!.. А разве сейчас это не пытка? Я не могу больше выносить эти мучения! И мне нет другого утешения, кроме мести. Не только она, но и он — оба должны умереть! Но не сейчас, а тогда, когда он сможет понять, от чьей руки он гибнет! Святая Дева, дай мне силы отомстить!

Исидора шпорит лошадь и быстро поднимается по крутому откосу.

Выехав на верхнюю равнину, она не останавливается и не дает лошади отдохнуть, а мчится бешеным галопом по прерии, по-видимому сама не зная куда. Ни голос, ни поводья не управляют лошадью, и только шпоры гонят ее вперед.

Предоставленный самому себе, конь мчится по той же дороге, по которой прискакал сюда. Она ведет к Леоне. Но туда ли он должен нести свою хозяйку?

Всаднице, кажется, все равно. Опустив голову, погрузившись в глубокие думы, она не замечает ничего, даже бешеного галопа своей лошади. Не замечает она и приближающейся к ней темной вереницы всадников, пока конь, фыркнув, не останавливается как вкопанный.

Тогда она видит в прерии конный отряд.

Индейцы? Нет, белые — судя не столько по цвету кожи, сколько по седлам и посадке; это подтверждается и бородами, но цвета кожи нельзя разобрать под густым слоем пыли.

— Техасцы, — бормочет Исидора. — Наверно, отряд, разыскивающий команчей... Но индейцев здесь нет. Если в поселке говорят правду, они уже далеко отсюда.

Мексиканке не хочется с ними встречаться. В другое время она не стала бы избегать их, но в минуту горя ей неприятны вопросы и любопытные взгляды.

Есть время скрыться. Она все еще находится среди кустов. По-видимому, всадники не видят ее. Свернув в заросли, можно остаться незамеченной.

Но не успела Исидора этого сделать, как ее конь громко заржал. Двадцать других лошадей отвечают ему.

Все же еще можно ускакать. Ее, несомненно, будут преследовать. Но догонят ли, особенно по этим извилистым тропинкам, так хорошо ей знакомым?

С этой мыслью она уже поворачивает лошадь, но тотчас снова останавливает ее и спокойно ожидает несущийся к ней отряд. Ее слова объясняют, почему она это сделала.

— Они слишком хорошо одеты для простых охотников. Это, должно быть, отряд, о котором я слышала, — во главе с отцом... Да-да, это они. Вот возможность отомстить! Это воля Божья.

Вместо того чтобы свернуть в заросли, Исидора выезжает на открытое место и с решительным видом направляется навстречу всадникам. Она натягивает поводья и ждет их приближения. У нее созрел предательский план.

Через минуту мексиканку со всех сторон окружают всадники.

Их человек сто, они вооружены самым разнообразным оружием, одеты пестро. Единственно, что делает их похожими друг на друга, — это налет бурой пыли на их одежде и суровое выражение лица, едва смягченное чуть заметным любопытством.

Очутившись в таком обществе, кто угодно испугался бы, тем более женщина, но Исидора не проявляет и тени страха. Она не считает опасными людей, которые так бесцеремонно окружили ее. Некоторых из них она знает по виду. Но пожилого человека, который, должно быть, возглавляет отряд и сейчас обращается к ней с вопросом, она никогда раньше не видела, хотя догадывается, кто он. Это, вероятно, отец убитого юноши, отец девушки, которую она хотела бы видеть убитой или, во всяком случае, опозоренной.

Какой благоприятный случай!

— Вы говорите по-французски, мадемуазель? — спрашивает ее Вудли Пойндекстер, полагая, что этот язык она скорее поймет.

— Очень немного, сеньор. Лучше говорите по-английски.

— По-английски? Тем лучше для нас. Скажите мне, мисс, вы никого не видели здесь? Я хочу сказать — не встретили ли вы какого-нибудь всадника или, быть может, вы заметили чей-нибудь лагерь?

Исидора либо колеблется, либо обдумывает свой ответ.

Плантатор вежливо продолжает свои расспросы:

— Разрешите спросить вас, где вы живете?

— На Рио-Гранде, сеньор.

— Вы сейчас прямо оттуда?

— Нет, с Леоны.

— С Леоны!

— Это племянница старого Мартинеса, — объясняет один из присутствующих. — Его плантации граничат с вашими, мистер Пойндекстер.

— Да-да, это верно. Я племянница дона Сильвио Мартинеса.

— Вы едете прямо из его асиенды? Простите мою настойчивость, но поверьте, мисс, мы расспрашиваем вас не из праздного любопытства. Нас побуждают к этому очень серьезные причины.

— Да, я еду прямо из асиенды Мартинеса, — отвечает Исидора, словно не заметив его последних слов. — Я выехала из дома моего дяди ровно два часа назад.

— Тогда, без сомнения, вы слыхали, что совершено убийство?

— Да, сеньор. Вчера в доме дяди Сильвио об этом говорили.

— Но сегодня, когда вы выехали, не было ли каких-нибудь свежих новостей в поселке? У нас были вести оттуда, но более ранние. Вы ничего не слышали, мисс?

— Я слышала только, что на розыски убийцы поехал отряд. Ваш отряд, сеньор?

— Да-да, наверно, они имели в виду нас... Вы больше ничего не слышали?

— О да, но только очень странное, сеньоры, настолько странное, что вы подумаете — я шучу.

— Что же такое? — спрашивают человек двадцать одновременно, с напряженным любопытством глядя на прелестную всадницу.

— Говорят, что видели кого-то без головы... на лошади... где-то тут... Господи помилуй! Мы, должно быть, поблизости от этого места. Это где-то около Нуэсес, недалеко от брода, где дорога поворачивает на Рио-Гранде. Так говорили вакеро.

— Ах, так, значит, его видели какие-то вакеро?

— Да, сеньоры, их было трое, и они клянутся, что видели его.

Исидору несколько удивляет то странное спокойствие, с каким выслушали техасцы ее рассказ. Кто-то объясняет причину этого:

— Мы тоже его видели, этого всадника без головы, только издалека. А ваши вакеро близко его видели — они разобрали, что это такое?

— Святая мадонна, нет!

— А вы этого не знаете, мисс?

— Что вы, нет! Я только слышала об этом, как уже сказала. Но что оно такое, кто знает!

Некоторое время все молчат, задумавшись.

Потом плантатор продолжает расспросы:

— Вы никого не встретили в этих местах, мисс?

— Нет, встретила.

— Кого же? Не будете ли вы так добры описать...

— Женщину.

— Женщину? — повторяют несколько голосов.

— Да, сеньоры.

— Какую женщину?

— Американку.

— Американку? Здесь? Одну?

— Да.

— Кто же это?

— Кто знает!

— Вы не знаете ее? А как она выглядит?

— Как она выглядит?

— Да, как она была одета?

— В костюм для верховой езды.

— Значит, она ехала верхом?

— Да.

— Где же вы ее встретили?

— Недалеко отсюда, по ту сторону зарослей.

— В каком направлении она ехала? Там есть какое-нибудь жилище?

— Только одно хакале.

Пойндекстер поворачивается к одному из членов отряда, знающему испанский язык:

— Что такое хакале?

— Они так называют свои лачуги.

— Кому принадлежит это хакале?

— Дону Морисио, мустангеру.

Торжествующий гул раздается в толпе. После двухдневных неустанных поисков, столь же бесплодных, как и упорных, они наконец напали на след убийцы.

Те, кто сошел с лошадей, снова вскакивают в седла, готовые двинуться в путь.

— Прошу прощения, мисс Мартинес, но вы должны показать нам дорогу к этому месту.

— Мне придется сделать для этого крюк. Ну хорошо, едемте! Я провожу вас, если вы этого хотите.

В сопровождении ста всадников Исидора снова пересекает полосу зарослей.

Она останавливается на западной опушке. Между ними и Аламо простирается открытая прерия.

— Вон там, — говорит Исидора, — видите черную точку на горизонте? Это макушка кипариса. Он растет в долине Аламо. Поезжайте туда. Рядом с ним откос, по которому вы сможете спуститься с обрыва. Немного дальше вы найдете хакале, о котором я говорила.

Дальнейшие указания не требуются. Почти забыв о той, которая показала им дорогу, всадники мчатся по прерии, направляясь к кипарису.

Только один не двинулся с места: не тот, кто возглавляет отряд, но человек, который не меньше его заинтересован в происходящем, — и даже больше, когда речь зашла о женщине, которую видела Исидора. Он знает язык Исидоры так же хорошо, как свой родной.

— Скажите мне, сеньорита, — обращается он к мексиканке почти умоляющим тоном, — заметили вы лошадь, на которой ехала эта женщина?

— Конечно! Кто бы мог ее не заметить!

— Ее масть? — спрашивает он, задыхаясь от волнения.

— Крапчатый мустанг.

— Крапчатый мустанг? О Боже! — со стоном восклицает Кассий Колхаун и мчится догонять отряд.

Исидоре становится ясно, что еще одно сердце охвачено тем неугасимым пламенем, перед которым все бессильно, кроме смерти.

Глава LXI

АНГЕЛ, СОШЕДШИЙ НА ЗЕМЛЮ

Быстрое и неожиданное бегство соперницы поразило Луизу Пойндекстер. Она уже готова была пришпорить Луну, но задержалась в нерешительности, ошеломленная происшедшим.

Только минуту назад, заглянув в хижину, она увидела эту женщину, которая, по-видимому, чувствовала себя там хозяйкой.

Как понять ее внезапное бегство? Чем объяснить этот взгляд, полный злобной ненависти? Почему в нем не было торжествующей уверенности, сознания своей победы?

Взгляд Исидоры не оскорбил креолку — наоборот, он внушил ей тайную радость. И, вместо того чтобы умчаться в прерию, Луиза Пойндекстер снова соскользнула с седла и вошла в хижину.

Увидев бледность мустангера, его дико блуждающие глаза, креолка на время забыла свою обиду.

— Боже мой! — воскликнула она, подбегая к постели. — Он ранен... умирает... Кто это сделал?

Единственным ответом было какое-то бессвязное бормотанье.

— Морис! Морис! Ответь мне! Ты не узнаешь меня? Луизу! Твою Луизу! Ты ведь называл меня так!

— Ах, как вы прекрасны, ангелы небес! Прекрасны... Да-да, такими вы кажетесь, когда смотришь на вас. Но не говорите, что нет подобных вам на земле; это неправда. Там много красавиц, но я знаю одну, которая еще более прекрасна, чем вы, ангелы небесные! Я говорю о красоте; доброта — это другое дело; о доброте я не думаю — нет-нет!

— Морис, дорогой Морис, почему ты так говоришь? Ты ведь не на небесах. Ты здесь со мной — с твоей Луизой.

— Я на небесах... да, на небесах!. Но я не хочу оставаться на небесах, если ее здесь нет. Это, может быть, и приятное место, но только не тогда, когда ее нет со мной. Если бы она была здесь, мне ничего больше не было бы нужно. Послушайте, ангелы, вы, что кружитесь вокруг меня! Вы прекрасны, я этого не отрицаю; но нет ни одного среди вас прекраснее ее — моего ангела! О, я знаю и дьявола, красивого дьявола. Но я мечтаю только об ангеле прерий.

— Помнишь ли ты ее имя?

Наверно, никто еще не ждал с таким волнением ответа от человека, который бредил в тяжком забытьи. Луиза наклонилась над ним и, не сводя с него глаз, вся обратилась в слух.

— Имя? Имя? Как будто кто-то из вас спросил об имени? Разве у вас есть имена? Ах, да, вспоминаю: Михаил, Гавриил, Азраил — мужские, всё мужские имена. Ангелы, но не такие, как мой ангел, — она женщина. Ее зовут...

— Как?

— Луиза... Луиза... Луиза... Зачем мне скрывать, ведь вам известно все, что делается на земле. Вы, конечно, знаете ее — Луизу? Вы должны ее знать: ее нельзя не любить всем сердцем, как я... всем, всем сердцем...

Никогда еще слова любви не доставляли Луизе столько радости. Даже когда она услышала их впервые под тенью акаций, когда они были произнесены в полном сознании, — даже тогда они не были ей так дороги. О, как она была счастлива!

Снова нежные поцелуи покрыли горячий лоб больного и его запекшиеся губы. Но на этот раз над ним склонилась та, которая не могла услышать ничего, что заставило бы ее отшатнуться.

Луиза только выпрямилась; торжествуя, стояла она, прижав руку к сердцу, словно стараясь успокоить его биение. Она боялась только, чтобы эти счастливые минуты не пролетели слишком быстро.

Увы, ее опасения оправдались — на порог упала тень. Это была тень человека; через минуту сам человек уже стоял в дверях.

В наружности вошедшего не было ничего страшного.

Наоборот, его лицо, фигура, костюм были просто смешны — и особенно по контрасту с несчастьями последних дней. Этот чудак держал в одной руке томагавк, а в другой — огромную змею; какую — нетрудно было определить по хвосту, оканчивавшемуся роговыми трещотками.

Комическое впечатление еще усиливалось благодаря выражению растерянности и удивления, которое появилось на его лице, когда, переступая порог хижины, он увидел новую гостью.

— Господи! — воскликнул он, роняя змею и томагавк и широко открыв глаза. — Я, наверно, сплю! Так оно и есть! Ведь не может же быть, что это вы, мисс Пойндекстер? Не может этого быть!

— Но это так и есть, мистер О'Нил. Как нелюбезно с вашей стороны забыть меня так скоро!

— Забыть вас? Что вы, мисс! В этом меня невозможно обвинить. Наш брат ирландец не из таких; если хоть разок взглянул на ваше красивое лицо, не забудет до гробовой доски. Зачем далеко ходить! Вот он, например, только и бредит вами.

Фелим многозначительно посмотрел на кровать. Луиза затрепетала от радости.

— Но что же это означает? — продолжал Фелим, вспомнив о загадочном превращении. — А где же этот паренек или женщина, кто бы это ни был? Вы здесь видели женщину, мисс Пойндекстер?

— Видела.

— Да? А где же она?

— Уехала.

— Уехала! Значит, она сама не знает, чего хочет. Я оставил ее в хижине только десять минут назад. Она сняла свою шляпку... что я! — мужскую шляпу — и расположилась здесь вроде надолго. Так вы сказали, она уехала? Вот счастье-то! Я совсем не жалею об этом! От такой женщины лучше быть подальше. Вы не поверите, мисс Пойндекстер, ведь она подставила свой револьвер прямо мне под нос!

— Почему?

— Только потому, что я не пускал ее в хижину. Но она все равно вошла. Когда вернулся Зеб, он не стал ей препятствовать. Она сказала, что мистер Джеральд ее друг и что она хочет ухаживать за ним.

— Ах, вот как? Это странно, очень странно, — пробормотала креолка в раздумье.

— Правильно вы сказали. Здесь происходит много странного. Конечно, это не о вас, мисс. Я очень рад, что вы здесь; я уверен, что и хозяин очень обрадуется.

— Милый Фелим, расскажите же мне, что случилось?

— Ладно, мисс, но для этого вам придется снять шляпку и остаться здесь подольше. Я до ночи не успею рассказать всего, что произошло с позавчерашнего дня.

— Кто здесь был за это время?

— Кто здесь был?

— Кроме...

— Кроме этого парня-женщины?

— Да, был ли еще кто-нибудь здесь?

— О, много еще всякого народу! И кого только тут не было! Во-первых, был один, который направился было сюда, но до хижины не доехал. Я боюсь рассказывать вам про него. Это может вас испугать, мисс.

— Расскажите. Я не боюсь.

— Ну хорошо, только я сам не могу разобраться, что такое это было: человек верхом на лошади, но без головы.

— Без головы?!

— А что всего удивительнее, — продолжал ирландец, — он был вылитый мастер Морис. Он был верхом на его лошади, и мексиканское одеяло было на плечах — все, как всегда, когда он выезжает. Если бы вы только знали, как я испугался — душа в пятки ушла!

— Но где же вы его видели, мистер О'Нил?

— Вон там, на обрыве. Я вышел встречать хозяина — он обещал вернуться в то утро из поселка. Сначала я думал, что это он и едет. И вдруг подъезжает этот... без головы... останавливается на минутку, а потом мчится галопом как сумасшедший, а Тара с воем — за ним. Так и мчались они по равнине, пока не скрылись с моих глаз. Тогда я вернулся сюда, в хижину, заперся и лег спать. И вдруг — как раз когда я заснул и мне приснилось, как... Извините, мисс, вы ведь устали, даже на минутку не присели — все время на ногах. Снимите вашу красивую шляпку с пером и садитесь на сундучок — это будет поудобнее, чем на табурете. Садитесь, прошу вас, ведь я еще не все рассказал.

— Не беспокойтесь обо мне. Продолжайте. Кто же еще, кроме этого странного всадника, был здесь? Это, наверно, кто-нибудь подшутил над вами?

— Подшутил? То же самое сказал мне и старик Зеб.

— Значит, и он был здесь?

— Да, но только после того, как сюда приходили другие...

— Другие?

— Да, мисс. Зеб пришел только вчера утром. Они же навестили меня в ночь накануне, в очень поздний час. Понимаете ли, я спал сладким сном, а они пришли и разбудили меня.

— Но кто они, эти «другие»?

— Да индейцы же!

— Индейцы?

— Ну да! Целое племя! Представьте себе, мисс, как я уже вам сказал, я спал сладким сном. Вдруг слышу — кто-то разговаривает в хижине прямо над моей головой, потом шелест бумаги, как будто кто-то тасует карты... Святой Патрик, а это что?

— Что?

— Разве вы ничего не слышали?.. Вот и опять! Топот лошадей! Они около хижины...

Фелим бросился к двери.

— Святой Патрик! Нас окружили со всех сторон всадники. Их целая тысяча, и еще подъезжают... Это, наверно, те, о которых Зеб... Надо, значит, его вызвать. О Господи! Того и гляди, не успею!

Ирландец схватил ветку кактуса, которую для удобства принес с собой, и выбежал из хижины.

— Ах! — воскликнула креолка. — Это они! Мой отец, а я здесь... Что сказать? Святая Дева, охрани меня от позора!

Луиза инстинктивно бросилась к двери и заперла ее, но тут же поняла, что это бесполезно. Тех, кто был снаружи, подобное препятствие вряд ли могло остановить. Она заметила в стене щель. Бежать?

Поздно! Топот копыт уже раздавался позади хижины. Всадники окружили хакале со всех сторон.

Да и все равно ее крапчатый мустанг привязан около хакале; не узнать его они не могли.

Но и другая, более великодушная мысль удерживала девушку от бегства: ее возлюбленному грозит опасность, от которой его не спасет даже бессознательное состояние; кто, кроме нее, может его защитить?

«Пусть я потеряю свое доброе имя, — подумала креолка, — потеряю отца, друзей, всех — только не его! Это моя судьба. Пусть позор, но я буду ему верна».

Луиза встала около постели больного, готовая пожертвовать ради него даже жизнью.

Глава LXII

НАПРЯЖЕННОЕ ОЖИДАНИЕ

Никогда еще около хижины мустангера не раздавалось такого топота копыт — даже в дни, когда его кораль был полон только что пойманными дикими лошадьми.

Фелима, выбежавшего из двери, останавливают несколько десятков голосов.

Самый громкий и властный принадлежит, по-видимому, предводителю отряда:

— Остановись, негодяй! Бежать бесполезно! Еще один шаг — и ты будешь убит! Остановись, говорят тебе!

Ирландцу, который кинулся к кобыле Зеба Стумпа, привязанной по ту сторону поляны, пришлось остановиться.

— Поверьте, джентльмены, я совсем не собирался бежать, — произносит он дрожащим голосом при виде свирепых лиц и наведенных на него ружей. — У меня таких намерений вовсе не было. Я только хотел...

— ...сбежать, если тебе удастся. Начал ты неплохо... Сюда, Дик Треси! Свяжи-ка его!.. Помоги ему, Шелтон! Черт побери, уж больно чудаковат этот простофиля! Вряд ли это тот, которого мы ищем.

— Конечно, нет! Это его слуга.

— Эй, вы там, за хижиной! Не спускайте с нее глаз. Мы его еще не поймали. Смотрите лучше, чтобы и мышь не проскочила... А теперь отвечай: кто там внутри?

— Внутри? В хижине, что ли?

— Отвечай, дурак! — говорит Треси, хлестнув ирландца веревкой. — Кто внутри хижины?

— О Господи! Тут уж не до шуток. Ну ладно. Во-первых, мой хозяин...

— Странно... Что это такое? — спрашивает только что подъехавший Вудли Пойндекстер, заметив крапчатого мустанга. — Ведь это... лошадь Луизы?

— Да, это она, дядя, — отвечает Кассий Колхаун, который подъезжает вместе с плантатором.

— Кто же привел ее сюда?

— Наверно, сама Лу.

— Что за ерунда! Ты шутишь. Каш?

— Нет, дядя, я говорю совершенно серьезно.

— Ты хочешь сказать, что моя дочь была здесь?

— Была? Она и теперь здесь — я в этом не сомневаюсь.

— Невозможно!

— Посмотрите-ка туда!

Дверь только что взломали. В хижине видна женская фигура.

— Моя дочь!

Пойндекстер быстро соскакивает с лошади и поспешно направляется к хакале. Колхаун следует за ним. Оба входят в хижину.

— Луиза, что это значит?.. Раненый? Кто это? Генри?

Прежде чем ему успевают ответить, плантатор замечает шляпу и плащ Генри.

— Это он! Он жив! Слава Богу!

Пойндекстер бросается к постели.

Радость его мгновенно угасла. Бледное лицо на подушке — не лицо его сына. Плантатор со стоном отшатнулся.

Колхаун, кажется, взволнован не меньше. У него вырывается крик ужаса. Съежившись, он потихоньку выходит из хижины.

— О Боже! Что же это? — шепчет плантатор. — Что же это? Можешь ли ты мне объяснить, Луиза?

— Нет, отец. Я здесь всего несколько минут. Я нашла его уже в таком состоянии. Он бредит, ты сам слышишь.

— А... а... Генри?

— Я ничего не узнала. Мистер Джеральд был один, когда я вошла. Его слуги не было, он только что вернулся. Я еще не успела расспросить его.

— Но... но... как ты сюда попала?

— Я не могла оставаться дома. Неизвестность была слишком мучительна. Подумай — совсем одна, терзаемая мыслью, что мой несчастный брат...

Пойндекстер смотрит на дочь растерянным и все еще вопрошающим взглядом.

— Я подумала, что Генри, может быть, здесь.

— Здесь! Но откуда ты знала об этой хижине? Кто указал тебе дорогу? Ты ведь здесь одна!

— Я знала дорогу. Ты помнишь день охоты, когда меня понес мустанг? На обратном пути мистер Джеральд показал мне, где он живет. И я решила, что смогу снова отыскать это место.

К недоумению Пойндекстера примешивается новое чувство: он угрюмо хмурится. Но что его встревожило, он не говорит.

— Это был неосмотрительный поступок, дочь моя, легкомысленный и даже опасный. Ты вела себя, как глупая девчонка. Уезжай, скорее уезжай! Здесь не место для девушки. Садись на свою лошадь и возвращайся домой. Тебя кто-нибудь проводит. Ты можешь увидеть здесь неподходящие для тебя вещи. Ну, иди же!

Отец выходит из хижины, дочь следует за ним с явной неохотой. Так же неохотно она подходит к лошади.

Всадники уже спешились и толпятся на поляне перед хижиной. Здесь собрались все. Колхаун рассказал им о положении дел. В часовых нет необходимости.

Они стоят кучками; некоторые молчат, другие разговаривают. Многие толпятся около Фелима, который лежит на земле связанный. Его расспрашивают, но, кажется, не особенно ему верят.

При появлении отца с дочерью все поворачиваются в их сторону, но молчат, хотя сгорают от нетерпения узнать, что же происходит.

Большинство из них знают девушку в лицо. Всем известно ее имя, многие слышали о ее красоте. Все удивлены, больше того — поражены, увидев ее здесь. Сестра убитого в доме убийцы!

Теперь больше чем когда-либо все они убеждены, что виновник преступления — мустангер. Колхаун рассказал о шляпе и плаще, найденных в хакале, и о самом убийце, раненном в смертельной схватке.

Но почему же Луиза Пойндекстер здесь и одна? Почему ее не сопровождает ни слуга, ни кто-нибудь из родственников? Она здесь гостья — так, по крайней мере, это выглядит.

Ее двоюродный брат ничего не объясняет — должно быть, он не может объяснить. А отец — может ли он? Судя по его смущенному лицу — вряд ли.

В толпе начинают шептаться, но ни одна догадка не высказывается вслух. Даже эти грубые люди боятся оскорбить отцовские чувства, и все терпеливо ждут объяснений.

— Садись на лошадь, Луиза. Мистер Янси проводит тебя домой.

Молодой плантатор, к которому обращаются с этой просьбой, очень обрадован. Он — один из тех, кто особенно завидует мнимому счастью Кассия Колхауна.

— Но, отец, — возражает девушка, — почему мне не подождать тебя? Ведь ты же долго здесь не останешься?

Янси начинает беспокоиться.

— Я так хочу, Луиза, и этого достаточно.

Луиза подчиняется — правда, очень неохотно и даже не пытаясь скрыть свое недовольство от любопытных зрителей.

Наконец они уезжают; молодой плантатор едет впереди, Луиза медленно следует за ним. Янси едва сдерживает свою радость, она — свою печаль.

Янси скорее огорчен, чем обижен грустным настроением своей спутницы. Ведь у нее такое горе!

Но он ошибается, полагая, что знает его причину. Если бы он посмотрел внимательнее в глаза Луизы Пойндекстер, то прочел бы в них страх перед будущим, а не печаль о прошлом.

Они едут между деревьями, но до них еще доносятся голоса с поляны.

Вдруг лицо креолки проясняется — оно словно озаряется какой-то радостной мыслью или, быть может, надеждой.

Луиза в задумчивости останавливает лошадь. Ее спутник вынужден сделать то же.

— Мистер Янси, — говорит девушка после некоторого молчания, — у моего седла ослабла подпруга. Мне неудобно сидеть. Будьте добры, подтяните ее.

Янси соскакивает с лошади и проверяет подпругу. Ему кажется, что туже затягивать ее незачем. Но он этого не говорит, растягивает пряжку и начинает изо всех сил затягивать ремень.

— Погодите, — говорит всадница. — Дайте я сойду, вам будет удобнее.

Не дожидаясь помощи, Луиза соскакивает на землю и становится около мустанга.

Молодой человек продолжает изо всей силы затягивать ремень. После продолжительных усилий, весь красный от напряжения, он наконец застегивает ремень на следующую дырочку.

— Теперь, мисс Пойндекстер, мне кажется, все хорошо.

— Да, так будет хорошо, — отвечает она, положив руку на седло и подергав его. — По правде сказать, жаль уезжать отсюда так скоро. Я только что сюда приехала и мчалась во весь опор; моя бедная Луна еще не успела отдышаться. Давайте остановимся здесь ненадолго, а она тем временем отдохнет. Ведь жестоко заставлять ее скакать обратно без передышки.

— Но ваш отец... его желание было, чтобы вы...

— Чтобы я сейчас же вернулась домой? Пустяки. Ему просто не хотелось, чтобы я оставалась среди этой грубой толпы. Вот и все. Теперь, раз я уехала с поляны, он не будет ничего иметь против нашей задержки... Как здесь красиво! И так прохладно в тени деревьев! А в прерии солнечный зной нестерпим. Побудем здесь немного и дадим Луне отдохнуть... Ах, мистер Янси, посмотрите, какие красивые рыбки в реке! Вон там, видите, с серебристой чешуей?

Молодой плантатор польщен. Почему его прелестная спутница захотела побыть с ним? Ему кажется, что он знает ответ на этот вопрос.

Он не заставляет себя долго упрашивать:

— Приказывайте, мисс Пойндекстер. Я с радостью побуду здесь, сколько вам захочется.

— Только до тех пор, пока Луна отдохнет. Я едва успела сойти с лошади, когда подъехал ваш отряд. Посмотрите на Луну — бедняжка все еще тяжело дышит после долгой скачки.

Янси совершенно безразлично, как дышит крапчатый мустанг, но он рад исполнить малейшее желание своей спутницы.

Они останавливаются на берегу ручья.

Молодой плантатор немного удивлен, заметив, что его спутница совсем не обращает внимания ни на рыбок, ни на крапчатого мустанга; это только радовало бы его, если бы она была внимательнее к нему. Однако Луиза не смотрит на него и не слушает его слов. Ее глаза устремлены в пространство, а слух напряженно ловит каждый звук, доносящийся с поляны.

И Янси тоже невольно прислушивается к голосам. Он знает, что около хижины начинается суд Линча с «регулярниками» в роли присяжных.

Из-за деревьев доносятся возбужденные голоса. В них звучит жестокая решимость.

Оба прислушиваются; молодая креолка — как трагическая актриса за кулисами театра, ожидающая своего выхода.

Доносятся речи; можно различить несколько мужских голосов; потом еще один, который говорит дольше других.

Луиза узнает этот голос. Это голос ее кузена Кассия: он на чем-то гневно настаивает, а потом словно убеждает своих слушателей сделать что-то, чего они не хотят.

Но вот он кончил. Тотчас же раздаются бурные возгласы одобрения; один зловещий голос звучит громче других.

Прислушиваясь, Янси забывает о присутствии своей прелестной спутницы.

Он вспоминает о ней, только когда видит, что она неожиданно вскакивает с места и стремительно бежит к хакале.

Глава LXIII

СУД ЛИНЧА

Громкий крик, заставивший молодую креолку так внезапно покинуть своего спутника, был одновременно и решением присяжных и приговором.

Слово «повесить» звучало у нее в ушах, когда она бросилась к хижине мустангера.

Наблюдая с притворным интересом за игрой серебристых рыбок, она думала только о том, что в эту минуту происходило перед хакале. Хотя деревья заслоняли от нее поляну, она знала, кто находится на ней, и могла по доносившимся оттуда словам представить себе ход событий.

Приблизительно в ту минуту, когда она соскочила с лошади, перед хакале разыгралась сцена, которую следует вкратце описать.

Люди, оставшиеся на поляне, уже не стояли отдельными кучками — они столпились в круг.

В центре толпы возвышалась внушительная фигура начальника «регулярников» и около него три или четыре его помощника; рядом с ними стояли Вудли Пойндекстер и Кассий Колхаун. Последние присутствовали, по-видимому, лишь как свидетели развертывающейся драмы; решающее слово принадлежало другим. Это было судебное разбирательство по обвинению в убийстве — суд Линча. В качестве судьи выступал начальник «регулярников». Вся толпа, за исключением двух обвиняемых, играла роль присяжных.

Обвиняемые — Морис Джеральд и его слуга Фелим. Они — внутри круга. И тот и другой лежат на траве, связанные сыромятными ремнями по рукам и ногам. Их даже лишили возможности говорить. Фелима заставили замолчать угрозами, а его хозяин молчит потому, что в рот ему вставили деревянный кляп. Это сделано для того, чтобы он своим безумным бредом не мешал говорить другим. Туго стянутые ремни не могут парализовать движений больного. Два человека держат Мориса за плечи, третий сидит на его ногах. Только его глаза могут свободно двигаться; он вращает ими, бросает на свою стражу дикие, безумные взгляды, которые трудно выдержать.

В убийстве обвиняется только один из пленников; другого считают просто соучастником, и то под сомнением.

Допрашивают одного слугу. Ему предлагают сообщить все, что он знает, и все, что он может сказать в свою защиту. Ведь задавать вопросы его хозяину бесполезно.

Рассказ Фелима слишком неправдоподобен, чтобы ему можно было поверить; хотя самое неправдоподобное в нем — упоминание о всаднике без головы — вызывает наименьшие сомнения.

Фелим не может объяснить это загадочное явление; его показания лишь подтверждают предположение, что этот призрак как-то связан с убийством. Его рассказ об индейцах и схватке с ягуаром называют «сплошной выдумкой, сочиненной с целью ввести суд в заблуждение».

Судебное разбирательство длится не больше десяти минут, но присяжные уже составили свое мнение.

Большинство окончательно убеждаются в том, что Генри Пойндекстер убит и что Морис Джеральд ответствен за его смерть.

Каждое обстоятельство, уже ранее известное, вновь обсуждено и взвешено; к ним присоединяются новые улики, только что обнаруженные в хакале: там найдены плащ и шляпа.

Объяснения Фелима, сбивчивые и нескладные, не внушают доверия. Может ли быть иначе? Ведь это вымысел соучастника. Некоторые просто не хотят слушать — это те, кто кричит в нетерпении: «Повесить убийцу!»

Должно быть, приговор уже предрешен. На земле лежит веревка с петлей на одном конце. Правда, это только лассо, но для такой цели оно подходит как нельзя лучше. Горизонтальный сук растущей вблизи смоковницы вполне может заменить виселицу.

Производится опрос присяжных. Восемьдесят из ста заявляют, что Морис Джеральд должен умереть. Его час, по-видимому, пробил...

И все же приговор не приводится в исполнение. Лассо лежит в бездействии на траве.

Почему все сторонятся этого кожаного ремня, словно он ядовитая змея, до которой никто не смеет дотронуться?

Большинство высказались за смертный приговор. Некоторые подкрепили свое решение грубыми ругательствами. Почему же приговор не приводится в исполнение?

Почему? Да потому, что нет полного единодушия. Не все согласны с приговором.

Среди присяжных есть и такие, которые против казни Мориса. Их меньшинство, однако они сказали свое «нет» с не меньшей решительностью.

Из-за этого-то и произошла задержка казни.

Среди меньшинства и сам судья — Сэм Мэнли, начальник «регулярников». Он еще не произнес приговора и даже не принял решения присяжных.

— Сограждане! — кричит он толпе, воспользовавшись моментом, когда его могут услышать. — Мне кажется, что у нас нет достаточных доказательств. Надо выслушать обвиняемого — конечно, когда он будет в состоянии говорить. Сейчас, как вы сами видите, допрашивать его бесполезно. Поэтому я предлагаю отложить разбирательство этого дела до...

— Что за смысл откладывать? — прерывает его громкий протестующий голос Кассия Колхауна. — Вам хорошо разглагольствовать, Сэм Мэнли! Но, если бы подло убили вашего друга, сына или брата, вы рассуждали бы иначе. Что вам еще нужно, чтобы убедиться в виновности этого негодяя? Дополнительные доказательства?

— Вот именно, капитан Колхаун.

— Есть ли они у вас, мистер Кассий Колхаун? — спрашивает из толпы чей-то голос с сильным ирландским акцентом.

— Может быть, и есть.

— Тогда поделитесь с нами.

— Видит Бог, доказательств больше чем достаточно. Даже присяжные из его собственных глупых соотечественников...

— Возьмите свои слова обратно! — кричит тот же голос. — Помните, мистер Колхаун, вы в Техасе, а не на Миссисипи! Запомните это, или ваш язык не доведет вас до добра!

— Я вовсе не хотел кого-нибудь оскорбить, — говорит Колхаун, стараясь выйти из неприятного положения, в которое попал из-за своей антипатии к ирландцам, — даже англичанина, если здесь есть англичане.

— Это — дело другое! — отвечает несколько успокоенный ирландец.

— Итак, я говорил, что доказательств достаточно, даже больше, чем надо. Но, если вам их мало, я могу представить и другие.

— Давайте выкладывайте! — кричат несколько десятков голосов, потому что Колхаун, кажется, все еще колеблется.

— Джентльмены! — говорит наконец Колхаун, обращаясь к толпе, как будто он собирается произнести речь. — То, что я скажу сейчас, я мог бы сказать вам давно. Но я надеялся, что это не понадобится. Вы все хорошо знаете, что произошло между этим человеком и мной, и я не хотел, чтобы меня сочли злопамятным. Я не таков. И если бы я не был уверен, что именно он совершил убийство, так же как уверен в том, что моя голова у меня на плечах...

Колхаун начинает запинаться, видя, что невольно сорвавшаяся фраза произвела странное впечатление на окружающих; да и ему самому становится не по себе.

— Если бы, — продолжает он, — я не был в этом уверен, я ничего не сказал бы о том, что видел или, вернее, слышал — ведь дело было ночью.

— Что же вы слышали, мистер Колхаун? — спрашивает Сэм Мэнли, возвращаясь к обязанностям судьи. — Ваша ссора с обвиняемым, о которой, мне кажется, все присутствующие знают, не имеет никакого отношения к вашим показаниям. Никто не собирается обвинить вас из-за этого в лжесвидетельстве. Пожалуйста, продолжайте. Что вы слышали, когда и где?

— Начну с указания времени. Это было в ту ночь, когда пропал мой двоюродный брат, но, понятно, мы не обнаружили этого до утра. В ночь на среду.

— В ночь на среду? Дальше.

— Я уже пошел к себе в комнату: я думал, что и Генри пошел в свою. Было нестерпимо жарко, одолевали москиты, спать было невозможно. Я встал, зажег сигару, покурил немного в комнате, но потом решил выйти на крышу. Вы, наверно, знаете, что на старой асиенде плоская крыша? Вот я и пошел туда, чтобы побыть на свежем воздухе. Это было около полуночи или немного раньше — точно не могу сказать, так как я довольно долго ворочался на постели и не следил за временем. Только я успел выкурить сигару и уже хотел было достать другую, как услыхал со стороны реки голоса. Два голоса. Они доносились с того берега — как мне показалось, с дороги, ведущей в поселок. Я, наверно, не услышал бы их и не смог бы отличить один от другого, если бы они говорили спокойно. Но это был громкий, раздраженный разговор; ясно было, что происходит ссора. Я подумал, что это пьяницы, возвращающиеся из бара Обердофера, и перестал обращать на них внимание. Однако, прислушиваясь, я узнал один из голосов, а затем другой. Первый был голос моего двоюродного брата Генри, второй — вот этого человека, убийцы...

— Продолжайте, мистер Колхаун. Мы хотим сначала выслушать ваши показания, а свое мнение вы выскажете потом.

— Вы понимаете, джентльмены, что я был немало удивлен, услышав голос моего двоюродного брата: я думал, что он давно уже спит. Однако я был уверен, что это именно он, и даже не пошел в его комнату проверить. Не менее ясно было для меня и то, что вторым из споривших был этот мустангер. Мне показалось особенно странным, что Генри, против обыкновения, вышел в такой поздний час. Но факт оставался фактом, ошибки тут быть не могло. Я стал прислушиваться, чтобы узнать, о чем они спорят. Голоса доносились слабо, и я не мог понять, о чем они говорили. Мне удалось разобрать только, что Генри ругает мустангера, словно тот оскорбил его первым, потом отчетливо донеслись угрозы мустангера. Каждый громко назвал другого по имени, и тут уж у меня не осталось никаких сомнений, что это именно они. Мне следовало бы пойти туда выяснить, в чем дело, но я был в ночных туфлях; и, пока я надевал сапоги, все уже стихло. Я ждал Генри около получаса, но он не возвращался. Тогда я решил, что он отправился в бар, где мог встретить знакомых из форта и просидеть долго, и лег спать... Итак, джентльмены, я рассказал вам все, что знаю. Бедный Генри не вернулся в Каса-дель-Корво: никогда больше он не ложился в свою постель. Его постелью в ту ночь была прерия или заросли, а где именно — знает только этот человек!

Драматическим жестом он указал на мустангера. А тот только повел дикими, блуждающими глазами, проявляя полное безразличие к ужасному обвинению и не чувствуя на себе гневных взглядов, обращенных на него со всех сторон.

Обстоятельная речь Колхауна произвела впечатление. Никто больше не сомневался в том, что мустангер виновен. Последовал новый взрыв негодования.

— Повесить! Повесить! — кричат со всех сторон.

Даже сам судья, кажется, начинает колебаться. Возражающих становится еще меньше. Уже не восемьдесят, а девяносто из ста повторяют роковое требование. Волна озлобленных голосов заглушает более спокойные.

По толпе проходит движение. Напряжение растет, скоро оно достигает предела.

Какой-то негодяй кидается к веревке. Он только что отошел от Колхауна, пошептавшись с ним, хотя этого никто не заметил. Он берет лассо, наклоняется и быстро надевает петлю на шею по-прежнему ничего не сознающему осужденному.

Никто не вмешивается. У этого человека за поясом торчат кинжал и револьверы, и ему предоставлена свобода действий; у него нашлись и помощники из таких же негодяев, как и он, — из тех, кто только что стерег пленника.

Остальные спокойно стоят и смотрят на происходящее — большинство с немым одобрением, некоторые же даже подбадривают палачей злобными возгласами: «Вздерни его! Вешай!»

Некоторые ошеломлены; несколько человек жалеют мустангера, но никто не осмеливается встать на его защиту.

На его шею накинута петля. Другой конец веревки уже заброшен на сук...

Скоро Морис Джеральд расстанется с жизнью!

Глава LXIV
НЕПРЕДВИДЕННАЯ ЗАДЕРЖКА

«Скоро Морис Джеральд расстанется с жизнью!» — так думал каждый из участников трагедии, разыгравшейся на лесной поляне. Никто не сомневался, что пройдет еще одна минута — и они увидят, как его тело повиснет на суку смоковницы.

Но тут произошла непредвиденная задержка.

Одновременно и, можно сказать, на той же сцене был разыгран и фарс. Но благодаря тому, что на этот раз трагедия всецело завладела вниманием присутствующих, комедия осталась без зрителей.

Тем не менее артисты фарса отнеслись к своим ролям вполне серьезно. Их было двое: человек и кобыла. Фелим снова сыграл сцену, поразившую Исидору.

Доводы Колхауна еще более разожгли жажду мести и сосредоточили внимание толпы только на главном преступнике. Слуга никого не интересовал, никто не думал, был он или не был сообщником, — все смотрели только на мустангера.

А когда палачи стали прилаживать веревку, о Фелиме совсем забыли, и он не преминул этим воспользоваться.

Катаясь по траве, он ослабил стягивавшую его веревку, освободился от нее и потихоньку прополз между ног зрителей.

Никто не заметил его маневра. В страшном возбуждении люди толкали друг друга, не отрывая глаз от смоковницы. Можно было подумать, что Фелим, воспользовавшись удобным случаем, спасает свою жизнь и уже больше не заботится о хозяине. Правда, он не мог ему ничем помочь и знал это. Он высказал в защиту хозяина все доводы, какие у него были; дальнейшее вмешательство с его стороны не только было бы бесполезно, но могло еще больше раздражить обвинителей. Его бегство никто не назвал бы предательством — его гнал инстинкт самосохранения. Так рассуждал бы случайный свидетель.

Но он был бы не прав. Преданный слуга вовсе не собирался предоставить своего хозяина его судьбе. Наоборот, он снова пытался спасти Мориса Джеральда от неминуемой смерти. Он

10-4

знал, что один ничего не сможет сделать. Все надежды он возлагал на Зеба Стумпа и потому решил вызвать его как можно скорее уже известным нам способом, который оказался таким удачным.

Выбравшись из толпы, Фелим тихонько скользнул в лес и, прячась за деревьями, стал пробираться к месту, где паслась старая кобыла.

Вдоль всей опушки леса к деревьям были привязаны верховые лошади. Они загораживали Фелима, и ему удалось добраться до кобылы незамеченным.

Но здесь он обнаружил, что не захватил с собой необходимых приспособлений. Он выронил ветку кактуса, когда его схватили, и она так и валялась под ногами толпы. Отправиться за ней было бы слишком рискованно. У него не было ни ножа, ни другого орудия, чтобы срезать еще одну ветку кактуса.

Он остановился в печальном раздумье, не зная, что предпринять. Но только на мгновение: времени терять было нельзя. Каждая минута промедления могла стать роковой для его хозяина. Его надо было спасти во что бы то ни стало. С этой мыслью Фелим бросился к кактусу и голыми руками отломил одну из его колючих ветвей.

Его пальцы были изодраны в кровь. Но можно ли было обращать внимание на такие пустяки, когда дело шло о жизни его молочного брата! Ирландец помчался к кобыле и, рискуя, что она его лягнет, сунул ей под хвост орудие пытки.

К этому времени петля была уже надета на шею мустангера и тщательно проверена; другой конец веревки, переброшенный через сук смоковницы, держали добровольные палачи, у которых, казалось, руки чесались скорее дернуть ее. В их взглядах и позах чувствовалась жестокая решимость. Они ждали только команды.

Собственно, никто не имел права отдать такую команду. Из-за этого-то и произошла задержка. Никто не хотел брать на себя ответственность за роковой сигнал. Хотя все они считали осужденного преступником и верили, что он убийца, но взять на себя обязанности шерифа никто не решался. Даже Колхаун отступил.

Это происходило не из-за недостатка злой воли — в этом нельзя было упрекнуть ни отставного капитана, ни многих из присутствующих. Задержка объяснялась отсутствием соответствующего исполнителя. Это было лишь затишье во время грозы — затишье перед новым сильным ударом грома.

Воцарилась гробовая тишина. Все знали, что они перед лицом смерти — смерти в ее самой ужасной и отвратительной личине. Большинство чувствовали себя причастными к ней, и никто не сомневался, что она близка.

Они стояли молча и неподвижно, ожидая развязки.

Но, вместо того чтобы увидеть, как Морис Джеральд повиснет на суку, они стали свидетелями совсем другого зрелища; оно было настолько нелепым, что нарушило мрачную торжественность минуты и задержало казнь.

Старая кобыла — все знали, что она принадлежит Зебу Стумпу, — вдруг словно взбесилась. Она начала плясать по траве, высоко подбрасывая задние ноги и оглашая поляну неистовым ржанием. Стоявшая рядом сотня лошадей вторила ей, подражая ее бешеной пляске.

Сцена перед хижиной изменилась как будто по мановению волшебной палочки. Не только казнь мустангера была приостановлена, но им вообще на время перестали интересоваться.

Однако в происшедшей перемене не было ничего комичного. Наоборот, на всех лицах отразилась тревога, раздались испуганные крики.

«Регулярники» бросились кто к оружию, кто к лошадям.

— Индейцы!

Это восклицание было у всех на устах, хотя его нельзя было расслышать из-за шума. Только нападение команчей могло вызвать такое смятение.

Некоторое время люди с криками метались из стороны в сторону по поляне или стояли молча с испуганными лицами. Многие, отвязав своих лошадей, укрылись за ними от индейских стрел.

Только немногим из присутствующих приходилось попадать в подобные переделки; большинство же, неискушенные в таких делах, были охвачены ужасом.

Смятение длилось до тех пор, пока все лошади не попали в руки к хозяевам и не успокоились. Только одна продолжала ржать — старая кобыла, которая начала концерт. Тогда и обнаружили настоящую причину тревоги, а кроме того, заметили, что Фелим исчез.

Он предусмотрительно спрятался в кустах, и это его спасло.

Человек двадцать с возмущением схватились за ружья и прицелились в виновницу переполоха. Но, раньше чем они успели спустить курки, кто-то из стоявших поблизости набросил лассо на шею лошади и заставил ее замолчать.

Спокойствие восстанавливается, и все возвращаются туда, где лежит осужденный. Толпа по-прежнему озлоблена. Нелепое происшествие не показалось им смешным — совсем наоборот.

Некоторые стыдятся малодушия, проявленного ими во время ложной тревоги. Другие недовольны тем, что были прерваны мрачные приготовления.

Они возобновляются, раздаются ругательства и гневные возгласы.

Жаждущая мести толпа смыкается вокруг осужденного — актеры страшной трагедии опять заняли свои места.

Снова добровольные палачи берутся за веревку, опять у каждого из присутствующих мелькает одна и та же мысль:

«Скоро Морис Джеральд расстанется с жизнью!»

О счастье! Ужасная церемония снова прервана.

Как не похожа на смерть светлая стройная фигура, вырвавшаяся из-под тени деревьев на яркий солнечный свет.

Женщина! Прелестная женщина!

Это только мелькнувшая мысль; никто не решается заговорить. Все по-прежнему стоят неподвижно, но выражение их лиц как-то странно изменилось. Даже самые грубые считаются с присутствием этой незваной гостьи. Они смущены и словно чувствуют себя виноватыми.

Она пробегает сквозь толпу молча, не глядя ни на кого, и наклоняется над осужденным, все еще распростертым на траве.

Быстрым движением она хватает лассо обеими руками и вырывает его у растерявшихся палачей.

— Техасцы! Трусы! — кричит она, глядя на толпу. — Позор!

Все словно съеживаются от ее гневного упрека.

— И это, по-вашему, суд? Обвиняемый осужден без защитника, не получив возможности сказать ни одного слова в свое оправдание. И это вы называете правосудием! Техасским правосудием! Вы не люди, а звери! Убийцы!

— Что это значит? — негодует Пойндекстер. Он бросается вперед и хватает дочь за руку. — Ты лишилась рассудка, Лу! Как ты попала сюда? Разве я не приказал тебе ехать домой? Уезжай, сию же минуту уезжай! И не вмешивайся в то, что тебя не касается!

— Отец, это меня касается!

— Тебя касается? Как?.. Ах, правда, ты сестра. Этот человек — убийца твоего брата.

— Я не верю, я не могу поверить... Это неправда! Что могло его толкнуть на преступление?.. Техасцы, если вы люди, то не поступайте, как звери. Пусть будет справедливый суд, а тогда... тогда...

— Над ним был справедливый суд! — кричит какой-то верзила, очевидно кем-то подученный. — В его виновности сомневаться не приходится. Это он убил вашего брата. И очень нехорошо, мисс Пойндекстер, — простите, что я так говорю, — но нехорошо, что вы заступаетесь за него.

— Правильно! — присоединяются несколько голосов.

— Да свершится правосудие! — выкрикивает кто-то торжественную судебную формулу.

— Да свершится! — подхватывают остальные.

— Простите, мисс, но мы должны просить вас удалиться отсюда... Мистер Пойндекстер, пожалуй, вам следует увести вашу дочь.

— Пойдем, Лу! Здесь не место для тебя. Ты должна уйти... Ты отказываешься? Боже милостивый! Ты отказываешься мне повиноваться?.. Кассий, возьми ее за руку и уведи прочь... Если ты не уйдешь добровольно, нам придется увести тебя силой. Ну будь же умницей! Сделай то, о чем я тебя прошу. Уходи же!

— Нет, отец! Я не хочу. Я не уйду до тех пор, пока ты мне не пообещаешь, пока все не пообещают...

— Мы ничего не можем обещать вам, мисс, как бы нам этого ни хотелось. Да и вообще это не женское дело. Совершено преступление, убийство, вы это сами знаете. Убийце нет пощады!

— Нет пощады! — повторяют двадцать гневных голосов. — Повесить его! Повесить!

Присутствие женщины больше не сдерживает толпу. Быть может, все происшедшее даже приблизило роковую минуту. Теперь мустангера ненавидит не только Кассий Колхаун. Завидуя счастью охотника за лошадьми, его возненавидели и другие.

Кассий Колхаун, повинуясь распоряжению Пойндекстера, уводит или, вернее, тащит Луизу прочь с поляны. Она вырывается из рук, которые так ненавидит, заливается слезами и громко протестует против бесчеловечной казни.

— Изверги! Убийцы! — срывается у нее с уст.

Она не может вырваться, ее никто не слушает. Ее выводят из толпы, и она теряет надежду помочь человеку, за которого готова отдать жизнь.

Колхауну приходится выслушать много горького: она осыпает его словами, полными ненависти.

Уверенность в мести — плохое утешение для него. Его соперник скоро умрет; но разве от этого что-нибудь изменится? Он может убить возлюбленного Луизы, но его она никогда не полюбит.

Глава LXV

ЕЩЕ ОДНА НЕПРЕДВИДЕННАЯ ЗАДЕРЖКА

В третий раз зрители и актеры страшной трагедии занимают свои места.

Лассо снова забрасывается на сук смоковницы. Те же два палача хватают свободный конец. Теперь они туго его натягивают.

В третий раз у всех мелькает мысль:

«Скоро Морис Джеральд расстанется с жизнью!»

Смерть мустангера кажется неминуемой. Даже любовь не сумела спасти его. Какая же еще сила может предотвратить роковой конец?

Спасти его невозможно — для этого уже нет времени. В суровых взглядах зрителей не видно сострадания — одно нетерпение. Палачи тоже торопятся, словно боясь новой задержки. Они орудуют веревкой с ловкостью опытных профессионалов. Судя по их физиономиям, для них это дело привычное.

Не пройдет и шестидесяти секунд, как все будет кончено.

— Эй, Билл, ты готов? — спрашивает один палач другого, по-видимому решив не дожидаться команды.

— Да, — отвечает Билл. — Вздернем этого негодяя!

Веревку дергают, но недостаточно сильно, чтобы поднять с земли тело осужденного. Петля затягивается вокруг его шеи, немного приподнимает его голову — и все. Только один из палачей потянул веревку.

— Тащи же ты, проклятый! — кричит Билл, удивленный бездействием своего помощника. — Чего зеваешь?

Билл стоит спиной к лесу и не замечает появившегося из-за деревьев человека, увидев которого, другой палач выпускает веревку и застывает на месте.

— Ну, давай! — кричит Билл. — Раз, два — тяни!

— Не выйдет! — раздается громовой голос; высокий человек с ружьем в руке вышел из-за деревьев, и через мгновение он уже в самой гуще толпы. — Не выйдет! — повторяет он, наклоняясь над распростертым человеком и направляя дуло своего длинного ружья в сторону палачей. — Еще чуть-чуть рано, по моим расчетам. Эй, Билл Гриффин, если ты затянешь эту петлю хоть на одну восьмую дюйма, то получишь свинцовую пилюлю прямо в живот, и вряд ли ты ее переваришь! Отпустите, вам говорят!

Даже дикий визг старой кобылы не произвел на толпу такого сильного впечатления, как появление ее хозяина — Зеба Стумпа. Его знали почти все присутствующие; его уважали и многие боялись.

К последним относились Билл Гриффин и его помощник. Когда раздалось приказание: «Отпустите!» — они сразу поняли опасность и бросили лассо; теперь оно валялось на траве.

— Что вы за ерунду затеяли, ребята? — продолжает охотник, обращаясь к онемевшей от удивления толпе. — Неужели вы всерьез собрались его вешать? Не может этого быть!

— Именно это мы и хотели сделать, — раздается суровый голос.

— А почему бы и нет? — спрашивает другой.

— Почему бы и нет? Почему бы вам не повесить без суда гражданина Техаса?

— Если уж на то пошло — он не техасец! Да и, кроме того, его судили, судили по всем правилам.

— Вот как! Человек, лишенный рассудка, приговорен к смерти! Отправляют его на тот свет, когда он ничего не сознает! И это вы называете — судить по всем правилам?

— Ну и что? Мы же знаем, что он виноват. Мы все в этом уверены.

— Уверены? Вот как! С тобой, Джим Стордас, не стоит говорить. Но ты, Сэм Мэнли, и вы, мистер Пойндекстер, — не может быть, чтобы вы согласились на это. Ведь это же, попросту говоря, убийство...

— Ты не все знаешь, Зеб Стумп, — перебивает его Сэм Мэнли, желая оправдать свое согласие на казнь. — Известны факты...

— К черту ваши факты! А также и выдумки. Я не хочу ничего слышать! У нас хватит времени в этом разобраться, когда будет настоящий суд, против которого, конечно, никто возражать не станет: парень все равно бежать не может. Кто-нибудь против?

— Вы слишком много берете на себя, Зеб Стумп, — возражает Кассий Колхаун. — И какое вам до этого дело, хотел бы я знать? Убитый не был вам ни сыном, ни братом, ни даже двоюродным братом, а то вы, вероятно, заговорили бы иначе. Не вижу, каким образом это вас касается.

— Зато я вижу, как оно меня касается; во-первых, этот парень — мой друг, хотя он и недавно поселился в наших краях, и, во-вторых, Зеб Стумп не потерпит подлости, хотя бы и в прериях Техаса.

— Подлости? Вы называете это подлостью?.. Техасцы, неужели же вы робеете перед этим болтуном? Пора довести дело до конца. Кровь убитого взывает к мести. Беритесь за веревку!

— Только попробуйте! Клянусь, что первый, кто посмеет, свалится прежде, чем успеет схватиться за нее! Вы можете повесить несчастного так высоко, как вам нравится, но не раньше, чем Зебулон Стумп свалится мертвым на траву и несколько человек из вас рядом с ним. А ну-ка! Кто первый возьмется за веревку?

После слов Зеба наступает гробовая тишина. Люди не двигаются с места — отчасти опасаясь принять вызов, отчасти из уважения к мужеству и великодушию охотника. Многие все-таки сомневаются в справедливости того, на что подстрекает их Колхаун.

Старый охотник умело использует их настроение.

— Назначьте над парнем справедливый суд, — требует он. — Давайте отвезем его в поселок, и пусть его судят там. У вас нет неопровержимых доказательств, что он участвовал в этом грязном деле, и будь я проклят, если я поверю этому, не убедившись собственными глазами! Я знаю, как он относился к молодому Пойндекстеру. Он вовсе не был его врагом — наоборот, всегда говорил о нем с восхищением, хотя и повздорил немного с его двоюродным братом.

— Вы не знаете, мистер Стумп, — возражает Сэм Мэнли, — того, что нам недавно рассказали.

— Что же это?

— Показания, которые свидетельствуют как раз об обратном. У нас есть доказательства не только того, что между Джеральдом и молодым Пойндекстером была вражда, но что была ссора, которая произошла именно в эту ночь.

— Кто это сказал, Сэм Мэнли?

— Я сказал это! — отвечает Колхаун, выступая вперед, чтобы Зеб его заметил.

— Ах, это вы, мистер Кассий Колхаун? Вы знаете, что между ними была вражда. А вы видели ссору, о которой рассказывали?

— Я этого не говорил. А кроме того, я вовсе не собираюсь отвечать на ваши вопросы, Зеб Стумп. Я дал свои показания тем, кто имел право их требовать, и этого достаточно... Я думаю, джентльмены, вы все согласны с вынесенным решением. Я не понимаю, почему этот старый дурень вмешивается...

— «Старый дурень»! — кричит охотник. — Вы называете меня старым дурнем? Клянусь, что вам еще придется взять эти слова обратно! Это говорит Зебулон Стумп из Кентукки. Ну, да всему свое время. Придет и ваш черед, мистер Кассий Колхаун, и, может быть, раньше, чем вы думаете... А что касается ссоры между Генри Пойндекстером и этим парнем, — продолжает Зеб, обращаясь к Сэму Мэнли, — я не верю ни одному слову. И никогда не поверю, пока не будет более убедительных доказательств, чем пустая болтовня мистера Колхауна. Его слова противоречат тому, что я знаю. Вы говорите, у вас есть новые факты? У меня они тоже есть. И факты, которые, мне кажется, могут пролить некоторый свет на это таинственное дело.

— Какие факты? — спрашивает Сэм Мэнли. — Говори, Стумп.

— Их несколько. Прежде всего вы сами видите, что парень ранен. Я не говорю о царапинах. Это его потрепали койоты, почуяв, что он ранен. Но посмотрите на его колено. Это уж никак не работа койотов. Что ты думаешь по этому поводу, Сэм Мэнли?

— Это... Ребята думают, что это случилось во время схватки между ним и...

— Между ним и кем? — резко спрашивает Зеб.

— И человеком, который пропал.

— Да, таково наше мнение, — говорит один из «регулярников». — Мы все знаем, что Генри Пойндекстер не позволил бы себя убить, как теленка. Между ними была драка, и мустангер ударился коленом о камень. Вот оно и распухло. Кроме того, на лбу у него синяк — похоже, что от рукоятки револьвера. А откуда царапины, мы не знаем — может, от колючек или от когтей койотов, как ты говоришь. Этот дурак плел тут что-то о ягуаре, но нас не проведешь.

— О каком дураке ты говоришь? Об ирландце Фелиме? А где он?

— Удрал, спасая свою шкуру. Мы разыщем его, как только покончим с этим делом. Накинем на него петлю, и тогда он скажет правду.

— Если о ягуаре, то вы ничего нового не узнаете. Я сам видел эту тварь и едва поспел, чтобы спасти парня от его когтей. Но не в этом дело. Что еще рассказывал Фелим?

— Длинную историю про каких-то индейцев. Но кто этому поверит!

— Что же, он и мне рассказал то же самое. Все это похоже на правду. Он говорил, что они играли в карты. Вот смотрите, я нашел полную колоду в хижине на полу. Это испанские карты.

Зеб вытаскивает из кармана колоду карт и протягивает ее Сэму Мэнли.

Карты оказываются мексиканскими, какие обычно употребляются для игры в монте: дамы на них изображены верхом, пики обозначаются мечом, а трефы — огромным молотом.

— Где это слыхано, чтобы команчи играли в карты? — раздался голос, который высмеял показания об индейцах. — Чушь!

— Чушь, по-твоему? — отзывается один из старых охотников, которому пришлось пробыть около года в плену у команчей. — Может быть, это и чушь, но тем не менее это правда. Не раз мне приходилось видеть, как они играли в карты на шкуре бизона вместо стола. Играли в это самое мексиканское монте, которому они, наверно, научились у своих пленников — их насчитывается до трех тысяч в разных племенах. Как бы то ни было, — заканчивает старик, — команчи играют в карты, это истинная правда.

Зеб Стумп рад этому заявлению — оно на пользу обвиняемому. Тот факт, что в окрестностях побывали индейцы, меняет дело. До сих пор все думали, что они разбойничают далеко от поселка.

— Конечно, это так, — подхватывает Зеб, используя этот аргумент, чтобы убедить присутствующих в необходимости отложить судебное разбирательство. — Здесь были индейцы или, во всяком случае, кто-то сильно на них похожий... Иосафат! Откуда это она скачет?

В это мгновение со стороны обрыва отчетливо доносится топот копыт.

Для всех теперь ясно, почему Зеб прервал свою речь: вдоль обрыва во весь карьер мчится лошадь. Верхом на ней женщина — ее волосы развеваются, шляпа болтается за спиной на шнуре.

Лошадь мчится таким бешеным галопом и так близко от края обрыва, словно всадница не может с ней справиться. Но нет. Судя по поведению всадницы, это не так — ее, по-видимому, не удовлетворяет эта скорость, и она то и дело подгоняет своего коня хлыстом, шпорами и окриками.

Это ясно для зрителей внизу на поляне, но они не понимают, почему она скачет над самым обрывом. Они стоят в молчаливом изумлении — но не потому, что не знают, кто это. Все узнали ее с первого взгляда. Смелая всадница — та самая женщина, которая указала им путь к хижине.

Глава LXVI
ПРЕСЛЕДУЕМАЯ КОМАНЧАМИ

Это Исидора появилась так неожиданно и так странно. Что заставило ее вернуться? И почему она скакала таким бешеным галопом?

Чтобы объяснить это, мы должны вернуться к ее мрачным размышлениям, которые были прерваны встречей с техасцами.

Когда Исидора галопом удалялась от берегов Аламо, она и не думала оглядываться, чтобы проверить, следует ли за ней кто-нибудь. Поглощенная мрачными мыслями о мести, она продолжала свой путь и ни разу не обернулась.

То, что Луиза Пойндекстер как будто тоже собиралась покинуть хакале, мало утешало мексиканку. С женской проницательностью она угадывала причину, но сама-то она слишком хорошо знала, что это лишь недоразумение. И Исидора злорадствовала при мысли, что ее соперница, не зная своего счастья, страдает так же, как и она сама.

Кроме того, у нее появилась надежда, что все случившееся может оттолкнуть сердце гордой креолки от человека, к которому она снизошла, но это была слабая, шаткая надежда. По собственному опыту она знала, что для любви не существует сословных преград. Она сама была тому примером. Но Исидора надеялась, что их встреча в хакале причинила боль ненавистной сопернице и может разрушить ее счастье.

Мексиканка с мрачной радостью думала об этом, когда встретила отряд.

Когда она повернула обратно вместе с ними, настроение ее изменилось. Луиза должна была возвращаться той же дорогой, что и она. Но на тропе никого не было видно.

Креолка, наверно, передумала и осталась в хижине и, возможно, сейчас ухаживает за больным, о чем так мечтала сама Исидора.

Теперь мексиканка утешала себя мыслью, что уже близка минута, когда она опозорит соперницу, отнявшую ее счастье. Вопросы, которые задавали ей Пойндекстер и его спутники, многое объяснили Исидоре, и все стало окончательно ясно после расспросов Колхауна. Когда отряд удалился, она некоторое время оставалась на опушке зарослей, колеблясь, ехать ли ей на Леону или вернуться к хакале и самой быть свидетельницей той бурной сцены, которая благодаря ее содействию должна была там разыграться.

Исидора на опушке зарослей, в тени деревьев. Она сидит на серой лошади; ноздри мустанга раздуваются, он косит испуганным глазом вслед только что уехавшему отряду, который догоняет одинокий всадник. Мустанг, быть может, недоумевает, почему ему приходится скакать то туда, то обратно; впрочем, он привык к капризам своей хозяйки.

И она смотрит в ту же сторону — на вершину кипариса, поднимающуюся над обрывом долины Аламо.

Она видит, как отряд спускается в лощину и последним — человек, который так подробно расспрашивал ее. Когда его голова скрывается за краем обрыва, Исидоре кажется, что она осталась одна среди этих просторов.

Но она ошибается.

Некоторое время она в нерешительности остается на месте.

Вряд ли можно позавидовать ее мыслям. Может быть, она уже отомщена, но это ее не радует. Пусть она унизила соперницу, которую ненавидит, но ведь она, быть может, погубила человека, которого любит. Несмотря на все, что произошло, она по-прежнему любит его.

— Пресвятая Дева! — шепчет она в лихорадочной тревоге. — Что я сделала? Если только эти свирепые судьи признают его виновным, чем это кончится? Его смертью! Пресвятая Дева, я не хочу этого! Только не от их руки! Нет-нет! Какие у них жестокие, суровые лица! Когда я показала им дорогу, как быстро бросились они вперед, сразу позабыв обо мне! Они уже заранее решили, что дон Морисио должен умереть. Он здесь всем чужой, уроженец другой страны. Один, без друзей, окруженный только врагами... Что мне пришло в голову! Тот, который последним остановил меня, — не двоюродный ли брат убитого? Теперь я понимаю, почему он меня расспрашивал. Его сердце жаждало мщения — так же как и мое...

Взор девушки блуждает по прерии. Серый мустанг по-прежнему неспокоен, хотя отряд уже давно исчез из виду. Он чувствует, что его всадница чем-то встревожена. Конь первый замечает опасность — он вдруг тихонько ржет и поворачивает голову в сторону зарослей, как будто указывая, что враги приближаются оттуда.

Кто же это?

Обеспокоенная поведением мустанга, Исидора тоже оборачивается и всматривается в тропинку, по которой только что проехала. Это дорога на Леону. Она видна только на двести ярдов, и затем ее заслоняет кустарник. На ней никого не видно, кроме двух или трех тощих койотов, которые жмутся в тени деревьев, обнюхивая следы лошадей, надеясь найти что-нибудь съедобное. Нет, не они встревожили серого коня. Он видит их, но что из этого? Волк прерий для него — слишком обычное зрелище. Он почуял или услышал что-то другое.

Исидора прислушивается, но пока нет ничего тревожного. Отрывисто лает койот — это тоже не страшно, особенно среди бела дня. Больше она ничего не слышит.

Ее мысли снова возвращаются к техасцам. И особенно к тому, кто последним оставил ее. Она задумывается, зачем он так подробно ее расспрашивал, но конь прерывает ее размышления. Почему же ее мустанг проявляет нетерпение, не хочет стоять на месте, храпит и, наконец, ржет громче, чем раньше?

На этот раз ему отвечает ржание нескольких лошадей, которые, по-видимому, скачут по дороге, но пока они все еще скрыты зарослями. Тут же доносится их топот.

Потом снова все затихает. Лошади либо остановились, либо пошли шагом.

Исидора предполагает первое. Она думает, что всадники остановили лошадей, услышав ржание ее коня. Она успокаивает его и прислушивается. Из зарослей долетает какой-то слабый гул. Можно различить несколько приглушенных мужских голосов.

Вскоре они замолкают, и в зарослях опять воцаряется тишина. Всадники, кто бы они ни были, наверно, остановились в нерешительности.

Исидору это не удивляет и не тревожит.

Кто-нибудь едет на Рио-Гранде или, быть может, это отставшие всадники отряда техасцев. Они услышали ржание лошадей и остановились — наверно, из осторожности; это понятно: известно, что индейцы сейчас на тропе войны.

Вполне естественно, что и ей надо быть осторожной, кто бы ни были эти неизвестные всадники. С этой мыслью Исидора тихо отъезжает в сторону и останавливается под прикрытием акации. Здесь она опять прислушивается.

Вскоре она замечает, что всадники приближаются к ней, но не по дороге, а через чащу зарослей. Кажется, они разделились и стараются ее окружить. Она догадывается об этом потому, что тихий топот копыт доносится с разных сторон; всадники сохраняют глубокое молчание — это либо предосторожность, либо хитрость. Нет ли у них враждебных намерений?

Быть может, они тоже заметили ее, услышали ржание ее мустанга? Они, должно быть, окружают, чтобы наверняка захватить ее.

Откуда ей знать, какие у них намерения?

У нее есть враги, и особенно опасен один из них — дон Мигуэль Диас. Кроме того, и команчей всегда следует опасаться, тем более что они на тропе войны.

Исидору охватывает тревога. До сих пор она была спокойна, но теперь поведение всадников кажется ей подозрительным. Будь это обыкновенные путники, они продолжали бы ехать по дороге, а не подкрадывались бы через заросли.

Она осматривает место, в котором притаилась: легкая перистая листва акации не скроет ее, если они проедут близко.

По топоту копыт ясно, что всадники приближаются. Сейчас они ее увидят...

Исидора шпорит лошадь, выезжает из зарослей и мчится по открытой прерии к Аламо.

Она решила отъехать на двести-триста ярдов, чтобы ее не могли достать ни стрела, ни пуля, и тогда остановиться, чтобы узнать, кто приближается — друзья или враги.

И, если это окажутся враги, она положится на своего быстроногого мустанга, который примчит ее под защиту техасцев.

Но она не останавливается: всадники вырываются из зарослей; они показались в разных местах, но все мчатся прямо к ней.

Обернувшись, она видит бронзовую кожу полуобнаженных тел, военную раскраску на лицах и огненные перья в волосах.

— Индейцы... — шепчет мексиканка, еще сильнее шпорит коня и во весь опор мчится к кипарису.

Быстрый взгляд через плечо убеждает ее, что за ней гонятся, хотя она и так уже знает это. Они уже близко — настолько близко, что, вопреки своему обычаю, не оглашают воздух военным кличем.

Их молчание свидетельствует о том, что они хотят взять ее в плен и договорились об этом заранее.

До сих пор Исидора почти не боялась встречи с индейцами. В течение ряда лет они жили в мире как с техасцами, так и с мексиканцами. Но теперь перемирие кончилось. Исидоре грозит смерть.

Вперед по открытой равнине мчится Исидора; восклицаниями, хлыстом, шпорами гонит она своего коня.

Слышен только ее голос. Те, кто гонится за ней, безмолвны, как призраки.

Она оглядывается второй раз. Их всего только четверо; но четверо против одного — это слишком много, и особенно против одной женщины.

Единственная надежда — техасцы.

Исидора мчится к кипарису.

Глава LXVII
ИНДЕЙЦЫ

Всадница, преследуемая индейцами, уже на расстоянии трехсот ярдов от края обрыва, над которым возвышается кипарис.

Она снова оглядывается.

«Я пропала! Спасенья нет!»

Индеец, скачущий впереди, снимает лассо с луки седла и вертит им над головой.

Прежде чем девушка достигнет лощины, петля лассо обовьется вокруг ее шеи. И тогда...

Вдруг счастливая мысль осеняет Исидору.

До спуска еще далеко, но обрыв рядом. Она вспоминает, что он виден из хижины.

Всадница быстро дергает поводья и резко меняет направление; вместо того чтобы ехать к кипарису, она скачет прямо к обрыву.

Ее преследователи озадачены и в то же время рады — они хорошо знают местность и теперь уверены, что девушка от них не ускользнет.

Главарь снова берется за лассо, но не бросает его, так как уверен в успехе.

— Карамба! — бормочет он. — Еще немного — и она сорвется в пропасть!

Но он ошибается: Исидора не срывается в пропасть. Она снова резко дергает поводья, делает еще один быстрый поворот и вот уже мчится вдоль обрыва настолько близко к самому краю, что привлекает внимание техасцев; тогда-то Зеб и восклицает в волнении: «Иосафат!»

И, словно в ответ на это восклицание старого охотника или, вернее, на следующий за ним вопрос, до них доносится крик смелой всадницы:

— Индейцы! Индейцы!

Тот, кто пробыл хотя бы три дня в южном Техасе, понимал эти слова, на каком бы языке они ни были произнесены. Это сигнал тревоги, который вот уже в течение трехсот лет раздается на протяжении трех тысяч миль пограничной полосы на трех разных языках — французском, испанском и английском. «Les Indiens!», «Los Indios!», «Tne Indians!»

Только глухой или очень глупый человек не понял бы этих слов, не почувствовал бы скрывающейся за ними опасности.

Для тех, кто стоит внизу у дверей хакале и слышит этот возглас, перевода не требуется. Они сразу поняли, что женщину, у которой вырвался этот крик, преследуют индейцы.

Едва успели они осознать это, как до них снова донесся тот же голос:

— Техасцы! Друзья! Спасите! Спасите! Меня преследуют индейцы! Они совсем близко!

Хотя она и продолжает кричать, но различить ее слов уже нельзя. Но больше и нет нужды объяснять, что происходит на верхней равнине.

Вслед за всадницей в просвете между вершинами деревьев появляется мчащийся бешеным галопом индеец. На фоне синего неба четко вырисовывается его силуэт.

Как пращу, кружит он петлю лассо над своей головой. Он так поглощен преследованием, что, кажется, не обратил внимания на слова девушки, — ведь, когда она звала техасцев на помощь, она не задержала коня. Он мог подумать, что эти слова обращены к нему, что это ее последняя мольба о пощаде, произнесенная на непонятном ему языке.

Он догадывается, что ошибся, когда снизу доносится резкий треск ружейного выстрела, а может быть, немного раньше, — когда жгучая боль в руке заставляет его выронить лассо и в недоумении оглянуться вокруг.

Он замечает в долине облачко порохового дыма. Одного взгляда достаточно, чтобы изменить поведение индейца. Он видит сотню вооруженных людей.

Его три товарища замечают их одновременно с ним.

Точно сговорившись, все четверо поворачивают лошадей и мчатся прочь с такой же быстротой, с какой прискакали сюда.

— Какая досада! — говорит Зеб Стумп, вновь заряжая ружье. — Если бы ей не грозила смерть, я дал бы им спуститься к нам. Попадись они в плен, мы могли бы кое-что узнать относительно нашего загадочного дела. Но теперь их уже не догнать.

Появление индейцев меняет настроение толпы, находящейся около хижины мустангера.

Те, кто считает Мориса Джеральда убийцей, теперь остаются в меньшинстве. Наиболее уважаемые из присутствующих думают, что он невиновен.

Колхаун и его сообщники уже больше не хозяева положения. По предложению Сэма Мэнли суд откладывается.

Очень быстро составляется новый план действий. Обвиняемого перевезут в поселок, и там будет проведено судебное разбирательство согласно законам страны.

А теперь пора заняться индейцами, так внезапно опрокинувшими все планы и изменившими настроение собравшихся.

Преследовать их? Разумеется.

Но когда? Сейчас?

Осторожность подсказывает, что нет.

Видели только четверых, но они могли быть авангардом четырех сотен.

— Подождем, пока к нам спустится женщина, — советует кто-то из более робких. — Они ведь не преследуют ее больше. Кажется, я слышу топот копыт ее лошади — наверно, она спускается по склону. Она должна хорошо знать дорогу — ведь она же сама нам ее указала.

Этот совет кажется разумным большинству из присутствующих. Они не трусы. Однако лишь некоторые из них участвовали в настоящих схватках с индейцами; многие вообще видели только тех индейцев, которые приезжали торговать в форт.

Итак, предложение принято. Все ждут Исидору.

Все уже около своих лошадей. Некоторые прячутся за деревьями, опасаясь, что вместе с мексиканкой или вслед за ней может появиться отряд команчей.

Тем временем Зеб Стумп вынимает кляп изо рта временно помилованного пленника и развязывает туго затянутую веревку.

Луиза с напряженным вниманием следит за ним, но она не помогает ему. Она уже сделала все, что могла, — быть может, слишком открыто. Она больше не хочет привлекать к себе внимание.

Но где же племянница дона Сильвио Мартинеса?

Ее все еще нет. Не слышно больше стука копыт ее лошади. У нее было достаточно — более чем достаточно — времени, чтобы доскакать до хакале.

Это вызывает удивление, тревогу, страх.

На многих мексиканка произвела сильное впечатление, это и неудивительно: в толпе есть и ее старые поклонники, и те, кто увидел ее впервые.

Неужели ее захватили в плен?

Весь гнев, скопившийся в их груди, направлен теперь ответить.

Техасцы чувствуют упреки совести. Ведь это к их благородству и мужеству взывала девушка: «Техасцы! Друзья! Спасите!»

Неужели же эта красавица в плену у дикарей?

Они напряженно прислушиваются; у многих сердце сжимается от тревоги.

Но ничего не слышно. Ни топота копыт, ни женского голоса — ничего, кроме звяканья уздечек их собственных лошадей.

Неужели ее захватили в плен?

Весь гнев, скопившийся в их груди, направлен теперь не на мустангера, а на исконных врагов.

Наиболее молодые и пылкие не могут больше пребывать в неизвестности; они вскакивают в седла и громогласно объявляют о своем решении отыскать девушку, спасти ее или погибнуть.

Кто станет возражать им? Те, кто преследовал девушку, могут оказаться теми, кого они разыскивают, — убийцами Генри Пойндекстера.

Никто их не останавливает. Они отправляются искать Исидору — преследовать разбойников прерий.

Возле хижины остаются немногие; среди них Зеб Стумп.

Старый охотник не высказал своего мнения, стоит ли преследовать индейцев: он промолчал. Кажется, что его единственная забота — помочь больному, который все еще без сознания и которого все еще стерегут «регулярники».

Но не только Зеб остается верен мустангеру в его несчастье. Ему верны еще двое. Прелестная девушка по-прежнему не спускает с него глаз, хотя и принуждена скрывать свое горячее участие. Второй — неуклюжий, забавный человек у изголовья больного, которого он называет мастером Морисом: это Фелим. Все это время он просидел, прячась в густой листве развесистого дуба, молча наблюдая за всем происходящим. Изменение обстановки позволило ему наконец без риска спуститься на землю, и он начинает ухаживать за хозяином, вместе с которым пересек Атлантический океан.

Дальнейшие события будут развиваться уже далеко от берегов Аламо. Через час хижина опустеет, и Морису-мустангеру, быть может, никогда уже не придется жить под ее гостеприимным кровом.

Глава LXVIII
ДВОЙНОЕ РАЗОЧАРОВАНИЕ

Поход против команчей длился очень недолго — не больше трех или четырех дней. Оказалось, что индейцы вовсе и не собирались начинать войну. Набег был совершен отрядом юношей, которых должны были принять в число воинов; они хотели отпраздновать это событие, добыв несколько скальпов и угнав какое-нибудь стадо или табун.

Такие мелкие нападения краснокожих — довольно обычное явление в Техасе. Часто они устраиваются без ведома вождя и старейшин племени, подобно тому как молодой офицер может уйти тайком из лагеря вместе с дюжиной товарищей и захватить в плен вражеский патруль. Эти набеги обычно совершают молодые воины, отправившиеся на охоту, когда им хочется вернуться домой не только с дичью, но и с другими трофеями; об их похождениях остальные воины чаще всего узнают только много времени спустя. В противном случае их остановили бы старейшины, которые, как правило, против таких разбойничьих набегов, потому что считают их не только неразумными, но и опасными для всего племени, хотя и готовы их одобрить в случае благополучного исхода.

На этот раз молодых команчей перехватил эскадрон конных стрелков среди холмов Сан-Саба. Они были вынуждены бросить угнанный скот, но сами спаслись, ускакав в ущелья Льяно-Эстакадо.

Преследовать индейцев на этом бесплодном плоскогорье представлялось рискованным, так как трудно было наладить снабжение войск, и, хотя родные погибших требовали немедленной мести, им отвечали, что к карательной экспедиции надо хорошенько подготовиться.

Поскольку команчи отступили за пределы нейтральной полосы, войскам оставалось только вернуться в свои лагеря и ждать дальнейших распоряжений командования.

Войска форта Индж, охранявшие пограничную полосу вплоть до реки Нуэсес, вернувшись в лагерь, с удивлением узнали, что могли бы встретиться с индейцами, никуда не уезжая. Молодые офицеры, жаждущие подвигов — в том числе Генкок, — которые не находили себе места от досады, услышав, что за Леоной видели краснокожих, воспрянули духом.

Но их постигло еще одно разочарование: в этот же день вернулся собранный из штатских отряд, преследовавший замеченных вблизи Аламо команчей, и сообщил, что никаких индейцев там и не бывало.

Их заявление подтверждалось вещественными доказательствами — париками из конского волоса, петушиными перьями, выкрашенными в зеленый и красный цвет, штанами из оленьей шкуры, мокасинами и несколькими пакетиками красок. Все это было найдено в дупле старого тополя.

О новом походе против индейцев нечего было и мечтать. Искателям героических подвигов пришлось смирить свои порывы и удовлетвориться мирной жизнью, тем более что за последнее время даже в этой глуши произошло немало интересных и таинственных событий, о которых можно было подумать и поговорить. Прежде всего — недавний приезд на Леону замечательной красавицы; затем — таинственное исчезновение и предполагаемое убийство ее брата; далее — еще более таинственное появление всадника без головы; очередная история о белых, переодетых индейцами, и, наконец, последняя новость — заподозренный в убийстве Генри Пойндекстера человек пойман и находится на их же гауптвахте в состоянии буйного помешательства.

Разочарованным воинам рассказали и другие интересные новости, так что жаловаться на скуку им не приходилось. Имя Исидоры Коварубио де Лос-Льянос, этой коварной красавицы, тоже все время упоминалось в разговорах. Ходили слухи, что она имеет какое-то отношение к тайне, занимавшей все умы.

Все разыгравшиеся на Аламо события — захват больного мустангера в его хижине, решение повесить его, вмешательство Луизы Пойндекстер, предстоящий пересмотр дела, отложенного благодаря отважному заступничеству Зеба Стумпа, — все это дало повод к нескончаемым пересудам и сплетням.

Однако наиболее оживленные споры разгорелись вокруг вопроса о виновности мустангера, обвиняемого в убийстве Генри Пойндекстера.

— Убийство, — сказал философски настроенный капитан Слоумен, — это преступление, на которое, по-моему, Морис-мустангер не способен. Мне кажется, я его достаточно хорошо знаю, чтобы утверждать это.

— Вы не можете отрицать, — возразил Кроссмен, — что все улики против него. Его виновность почти несомненна.

Кроссмен никогда не был расположен к молодому ирландцу. Ему однажды показалось, что племянница интенданта, красавица форта, слишком благосклонно посмотрела на этого безвестного искателя приключений.

— Я не считаю, что эти улики достаточны, — ответил Слоумен.

— Но ведь не приходится сомневаться в том, что молодой Пойндекстер убит. Это бесспорно. Так кто же еще мог это сделать? Колхаун клянется, что он слышал, как его кузен поссорился с Джеральдом.

— Милейший Колхаун поклянется в чем угодно, если только ему это выгодно, — вмешался драгун Генкок. — Кроме того, у него были недоразумения с мустангером, и поэтому его показания не заслуживают особого доверия. Не так ли?

— Предположим, что между молодым Пойндекстером и мустангером произошла ссора, — продолжал пехотный офицер. —

Что же из этого следует? Это еще не доказывает, что мы имеем дело с убийством.

— Значит, вы предполагаете, что у мустангера с Пойндекстером была дуэль?

— Что-нибудь в этом роде возможно и даже вероятно. Этого я не отрицаю.

— Но из-за чего у них могла произойти ссора? — спросил Генкок. — Я слышал, что молодой Пойндекстер хорошо относился к мустангеру, хотя тот и ранил Колхауна. Из-за чего они могли поспорить?

— И это спрашиваете вы, лейтенант Генкок? — многозначительно сказал Слоумен. — Разве мужчины ссорятся из-за чего-нибудь, кроме...

— ...кроме как из-за женщины? — вмешался драгун. — Но из-за какой женщины, я не могу понять. Не из-за сестры же Пойндекстера!

— Кто знает! — ответил Слоумен, пожимая плечами.

— Какая нелепость! — воскликнул Кроссмен. — Охотник за лошадьми посмел мечтать о мисс Пойндекстер? Невероятно!

— Какой вы ярый аристократ, Кроссмен. Разве вы не знаете, что любовь по самой своей природе — демократка, что она смеется над вашими надуманными теориями о социальном неравенстве? В данном случае я не берусь ничего утверждать. Ведь ссора могла произойти и не из-за мисс Пойндекстер. На Леоне немало и других девушек, которые сто́ят ссоры, не говоря уж о дамах нашего форта...

— Капитан Слоумен! — сердито прервал его Кроссмен. — Меня удивляют ваши рассуждения. Наши дамы вряд ли будут вам признательны за такие оскорбительные намеки.

— Какие намеки, сэр?

— Неужели вы думаете, что хотя бы одна из них снизошла бы до разговора с этим человеком?

— С каким? Я назвал двоих.

— Вы меня достаточно хорошо понимаете, Слоумен, а я вас. Наши дамы, несомненно, будут весьма польщены тем, что их имена упоминаются рядом с именем этого темного авантюриста-конокрада, подозреваемого в убийстве.

— Мориса-мустангера подозревают в убийстве, но все остальное к нему не относится. Он не конокрад и не авантюрист. Что же касается вашего утверждения, будто ни одна из наших дам не снизойдет до разговора с ним, то в этом — как и во многом другом — вы ошибаетесь, мистер Кроссмен. Я его лучше знаю, и я утверждаю, что он воспитан не хуже любого из нас. Нашим дамам незачем бояться знакомства с ним; и, раз уж вы коснулись этой темы, могу добавить, что вряд ли они — по крайней мере, некоторые из них — испугались бы этого. Морис-мустангер, как я сам видел, в присутствии наших дам всегда помнил свое место. А кроме того, я сильно сомневаюсь, что его интересует какая-нибудь из них.

— В самом деле? Какое счастье для того, кто мог бы оказаться его соперником!

— Пожалуй, — спокойно ответил Слоумен.

— А может быть... — сказал Генкок, желая замять неприятный разговор, — может быть, причиной этой предполагаемой ссоры была прекрасная сеньорита, о которой сейчас так много говорят? Я ее никогда не видел, но то, что я о ней слышал, позволяет думать, что из-за нее могла бы произойти не одна дуэль.

— Все может быть... — протянул Кроссмен, обрадованный предположением, что красивый ирландец мечтает вовсе не о племяннице интенданта.

— Его заперли на гауптвахте, — сообщил Генкок новость, которую он только что узнал (разговор этот происходил вскоре после их возвращения из похода против команчей). — С ним его чудак слуга. Майор отдал распоряжение удвоить охрану. Что это значит, капитан Слоумен? Вы, наверно, это можете объяснить лучше других. Ведь не ждут же, что он попытается бежать!

— Не думаю, — ответил Слоумен, — особенно если принять во внимание, что он не знает, где находится. Я только что был там, чтобы посмотреть на него. У него настолько помрачен рассудок, что он не узнал бы самого себя в зеркале.

— Помрачен рассудок?.. Что вы хотите этим сказать? — спросили Генкок и другие офицеры, которые еще не знали всех подробностей случившегося.

— У него горячка — он бредит.

— Неужели же из-за этого усилена охрана? Чертовски странно! Должно быть, сам майор немного помешался.

— Может быть, это предложение или, вернее, распоряжение майорши? Ха-ха-ха!

— Но что это означает? Неужели наш старик действительно опасается, что мустангер сбежит оттуда?

— По-моему, дело не в этом. Он, по-видимому, больше опасается, что кто-нибудь ворвется туда.

— Ах, вот как!

— Да, для Мориса-мустангера безопаснее находиться под замком. По поселку бродят подозрительные личности, и снова начались разговоры о суде Линча. Либо «регулярники» жалеют, что отложили расправу, либо кто-то их настраивает против мустангера. Ему повезло, что старый охотник вступился за него и что мы вернулись вовремя. Еще один день — и мы не застали бы Мориса Джеральда в живых. Теперь, во всяком случае, беднягу будут судить честно.

— Когда же суд?

— Как только к нему вернется сознание.

— Этого, может быть, придется ждать целый месяц, если не больше.

— А может быть, все пройдет через несколько дней или даже часов. Раны его, по-видимому, не так уж серьезны. Больше пострадал его рассудок — очевидно, не от них, а от какого-то душевного потрясения. Все может измениться за один день. И, насколько мне известно, «регулярники» требуют, чтобы его судили немедленно, как только он придет в себя. Ждать, когда у него заживут раны, они не намерены.

— Может быть, ему удастся оправдаться? Надеюсь, так и будет, — сказал Генкок.

— Не думаю, — ответил Кроссмен, покачав головой. — Поживем — увидим.

— А я в этом уверен, — сказал Слоумен. Но в тоне его слышалась не столько уверенность, сколько желание, чтобы это было так.

Глава LXIX
ТАЙНА И ТРАУР

В асиенде Каса-дель-Корво царит печаль. Между членами семьи — какие-то загадочные отношения.

Их осталось только трое. Видятся они гораздо реже, чем раньше, а при встречах держатся очень холодно. Они видятся только за столом и говорят тогда только о самом необходимом.

Понять причину этой печали нетрудно; до некоторой степени понятна и их молчаливость.

Смерть, в которой больше уже никто не сомневается, — смерть единственного сына, единственного брата, неожиданная и загадочная, — страшный удар и для отца и для сестры.

Эта же смерть может объяснить и мрачное уныние Кассия Колхауна, двоюродного брата убитого.

Но дело не только в этом. Они сдержанны друг с другом даже в тех редких случаях, когда им приходится говорить о семейной трагедии.

Помимо общего горя, у каждого из них есть еще какая-то своя тайная печаль, которой он не делится и не может поделиться с остальными.

Гордый плантатор не выходит теперь из дому. Он часами шагает по комнатам и коридорам. Тяжесть горя сломила его гордость и грозит разбить сердце. Однако старика гнетет не только тоска о погибшем сыне; невнятные проклятия, срывающиеся порой с его губ, выдают и другие чувства.

Колхаун все время куда-то уезжает, как и раньше; он появляется, только когда надо садиться за стол или ложиться спать, — и то не всегда.

Как-то раз он отсутствовал весь день и почти всю ночь. Никто не знает, где он был; и ни у кого нет права спрашивать его об этом.

Луиза почти все время проводит в своей комнате. Иногда, правда, она поднимается на асотею и стоит там одна, о чем-то размышляя.

Там, под сводом синего неба, ей легче переносить свои страдания — тоску о погибшем брате, страх потерять любимого и, быть может, неприятные мысли о скандале, уже связанном с ее именем.

Последнее меньше всего беспокоит ее. Больше всего ее волнует страх за любимого; печаль о погибшем брате, такая мучительная вначале, стала понемногу утихать.

Но тревога о возлюбленном с каждым часом становится сильнее.

Луиза знает, что Морис Джеральд заперт в крепких стенах военной гауптвахты.

То, что эти стены неприступны, ее не беспокоит; наоборот, она боится, что они недостаточно крепки. Для этого у Луизы есть основания. До нее дошли ужасные слухи.

Поговаривают о новом суде Линча; на этот раз в качестве судьи выступит не Сэм Мэнли и присяжными будут не «регулярники», а негодяи, не знающие, что такое совесть, которых всегда можно найти в пограничных селениях, особенно вблизи военного поста.

У многих эти разговоры вызывают удивление. Трудно понять, почему арестованного должны снова судить не по закону.

Факты, выяснившиеся за последнее время, не меняют дела; во всяком случае, нет никаких новых доказательств его виновности.

Хотя четыре всадника и не были индейцами — что доказано находкой в дупле, — тем не менее вполне возможно, что в смерти Генри Пойндекстера повинны они. Кроме того, нет ни малейшей связи между ними и мустангером — не больше, чем если бы они были настоящими команчами.

Почему же тогда опять вспыхнула эта неприязнь к арестованному?

Все это настолько странно, что многих ставит в тупик.

Лишь немногие знают или подозревают разгадку этой страшной тайны; пожалуй, всего только трое: Зеб Стумп и Луиза Пойндекстер; третий — Кассий Колхаун.

Наблюдательный охотник заметил кое-что подозрительное в поведении Мигуэля Диаса и его приятелей, которые неожиданно завязали дружбу с десятком таких же отпетых негодяев — «грозы» поселка. Зеб выяснил также, что их подстрекатель — отставной капитан волонтеров Кассий Колхаун.

Зеб Стумп поделился своими открытиями с молодой креолкой, которая поняла всю их важность; это-то и вызвало в ней мучительную тревогу.

Жадно ловит она новые слухи, напряженно глядит на дорогу, ведущую к форту, точно ждет вестника, который принесет ей оттуда либо смертный приговор, либо надежду на жизнь.

Она не смеет показываться около гауптвахты. Вход туда охраняется часовым, а кругом люди — толпа праздных зевак, которые во всех странах находят какое-то мрачное удовольствие быть вблизи тех, кто совершил преступление.

А этот осужденный вызывает особый интерес, потому что он сумасшедший или хотя бы временно лишился рассудка.

Дверь гауптвахты, несмотря на присутствие часовых, все время осаждается бездельниками, прислушивающимися к бреду безумца. Пройти сквозь эту толпу под огнем любопытных взглядов — значит для Луизы Пойндекстер рисковать своей репутацией.

Если бы Луиза была предоставлена самой себе, это соображение, возможно, ее не остановило бы, но за ней следит отец, у которого и так уже возникли подозрения. А кроме того, еще один родственник не менее рьяно оберегает ее честь в глазах общества. Ей не позволят это сделать.

Ей остается только сидеть дома; то, запершись в своей комнате, она ищет утешения в воспоминаниях о словах, которые она слышала на Аламо у постели больного; то на асотее перебирает в памяти счастливые минуты, проведенные среди акаций; то снова горюет при мысли, что тот, кто покорил ее гордое сердце, теперь унижен, опозорен, брошен в тюрьму и, быть может, выйдет оттуда лишь для того, чтобы умереть.

Как счастлива была Луиза, когда на четвертый день утром в Каса-дель-Корво появился Зеб Стумп и принес известие, что «отряд вернулся в форт»!

А это говорило о многом. Теперь уже не надо было опасаться жестокого намерения вырвать арестованного у стражи — не для того, чтобы спасти его, а для того, чтобы погубить.

— Можете больше не беспокоиться, — сказал Зеб с уверенностью в голосе. — Теперь эта опасность миновала, мисс Луиза, — я принял меры.

— Меры? Но какие, Зеб?

— Прежде всего я повидался с майором сразу же, как только он вернулся, и мы поговорили с ним по душам. Я рассказал ему всю эту историю, все, что мне самому известно. К счастью, он не настроен против мистера Мориса, а, сдается мне, по-прежнему хорошо к нему относится. Потом я рассказал про эту грязную банду американцев, мексиканцев и прочих. Не забыл и про негодяя Диаса — пожалуй, самого опасного из них. И вот майор распорядился удвоить охрану.

— Как я рада! Так вы думаете, что теперь их можно больше не опасаться?

— Если вы говорите о шайке мистера Мигуэля Диаса, то могу поклясться, что нет. Пусть он сам сначала выберется из тюрьмы.

— Что? Диас в тюрьме? Как? Когда? Где?

— Вы задали мне сразу три вопроса, мисс Луиза. Ну что ж! Для удобства давайте начнем с последнего. Значит, вы спрашиваете — где? В этих местах только одна тюрьма, другой нет. Я хочу сказать, что это гауптвахта форта. Он там.

— Вместе с...

— Я знаю, кого вы хотели назвать. Да, вы угадали. Они в одном доме, хотя и не в одной комнате. Между ними перегородка, но через нее все слышно; можно было бы переговариваться, если бы только они захотели. Вместе с мексиканцем сидят и трое его окаянных приятелей. Ну, уж эти-то, наверно, найдут о чем потолковать.

— Это хорошая новость, Зеб. Вы вчера мне сказали, что Диас изо всех сил старался...

— ...сам угодить в тюрьму. Это ему здорово удалось. Или кто-нибудь ему помог.

— Но скажите же: как, когда?

— Ох, как вы торопитесь, мисс Луиза! Дайте хоть дух перевести. Ваш второй вопрос — когда? И на это нетрудно ответить. Этого негодяя поймали и посадили час назад. Я видел, как за ним захлопнулась дверь гауптвахты. После этого я прямо направился сюда.

— Но вы еще не сказали, почему его арестовали.

— Не успел еще, мисс Луиза. Это длинная история — ее не скоро расскажешь. Хотите ли выслушать теперь или после...

— После чего, мистер Стумп?

— Как вам сказать... мисс Луиза, я думал... после того, как я отведу в конюшню свою старую кобылу. Ей, видно, хочется немножко пожевать чего-нибудь вроде кукурузы и хлебнуть какого-нибудь пойла. Мы ведь с ней долго были в пути и только час назад вернулись в форт.

— Простите меня, дорогой мистер Стумп! Я не подумала об этом... Плутон, отведи лошадь мистера Стумпа в конюшню и смотри накорми ее хорошенько... Флоринда! Флоринда!.. А что можно вам предложить, мистер Стумп?

— Не беспокойтесь обо мне, мисс Луиза, спасибо вам большое. Я думал только о кобыле. Что же касается меня, то часика два я еще могу обойтись без еды. Но, если в вашем доме есть что-нибудь вроде мононгахильского виски, это было бы мне, старику, очень полезно для поддержания духа.

— Мононгахильского виски? Сколько угодно. Но, может быть, вас угостить чем-нибудь получше?

— Лучше мононгахильского виски?!

— Да. Не хотите ли хересу, шампанского или коньяка? Если вы его предпочитаете.

— Нет, не надо мне этих французских вин, пусть их пьют, кому нравится. Может, у французов и есть вкусные вина, — а уж если есть, я уверен, что они найдутся в доме Пойндекстера, — но я пробовал только те, которыми угощает маркитант в форте. Будь это лекарство — дело другое: они могут вывернуть все кишки у крокодила. Нет, будь она проклята, эта французская бурда и особенно коньяк! И что может быть лучше чистого кукурузного сока, который привозят из Питтсбурга на реке Мононгахиле!

— Флоринда! Флоринда!

Горничной можно было и не говорить, зачем ее звали. Присутствие Зеба Стумпа достаточно красноречиво указывало, зачем ее зовут. Не дожидаясь распоряжения, она вышла и через минуту вернулась с графином, наполненным тем, что старый охотник называл «чистым кукурузным соком», но что на самом деле было продуктом переработки ржи.

Зеб не заставил себя упрашивать. Скоро жидкость в графине убыла на одну треть. Две трети он оставил для того, чтобы освежаться во время длинного рассказа, к которому уже готов был приступить.

Глава LXX

«ИДИТЕ, ЗЕБ, И ДА ПОМОЖЕТ ВАМ БОГ!»

Старый охотник не любил ничего делать второпях. Это сказывалось даже в его манере пить; и теперь, как всегда, он медленно смаковал свое виски.

Креолка, сгорая от нетерпения, не стала дожидаться, пока он сам заговорит.

— Скажите, милый Зеб, — сказала она, отослав служанку, — почему арестовали этого мексиканца? Мигуэля Диаса, я хочу сказать. Мне кажется, что я кое-что о нем знаю.

— Не вы одна, мисс Луиза, — многие знают проделки этого негодяя. Ваш брат... Но об этом пока не будем говорить. А Зеб

Стумп знает или сильно подозревает, что Мигуэль Диас имел какое-то отношение к... Вы понимаете, о чем я говорю?

— Продолжайте, мистер Стумп!

— Так вот. Вскоре после того, как мы вернулись с Аламо, явились и парни, которые поскакали в погоню за индейцами; они обнаружили, что это были вовсе не индейцы. Вы это, конечно, слыхали, мисс Луиза. Вещи, найденные в дупле дерева, ясно говорят, что те, кого мы видели над обрывом, не были краснокожими. Я и сам об этом подумал, когда нашел в хижине карты.

— Значит, это они явились ночью в хакале, это их видел Фелим?

— Без сомнения. Это те же самые мексиканцы.

— А почему вы думаете, что они мексиканцы?

— Очень просто. Я сам убедился в этом. Я выследил, куда скрылся каждый из этой шайки.

Молодая креолка больше не задавала вопросов. Рассказ Зеба пробудил в ней новую надежду. Она терпеливо ждала его продолжения.

— Видите ли, мисс Луиза, карты и некоторые их слова, которые Фелим повторил мне как сумел, навели меня на мысль, что эти люди — мексиканцы. Убедившись в этом, я уже легко мог догадаться, откуда приблизительно они могли явиться. Я достаточно хорошо знаю местных мексиканцев, чтобы по описанию узнать каждого из четверки. Их индейские тряпки меня не провели. Кроме того, одному из них я поставил свою метку.

— Вашу метку? Как же это, Зеб?

— Помните, я выстрелил?

— Я видела, как вы спустили курок, но тех, в кого вы стреляли, не видела, — я ведь стояла за деревьями.

— Так вот, мисс Луиза, когда старик Стумп спускает курок, пуля редко летит мимо цели. Я знал, что попал в этого прохвоста. Стрелять-то пришлось издалека, и пуля была уже на излете, но я знал, что она его зацепила. Я видел, как он дернулся, и подумал: «Если только в той шкуре не пробито дыры, то я готов поменяться с ним своей». После этого вернулись наши молодцы и рассказали нам о белых, а не о краснокожих. Я уже знал, кто были эти индейцы, и мог бы изловить их, но я этого не сделал.

— Но почему же, мистер Стумп? Ведь, может быть, это те же люди, которые убили моего бедного брата!

— Вот именно потому-то я их пока и не трогал. Была еще и другая причина. Мне не хотелось уходить далеко от форта — я боялся, как бы в мое отсутствие не произошло чего плохого. Вы понимаете? Да и помимо всего, я считал, что еще рано доводить дело до конца. Мне хотелось сделать это без промаха.

— И вы это сделали?

— Еще бы! Видите ли, погода стояла сухая, и я особенно не торопился сделать то, что решил. Итак, я дождался возвращения солдат и тогда мог спокойно оставить мистера Мориса под надежной охраной. Только после этого я оседлал свою старую кобылу и отправился туда, где нашли все эти парики и перья. Я легко нашел это место по описаниям тех, кто там побывал. Их вел этот желторотый Спенглер, и я знал, что они и половины следов не заметили, так что для меня там тоже достаточно осталось. Я не ошибся. Любой дурак, который когда-нибудь был в прерии, мог бы найти обратные следы этих фальшивых команчей. Любой лавочник смог бы проследить их по прерии, а вот мистер Спенглер и остальные не смогли. Я шутя все проверил, хотя следы были сильно затоптаны. Я проследил путь каждой из четырех лошадей до ее конюшни.

— А потом?

— Потом я поговорил с майором, и через полчаса все четыре красавца очутились за решеткой. Главаря схватили первым, иначе он мог бы улизнуть. Я был прав, утверждая, что оставил на мистере Мигуэле Диасе свою метку. Пуля попала ему в правую руку. Поэтому-то он и выронил лассо.

— Значит, это был он? — невольно сорвалось у Луизы, и она задумалась. — Очень странно, — продолжала она тихо, как будто разговаривая сама с собой. — Ведь это его я видела на поляне в зарослях. Да, без сомнения. А эта мексиканка — Исидора... Ах! Здесь кроется какая-то темная тайна! Кто сможет ее разгадать?.. Скажите мне, милый Зеб, — обратилась Луиза к охотнику, подойдя к нему поближе, — эта мексиканка... эта сеньорита, я хочу сказать... которая была там... часто она бывала у него?

— У кого? Про кого вы спрашиваете, мисс Луиза?

— У мистера Джеральда.

— Может быть, и часто, а может быть, и нет — ни то, ни другое мне не известно. Я ведь и сам редко там бывал. Я охочусь обычно не в тех местах. Только иногда, бывало, забреду туда для разнообразия, подстрелить дикого индюка или оленя — на этой речке их много водится. Если вы спрашиваете мое мнение, так я думаю, что эта девица никогда раньше там не бывала. По крайней мере, я об этом ничего не слыхал. А Фелим, уж наверно, проболтался бы. Я слыхал только об одной особе женского пола, которая приезжала в гости в эту хибарку.

— Кто? — быстро спросила креолка и сейчас же пожалела об этом. Яркая краска выступила у нее на щеках, когда она заметила многозначительный взгляд Зеба. — Но это неважно, — продолжала она, не дожидаясь ответа. — Так вы думаете, Зеб, что эти люди, эти мексиканцы, замешаны в убийстве моего брата?

— Сказать вам правду, мисс Луиза, я просто не знаю, что и думать... В прериях еще никогда не случалось такого таинственного происшествия. Иногда мне кажется, что это работа мексиканцев; иногда в голову приходят другие мысли, и тогда мне кажется, что к этому черному делу приложил руку кто-то другой. Я пока не скажу, кто.

— Только не он, Зеб, только не он!

— Нет, это не мустангер — он тут совсем ни при чем. Хотя очень многое и говорит против него, я ни на минуту не усомнился в его невиновности.

— Да, но как он сможет это доказать? Говорят, что все улики против него. И никто не хочет сказать ни слова в его защиту.

— Нет, это не совсем так. Мне еще не удалось как следует выяснить это дело — все времени не хватало: не спускал глаз с тюрьмы и со всех прочих, — но теперь у меня есть эта возможность, и я ее не упущу. Прерия — это большая книга, мисс Пойндекстер, интересная большая книга, надо только уметь читать по ней. Хотя Зеб Стумп и не слишком большой грамотей, но эту премудрость он постиг; ему, может быть, удастся найти свидетельства, разбросанные по траве прерии. Может быть, удастся что-нибудь узнать на берегах Аламо...

— Вы думаете, что сможете найти какие-нибудь следы?

— Надо будет съездить и хорошенько везде поглядеть — особенно на том месте, где я нашел мустангера в когтях ягуара. Следовало бы отправиться туда еще раньше, но я уже сказал вам, почему не мог этого сделать. Слава Богу, что за это время не было ни капли дождя, и даже следы, сделанные неделю назад, можно будет прочитать так же легко, как вчерашние. Конечно, не всякий в них разберется... Ну, а теперь мне пора в путь, мисс Луиза. Я заехал к вам на минуточку — рассказать, что делается в форте. Нельзя терять времени. Меня пустили сегодня утром к мистеру Морису; у него в голове начинает проясняться. Этого только и ждут, чтобы потребовать суда. Может быть, это произойдет через каких-нибудь три дня. А мне необходимо вернуться к началу суда.

— Идите, Зеб, и да поможет вам Бог в этом добром деле! Возвращайтесь с доказательствами его невиновности. Я буду вечно вам благодарна, как за... нет, больше, чем за спасение моей жизни.

Глава LXXI

РЫЖИЙ КОНЬ

Воодушевленный этими горячими словами, охотник поспешил к конюшне, где стояла его неуклюжая кобыла. Она жевала кукурузу, на которую Плутон не поскупился.

И Плутон был здесь же, возле лошади. Обычно разговорчивый, грум был на этот раз очень молчалив. По-видимому, он был чем-то удручен.

Понять его состояние было нетрудно. Потеря горячо любимого молодого хозяина, горе молодой хозяйки, которой он также был очень предан, презрительные насмешки Флоринды, за последнее время то и дело бранившей его, и, вероятно, удар сапогом Кассия Колхауна, который теперь вел себя так, словно асиенда принадлежала ему, — все это вполне могло объяснить грустное настроение Плутона.

Зеб был так занят собственными мыслями, что не заметил унылой физиономии невольника. Второпях он даже не дал своей кобыле как следует подкрепиться кукурузой. Схватив лошадь за морду, Зеб вставил ей между зубами ржавые удила, просунул ее длинные уши сквозь потрескавшиеся ремешки оголовья, быстро повернул ее и уже готов был вывести из конюшни.

Кобыла упиралась — редко когда ей приходилось жевать такой вкусный корм, — и Зебу пришлось изо всей силы дернуть ремешок уздечки, чтобы отвести упрямое животное от кормушки.

— Ой-ой, масса Стумп, — вмешался Плутон, — почему вы так торопитесь? Бедная кобыла еще голодная. Пусть бы наелась досыта кукурузы. Это ей не повредило бы.

— У меня нет времени, я отправляюсь в далекий путь. Мне надо проскакать миль сто, а времени остается меньше двух часов.

— Что вы, масса Стумп! Больно шибко скакать придется. Вы не шутите?

— Нет, я говорю серьезно.

— Удивительно, до чего быстро ездят по этим прериям! Вот и та лошадка, наверно, проскакала миль двести за одну ночь.

— Какая лошадка?

— А вот рыжая, та, что стоит дальше всех от дверей. Лошадь массы Колхауна.

— Почему ты думаешь, что она проскакала двести миль?

— Потому что она была вся в мыле. Она очень устала, еле плелась за мной, когда я повел ее поить к речке. Спотыкалась, как новорожденный теленок. Ой, как она была измучена!

— Когда это было, Плутон?

— Когда? Дайте подумать... Ну да, конечно, это было, когда пропал масса Генри, — рано утром, через час, как солнце показалось на небе. Я не видел рыжего раньше — я вышел на рассвете. А когда пришел в конюшню, увидел лошадь всю мокрую, точно она переплыла речку, и всю в пене; и она задыхалась так сильно, как будто только что пробежала четыре мили на скачках в Новом Орлеане.

— Кто же ездил на ней в ту ночь?

— Не знаю, масса Стумп. Только никто на ней не ездит, кроме массы Колхауна. Хо, хо! Никто не смеет даже сесть на нее.

— Значит, он и ездил на ней?

— Я не знаю, масса Стумп, ничего не знаю. Не видел, чтоб капитан ее выводил, не видел, как она обратно попала.

— Если ты только говоришь, что она была вся взмыленная, значит, кто-то должен был на ней ездить.

— Да-да! Кто-то ездил.

— Послушай, Плутон. Я думаю, что ты говоришь правду и действительно не знаешь, кто ездил на рыжем в ту ночь. Но как тебе кажется, кто бы это мог быть? Ты ведь знаешь, что мистер Пойндекстер мой друг, и я не хочу, чтобы кто-то без спросу брал его лошадей, так же как и лошадей капитана Колхауна. Это кто-нибудь из негров с плантаций увел потихоньку бедное животное и обскакал на нем всю прерию вдоль и поперек. Ведь правда?

— Нет, масса Стумп, негр не думает, чтоб это было так. Неграм с плантаций сюда ходить запрещено. Они не посмели бы войти в конюшню. Никакой негр с плантаций не уводил рыжего.

— Черт побери, кто же на нем ездил? Может быть, это был надсмотрщик? Что ты на это скажешь?

— Нет, и не он.

— Так, значит, это сам хозяин коня, больше некому. Если так, тогда мне нечего беспокоиться. Он имеет право скакать на своей лошади куда ему вздумается. Это уж не мое дело.

— И не мое, масса Стумп. Ох, как жалко, что мне это не пришло в голову сегодня утром!

— Почему ты жалеешь об этом? Что такое случилось сегодня утром?

— Ох, что случилось сегодня утром! Большое несчастье с этим негром! Очень большое несчастье!

— Да что такое?

— Ах, масса Стумп, меня пнули сегодня. Как раз через часок после полудня.

— Пнули?

— Так, что я полетел по всей конюшне.

— А, понимаю: тебя лягнула лошадь. Которая?

— Не угадали. Вовсе не лошадь, а ее хозяин — хозяин всех лошадей в этой конюшне, кроме вот этой крапчатой. Это масса Колхаун меня бил ногой.

— Из-за чего же, черт побери? Ты, наверно, чего-нибудь натворил, дружище?

— Негр не сделал ничего плохого. Он только спросил капитана, что случилось с его лошадью тогда ночью; спросил, почему она пришла такая измученная. А он сказал, что не мое дело, и дал мне пинка; потом стал стегать плетью; потом он мне грозил. Сказал, что если я еще заикнусь об этом, то он даст мне сто ударов бичом. Он ругался. Ох, как он ругался! Плутон никогда еще не видел массы Колхауна таким сердитым, никогда в жизни!

— Где же он сейчас? Его нигде не видно сегодня. А раз рыжий здесь, значит, он никуда не уехал.

— Ей-богу, масса Стумп, его сейчас нет здесь; он только что уехал. Он теперь все время куда-то уезжает и долго не возвращается.

— Верхом?

— Да. Он ездит теперь на сером. Рыжего больше не берет. С той самой ночи он только один раз ездил на нем. Может быть, он хочет, чтобы рыжий отдохнул.

— Послушай-ка, Плутон, — сказал Зеб после нескольких минут раздумья, — пожалуй, действительно будет лучше, если моя старая кобыла еще немного подкрепится кукурузой. Недаром говорят: «Тише едешь — дальше будешь». Пускай поест в свое удовольствие. А пока она жует, и я могу заняться тем же. Сбегай-ка на кухню и посмотри, не найдется ли чего закусить. Кусок холодного мяса и ломоть хлеба — больше ничего и не надо. Твоя хозяйка хотела угостить меня, но я боялся опоздать и отказался. А теперь вот, пока поджидаю свою скотинку, могу и я поглодать косточку — веселее будет.

— Правильно, масса Стумп, я сбегаю в одну секунду.

С этими словами Плутон поспешил через двор на кухню. Зеб Стумп остался один в конюшне.

Как только негр вышел, на лице старого охотника не осталось и тени того безразличия, с каким он закончил разговор. Это было напускное безразличие, о чем нетрудно было догадаться, глядя теперь на его сосредоточенное лицо.

Зеб прошел по каменным плитам конюшни до стойла, где был рыжий жеребец.

Конь бросился в сторону и, дрожа всем телом, прижался к стене — наверно, он испугался того решительного вида, с каким охотник приблизился к нему.

— Стой спокойно, глупая ты скотина! — заворчал Зеб. — Я не сделаю тебе ничего дурного. А норов-то у тебя совсем как у твоего хозяина! Тихо, я тебе говорю! Дай осмотреть твои подковы.

Сказав это, Зеб наклонился и попробовал поднять переднюю ногу лошади. Это ему не удалось: лошадь вдруг начала бить копытами и фыркать, словно чего-то опасаясь.

— Будь ты проклят, урод ты этакий! — сердито закричал Зеб. — Не можешь постоять минуту спокойно! Никто не собирается тебя обижать. Ну-ну, не балуй, милый! — заговорил он ласково. — Я только посмотрю, как ты подкован.

Он снова попытался поднять ногу жеребца, но тот не дался.

— Вот уж этого я никак не ждал, — пробормотал Зеб, оглядываясь кругом, словно в надежде найти выход из затруднения. — Что делать? Позвать на помощь негра нельзя. Он ничего не должен знать об этом. Надо поторопиться, чтобы он не застал меня врасплох, а то он обо всем догадается. Черт бы побрал эту скотину! Как же мне осмотреть ее ноги?

Несколько минут охотник простоял молча — он был сильно озадачен.

— Будь она проклята, эта негодная тварь! — снова воскликнул он. — Так и хочется убить ее на месте!.. А, есть! Придумал! Только бы негр мне не помешал. Будем надеяться, что Флоринда его задержит. Ну, подожди ты у меня, я тебя заставлю стоять спокойно или придушу! С этим ошейником ты у меня не очень-то повертишься!

Говоря это, Зеб снял со своего седла лассо и набросил петлю на шею рыжего жеребца. Потом он сильно потянул веревку за другой конец.

Лошадь захрапела и стала биться в стойле. Но скоро храп перешел в свистящий звук, с трудом вылетавший из ее ноздрей. Ярость лошади перешла в ужас.

Зеб мог теперь спокойно войти в стойло. Привязав покрепче конец веревки, он стал быстро, но внимательно осматривать каждое копыто. Он замечал форму копыт, подковы, количество и взаимное расположение гвоздей — короче говоря, все, что могло бы помочь ему распознать следы этой лошади.

Когда очередь дошла до левой задней ноги, которую Зеб осматривал последней, он вдруг вскрикнул от удивления и радости. Это восклицание вырвалось у старого охотника при виде поломанной подковы: почти целой четверти ее не хватало на копыте — подкова переломилась на втором гвозде.

— Если бы я знал, что ты такая, — пробормотал он, обращаясь к поломанной подкове, — я бы не стал утруждать себя и не изучал бы другие. Вряд ли можно не узнать твои отпечатки. Но все же, чтобы действовать наверняка, я захвачу тебя с собой.

При этих словах Зеб вытащил свой огромный охотничий нож, подсунул его под подкову, снял ее и вместе со всеми гвоздями положил в один из бездонных карманов своей куртки. Затем проворным движением охотник развязал веревку, и рыжий наконец смог вздохнуть свободно.

Минуту спустя появился Плутон с обильным обедом. На подносе красовался и стакан виски. Зеб немедленно принялся за еду, не заикнувшись о том, что произошло в конюшне, пока Плутон отсутствовал.

Однако тот сразу заметил, что с рыжим творится что-то неладное: он стоял, дрожа всем телом, и испуганно оглядывался кругом.

— Ой-ой! — воскликнул негр. — Что же это с ним такое? Похоже, что он боится вас, масса Стумп.

— Может быть... — протянул Зеб с показным равнодушием. — Пожалуй, он немного побаивается меня. Он попробовал укусить мою старую кобылу, а я за это хлестнул его разок-другой веревкой. Вот это ему и не понравилось.

Плутон был вполне удовлетворен таким объяснением, и разговор на эту тему закончился.

— Скажи-ка, Плутон, — снова заговорил Зеб, — кто подковывает ваших лошадей? Наверно, у вас работают свои кузнецы?

— Как же — свои работают. Желтый Джек подковывает их. А почему вы это спрашиваете, масса Стумп?

— Да мне надо подковать мою старую кобылу. Наверно, Джек не откажется это сделать для меня?

— Еще бы, конечно.

— Сколько времени, ты думаешь, понадобится, чтобы подковать ее на две ноги?

— О, совсем немного, масса Стумп! Джек — хороший кузнец, это все говорят.

— А готовые подковы у него есть? Давно он подковывал ваших лошадей?

— Уже больше недели прошло с тех пор, масса Зеб. Самой последней он подковал лошадь мисс Луизы, крапчатую красавицу. Но это ничего не значит — у него еще есть готовые подковы. Я это знаю хорошо, — ведь ему надо подковать рыжего. У него одна подкова поломана. Уже десять дней, как это случилось. Мастер Колхаун велел, чтобы сняли эту подкову. Сегодня утром я слышал, как он говорил Джеку.

— Пожалуй, у меня действительно маловато времени, — сказал Зеб, как бы внезапно меняя свое намерение. — Лучше отложим это дело с подковами до моего возвращения. Авось моя старуха и так обойдется. Мы поедем по прерии, дорога там мягкая, и с ней ничего не случится.

Зеб вышел из конюшни во двор и посмотрел на небо:

— Да, пора двигаться. Нельзя терять ни минуты. Ну, теперь, голубушка, довольно жевать! Придется вместо кукурузы взять в зубы эту железку. Вот молодчина!

Разговаривая так то с Плутоном, то с лошадью, Зеб снова надел уздечку, вывел лошадь за ворота, вскочил в седло и тронул поводья.

Глава LXXII
ЗЕБ СТУМП ИДЕТ ПО СЛЕДУ

Выехав из ворот Каса-дель-Корво, старый охотник отправился вверх по берегу реки в сторону форта.

Не прошло и четверти часа, как он уже был там. Соскочив с седла, Зеб пошел по направлению к квартире майора.

Старому охотнику нетрудно было добиться свидания с комендантом форта Индж. Военные относились к Зебу Стумпу с уважением и вход для него был открыт в любой час — он мог войти без пароля и не соблюдая других формальностей, установленных для посторонних. Часовые пропустили его, как своего. С дежурным офицером он обменялся приветствием; адъютант же немедленно доложил о нем майору.

По первым же словам, с которыми майор обратился к охотнику, видно было, что он его ждал:

— А, мистер Стумп! Рад вас видеть так скоро. Разобрались ли вы в этом странном деле? Судя по вашему быстрому возвращению, я догадываюсь, что есть новости. Надеюсь, что-нибудь благоприятное для этого несчастного молодого человека? Несмотря на то что многое говорит против него, я все же придерживаюсь своего прежнего мнения — он не виновен. Так что же вы узнали?

— Должен вам сказать, майор, — произнес Зеб, — что никаких особых новостей у меня пока еще нет, но все же я счел нужным завернуть в форт, хотя и не собирался этого делать, пока не поезжу по прерии. Я зашел поговорить с вами.

— Очень хорошо сделали. Я вас слушаю.

— Я хочу просить вас, чтобы вы оттянули, насколько возможно, начало судебного разбирательства. Я знаю, что тут коекто будет торопить вас, но я также знаю, что это в вашей власти и что вы будете рады это сделать.

— Вы правы: я буду рад сделать все, что в моих силах, мистер Стумп. Но ведь вы знаете, что в нашем государстве военные власти всегда подчиняются гражданским, за исключением тех случаев, когда вводится военное положение; от этого же сохрани нас Бог даже и здесь, в Техасе. Я имею право препятствовать нарушению законов, но не могу идти против самого закона.

— Вовсе и не надо, чтобы вы нарушали закон. Ничего такого не надо, майор. Нужно только, чтобы вы пошли против тех, кто хочет забрать закон в свои руки и извратить его в свою пользу. А у нас в поселке такие люди есть, и, если им не помешать, они наверняка это сделают. Особенно опасен один, и я знаю, кто он, — во всяком случае, я догадываюсь.

— Кто же это?

— Я знаю, майор, что на вас можно положиться.

— Мистер Ступм, можете быть уверены, что все останется между нами. Говорите спокойно.

— Так вот, я думаю, что человек, который совершил это убийство, — не Морис-мустангер.

— Как вы уже знаете, это и мое мнение. Это все, что вы можете мне сообщить?

— Я мог бы и еще кое-что добавить, майор. Но, думается, что пока не стоит — ведь это только мои предположения, они могут оказаться ошибкой. Лучше будет, если я промолчу о них, пока не съезжу на Нуэсес. После этого я с радостью расскажу вам все то, что знаю теперь, и то, что мне, быть может, удастся узнать в прерии.

— Что касается меня, я охотно соглашусь ждать вашего возвращения, тем более что вы действуете в интересах справедливости. Но чего вы от меня хотите?

— Только задержать начало суда, майор, больше ничего.

— На сколько? Вы знаете, что судебное разбирательство должно идти своим законным порядком. Я не могу ничего приказывать окружному судье, хотя, вероятно, он прислушается к моему мнению. Но на него могут повлиять те, кто требует скорее покончить с этим делом.

— Я знаю, о ком вы говорите. Знаю их вожака; и, может быть, раньше, чем окончится суд, он сам окажется на скамье подсудимых.

— Вот как! Вы, значит, не думаете, что эти четверо мексиканцев... совершили это...

— Я не могу еще сказать, майор, так это или нет. Я знаю только, что они причастны к этому делу, но не думаю, чтобы они были главарями. Главаря-то я и хочу найти. Можете ли вы обещать мне три дня?

— Три дня? Для чего?

— Оттянуть на три дня начало суда.

— Я думаю, что мне удастся это сделать. Он арестован военными властями. Если бы даже верховный суд потребовал, чтобы мустангер был выдан гражданским властям, на три дня я всегда смогу это задержать. Я вам это обещаю.

— Поговоришь с вами, майор, и прямо хочется, чтобы было введено военное положение! Бывают случаи, когда это лучше всего, хотя нам, свободным гражданам, оно и не нравится. Мне остается вам сказать, что если вы задержите суд дня на три, то на скамью подсудимых может сесть не тот, кто сейчас арестован, а кто-то другой, хоть он пока и не знает, что его подозревают. Не спрашивайте меня, кто это. Только скажите, дадите ли вы мне три дня?

— Я вам это обещаю, мистер Стумп. Даже если это будет грозить мне отставкой, даю вам слово офицера, что в течение трех дней Морис-мустангер не выйдет с гауптвахты. Виновен он или нет, но это время он будет под моей защитой.

— Вы хороший человек, майор! И провались я на этом месте, если когда-нибудь не докажу, насколько я вам благодарен! Мне больше нечего сказать вам, только прошу вас — сохраните все в тайне. Есть люди, которые, если только узнают, что я собираюсь делать, перевернут небо и землю, чтобы помешать мне.

— От меня они ничего не узнают, мистер Стумп. Вы можете спокойно положиться на мое слово.

— Я знаю, майор, я знаю это. Спасибо вам за доброе участие! Побольше бы в Техасе таких, как вы!

Простившись с майором, охотник вышел на площадь, где его ждала старая кобыла.

Выехав из поселка, он свернул на ту же дорогу, по которой приехал сюда.

Недалеко от границы плантаций Пойндекстера Зеб, оставив позади долину Леоны, поднялся по крутому склону на верхнюю равнину.

Он доехал до опушки зарослей и остановился там в тени акации. Охотник не слез с лошади и как будто не собирался этого сделать. Сидя в седле, он наклонился немного вперед и смотрел на землю тем рассеянным взглядом, каким обычно смотрят люди в минуту раздумья.

— Черт побери! — бормотал он. — Интересно... Лошадь Колхауна отсутствовала в ту ночь и вернулась домой вся взмыленная. Что это означает? Будь я проклят, если он не причастен к этому делу! Я бы так и подумал, только слишком уж нелепо предполагать, что Колхаун убил своего двоюродного брата. Конечно, он способен на любое злодейство, но только если оно ему выгодно. А какая ему выгода от этого? Если бы асиенда переходила к Генри, то еще можно было бы понять. Но это же не так. Старому Пойндекстеру не принадлежит больше ни одного акра этой земли, так же как и ни одного негра. Это я наверняка знаю. Все захватил этот мерзавец. Для чего же ему нужно было отделаться от двоюродного брата? Вот что вносит путаницу в мои предположения. Насколько я знаю, между ними никогда не было вражды. Девица-то его, конечно, недолюбливает, и это ему не нравится. Но зачем бы ему убивать ее брата? А тут еще замешался мустангер, потом ссора, о которой Луиза мне сказала, фальшивые индейцы, эта мексиканская девица, всадник без головы и черт знает что еще! Иосафат! Это может запутать мозги самому лучшему адвокату Техаса... Однако нельзя терять времени. С этой подковой в руках мне, может быть, удастся найти ключ к разгадке кровавой истории. Но куда ехать? — Зеб посмотрел кругом, как будто ища ответа. — Нет смысла начинать поиски в окрестностях форта или поселка. Там вся земля изрыта копытами лошадей, как в загоне. Лучше всего сразу отправиться в прерию и выехать к дороге на Рио-Гранде. Там я могу наткнуться на след, который ищу. Да, это будет лучше всего.

Как будто вполне удовлетворенный этим решением, старый охотник подобрал поводья и поехал по краю зарослей.

Проехав около мили в сторону реки Нуэсес, Зеб круто повернул на запад; сделал он это со спокойствием, говорившим, что он действует по заранее обдуманному плану.

Теперь его путь пересекал под прямым углом все тропинки, которые вели к Рио-Гранде.

В то же время изменились и поза охотника, и выражение его лица. Он больше не смотрел рассеянно по сторонам. Наклонившись, Зеб внимательно всматривался в траву перед собой.

Он проехал так около мили, как вдруг что-то заставило его встрепенуться и быстро натянуть поводья.

Кобыла с удовольствием остановилась. Зеб соскочил с седла, сделал два шага вперед и опустился на колени. Потом, вынув из кармана подкову, он приложил ее к отпечатку копыта, отчетливо выделявшемуся на траве.

— Точь-в-точь! — воскликнул охотник торжествующе, взмахнув рукой. — Черт возьми, если это не так!.. Как раз! — продолжал он после того, как приложил сломанную подкову к неполному отпечатку и снова поднял ее. — Так вот они, следы предателя, а может быть, и убийцы!

Глава LXXIII
ОСТРОВОК В ПРЕРИИ

Табун в сто, а иногда и больше голов, привольно пасущийся в прерии, — зрелище, конечно, великолепное, но оно не удивит и не поразит пограничного жителя Техаса. Наоборот, он был бы удивлен гораздо больше, если бы увидел, что в прерии пасется одинокая лошадь. В первом случае он просто подумал бы: «Табун мустангов». Во втором у него возникла бы целая вереница недоуменных мыслей. Это может быть либо дикий жеребец, изгнанный из табуна, либо верховая лошадь, ушедшая далеко от стоянки какого-нибудь путника.

Опытный житель прерии сразу определит, что это за лошадь.

Если она пасется с удилами во рту и с седлом на спине, тогда сомнений не будет. Ему придется задуматься только над тем, как ей удалось убежать от своего хозяина.

Но, если всадник сидит в седле, а лошадь все-таки пасется, тогда остается только подумать: он — просто садовая голова и лентяй, который не догадается сойти, чтобы не мешать своей лошади пастись.

Однако если окажется, что у всадника нет никакой головы, даже и садовой, тогда возникает тысяча предположений, из которых ни одно, наверно, не будет близко к истине.

Именно такая лошадь и такой всадник появились в прериях юго-западного Техаса в 185... году. Точный год неизвестен, но, во всяком случае, это было в 50-х годах.

Место можно указать более точно: его встречали в зарослях и на открытой прерии, примерно в границах площади в двадцать на двадцать миль между Леоной и Рио-де-Нуэсес.

Всадника без головы видели многие люди и в разное время. Во-первых, те, кто искал Генри Пойндекстера и его предполагаемого убийцу. Во-вторых, слуга Мориса-мустангера. В-третьих, Кассий Колхаун во время своих ночных скитаний в лесных зарослях. В-четвертых, мнимые индейцы — той же ночью. И, наконец, Зеб Стумп — в следующую ночь.

Но были и другие люди, которые видели всадника без головы в других местах и при других обстоятельствах: охотники, пастухи, объездчики. Всем этот загадочный всадник внушал ужас, для всех он был необъяснимой тайной.

О нем говорили не только на Леоне, но и в более отдаленных местах. Слухи распространились на юг, до берегов Рио-Гранде, а на север — до Сабайнала. Никто не сомневался в том, что странного всадника действительно видели. Сомневаться в этом — значило бы отвергать свидетельство двухсот человек, которые готовы были поклясться, что это правда, а не игра воображения. Никто и не отрицал, что его действительно видели. Оставалось только найти объяснение этому странному и противоестественному явлению.

Высказывалось множество догадок, более или менее правдоподобных, более или менее нелепых. Одни считали это «хитростью индейцев», другие — чучелом; некоторые думали, что это настоящий всадник, чья голова спрятана под серапе, в котором проделаны две дырочки для глаз. А кое-кто упорно держался мнения, что всадник без головы — сам дьявол.

Кроме попыток объяснить это загадочное явление, передавали еще всякие подробности. Одним казалось, что им удалось увидеть голову или очертания ее на груди под серапе. Другие утверждали, что они разглядели голову в руке всадника; а некоторые добавляли, что на ней была шляпа — черное глянцевое сомбреро, обшитое золотым позументом.

Кроме того, многие пытались разгадать, какая связь существует между появлением всадника и таинственным убийством молодого Пойндекстера.

Почти все были уверены, что связь между этими двумя тайнами, безусловно, есть, но какая — объяснить не мог никто. А тот, кто мог пролить на это некоторый свет, все еще был в горячке.

В таких пересудах прошла неделя, в течение которой призрачного всадника видели еще много раз: то он мчался быстрым галопом, то ехал тихим шагом по открытой прерии: его лошадь то останавливалась и осматривалась, то опускала голову и усердно щипала сочную траву.

О всаднике без головы рассказывали много самых фантастических и нелепых историй, повторять которые нет нужды; однако следует привести один истинный эпизод, весьма существенный для нашего странного повествования.

Среди простора открытой прерии виднеется небольшая, в три-четыре акра, дубрава. Житель прерии назовет ее островком; и, глядя на огромный зеленый океан вокруг этого клочка леса, нельзя не согласиться, что это сравнение удачно.

Недалеко от дубравы, на расстоянии каких-нибудь двухсот ярдов, спокойно пасется лошадь. Это та самая лошадь, на которой ездит всадник без головы; таинственный наездник по-прежнему сидит на ней; с тех пор как его видели впервые, ни в его костюме, ни в позе как будто бы не произошло никаких перемен. Полосатое серапе по-прежнему спускается с его плеч; на ногах по-прежнему гетры из шкуры ягуара.

Он сидит, слегка наклонившись вперед, словно для того, чтобы лошади удобнее было щипать траву. Поводья, которые всадник не то держит в руке, не то зацепил за луку седла, достаточно длинны, чтобы не мешать ей.

Те, кто уверял, что видели его голову, говорили правду; правы также и те, кто утверждал, что на ней черное сомбреро, отделанное золотым позументом.

Голова прижата к левому бедру всадника, подбородком она почти касается его колена. Ее можно видеть, только глядя на всадника слева, и то не всегда, так как иногда голову прикрывает край серапе.

Иногда можно видеть и лицо. Черты его красивы, но выражение ужасно; посиневшие губы полуоткрытого рта застыли в жуткой улыбке, обнажив два ряда белых зубов.

Хотя внешность самого всадника как будто осталась прежней, но тем не менее что-то изменилось.

До сих пор он ездил один, теперь у него появились спутники.

Вряд ли их можно назвать приятной компанией — десяток койотов сопровождает его по пятам, прыгая около него.

Нет сомнения, что это не нравится лошади: она фыркает и бьет копытом, когда кто-нибудь из них подходит слишком близко.

Но всадник не обращает на них внимания, так же как и на стаю больших черных птиц, кружащих над его плечами. Даже когда самая дерзкая из них осмелилась сесть на него, он и тогда не поднял руки, чтобы ее прогнать.

Три раза эта птица садилась на него: сначала на правое плечо, потом на левое и, наконец, посредине, на том месте, где должна была быть голова.

Птица недолго остается на этом странном насесте. Всадник к этому равнодушен, но лошадь встает на дыбы и неистовым ржанием отгоняет грифов — правда, ненадолго.

На коне, то спокойно пощипывающем сочную траву прерии, то нетерпеливо отгоняющем волков и коршунов, безучастный ко всему, медленно объезжает дубраву всадник без головы.

Глава LXXIV
ПРЕСЛЕДОВАНИЕ

Странное зрелище, о котором только что шла речь, было настолько страшным, что не казалось нелепым. На него нельзя было смотреть без содрогания и ужаса.

А смотрел ли на него кто-нибудь, кроме койотов на земле и коршунов в небе?

Да. Его видел человек, который — единственный во всем Техасе — отчасти уже разгадал эту тайну.

Но и для него не все еще было ясно. Он знал только, что всадник без головы не был ни чучелом, ни дьяволом. Но и этот человек испытывал ужас при виде страшного всадника. Он знал, кто перед ним, и все-таки дрожал.

Он смотрел на всадника без головы с опушки лесного островка, прячась в тени деревьев.

Несмотря на страх и желание остаться незамеченным, он, словно притягиваемый каким-то магнитом, все время следовал за всадником без головы по внутреннему кругу, не обгоняя и не отставая.

Более того, ведь он увидел страшного всадника до того, как сам въехал в дубраву. Он заметил его издалека и мог бы легко избежать встречи с ним. Но вместо этого он решительно повернул к нему.

Он продвигался осторожно, держась за деревьями, словно охотник, выслеживающий пугливого оленя, с той только разницей, что охотник за оленем никогда не испытывает такого страха. Очутившись среди деревьев, он, несмотря на свой страх, вздохнул с облегчением — теперь он, по крайней мере, перестал бояться неудачи.

Вряд ли он проехал десять миль по прерии без всякой цели; недаром он продвигался столь осторожно, по самой мягкой траве, под прикрытием кустов чапараля — так, чтобы никому не попасться на глаза и не выдать своего присутствия хрустом веток.

Стоило немного понаблюдать за человеком, передвигавшимся по опушке лесного островка, чтобы понять смысл его поведения. Его глаза были устремлены на всадника без головы, он напряженно следил за его передвижениями и сообразовался с ними.

Сначала казалось — его главным чувством был страх. Через некоторое время страх сменился нетерпением, которое заставило его действовать смелее. Такая перемена в настроении человека, прятавшегося в дубраве, произошла оттого, что всадник без головы упорно не приближался к ее опушке ближе чем на двести ярдов.

Это настолько раздражало преследователя, что он то и дело начинал бормотать ругательства. Впрочем, он всегда уснащал ими свою речь.

— Ах ты, чертова тварь! Подойди она поближе хотя бы на двадцать ярдов, я бы мог в нее попасть. Выстрелить сейчас — значит только спугнуть ее, а второго такого случая может никогда больше не представиться. Черт побери! Если бы не эти двадцать ярдов!

Как будто желая проверить свой расчет, говорящий еще раз прикинул расстояние, отделявшее его от всадника без головы. Свое короткое охотничье ружье он все время держал наготове со взведенным курком.

— Нет смысла, — пробормотал он после некоторого размышления. — Пуля будет на излете и не ранит лошадь, а только испугает ее. Надо набраться терпения и подождать, пока она подойдет поближе. Проклятые волки! Все из-за них... До тех пор, пока они ходят за ней, лошадь будет держаться вдали от леса. Такова повадка всех техасских мустангов, черт бы их побрал!.. А нельзя ли ее как-нибудь приманить? — продолжал он, немного помолчав. — Может быть, она пойдет на мой зов?.. Сомнительно. За последнее время она отвыкла от звука человеческого голоса и только испугается, пожалуй. И от моей лошади она тоже шарахнется, как в тот раз. Правда, тогда это было при лунном свете, и, кроме того, за ней гналась собака. Не мудрено, что лошадь одичала, таская на себе черт знает что.

Ведь это же не может... нет! В конце концов, это чья-то проделка... чья-то дьявольская проделка!

При этих словах говоривший натянул поводья. Наклонившись вперед, чтобы лучше видеть, он продолжал всматриваться в странного всадника, медленно огибавшего дубраву.

— Это, несомненно, его лошадь. Его седло, серапе — все его. Как же они попали к другому?

После нескольких минут молчания он снова заговорил:

— Фокус или нет, но дело плохо. Тот, кто это подстроил, должен знать все, что произошло тогда ночью. Если пуля там, ее надо достать. Какой я был дурак, что хвастал этим! Вот уж действительно везет, как утопленнику... Нет, она ближе не подойдет. Она явно боится леса. Все мустанги чувствуют себя увереннее на открытом месте. Что же делать? Может быть, лошади все же приятно будет услышать человеческий голос? Если бы только она подошла на двадцать ярдов ближе, все было бы в порядке. Черт побери, попробую...

Подъехав немного ближе к опушке, он стал подзывать лошадь:

— Поди-ка, умница! Подойди, хорошая лошадка!

Из этого ничего не вышло — лошадь не только не подошла, а, наоборот, испугалась; едва она услышала этот зов, как выронила траву изо рта, затрясла головой и испуганно захрапела; казалось, она боялась этого звука гораздо больше, чем койотов и коршунов.

Ведь она была мустангом, и для нее человек был злейшим врагом — особенно человек верхом на лошади; и теперь она почуяла близость этого врага.

Она не остановилась, чтобы рассмотреть, что это за человек и что это за лошадь. Для нее это были враги.

По-видимому, и всадник думал так же, потому что он не натянул поводья и не остановил ее; предоставленная самой себе, она умчалась в прерию.

С грубым ругательством незадачливый преследователь выехал из дубравы.

Он снова выругался, увидев, что выпущенная им пуля не попала в цель, а всадник без головы уже вне досягаемости.

Глава LXXV
ПО СЛЕДУ

Зеб Стумп недолго оставался на том месте, где обнаружил отпечатки сломанной подковы.

Шести секунд ему оказалось достаточно, для того чтобы сличить подкову с отпечатком. Затем он сейчас же поднялся на ноги и пошел по следу. Он шел пешком. Старая кобыла послушно следовала за ним на почтительном расстоянии.

Зеб прошел больше мили, замедляя шаг там, где отпечатки были мало заметны, и опять ускоряя его, когда следы становились яснее.

Как археолог, найдя в развалинах древнего города глиняную табличку, читает иероглифы, которые понятны только ему, так и Зеб Стумп читал таинственные знаки на земле прерии.

Поглощенный этим занятием, охотник, казалось, ничего не замечал. Он не смотрел ни на безграничную зеленую саванну вокруг, ни на синее, безоблачное небо над головой. Он сосредоточенно вглядывался в траву под ногами.

Внезапно раздавшийся звук заставил его поднять голову.

Это был выстрел из ружья, но настолько далекий, что прозвучал он как осечка.

Зеб инстинктивно остановился и поднял глаза, но не выпрямился.

Старый охотник быстрым взглядом осмотрел горизонт в той стороне, откуда донесся звук.

Голубоватый дымок, все еще сохраняя шарообразную форму, медленно поднимался к небу. Под ним темнела полоска далекой дубравы.

С того места, где стоял Зеб, и темное пятно леса, и дымок от выстрела, и звук его могли быть замечены только опытным следопытом.

Но Зеб видел дымок и слышал выстрел.

— Чертовски странно! — пробормотал он, продолжая стоять в позе огородника, сажающего капустную рассаду. — Чертовски странно, чтобы не сказать больше. И кому это вздумалось охотиться в таком месте? Ведь там же никакой дичи не водится — не оправдаешь пороху и на один выстрел. Я бывал в этом леске. Кроме койотов, там ничего нет. И чем только они там питаются?.. А-а! — продолжал он после некоторого молчания. — Какой-нибудь лавочник из поселка, уехавший в «экскурсию», как они выражаются, лупит по этим тварям, а потом будет хвастать, что охотился на волков. Что ж, пусть охотится — это меня не касается... Э! Сюда кто-то едет! Шпорит лошадь, словно за ним черти гонятся... Что? С места не сойти, это безголовый!

Старый охотник был прав. И кто не узнал бы всадника, который только что отделился от облачка порохового дыма и скакал во весь опор к тому месту, где стоял Зеб!

Это был не кто иной, как всадник без головы.

И не было сомнений, что он скачет прямо к Зебу, словно увидел его.

В пределах Техаса едва ли можно было найти более отважного человека, чем старый охотник. Он не боялся встречи ни с ягуаром, ни с пумой, ни с медведем, ни с бизоном; не пугали его и индейцы. Он, пожалуй, не растерялся бы при встрече с отрядом команчей, но при виде этого одинокого всадника Зеб потерял самообладание.

Закаленный жизнью среди дикой природы, верный ученик этого мудрого учителя, Зеб Стумп, однако, не был лишен некоторых суеверных предрассудков. И у кого их нет!

Старый охотник не боялся ни человека, ни зверя, но перед сверхъестественным он отступил. Да и кто угодно испугался бы призрачного всадника, который неудержимо мчался вперед, словно неся с собой смерть.

Зеб Стумп не просто отступил — дрожа от ужаса, он стал искать, где бы спрятаться.

Задолго до того, как всадник без головы мог его заметить, он укрылся в росших неподалеку кустах.

Но ведь его могла выдать оседланная кобыла. Нет, прежде чем скорчиться в своем убежище, Зеб принял меры предосторожности.

— Ложись! — крикнул он своей верной лошади, которая хотя и не умела говорить, зато прекрасно понимала его. — На землю, живо, а то смотри провалишься в преисподнюю!

Словно испугавшись этой угрозы, кобыла сразу же опустилась на передние колени, а затем, подобрав задние ноги, улеглась на траве, словно расположившись на отдых после трудового дня.

Едва только Зеб и его лошадь успели спрятаться, как мимо них галопом проскакал таинственный всадник.

Он мчался во весь опор и, по-видимому, не собирался останавливаться, чему Зеб был очень рад.

Всадник без головы поехал в этом направлении совершенно случайно, а вовсе не потому, что увидел охотника или его тощую кобылу.

Но, как ни испугался Зеб, он все же успел рассмотреть загадочного всадника, прежде чем тот скрылся из виду.

И то, что было тайной для всех, перестало быть тайной для Зеба Стумпа.

Когда лошадь поравнялась с кустами, где спрятался Зеб, ветер отогнул край серапе, и под ним охотник увидел хорошо знакомый ему костюм. Это была голубая блуза со складками на груди; несмотря на покрывавшие ее багровые пятна, старый охотник узнал эту блузу.

Но он не был уверен, что узнал лицо, упиравшееся подбородком в бедро всадника.

В этом не было ничего странного. Даже любящая мать, так часто любовавшаяся прекрасным лицом сына, теперь не узнала бы его.

Зеб тоже не узнал его — он догадался. Лошадь, седло, полосатое серапе, небесно-голубая куртка и такие же брюки, даже шляпа на голове — все это было знакомо ему; он узнал и фигуру всадника, который сидел, выпрямившись в седле. Голова должна была принадлежать этому же человеку, несмотря на свое непонятное смещение.

Это не было мимолетным видением — Зеб хорошо рассмотрел страшного всадника; хотя он мчался галопом, но зато проехал всего в десяти шагах от старого охотника.

Но он ни словом, ни движением не попытался остановить удалявшегося всадника; только потом, поняв, кто этот всадник, он с грустью прошептал:

— Иосафат! Так, значит, это правда! Бедный паренек! Убит!

Глава LXXVI
В МЕЛОВОЙ ПРЕРИИ

Долго следил Зеб Стумп из своего убежища за удалявшимся всадником, который продолжал мчаться галопом. И, лишь когда он скрылся за группой акаций, старый охотник поднялся на ноги и выпрямился во весь рост.

Он простоял так секунду или две, обдумывая, что делать дальше.

Это страшное и неожиданное происшествие сбило его с толку.

Надо ли идти дальше по следу сломанной подковы или же за всадником без головы?

Первый след может открыть многое; второй как будто обещает еще больше.

Быть может, ему удастся захватить всадника и узнать тайну его скитаний.

Размышляя таким образом, Зеб чуть было не забыл про облачко дыма и про выстрел, который раздался в прерии.

Но скоро его мысли снова обратились к ним.

Поглядев туда, где он видел дымок, охотник заметил нечто такое, что вновь заставило его пригнуться и с особой тщательностью укрыться под акациями; старая кобыла продолжала лежать, и о ней можно было не беспокоиться.

На этот раз Зеб увидел человека верхом на лошади — настоящего всадника, с головой на плечах.

Он все еще был далеко и едва ли успел заметить среди акаций высокую фигуру охотника и тем более кобылу, лежащую на земле. Он их и не заметил — во всяком случае, судя по его поведению.

Всадник сидел, наклонившись вперед, и внимательно всматривался в землю.

Нетрудно было определить, чем он был занят. Зеб Стумп догадался об этом с первого взгляда: неизвестный ехал по следу всадника без головы.

— Ах, вот оно что! — прошептал Зеб. — Не мне одному хочется разгадать эту тайну. Кому же еще?

Зебу недолго пришлось теряться в догадках. Всадник ехал рысью, так как следы были свежие и очень заметные; вскоре он подъехал так близко, что охотник без труда мог его разглядеть.

— Иосафат! — пробормотал Зеб. — Как же я не догадался об этом раньше! И, если я не ошибаюсь, это еще одно звено, которое поможет мне собрать всю цепь необходимых доказательств... Лежи смирно, скотинка! Попробуй только шевельнись! Если ты задрыгаешь своими длинными ногами, я перережу тебе глотку!

После этого обращения к кобыле Зеб умолк и, спрятав голову в зелени акации, стал внимательно следить из-за перистой листвы за приближающимся всадником.

Это был человек, которого, раз увидев, трудно было забыть. Хотя ему едва исполнилось тридцать лет, на его лице уже лежала неизгладимая печать дурных страстей. Сейчас он выглядел озабоченным — очевидно, какая-то мучительная тревога давно уже не давала ему покоя, хотя он не терял надежды избавиться от нее.

Лицо его можно было бы назвать красивым, если бы не печать порочности, которая выдавала в нем негодяя.

Костюм? Но стоит ли вообще описывать его! Синий суконный сюртук полувоенного покроя, фуражка, пояс, на котором висели охотничий нож и два револьвера, — обо всем этом уже упоминалось при описании костюма и оружия капитана Кассия Колхауна.

Это был он.

Зеб уклонился от встречи с Колхауном не потому, что тот был вооружен; хотя старый охотник и питал к нему неприязнь, но у отставного капитана не было никаких оснований считать его своим врагом. Зеб оставался в тени деревьев только для того, чтобы лучше видеть все происходящее.

Продолжая всматриваться в след всадника без головы, Колхаун проехал мимо.

Не выходя из своего укрытия, Зеб Стумп провожал его взглядом до тех пор, пока те же акации, за которыми исчез первый всадник, не заслонили своей ажурной зеленью и капитана.

Новые мысли зароились в голове старого охотника — ему нужно было заново взвесить все обстоятельства.

Если и раньше были основания ехать по следу всадника без головы, то теперь их стало вдвое больше.

Зеб раздумывал недолго. Он стал собираться, чтобы последовать за Кассием Колхауном. Сборы были несложны: Зеб взял в руки поводья и пнул ногой старую кобылу, после чего она сразу поднялась на ноги. Охотник стоял около нее, готовый вскочить в седло и выехать на открытую поляну, как только Колхаун скроется из виду.

Зеб, и не видя Колхауна, мог легко узнать, куда тот направился. Двух свежих следов ему было вполне достаточно — он мог ехать по ним с такой же уверенностью, как если бы скакал бок о бок со всадником без головы или со всадником без сердца.

Полагаясь на свой опыт, старый охотник вышел из своего убежища и отправился вслед за Кассием Колхауном.

Однако на этот раз Зеб Стумп ошибся. Он понял это, когда обогнул рощу акаций, за которой скрылись оба всадника.

Дальше простиралась полоса меловой прерии, которую всадник без головы уже успел миновать.

Зеб догадался об этом, увидев, что Колхаун едет зигзагами, словно пойнтер, рыскающий по жнивью в поисках куропатки. Капитан потерял след и пытался найти его.

Охотник из-за акаций украдкой следил за каждым его движением.

Попытка капитана не увенчалась успехом. На меловой прерии ничего нельзя было прочесть — по крайней мере, такому неопытному следопыту, как Кассий Колхаун.

Изъездив этот участок вдоль и поперек, он, по-видимому, решил отказаться от своего намерения и, сердито пришпорив коня, умчался в сторону Леоны.

Как только Колхаун скрылся из виду, Зеб тоже принялся искать потерянный след, но, несмотря на все свое искусство, он должен был сдаться.

Залитая солнцем белая поверхность прерии слепила глаза, и разобрать что-нибудь было невозможно.

Делать было нечего, — старый охотник решил повернуть обратно и снова заняться тем следом, который он на время оставил.

Теперь он был уже совершенно уверен, что его ждут интересные открытия.

Скоро Зеб вернулся к следу сломанной подковы.

Не теряя времени, он быстрым шагом пошел вперед. Кобыла по-прежнему следовала за ним.

Только один раз Зеб остановился — это было на месте, где к следу, по которому он шел, присоединился след двух других лошадей.

С этого места все три следа то шли параллельно на расстоянии около двадцати ярдов, то сходились и перекрывали друг друга.

Все лошади были подкованы; охотник остановился, чтобы присмотреться к отпечаткам. Из двух новых лошадей одна была американской породы, другая — мустанг, хотя и очень крупный: его копыта были почти такого же размера, как и у американской лошади.

Зеб не сомневался, что знает этих лошадей. Ему не пришлось ломать голову, чтобы догадаться, какая из них прошла здесь первой. Для него это так было ясно, словно он сам их видел. Он знал, что мустанг был впереди остальных двух — на каком именно расстоянии, он пока еще не мог определить, но безусловно дальше, чем это бывает во время прогулки верхом в компании друзей. Американская лошадь прошла второй, и последним был конь со сломанной подковой — тоже американский.

Все три лошади прошли здесь в разное время и поодиночке. Зеб Стумп определил это с такой же легкостью и точностью, с какой мы определяем время по часам или температуру по термометру.

— Неплохо, — сказал Зеб и с довольным видом отправился дальше.

Старая кобыла брела за ним по пятам, словно стараясь идти с ним в ногу.

— Здесь они разошлись, — сказал охотник, опять останавливаясь и рассматривая землю под ногами. — Мустанг и американская лошадь пошли вместе — то есть в одном направлении. Сломанная подкова свернула в сторону. Интересно знать: для чего? Никогда в жизни я не видел таких запутанных следов. Они поставили бы в тупик самого Даниэля Буна[1]. По какому пойти сперва? Если я пойду по этим двум, то мне уже заранее известно, куда они приведут — к той самой луже крови. Посмотрим, не приведет ли туда же и третий... Направо, старушка, и держись ближе ко мне, а то потеряешься, и койоты поживятся твоим жирком!

Упомянув о «жирке» старой кобылы, охотник расхохотался и пошел по следу третьей лошади.

След тянулся вдоль опушки зарослей, к которым все три переплетающихся следа приблизились как раз там, где находилась хорошо знакомая читателю широкая просека.

В двухстах ярдах от нее след сломанной подковы сворачивал в чащу, и, пройдя еще шагов пятьдесят, Зеб нашел место, где лошадь была привязана к дереву.

---

[1] Даниэль Бун (1735 — 1820) — американский исследователь и следопыт.

Он увидел, что дальше лошадь не ходила; отсюда же шел и обратный след к прерии, хотя и в несколько ином направлении.

Но ее хозяин отправился дальше пешком. Следы человеческих ног были отчетливо видны в русле пересохшего ручья, около которого и была привязана лошадь.

Оставив свою старую кобылу в этой же «конюшне», охотник пошел по следу спешившегося человека.

Скоро он обнаружил, что их было два: один вел вперед, другой — обратно.

Зеб пошел по первому.

Он нисколько не был удивлен, когда след вывел его на просеку неподалеку от места, где раньше была лужа крови, теперь уже давно вылизанная койотами.

След, вероятно, доходил до самой лужи, но теперь земля на просеке была изрыта сотнями лошадиных копыт.

Но, прежде чем Зеб пошел дальше, он сделал еще одно очень важное открытие. В густых кустах он заметил место, где, по-видимому, довольно долго простоял какой-то человек. Травы там не было, и рыхлая земля была совершенно утоптана, судя по всему — подошвами сапог или ботинок.

Отпечатки этих же подошв вели отсюда к луже крови — один след шел туда, другой, такой же, обратно. А на ветке дерева поблизости Зеб нашел то, чего не удалось обнаружить ни отряду майора, ни их проводнику Спенглеру: это был клочок бумаги, закопченный и наполовину обгоревший, — по-видимому, пыж.

Он повис на ветке акации, зацепившись за шип.

Старый охотник снял бумажку с колючки, расправил ее на своей мозолистой ладони и прочел на измятом и обгоревшем листке хорошо знакомое имя, фамилию и чин, которые начинались с букв: «К. К. К.».

Глава LXXVII

ЕЩЕ ОДНО ЗВЕНО

Когда Зеб Стумп разбирал то, что было написано на бумаге, на его лице отразилось не столько удивление, сколько удовлетворение.

— Это клочок конверта, — пробормотал Зеб, — он говорит о многом. Из него можно узнать больше, чем из того, что было внутри. Использован вместо пыжа... Ну что же, так ему, подлецу, и надо! Пусть знает, как употреблять всякий хлам вместо куска промасленной оленьей кожи, которым пользуются все порядочные люди... Почерк женский, — продолжал охотник, снова всматриваясь в бумажку. — Это ничего не значит. Адресовано-то ему — значит, ему и принадлежит. Эту штучку надо сохранить!

При этих словах старый охотник вынул из кармана кожаный кисет, где хранилось его огниво, и бережно спрятал туда найденную бумажку.

— Ну что ж, старина Зебулон Стумп, — снова заговорил он, — похоже на то, что тебе удастся неплохо разобраться в этой таинственной путанице. Хотя кое-что и остается еще неясным, кое-где обрываются нити, но это ничего. Человек, которого убили, кто бы он ни был, лежал вон там, где была лужа крови. Человек же, который убил, кто бы он ни был, стоял за этой акацией. Если бы не напортили эти молокососы, мне удалось бы узнать еще кое-что. Теперь же ничего не поделаешь — все следы затоптаны. Идти дальше в этом направлении незачем. Лучше всего будет теперь пойти по обратному следу, если это только возможно, и узнать, куда лошадь со сломанной подковой отвезла своего хозяина после охоты. Итак, старина Стумп, тебе придется направиться по следу сапог.

И с этими словами старый охотник пошел назад по тем же следам, которые привели его на просеку. Отпечатков почти не было видно, но Зебу они уже не были нужны.

Он успел еще раньше заметить, что человек, которому принадлежал след, в конце концов вернулся к месту, где была привязана его лошадь.

Однако в одном месте эти два следа расходились: на пути попалось непроходимое сплетение кустов, и предполагаемому убийце пришлось его обогнуть. Потом оба следа опять сошлись, но только после того, как обратный след вывел охотника на большую поляну, которую Зеб внимательно осмотрел.

На ней он заметил ясные следы, но уже совсем другие. Это была хорошо протоптанная тропинка, которая пересекала поляну.

Зеб увидел, что по ней несколько дней назад прошли подкованные лошади; их-то следы и привлекли его внимание.

Он мог бы без ошибки сказать не только, в какой день, но даже в какой час прошли здесь лошади; чтобы узнать это, ему достаточно было бы внимательно взглянуть на отпечатки копыт.

Но на этот раз ему и так все было ясно. Он знал, что это были следы лошадей небольшого отряда, оставшегося со Спенглером, когда майор со своими драгунами вернулся в форт.

Зеб уже слышал об этом дополнительном исследовании, о том, как Спенглер и его товарищи проследили обратный путь лошади Генри Пойндекстера до того места, где негр поймал ее на границе плантации.

Большинству людей вторичное исследование показалось бы излишним, но Зеб Стумп придерживался другого мнения. Он стоял в нерешительности, поглядывая на следы.

— Если бы я только знал, что у меня хватит на это времени, — пробормотал он, — я бы сначала проверил этот след. Как знать... может, тут еще что-нибудь интересное найдется. Но едва ли я успею, а поэтому лучше сразу заняться лошадью со сломанной подковой.

Зеб уже повернулся, чтобы уйти с поляны, когда его остановила новая мысль:

— В конце концов, я легко найду его в любое время. Я и так знаю, куда он ведет, словно сам ехал рядом с негодяем, который его оставил, — прямо в конюшню Каса-дель-Корво. Чертовски обидно оставлять вот этот след, раз я уже здесь! Он может заставить меня пропутешествовать еще десять миль, а на это вряд ли хватит времени. Черт побери, все же надо пройти хоть немного! Пусть старая кобыла подождет, пока я вернусь.

И Зеб отправился по следу лошадей Спенглера и его спутников.

Но не их следы он изучал. Все его внимание было сосредоточено на следах лошади Генри Пойндекстера. И, хотя отряд проехал здесь позже и местами сильно затоптал след, который так интересовал охотника, тем не менее он без особого труда различал его. Как сказал бы он сам, любой молокосос смог бы сделать то же. Лошадь молодого плантатора скакала галопом. Следопыты ехали шагом.

Насколько Зеб Стумп смог разобраться, лошади отряда не останавливались и не отъезжали в сторону. Лошадь Генри Пойндекстера в одном месте сошла с тропы.

Это было в трех четвертях мили от просеки.

Мчавшаяся галопом лошадь не остановилась, но метнулась в сторону, словно чего-то испугалась — волка, ягуара, пумы или другого хищника.

Дальше она по-прежнему мчалась галопом.

Отряд Спенглера проехал дальше, не остановившись, чтобы узнать, почему лошадь бросилась в сторону.

Но Зеб Стумп был более любознателен и задержался здесь.

Это был песчаный участок, усеянный камнями и лишенный травы. Над ним возвышалось огромное дерево с горизонтально вытянутыми ветвями. Один сук нависал над тропинкой так низко, что всаднику нельзя было бы проехать, не нагнув головы. Зеб Стумп внимательно осмотрел его. Он заметил, что на нем повреждена кора; хотя ссадина была невелика, она, по-видимому, возникла от удара какого-то твердого тела.

— Это сделано человеческой головой, — заметил охотник. — По эту сторону сука на лошади сидел человек, по ту его сторону уже на ней не было. Никто не смог бы выдержать такого удара и остаться в седле.

— Ура! — торжествующе воскликнул он после того, как внимательно осмотрел землю под деревом. — Я так и думал. Вот и отпечаток на том месте, где он упал. А вот здесь он полз. Теперь я понимаю, откуда эта загадочная шишка. Я знал, что она не от когтей хищников; и не похоже было, что она от удара камнем или палкой. Вот обо что он ее набил!

Просияв от радости, Зеб легкой походкой направился дальше, но не по тропе, а по следу человека, выбитого из седла.

Зеб следовал указаниям — может быть, незаметным для непосвященного, но для него столь же ясным, как надписи на придорожных столбах. Надломленная ветка, оборванные усики ползучих растений, борозды на земле — все говорило о том, что здесь пробирался человек. Более того, след ясно показывал, что человек не мог идти и полз.

Зеб Стумп проследил путь несчастного до берега ручья.

Дальше идти не было нужды. Он связал еще одну оборванную нить. Еще немного — и все доказательства будут в его руках.

Глава LXXVIII
МЕНА ЛОШАДЬМИ

Разочарованный Колхаун угрюмо выругался и повернул коня от меловой прерии, где затерялись следы всадника без головы.

«Какой смысл ехать дальше? Неизвестно, куда он ускакал. Увижу ли я его снова или нет — это дело случая. Быть может, встречу его опять у речки? Но что толку? Мустанг все равно меня к себе не подпускает, как будто догадывается о моих намерениях. Он хитрее даже диких мустангов — наверно, хозяин научил его этим повадкам. Один удачный выстрел — и я прекратил бы его странствия. Подкрасться к нему, по-видимому, невозможно. А разве догонишь его в открытой прерии на этом неуклюжем муле? Рыжий, правда, выносливее, но едва ли быстрее. Надо будет испытать его завтра — с новой подковой... Если бы я только мог достать такого быстроногого коня, который догнал бы мустанга, я не пожалел бы денег. В поселке наверняка есть что-нибудь подходящее. Надо разузнать. Пусть он обойдется в двести, даже в триста долларов!»

Рассуждая сам с собой, Колхаун покинул меловую прерию, — его мрачное лицо удивительно контрастировало с ее сверкающей белизной.

Он ехал быстро, не щадя своего коня, уже измученного путешествием, судя по хлопьям пены и истерзанным шпорами бокам, на которых выступили свежие капли крови, когда он ускорил шаг, направляясь к Каса-дель-Корво.

Не прошло и часа, как он уже въезжал в рощу акаций, примыкающую к плантации Пойндекстера. Это была хорошо знакомая Колхауну тропа — он проезжал здесь, хотя и на другой лошади.

Пересекая пересохший от долгой засухи ручей, он очень удивился, заметив в илистом русле следы подков, одна из которых была сломана. След был старый — по-видимому, он появился здесь дней восемь назад. Но Колхаун остановился не для того, чтобы определить, когда именно был оставлен след, — он мог назвать даже час.

Он сошел с лошади, чтобы стереть эти следы. Лучше было бы для него, если бы он этого не делал. Его каблук раздавил засохшую грязь, выдав, кто ехал на лошади со сломанной подковой. А сзади приближался человек, который не упустит эту улику.

Отставной капитан вскочил в седло и поехал дальше, очень довольный своей сообразительностью.

От этих приятных размышлений его отвлек стук лошадиных копыт. Самой лошади еще не было видно за деревьями.

Топот приближался. По размеренному ритму можно было догадаться, что на лошади кто-то едет.

Через мгновение Колхаун увидел перед собой Исидору Коварубио де Лос-Льянос. Она заметила его в ту же секунду.

Эта встреча была странной случайностью, и она пробудила в каждом из них странные мысли.

Исидора вспомнила, что Колхаун влюблен в женщину, которую она ненавидит, а Колхаун — что Исидора влюблена в человека, которого он не только ненавидит, но решил погубить.

Они знали об этом отчасти по слухам, отчасти по личным наблюдениям и впечатлениям от двух случайных встреч. Каждый из них хорошо знал о несчастной любви другого, и в то же время каждый думал, что о его чувстве другой не догадывается.

Казалось бы, что при таких обстоятельствах они едва ли могли чувствовать симпатию друг к другу. Никому — будь то мужчина или женщина — не нравится, когда преклоняются перед его соперником. Только стремление к мести, рожденное ревностью, могло бы объединить их; но это был бы мрачный союз.

До сих пор Исидора Коварубио де Лос-Льянос и Кассий Колхаун не чувствовали друг друга союзниками.

Оба они, вероятно, были бы рады избежать этой встречи, особенно Исидора.

Мексиканка не чувствовала особого расположения к отставному кавалерийскому капитану. Помимо его любви к ее сопернице, у нее была и другая причина не желать встречи с ним.

Она вспомнила, как ее преследовали ряженые индейцы и чем все это кончилось. Она знала, что у техасцев возникло много разных предположений о ее внезапном исчезновении после того, как она позвала их на помощь.

Она никому не собиралась рассказывать, что заставило ее так поступить, и ее беспокоило, как бы человек, ехавший ей навстречу, не стал расспрашивать ее об этом.

Исидора собиралась ограничиться кивком головы, проезжая мимо, — совсем не заметить Колхауна было бы невежливо. И он, вероятно, сделал бы то же самое, если бы его не осенила совершенно неожиданная мысль. Эта мысль не была связана с Исидорой: ее ослепительная красота не трогала его.

Отставной капитан не собирался ухаживать за Исидорой, когда, загородив ей лошадью дорогу, натянул поводья, снял фуражку и, вежливо поклонившись, заговорил с ней.

Исидоре ничего не оставалось, как ответить.

— Простите меня, сеньорита, — сказал Колхаун, поглядывая не на всадницу, а на лошадь, — я знаю, что мне, человеку, с которым вы совсем не знакомы, не следовало бы останавливать вас...

— Можете не извиняться, сеньор. Мы ведь с вами как будто уже встречались — в прерии около Нуэсес.

— Да-да... вы правы, — запинаясь, сказал Колхаун, который предпочел бы, чтобы она забыла об этом. — Я желал бы поговорить с вами не о той встрече, а о том, как вы промчались по краю обрыва. Мы все были поражены вашим внезапным исчезновением.

— В этом не было ничего удивительного, кабальеро. Пуля, пущенная кем-то из вас, освободила меня от преследователей. Я увидела, что они повернули обратно, и решила продолжать свой путь.

Колхаун, по-видимому, не был особенно огорчен ее уклончивым ответом. Он еще не начинал разговор на интересующую его тему и не терял надежды добиться своего.

О чем он собирался говорить, нетрудно было догадаться, стоило лишь взглянуть, как он смотрел на лошадь Исидоры с видом не то знатока, не то жокея.

— Я не говорю, сеньорита, что был одним из тех, кто удивился вашему внезапному исчезновению. Я решил, что у вас были на то свои причины. Ведь я видел, как вы мчались по краю обрыва, и, признаюсь, после этого не беспокоился о вас. Меня, как и всех остальных, поразило ваше изумительное уменье ездить верхом. И что за лошадь у вас была! Казалось, что она летела, а не скакала. Если я не ошибаюсь, вы и сейчас на ней. Простите, что я спрашиваю вас о таких пустяках.

— На ней? Дайте вспомнить... я езжу на многих. Да, мне кажется, вы правы. Да-да, конечно. Я вспоминаю, как она предала меня.

— Предала вас? Как же так?

— Даже дважды. В первый раз, когда приближался ваш отряд. Во второй — когда индейцы... ах, да, не индейцы, как мне потом сказали! — подкрадывались ко мне через заросли.

— Но как же она вас предала?

— Она заржала. Она не должна была этого делать. Ее достаточно долго учили, что этого делать нельзя... Ну ничего. Как только я вернусь на Рио-Гранде, я больше на ней ездить не стану. Пусть возвращается на пастбище!

— Простите меня, сеньорита, но, по-моему, это очень грустно.

— Что грустно?

— Что такой великолепный конь не будет больше ходить под седлом. Я многое дал бы, чтобы только обладать им.

— Вы шутите, кабальеро! Что в нем особенного? Только что он немного красивее и быстрее других мустангов. У моего отца пять тысяч таких, и многие из них красивее, и, без сомнения, быстрее его. Он, правда, вынослив и хорош для больших переездов, поэтому я и еду на нем сейчас — я возвращаюсь домой на Рио-Гранде. Если бы не это, я с удовольствием отдала бы его вам или любому, кому он так же сильно понравился бы... Стой смирно, моя лошадка! Посмотри, вот человек, которому ты нравишься больше, чем мне.

Последние слова были обращены к мустангу, который, казалось, как и его хозяйка, с нетерпением ждал конца разговора.

Колхаун же, наоборот, хотел во что бы то ни стало продолжить этот разговор или, по крайней мере, закончить его не так.

— Простите меня, сеньорита... — сказал он, принимая деловой вид, но с некоторой нерешительностью в голосе. — Если вы так низко цените вашего серого мустанга, то я охотно обменялся бы с вами. Правда, моя лошадь не отличается красотой, однако наши техасские барышники предлагали за нее хорошую цену. Пусть она и не из быстрых, но смею уверить, что она благополучно доставит вас до дому и хорошо будет вам служить и дальше.

— Что вы, сеньор! — удивленно воскликнула Исидора. — Обменять вашего великолепного американского коня на мексиканского мустанга? Ваше предложение мне кажется просто шуткой. Знаете ли вы, что на Рио-Гранде за одну вашу лошадь дадут три, а то и шесть мустангов?

Колхаун знал это очень хорошо. Но в то же время он знал, что мустанг Исидоры ему нужнее целой конюшни таких лошадей, как его серый жеребец. Ведь он сам был свидетелем необыкновенной быстроты этого питомца прерий, не говоря уже о том, что слыхал о нем от других. И не только своего «великолепного коня» — любую сумму денег в придачу готов он был отдать за этого мустанга.

На его счастье, мексиканке и в голову не пришло «запрашивать» — Исидору никак нельзя было назвать корыстолюбивой. В конюшнях — вернее, на пастбищах ее отца — насчитывалось до пяти тысяч лошадей. Зачем же ей отказывать человеку в такой небольшой просьбе, хотя бы незнакомому и, может быть, даже врагу!

Она и не отказала.

— Если это не шутка, сеньор, — сказала она, — то пожалуйста.

— Я говорю совершенно серьезно, сеньорита.

— Тогда берите, — сказала она, соскакивая с седла и начиная расстегивать подпругу. — Седлами нам нельзя обменяться: ваше для меня слишком велико.

Колхаун так обрадовался, что не находил слов благодарности. Он поспешил помочь ей снять седло, а потом снял свое.

Не прошло и пяти минут, как мена лошадьми состоялась. Седла и уздечки остались за старыми хозяевами.

Исидоре все это показалось очень забавным. Она с трудом удерживалась от смеха.

Колхаун же относился к этому совсем иначе — слишком серьезна была его цель.

Они расстались, сказав лишь обычное «до свидания». Исидора поехала на американской лошади, а капитан продолжал путь к асиенде Каса-дель-Корво на сером мустанге.

Глава LXXIX

НЕУТОМИМЫЙ СЛЕДОПЫТ

Зеб вернулся к месту, где была привязана его кобыла. Заросли были ему хорошо известны, и он пошел к просеке напрямик.

Он снова отправился по следу сломанной подковы, в полной уверенности, что след этот приведет его к Каса-дель-Корво.

След шел вдоль дороги, соединяющей переправу через Рио-Гранде и форт Индж. Эта дорога была шириной в полмили — явление, обычное для Техаса, где каждый путник едет где хочет, придерживаясь лишь общего направления.

Лошадь со сломанной подковой бежала по краю этой дороги.

Но на расстоянии четырех-пяти миль от форта Индж она вдруг свернула под таким углом, что должна была выйти прямо к плантации Пойндекстера. Зеб был в этом настолько уверен, что почти не смотрел на землю, а ехал вперед быстро, как будто его путь был отмечен дорожными столбами.

Хотя Зеб был убежденным противником верховой езды, на этот раз он не погнушался закончить свой путь в седле — долгие странствования пешком по прерии и лесным зарослям сильно утомили его. Только время от времени бросал он взгляд на землю, но не для того, чтобы убедиться, не сбился ли он со следа сломанной подковы, а в надежде узнать что-нибудь новое.

Местами земля в прерии была настолько тверда, что на ней не осталось следов. Неопытный человек мог бы подумать, что он первый проезжает здесь. Но Зеб Стумп был опытным следопытом: он с точностью до дюйма знал, где снова увидит след на более влажной и мягкой почве.

Если случалось иногда, что старый охотник терял след, он быстро находил его, сделав зигзаг.

Уверенно, хотя и осторожно, охотник приблизился к плантации Пойндекстера. Над верхушками акаций показался зубчатый парапет асотеи; и вдруг что-то, что он увидел на дороге, сразу изменило его поведение: вместо того чтобы оставаться на своей кобыле, он соскочил с седла, забросил поводья ей на шею и, обогнав ее, отправился по следу пешком.

Кобыла, не останавливаясь, покорно поплелась за ним, как будто она привыкла к таким неожиданным капризам хозяина.

Неискушенному глазу трудно было бы определить, почему Зебу понадобилось так неожиданно сойти с лошади. Это произошло в месте, где, казалось, не ступала нога ни человека, ни животного. Только из слов Зеба, когда он соскакивал с седла, можно было понять, в чем дело.

— Его след! Возвращается домой, — произнес охотник тихим размеренным голосом и медленно пошел по следу.

Скоро след привел его в рощу и еще через несколько минут заставил остановиться так внезапно, словно колючие заросли стали совершенно непроходимыми как для него, так и для его кобылы.

Однако это было не так. Перед ним по-прежнему была открытая дорога — даже слишком открытая. Именно это и заставило его остановиться.

Перед ним лежала ложбина, в которой виднелось русло почти пересохшего ручья — только кое-где остались небольшие лужи. По грязи русла ходил человек, ведя за уздечку лошадь.

В поведении лошади не было ничего странного — она просто следовала за своим спешившимся всадником.

Но что делал человек? Его движения были непонятными и озадачили бы непосвященного зрителя.

Но Зеб Стумп не был озадачен — во всяком случае, не больше, чем на одну секунду.

Он почти сразу разгадал намерение этого человека и пробормотал:

— Стирает след сломанной подковы или же пробует это сделать! Бесполезно, мистер Колхаун, совсем бесполезно! Взамен вы оставили здесь следы своих ног. Меня не обманешь. И я пройду по ним хоть до самого ада!

Когда охотник закончил свою речь, тот, к кому она была обращена, кончив свою работу, вскочил в седло и поехал дальше.

Зеб отправился вслед за ним пешком; по-видимому, он не старался держать Колхауна в поле зрения. Для старого охотника в этом не было нужды: он был уверен, что не потеряет след капитана.

Охотник шел спокойно, считая, что теперь уже не придется останавливаться до самой асиенды.

Но Зеб Стумп ошибся. Кто мог предвидеть случайную встречу Кассия Колхауна с Исидорой Коварубио де Лос-Льянос!

Но, несмотря на удивление, Зеб сумел не выдать своего присутствия. Наоборот, он стал еще более осторожным.

Обернувшись, охотник шепнул какое-то заклинание на ухо кобыле и стал тихонько пробираться вперед под прикрытием акаций.

Послушная кобыла бесшумно следовала за ним.

Скоро Зеб остановился; остановилась и лошадь, словно его тень.

Густая стена зелени отделяла охотника от оживленно беседовавшей пары.

Он не мог выглянуть из своего укрытия, боясь выдать себя, но зато слышал все, о чем они говорили.

Он оставался на месте, прислушиваясь, пока не состоялся обмен лошадьми, и еще немного после этого. И, только когда они поехали каждый в свою сторону, Зеб вышел из своей засады.

Остановившись на том месте, где только что была заключена сделка, он посмотрел по сторонам и воскликнул:

— Иосафат! Заключен союз между двумя дьяволами. Хотел бы я знать, кто из них остался в барыше!

Глава LXXX

БДИТЕЛЬНОЕ НАБЛЮДЕНИЕ ЗА ВОРОТАМИ

Прошло некоторое время, прежде чем Зеб Стумп показался из чащи, под прикрытием которой он наблюдал за обменом лошадьми. Он вышел из зарослей только тогда, когда и Исидо-

синей утренней дымке на серой стене Каса-дель-Корво
лось темное пятно — это открыли ворота.
чти в ту же минуту из них выехал всадник на небольшой
лошади, и ворота снова закрылись за ним.
ба это не интересовало. Он смотрел только, в каком на-
ении поедет ранний путник. На это ему не потребовалось
цати секунд. Голова лошади и лицо всадника были обра-
в его сторону.
не стал тратить время на то, чтобы разглядывать всадни-
ошадь. Он не сомневался, что это был тот самый всад-
который проезжал по этому же месту на этой же лошади
уне вечером; он также не сомневался, что всадник снова
ет здесь.
б поспешил к своей старой кобыле, быстро оседлал ее и
в такое место зарослей, откуда можно было наблюдать,
аясь незамеченным.
прятавшись, старый охотник стал ждать приближения всад-
на сером коне — он знал, что это Кассий Колхаун.
он продолжал стоять до тех пор, пока тот не пересек
у лесных зарослей и не скрылся в прерии, окутанной ту-
ым светом раннего утра.
лько тогда Зеб Стумп вскарабкался в седло и, уколов ко-
ножом, заменявшим ему шпору, поскакал вперед.
ехал за Кассием Колхауном, не стараясь держать его
своего зрения.
ем? Покрытая росой трава была для старого следопыта
листом, а следы серого мустанга — шрифтом, таким же
, как строки напечатанной книги.
н легко читал эти строки, когда его лошадь бежала ры-
даже галопом.

Глава LXXXI

ВВЕРХ НОГАМИ

ий Колхаун выехал из ворот Каса-дель-Корво в пре-
подозревая, что его видел кто-нибудь, кроме Плутона,
оседлал ему серого мустанга.
ичего не заподозрил и проезжая мимо места, где при-
зарослях Зеб Стумп. Капитан предполагал, что в таком
свете его никто не заметит.
авшись из зарослей, Колхаун направился к берегам Ну-
лошадь бежала быстрой рысью, временами переходя

отяжении первых восьми миль он мало интересовался
делалось вокруг. Казалось, его удовлетворял случай-

ра и Колхаун скрылись из виду. Но Зеб не поехал ни за той, ни за другим; он остался на месте, как будто в нерешимости, за кем из них следовать.

Однако это было не совсем так: он остался на месте, чтобы «хорошенько все обдумать», как обычно выражаются.

Его мысли занимала только что состоявшаяся сделка: он слышал весь разговор и просьбу Колхауна. Вот это-то и озадачило Зеба или, вернее, вызвало его размышления. Зачем понадобилось Колхауну меняться лошадьми?

Зеб знал, что мексиканка говорила правду: действительно, американская лошадь стоила гораздо дороже мустанга. Он также знал, что Кассий Колхаун не из тех, кого можно «надуть» при обмене лошадьми. Почему же он пошел на такую невыгодную сделку?

Старый охотник снял свою войлочную шляпу и дважды провел рукой по взъерошенным волосам, потом погладил бороду и поглядел в землю, словно ища ответа в траве.

— Тут может быть только одно объяснение, — пробормотал он наконец. — Серый мустанг быстрее американского коня, в этом нет никакого сомнения. И мистер Каш облюбовал его для себя именно из-за этого. Иначе какого черта понадобилось ему отдавать лошадь, за которую где угодно в Техасе он может получить четыре мустанга, а в Мексике и вдвое больше? Сдается мне, что он выменял ее из-за ног. Но зачем?.. Ах, вот оно что! Я уже, кажется, догадываюсь. Ему нужна... хе-хе... да, теперь я понял... ему нужна лошадь, которая догонит этого безголового. Да, это именно то, что ему надо, — ясно, как Божий день. Он было попробовал на американской лошади, но она оказалась тихоходом. Это я сам видел. Теперь он надеется, что догонит его на мустанге, если только тот попадется ему на глаза; наверняка Колхаун отправится на поиски. Он поехал сейчас в Каса-дель-Корво — видно, хочет немного перекусить. Долго он там не пробудет. Скоро кое-кто увидит его снова здесь в прерии, и это будет не кто иной, как Зебулон Стумп... А ну, скотинка, — продолжал он, повернувшись к своей кобыле, — ты думала, что пойдешь домой? Ошиблась, милая. Тебе придется попастись здесь еще часок-другой, а может, и всю ночь. Ну, ничего, моя старушка! Трава здесь неплохая, и у тебя хватит времени пощипать ее как следует... Вот так! Пасись, пока не наешься до отвала.

С этими словами Зеб снял с кобылы уздечку и забросил поводья на луку седла, чтобы они не мешали ей пастись. Потом Зеб оставил ее в чаще, там, где он недавно прятался, а сам отправился по следам Колхауна.

Через двести ярдов заросли кончились. За ними простиралась открытая равнина, на противоположном конце которой виднелась асиенда Каса-дель-Корво.

На фоне белого фасада виднелась фигура всадника, через минуту она исчезла в воротах.

Зеб знал, кто это.

— Отсюда, — пробормотал охотник, — я смогу увидеть, когда он выедет. Я дождусь его, если бы даже пришлось ждать до самого утра! Ну, надо набраться терпения...

Зеб сначала опустился на колени. Потом, поерзав немного, он уселся, прислонившись спиной к стволу акации. После этого он вытащил из своего бездонного кармана сумку, в которой были кукурузная лепешка, большой кусок жареной свинины и фляжка — судя по запаху, с мононгахильским виски.

Съев половину лепешки и свинины, он уложил остальное в сумку и повесил ее на ветку над своей головой. Потом глотнул как следует из фляжки, закурил трубку, снова прислонился спиной к стволу акации и, скрестив на груди руки, стал смотреть на ворота Каса-дель-Корво.

Так он сидел часа два, не спуская глаз с асиенды.

В воротах мелькали люди — мужчины и женщины. Но даже на расстоянии по их скудной светлой одежде и темной коже можно было догадаться, что это слуги. Кроме того, все они были пешие. А тот, кого ждал Зеб, если и появился бы, то только верхом на лошади.

С заходом солнца Зеб прервал свои наблюдения, но только для того, чтобы найти более удобное место. Когда на землю спустились лиловые сумерки, он не торопясь поднялся на ноги и прислонился к дереву, как будто в этой позе ему было удобнее думать.

«Очень возможно, что эта лиса появится ночью, — рассуждал он про себя, — или же перед рассветом. А мне необходимо знать, в каком направлении он поедет... Нет смысла тащить кобылу за собой, — продолжал он, взглянув в том направлении, где оставил лошадь. — Она будет мне только мешать. Кроме того, ночи теперь лунные, и ее может заметить кто-нибудь из негров. Лучше оставить ее здесь — безопасней и есть где пастись».

Зеб направился к лошади, снял с нее седло, привязал ее на длинной веревке к дереву, потом снял с седла свое старое одеяло и, перебросив его через руку, пошел в сторону Каса-дель-Корво.

Он шел неровным шагом — то быстрее, то медленнее, поджидая, чтобы его скрыли надвигающиеся ночные тени.

Эта предосторожность не была излишней: предстояло пересечь открытый луг, где трудно было остаться незамеченным. Там и сям виднелись одинокие деревца, но их разделяли слишком большие расстояния, и, пока он пробирался к ним, его легко могли увидеть из окон асиенды и тем более с асотеи.

Время от времени он совсем останавлива
бы сгустились сумерки, стало темнее.

Когда погас последний луч заката, Зеб бı
сот ярдов от асиенды.

Старый охотник достиг цели своего путе
где ему, возможно, предстояло провести вс
Неподалеку рос низкий раскидистый куст;
ним, Зеб снова стал следить за воротами Ка

За всю долгую ночь старый охотник ни ра
их глаз одновременно — какой-нибудь из ни
дил за воротами. И стоило взглянуть на необ
вид старика, чтобы понять, что он был зан
делом.

Вначале однообразие его бодрствования
ном голосов и время от времени взрывами с
мися из хижин невольников. Но негры были
чем обычно. Не было слышно чистых напево
ков веселого банджо, обычно раздающихся по
тянском поселке.

Мрачная тишина, царившая в «большом до
подействовать на настроение невольников.

Около полуночи голоса людей замолкли,
изредка нарушался лаем собаки, откликавше
койотов.

Зеб провел очень утомительный день,
Один раз, когда он уже совсем задремал, е
и размяться; затем он снова лег и, спрят
закурил свою трубку.

Всю ночь он не сводил глаз с больши
они, как он ясно видел при лунном свет
лись.

Утренняя заря, как раньше закат, заст
переменить наблюдательный пункт.

Едва небо на востоке порозовело, Зе
бросил на себя одеяло и, повернувшис
Корво, медленно удалился тем же путем,
накануне вечером.

Снова он шел то медленно, то быс
останавливаясь и оглядываясь назад.

Наконец Зеб добрался до акации,
Здесь, усевшись, как и накануне, он п
Вторая половина лепешки и остатк
За ними последовало и виски из фляг

Зеб набил трубку и уже собиралс
вдруг быстро положил кремень и огн

ный взгляд, брошенный вдаль — и только вперед. Он не смотрел ни направо, ни налево; и только один раз оглянулся назад — уже после того, как отъехал на некоторое расстояние от опушки зарослей.

Он еще не видел того, что все время занимало его мысли.

Что это, знал только он и еще один человек — Зеб Стумп.

Колхауну и в голову не приходило, что кто-то догадывался о цели его ранней поездки.

Хотя старый охотник основывался только на своих предположениях, он был так уверен, словно сам отставной капитан доверил ему свою тайну. Он знал, что Колхаун отправился на поиски всадника без головы, надеясь, что на этот раз сможет его догнать.

Несмотря на то, что серый мустанг мог бежать быстрее техасского оленя, Колхаун далеко не был уверен в успехе. Было весьма вероятно, что он не встретит сегодня свою дичь; вероятность, по его расчетам, была один против двух; об этом-то и размышлял он в пути.

Такая неопределенность беспокоила его; но, вспоминая происшествия последних дней, он продолжал надеяться.

Было одно место, где он уже дважды встречал того, кого искал. Может быть, ему повезет еще раз...

Это была зеленая лужайка на опушке зарослей, недалеко от начала просеки, на которой, как предполагали, произошло убийство.

«Как странно, что он всегда возвращается туда! — думал Колхаун. — Чертовски странно! Словно он знает... Глупости! Просто там трава сочнее и близко вода. Ну что же, надеюсь, что и сегодня он будет так же настроен и у меня будет возможность найти его. Если же нет, то мне придется искать его в зарослях, а это даже и днем удовольствие небольшое. Бр-р-р!.. А чего мне, собственно, бояться, раз мустангер уже в тюрьме? Какие улики? Один только кусочек свинца. Но его я достану, даже если бы мне пришлось загнать коня до смерти!»

— Силы небесные! Что это там?

Последние слова Колхаун произнес вслух, натягивая поводья так, что его мустанг чуть не встал на дыбы, и глядя вдаль полными ужаса глазами, которые, казалось, готовы были выскочить из орбит.

И неудивительно: картина, которую он увидел, привела бы в смятение самого мужественного человека.

Солнце поднялось над горизонтом как раз за спиной всадника. Прямо перед ним распростерлась полоса голубоватого тумана — испарений, поднимавшихся от зарослей, к которым он уже приблизился. Деревья были скрыты легкой сиреневой пеленой, верхний край которой сливался с небесной лазурью.

На фоне этой пелены или же за ней появилась движущаяся фигура, настолько странная, что она показалась бы Колхауну совершенно неправдоподобной, если бы он не видел ее раньше. Это был всадник без головы.

Но таким его еще не видел ни Колхаун и никто другой! Теперь всадник выглядел совсем иначе. Очертания были те же, но он стал в десять раз больше прежнего.

Это уже был не человек, а великан, и не лошадь, а животное с контурами лошади, но высотой с башню — огромное, как мастодонт.

И это было еще не все. В его облике произошла более значительная перемена, еще более необъяснимая. Он ехал уже не по земле, а по небу; и лошадь и человек передвигались вверх ногами. Копыта коня были отчетливо видны на верхнем крае пелены, а плечи всадника (я чуть было не сказал — голова) почти касались линии горизонта. Серапе, наброшенное на плечи, висело правильно по отношению к перевернутой фигуре, но вопреки закону тяготения. То же относилось и к поводьям, и к гриве, и к длинному хвосту лошади.

Вначале этот чудовищный образ, более призрачный, чем когда-либо, двигался медленно, неторопливым шагом. Колхаун глядел на него, оцепенев от ужаса.

И вдруг произошла внезапная перемена. Очертания чудовищного всадника мгновенно расплылись; лошадь повернула и побежала рысью в противоположном направлении, хотя копыта ее все еще касались неба.

Призрак испугался и спасался бегством!

Колхаун, оцепеневший от страха, не сдвинулся бы с места и дал бы ему ускакать, если бы не его серый мустанг; конь круто повернул, и отставной капитан оказался лицом к лицу с разгадкой.

Послышался легкий удар подковы по траве прерии. Колхаун понял, что недалеко настоящий всадник, если только можно назвать настоящим всадника, от которого упала такая чудовищная тень.

— Это мираж! — воскликнул капитан, выругавшись. — Какой же я дурак, что поддался такому обману! Вот он, виновник моего испуга! А ведь я только его и ищу! И так близко! Если бы я знал, я поймал бы его, прежде чем он увидел меня. Ну, а теперь — вдогонку! И пусть мне придется скакать хоть на край Техаса, но я догоню его!

Понукание, хлыст, шпоры — все было пущено в ход. И через пять минут по прерии во весь опор мчались два всадника. Под каждым из них был быстроногий мустанг. Один всадник преследовал другого. Тот, кого преследовали, был без головы.

12-4

А тот, кто преследовал, — с головой; в этой голове созрело безумное решение.

Погоня длилась недолго. Колхаун уже предвкушал победу...

Его лошадь бежала быстрее — быть может, потому, что он ее подгонял, или же потому, что гнедой не слишком испугался и не напрягал всех своих сил.

Было ясно, что серый мустанг нагоняет гнедого; наконец расстояние сократилось настолько, что Колхаун уже вскинул ружье.

Он хотел застрелить гнедого и этим положить конец преследованию.

Однако он не стрелял, боясь промахнуться. Наученный горьким опытом, он не спускал курка, стараясь подъехать поближе, чтобы бить наверняка.

Но, пока он колебался, гнедой со всадником без головы круто повернул в заросли.

Преследователь не ожидал этого маневра и отстал; только через полмили ему удалось опять сократить расстояние.

Он приближался к знакомому — слишком хорошо знакомому! — месту, где пролита была кровь.

При любых других обстоятельствах он постарался бы объехать его, но теперь он был весь поглощен одной мыслью, которая отвлекала его от воспоминаний и наполняла холодным страхом перед будущим. Только захват жуткого всадника мог бы успокоить его — тогда можно было бы устранить опасность, которая так пугала.

Колхаун нагнал всадника без головы. Раздувающиеся ноздри серого мустанга почти касались хвоста гнедого. Ружье уже было наготове в левой руке Колхауна, палец правой руки лежал на спуске. Он только выбирал, куда лучше стрелять.

Еще мгновение — и пуля пронзила бы мчавшуюся впереди лошадь; но она, словно почуяв опасность, сделала быстрый скачок в сторону и, лягнув в морду преследовавшего ее мустанга, с пронзительным злобным ржанием понеслась в другом направлении.

На минуту Колхаун был сбит с толку, так же как и его лошадь. Серый конь остановился и отказывался идти дальше, пока удар шпорой не заставил его снова помчаться галопом.

Теперь Колхаун гнал своего коня еще сильнее, чем прежде. Но гнедой уже не бежал по тропе, а направился к зарослям, — погоня опять могла кончиться ничем. До сих пор Колхаун надеялся на быстроту своего коня. Он не предвидел, что дело может принять такой оборот; в отчаянии он снова схватился за ружье.

К этому времени они уже мчались по опушке, и зеленые ветви наполовину скрывали всадника без головы. Был виден только круп лошади; в него-то и прицелился преследователь.

Облачко дыма вырвалось из дула ружья; одновременно раздался треск выстрела, и какой-то темный предмет, словно возникнув из этого дыма, с глухим стуком упал на землю.

Он подпрыгнул, покатился и остановился прямо под ногами лошади Колхауна. Остановился, но продолжал раскачиваться из стороны в сторону — как волчок, когда он перестает вертеться.

Серый мустанг захрапел и попятился. Всадник закричал от ужаса.

И неудивительно: внизу на траве лежала голова человека; на ней все еще крепко держалась шляпа, круглые твердые поля которой мешали голове принять устойчивое положение. Лицо было обращено прямо к Колхауну, мертвенно бледное, запачканное кровью, сморщенное; глаза были открыты, но мутны и безжизненны, словно стеклянные. Белые зубы сверкали между посиневшими губами, на которых, казалось, застыла беззаботная улыбка.

Вот что увидел Кассий Колхаун.

Он смотрел, дрожа от страха. Но не из-за того, что растерялся перед сверхъестественным, непостижимым, а потому, что хорошо знал, в чем дело.

Недолго стоял он перед этой безмолвной, но так много сказавшей головой. Прежде чем она перестала покачиваться в мягкой траве, Колхаун повернул лошадь, вонзил ей в бока шпоры и понесся бешеным галопом.

Он не преследовал всадника без головы, который где-то рядом пробирался через кусты. Колхаун мчался назад, назад к прерии, обратно в Каса-дель-Корво!

Глава LXXXII
СТРАННЫЙ СВЕРТОК

Выбравшись из зарослей, старый охотник неторопливо поехал по следу капитана, словно в его распоряжении был целый день и ему незачем было спешить.

Однако, внимательно всмотревшись в его лицо, можно было прочесть большое нетерпение и тревогу; он ерзал в седле и то и дело напряженно вглядывался в даль.

На след Колхауна Зеб почти не обращал внимания: чтобы не сбиться с него, ему достаточно было беглого взгляда. Идти по этому следу могла бы и одна кобыла — без него.

Однако старый охотник медлил не потому, что след был ясен, — наоборот, он предпочел бы не терять Колхауна из виду. Но тогда и тот мог бы заметить его, а это помешало бы Зебу достичь своей цели.

Эта цель была важнее всего, а о действиях Колхауна он мог узнать и не видя их — по следам.

Продвигаясь медленно и осторожно, но не останавливаясь ни на минуту, Зеб наконец приехал на то место, где Колхаун видел мираж.

Теперь дымка уже рассеялась, мираж исчез, и синий край неба касался зеленой прерии.

Но то, что Зеб увидел, заинтересовало его не меньше: два ряда отпечатков копыт, и второй прошла новая лошадь Колхауна — Зеб измерил ее следы.

Ему нетрудно было догадаться, какая лошадь прошла первой. Он знал ее следы так же хорошо, как следы собственной кобылы.

— Значит, этому негодяю все-таки удалось отыскать его, — сказал Зеб, всматриваясь в двойной след. — Но это еще не значит, — продолжал он в раздумье, — что он его поймал. А впрочем, кто знает? Мустанг мог подпустить его к себе, увидев, что под ним тоже мустанг; а если это так... если это так... Но что же я стою здесь? Сейчас не время топтаться на месте! Если Колхаун догнал его и добился чего хотел, тогда — ищи ветра в поле, мне уж ничего не удастся сделать. Надо торопиться! Поехали, моя старушка! Постарайся догнать ту серую лошадь, которая пробежала здесь полчасика назад. Покажи же, что ты умеешь бегать не хуже, чем она!

Однако охотник не пустил в ход ножа, а ударил кобылу в бок своей единственной шпорой, и лошадь побежала спокойной рысью. Большей скорости от нее пока и не требовалось. Зеб ехал по-прежнему осторожно и зорко смотрел вперед.

— Судя по направлению следа, — рассуждал старый охотник, — я могу определить довольно точно, куда он выйдет. Словно все пути там сходятся; туда же ехал и бедняга, которому не суждено было вернуться. Ну что ж! Если нельзя воскресить его, то надо отплатить тому негодяю, который отнял у него жизнь. Кое-кому, кто об этом еще и не подозревает, — тому самому... Стой! Вот и он! А вон и безголовый! Мчатся во весь опор! И, черт побери, серый нагоняет! Они не сюда едут — нам с тобой не нужно прятаться. Но все-таки стой спокойно! Двигаться сейчас нельзя, а то он нас заметит. Ну да, как же! Он слишком занят своей игрой и ничего не видит, кроме того, что прямо перед ним... Так... Я этого и ожидал — прямо в просеку. Ну, моя кобылка, поехали дальше!

Не спуская глаз с просеки, Зеб подъехал к лесу.

Несмотря на то что оба всадника уже давно скрылись за поворотом, охотник поехал не посредине просеки, а через кусты, которые ее окаймляли.

Он ехал так, чтобы видеть дорогу на некоторое расстояние вперед, и в то же время так, чтобы его и кобылы не было видно, если бы кто-нибудь поехал навстречу.

Правда, он никого не ожидал здесь встретить и меньше всего — человека, которого вскоре увидел.

Услышав выстрел, Зеб не удивился — он ждал его с той минуты, как увидел погоню; он скорее был удивлен, что не услышал его раньше. Когда раздался треск выстрела, охотник узнал звук охотничьего ружья, а ему было известно, кому это ружье принадлежало.

Но старый охотник был удивлен, когда владелец ружья выехал из-за поворота меньше чем через пять минут после выстрела; он мчался, словно спасаясь от опасности.

— Возвращается, и так скоро, — пробормотал Зеб, заметив Колхауна. — Странно... Что-то случилось, хе-хе! Удирает, точно за ним гонится нечистая сила! А может, это безголовый за ним теперь гонится? Долг платежом красен. Похоже на то. Я бы не пожалел серебряного доллара, чтобы на это посмотреть. Ха-ха-ха!

Еще задолго до этого охотник слез с седла и отвел кобылу подальше в заросли, чтобы их не заметил спасавшийся бегством всадник, который скоро должен был проехать мимо.

Но тот промчался в такой панике, что вряд ли заметил бы Зеба, даже если бы он стоял посреди просеки.

«Иосафат! — мысленно воскликнул охотник, когда увидел искаженное ужасом лицо Колхауна. — Если нечистая сила и не гонится за ним, то, значит, она в него вселилась. В жизни еще не видел такого страшного лица. Плохо придется его жене! Бедняжка мисс Пойндекстер! Авось ей удастся отвертеться и не выйти замуж за такого негодяя... В чем же все-таки дело? Никто вроде за ним не гонится, а он все еще продолжает улепетывать. Куда это он теперь несется? Надо проследить».

— А, возвращается домой! — воскликнул Зеб, выйдя на опушку и увидев, что Колхаун скачет галопом к асиенде Каса-дель-Корво. — Возвращается домой, это уж наверняка!.. А мы, старушка, — продолжал Зеб, когда серая лошадь скрылась из виду, — поедем в другую сторону и узнаем, зачем он стрелял.

Десять минут спустя Зеб слез с кобылы и поднял предмет, до которого без содрогания и отвращения вряд ли мог бы дотронуться даже самый храбрый человек.

Но Зеба волновали другие чувства. Он узнал черты знакомого ему лица, хотя кожа съежилась и засохшая кровь исказила их выражение; оно было ему дорого, даже мертвое и изуродованное.

Зеб попробовал снять шляпу с мертвой головы, но, несмотря на все усилия, ему это не удалось: так глубоко врезались края шляпы в распухшую кожу.

Зеб, не выпуская голову из рук, долго с нежностью всматривался в лицо погибшего.

— О Господи! — произнес наконец охотник. — Что за подарок отцу и сестре! Пожалуй, не стоит везти ее к ним. Надо похоронить ее здесь и никому ни слова не говорить... Нет, так не годится. Что это я? Хоть это и не улика, но она может помочь кое в чем разобраться. Странный это будет свидетель, если представить ее на суд!

Сказав это, Зеб отвязал от седла старое одеяло и бережно завернул в него голову вместе со шляпой.

Потом, повесив этот странный сверток на луку, он сел на свою кобылу и в глубокой задумчивости выехал из леса.

Глава LXXXIII
ПРИЕЗЖИЕ ЮРИСТЫ

На третий день после того, как Морис Джеральд попал в военную тюрьму, лихорадка у него прошла, и он перестал бредить. На четвертый он был уже почти здоров. На пятый день было назначено судебное разбирательство.

Такая спешка, которую в любом другом месте сочли бы необычной, была самым заурядным явлением для Техаса, где нередко судят и вешают убийцу в тот же день, когда было совершено преступление.

Многочисленные враги мустангера по каким-то соображениям требовали назначить день суда как можно скорее; друзья же, которых было значительно меньше, не могли выставить достаточно веских оснований, чтобы его отложить.

Большинство жителей поселка настаивали на немедленном суде над преступником, повторяя старую, как мир, фразу: «Кровь убитого вопиет об отмщении».

Сторонникам безотлагательного суда помогло случайное обстоятельство: главный судья округа как раз совершал свой объезд и собирался прибыть в форт Индж на этой неделе.

Вот почему дело Мориса Джеральда, как всякое дело об убийстве, должно было разбираться в самое ближайшее время.

А так как никто не возражал, то никто и не попросил об отсрочке. Суд был назначен на пятнадцатое число текущего месяца.

Обвиняемый имел право потребовать защитника, но в поселке не было своего адвоката: в этих пограничных областях адвокаты обычно ездят вместе с судьей, а судья еще не прибыл. Однако, чтобы защищать мустангера, в поселок явился известный адвокат из Сан-Антонио. Он заявил, что приехал сюда по собственному почину.

Это могло быть просто великодушием, а может быть, он хотел завоевать популярность перед выборами в конгресс; хотя поговаривали, что приехать его побудило золото, полученное из прекрасных рук.

«Если уж дождь начнется, то льет как из ведра». Эта поговорка, правильно характеризующая погоду Техаса, на этот раз оказалась верной и по отношению к юристам.

Накануне суда в форт Индж приехал еще один юрист и заявил, что он тоже будет защищать обвиняемого.

Он проделал еще более далекий путь, чем адвокат из Сан-Антонио, — он покинул столицу Ирландии и пересек Атлантический океан, чтобы повидаться с человеком, которого обвиняли в убийстве.

Правда, последнего обстоятельства дублинский юрист не предвидел — он ехал к мустангеру по другому делу и был немало удивлен, когда в гостинице Обердофера, где он остановился, ему сказали, что Морис Джеральд сидит в тюрьме. Он еще больше удивился, узнав, в чем его обвиняют.

— Как! Потомок Джеральдов обвиняется в убийстве? Владелец замка Баллах и его чудесного парка! Да у меня с собой все документы! Проводите меня к нему! — потребовал он.

Хотя Обердофер и заподозрил, что его новый постоялец сумасшедший, он все-таки послал слугу проводить его до гауптвахты.

Если ирландский юрист и был сумасшедшим, в его безумии была система. Ему не только не отказали в свидании с заключенным, но, наоборот, разрешили навещать его в любое время.

Он получил это право, показав майору некоторые документы, которые помогли ему также установить дружеские отношения с адвокатом из Сан-Антонио.

Приезд ирландского юриста в такой напряженный момент вызвал массу толков в форте, в поселке и на окрестных плантациях. В баре Обердофера строились всякие предположения, так как сведения, полученные от хозяина, только разжигали интерес к ирландскому гостю.

Однако заокеанский законник оказался верным традициям своей профессии. За исключением вышеописанной маленькой оплошности в самом начале, когда он от удивления сказал лишнее, он замкнулся, словно устрица во время отлива.

Впрочем, у него не было времени для разговоров. Он приехал как раз накануне суда и считанные часы, которые были в его распоряжении, проводил либо в тюрьме, беседуя с заключенным, либо наедине с юристом из Сан-Антонио. Ходили слухи, что Морис Джеральд поведал им какую-то чудовищную историю. Но подробностей никто не знал, и все сгорали от любопытства.

Эта история была известна только одному человеку — охотнику Зебу Стумпу, и он мог бы все подтвердить.

Возможно, знал ее и еще один человек, хотя ни обвиняемый, ни защитники ничего ему не рассказывали.

Зеб тоже не появлялся в их обществе. Он беседовал с ними только один раз. После этого охотник исчез, и его никто больше не видел ни у гауптвахты, ни в поселке. Все думали, что Зеб Стумп, как обычно, отправился на охоту.

Но все ошибались. На этот раз Зеб бродил по лесам не в поисках дичи — он отправился на охоту за всадником без головы.

Глава LXXXIV

НЕЖНЫЙ ПЛЕМЯННИК

«Слава Богу, его судят завтра! Вряд ли кто-нибудь успеет за это время изловить проклятую лошадь! Надеюсь, ее никогда не поймают. А больше мне опасаться нечего. Без этого никто не разберется, что произошло. Пусть меня повесят, если я сам что-нибудь понимаю! Знаю только... Странно, зачем здесь появился этот ирландский крючкотвор? И еще этот — из Сан-Антонио? Кто его вызвал и зачем? Кто-то же ему платит! А впрочем, какая разница! Я все равно не боюсь! Как бы они ни вертели, а подозревать, кроме Джеральда, некого. Все улики против него; все этому верят. И его не могут не признать виновным. Только Зеб Стумп думает иначе. Вечно эта старая лиса сует нос куда не надо! Его давно не видно. Где он пропадает? Говорят, на охоте. Но сейчас для этого не время. А что, если он гоняется за ней? Что, если он ее поймает?.. Я бы сам попробовал еще раз, но сейчас уже поздно. Завтра к вечеру все будет кончено. А если потом... К черту, сейчас об этом незачем думать. Надо только, чтобы все было в порядке теперь. А что будет после — неважно. Когда его повесят, вряд ли будут искать других виновников. Даже если и всплывет что-то подозрительное, они постараются это замять. А то им придется признать, что повесили невиновного... Кажется, с «регулярниками» все в порядке. Даже Сэм Мэнли больше не сомневается. Я убедил его, когда рассказал, что слышал той ночью. Слышал-то я, правда, меньше, чем рассказал, но и этого достаточно, чтобы сойти с ума. Ну, да что думать о прошлом! Она виделась с ним, и все тут. Но больше она никогда его не увидит, разве что на небесах. Что же, это будет зависеть от нее же самой... А может быть, она его вовсе не... Может быть, это была с ее стороны лишь признательность. Нет-нет! Из чувства простой признательности не встают с постели среди ночи, чтобы идти на свидание в сад. Она любит его, она любит его! Ну и пусть любит! Он никогда не будет ее мужем. Она никогда не увидит его, разве только если будет продолжать упорствовать; и тогда лишь для того, чтобы помочь его обвинить. Одно ее слово — и петля затянется на его шее. И она произнесет его, если только не скажет другого слова, которого я у нее дважды просил. Третий раз будет последним. Еще один отказ — и я покажу им свою игру! Не только будет казнен этот ирландский авантюрист, но она сама станет виновницей его гибели. А плантация, дом, невольники — все...»

Рассуждения Колхауна были прерваны появлением плантатора.

— А, дядя Вудли! Вы-то мне и нужны.

Удрученный, безмолвный, бродил Вудли Пойндекстер по коридорам Каса-дель-Корво. Он вошел в комнату своего племянника случайно, без всякого определенного намерения.

— Нужен, Кассий? Зачем?

Убитый горем старик говорил покорно и даже заискивающе. Гордый Пойндекстер, перед которым трепетали двести невольников, теперь стоял перед своим собственным повелителем. Правда, это был его племянник, сын его сестры. Но от этого ему было не легче: он слишком хорошо знал характер Колхауна.

— Я хотел с вами поговорить относительно Лу, — ответил Колхаун.

Это была как раз та тема, которой Вудли Пойндекстер всячески избегал. Он боялся даже думать о ней, а тем более ее обсуждать и особенно с человеком, который начал этот разговор. Тем не менее плантатор не обнаружил удивления. Он и не был удивлен, он ждал этого разговора.

Тон Колхауна не предвещал ничего хорошего. В нем скорее звучало требование, чем просьба.

— Относительно Лу? О чем именно? — с притворным спокойствием спросил Пойндекстер.

— Так вот... — сказал Колхаун, как будто не решаясь начать этот разговор или же просто притворяясь, что колеблется. — Я... я хотел...

— Я предпочел бы... — сказал плантатор, воспользовавшись паузой, — я предпочел бы пока не говорить о ней.

Он сказал это почти умоляюще.

— Но почему же, дядя? — спросил Колхаун, которого это возражение рассердило.

— Ты сам знаешь, почему, Кассий.

— Я понимаю, что вам тяжело. Бедный Генри пропал, — предполагают, что он... Но он может еще вернуться, и все будет хорошо.

— Никогда! Мы никогда больше не увидим его — ни живым, ни мертвым. У меня больше нет сына!

— Но у вас есть дочь, а она...

— Она опозорила меня!

— Я этому не верю, нет.

— Как же иначе можно объяснить то, что я слышал, то, что я сам видел? Что могло заставить ее отправиться туда — за двадцать миль совсем одной, в хижину простого торговца лошадьми и сидеть у его изголовья? О Боже! И почему она вступилась за него — за убийцу моего сына, своего брата? О Боже!

— Первое, мне кажется, она объяснила удовлетворительно. (Но сам Колхаун не верил тому, что говорил.) Второе тоже понятно. Каждая женщина сделала бы то же самое. Во всяком случае, такая, как Лу.

— Таких, как она, нет! Это говорю я — ее отец! О, если бы я только мог поверить твоим словам! Моя бедная дочь! А ведь она должна была бы стать моим утешением теперь, когда у меня нет сына..

— Только от нее зависит найти вам сына... человека, уже близкого вам, который всеми силами постарается заменить погибшего. Я не хочу говорить загадками, дядя Вудли. Вы знаете, о чем я думаю. Мое решение твердо: я хочу, чтобы Лу стала моей женой.

Услышав это, плантатор не выказал ни малейшего удивления: он этого ждал. И все же его лицо стало еще более мрачным.

Было ясно, что мысль об этом браке ему неприятна. Это могло показаться странным. До последнего времени Пойндекстер был настроен иначе и неоднократно — правда, очень осторожно — пробовал уговаривать свою дочь выйти замуж за кузена.

До переезда в Техас Пойндекстер плохо знал своего племянника.

С тех пор как Колхаун достиг совершеннолетия, он, хотя и был гражданином штата Миссисипи, бо́льшую часть времени жил в Новом Орлеане, где у него было больше возможностей для кутежей. Он очень редко заезжал в гости на луизианскую плантацию дяди; но потом, когда Луиза из ребенка превратилась в красавицу девушку, Колхаун стал наезжать все чаще и гостить все дольше.

Затем Кассий около года воевал в Мексике и получил чин капитана. После военных подвигов он вернулся на родину с твердым намерением одержать победу над сердцем креолки.

С этих пор Колхаун почти не покидал дома своего дяди. Если он и не очаровал молодую девушку, то, во всяком случае, стал желанным гостем ее отца, потому что обладал верным средством добиться его расположения.

Когда-то богатый человек, плантатор за последние годы совсем разорился. Привычка жить на широкую ногу заставила его наделать долгов. Его племянник, наоборот, из бедняка стал богачом. Этим он был обязан случаю. Вполне естественно, что между ними возникли деловые отношения.

В Луизиане мало кто догадывался, что Пойндекстер — должник своего племянника, там он пользовался всеобщим уважением; это удерживало и Колхауна от проявления его обычной надменности.

Только после переезда в Техас их отношения стали принимать те характерные черты, которые обычно складываются между должником и кредитором.

Эти отношения обострились еще сильнее после того, как Колхаун стал упорно ухаживать за Луизой, а она так же упорно отклонять его ухаживания.

Теперь плантатор получил возможность ближе узнать характер племянника; с каждым днем со времени приезда в Каса-дель-Корво его разочарование росло все более.

Ссора Колхауна с мустангером и ее развязка не увеличили уважения Пойндекстера к племяннику, хотя ему как родственнику и пришлось стать на сторону последнего.

Были и другие обстоятельства, которые усиливали его неприязнь к племяннику и делали этот брак нежелательным, несмотря на всю его выгоду.

Но, увы, было много причин, не позволявших отказать Колхауну наотрез.

Ответ Пойндекстера был продиктован больше нерешительностью, чем горем:

— Если я тебя правильно понимаю, Кассий, ты говоришь о свадьбе. Но разве время говорить об этом, когда в доме траур? Подумай, что скажут люди!

— Вы не поняли меня, дядя. Я говорил не о свадьбе. То есть не о немедленной свадьбе. Мне только хотелось бы получить какую-то уверенность, и я согласен ждать более подходящего момента.

знаю, что ты хочешь сказать. Можешь не договари-
м договорю за тебя: «думать, что я любила тебя». Вот
тела сказать. Я и не утверждаю этого, — продолжал он
ющим отчаянием. — Я не обвиняю тебя в том, что ты
ла со мной. Виноват Бог, который наградил тебя та-
той, или дьявол, который заставил меня взглянуть на

и слова причиняют мне только боль. Я не думаю, что
ь мне. Ты слишком горячо говоришь, чтобы подо-
я в этом. Но поверь, Кассий, тебе это только кажет-
гко можешь освободиться от своей фантазии. Ведь
ого женщин гораздо красивее меня, которые были
ны таким признанием. Почему бы тебе не обратить-

му? — с горечью повторил он. — Какой праздный

торяю его и не считаю праздным. Ведь я должна
ать тебе, Кассий, что не люблю тебя и никогда не

т, ты не выйдешь за меня замуж?
о уж совсем нелепый вопрос! Я тебе сказала, что
бя. И этого, мне кажется, достаточно.
азал, что люблю тебя! Но это лишь одна из при-
я хочу, чтобы ты стала моей женой, — есть еще
ешь ли ты выслушать все?
лхаун уже больше не просил. Он снова стал по-

ал, что есть и другие причины? Назови их, я ни-

— усмехнулся он. — Ты не боишься?
боюсь. Чего мне бояться?
, бояться надо не тебе, а твоему отцу.
Все, что относится к отцу, касается и меня. Я —
ь, увы, единственное дитя... Продолжай, Кас-
и собираются над ним?
Лу, а нечто гораздо более серьезное и реаль-
с которыми он не в силах справиться. Ты заговорить о вещах, которые тебе вовсе не следует

и? Ты ошибаешься, кузен. Я все уже знаю. Мне
й отец запутался в долгах и что его кредитор —
не заметить этого? Та надменность, с какой ты
шем доме, твоя заносчивость, даже в присут-
точно ясно показали им, что за этим что-то
озяин Каса-дель-Корво, я знаю это. Но надо
ен.

— Я не понимаю тебя, Каш...

— Выслушайте меня, и я вам все объясню.

— Говори.

— Ну, так вот. Я решил жениться. Вы знаете, что мне уже скоро тридцать. В эти годы человеку надоедает слоняться по свету. Мне это чертовски надоело, и я хочу обзавестись семьей. Я согласен, чтобы моей женой стала Луиза. Торопиться с этим не надо. Пока мне нужно только ее обещание — твердое и определенное, чтобы не оставалось никаких сомнений. Когда кончатся все эти неприятности, еще будет время поговорить о свадьбе и о прочем.

Слово «неприятности», да и вся остальная речь Колхауна оскорбили слух отца, оплакивающего сына. Возмущение пробудило былую гордость Пойндекстера.

Однако ненадолго. С одной стороны, ему представились плантации, рабы, богатство, положение в обществе, с другой — бедность, которая казалась гибелью.

Но все же он не окончательно сдался, о чем можно было судить по его ответу.

— Что же, Кассий, надо отдать тебе справедливость, ты говорил достаточно ясно. Но я не знаю, расположена ли к тебе моя дочь. Ты говоришь, что согласен, чтобы она стала твоей женой. Да, но согласна ли она? Я думаю, все зависит от этого.

— Я полагаю, дядя, это в большой мере зависит от вас. Вы отец и можете уговорить ее.

— Я в этом не уверен. Она не из тех, кого можно уговорить. И ты, Кассий, знаешь это не хуже меня.

— Я знаю только одно: что я твердо решил обзавестись семьей и хотел бы, чтобы хозяйкой Каса-дель-Корво стала Лу, а не какая-нибудь другая женщина.

Эти грубые слова больно ранили Вудли Пойндекстера. В первый раз ему дали понять, что он больше не хозяин Каса-дель-Корво. Хотя это был только намек, он прекрасно его понял.

Ему снова представились плантации, рабы, богатство, видное положение в обществе, и — бедность с ее невзгодами и унижениями.

Бедность казалась ему отвратительной, хотя и не более отвратительной, чем стоявший перед ним человек — его племянник, который хотел стать его сыном.

Добро в сердце Пойндекстера уступило злу. Он обещал помочь племяннику разрушить счастье своей дочери.

— Лу!

— Что, отец?

— У меня к тебе просьба.

— Какая, отец?

— Ты знаешь, что твой двоюродный брат Кассий любит тебя. Он готов умереть за тебя, и больше того — он хочет на тебе жениться.

— Но я не хочу выходить за него замуж. Нет, отец! Лучше умереть! Самонадеянный негодяй! Я предвижу, что это значит. И он передает мне свое предложение через тебя! Так скажи ему, что я готова бежать в прерию и зарабатывать свой хлеб охотой на диких лошадей, только бы не стать его женой! Передай ему это.

— Подумай сначала, дочка. Ты, наверно, не знаешь...

— ...что мой двоюродный брат — твой кредитор? Я знаю это, дорогой отец. Но я знаю также, что ты — Вудли Пойндекстер, а я — твоя дочь.

Этот намек попал в цель. Гордость плантатора снова проснулась, и он ответил:

— Милая моя Луиза! Как ты похожа на мать! А я сомневался в тебе. Прости меня, моя гордая девочка! Забудем прошлое. Решай сама. Ты вольна отказать ему.

Глава LXXXV
ДОБРЫЙ КУЗЕН

Луиза Пойндекстер воспользовалась свободой, которую предоставил ей отец. Не прошло и часа, как она наотрез отказала Колхауну.

Он уже в третий раз делал ей предложение. Правда, два первых раза он говорил иносказательно.

Это было в третий раз, и ответ должен быть последним.

Он был прост. Она коротко сказала: «Нет» и выразительно прибавила: «Никогда».

Она говорила прямо, не стараясь смягчить свои слова.

Колхаун выслушал ее без удивления. Вероятно, он ожидал отказа.

Ни один мускул не дрогнул на его лице, он не побледнел и не обнаружил никаких признаков отчаяния, естественного в такую минуту. Он стоял перед красавицей кузиной, словно ягуар, готовый прыгнуть на свою жертву. Казалось, он хотел ей сказать: «Не пройдет и минуты, как ты запоешь другое».

Но он сказал:

— Ты шутишь, Лу?

— Нет, сэр. Разве мои слова похожи на шутку?

— Ты ответила, совсем не подумав.

— О чем?

— О многом.

— Именно?

— Прежде всего о том, как я те
Луиза промолчала.

— Я люблю тебя, — продолжа
так, Лу, как любят только раз! Эта
ко вместе со мной. С твоей смерт

Он замолчал, но ответа не пос

— Зачем рассказывать тебе
вспыхнула в тот день... нет, в то
тебя. Помнишь, когда я приехал
назад! Как только я соскочил с
прогуляться с тобой по саду, по
да была девочкой, подростком
перь! Ты взяла меня за руку и
гравием, под тень каштанов, н
волнения вызвало во мне пр
милая болтовня оставила в м
что его не могли стереть ни
кутежи...

Креолка продолжала слу
И едва ли нашлась бы женщ
таким красноречивым и гор
де не было поощрения, но
ничего не сказала.

Колхаун продолжал:

— Да, Лу, это правда. Я
Шесть лет — это достаточ
Мексики — немалое расс
того, чтобы забыть тебя.
предался кутежам. Новы
жу, что чувство мое ста
шить его: сильнее оно с
как ты взяла меня за рук
ном, Лу! — я не помню
нилось. Только разве
деть тебя так сильно,

— Как ты можешь
просто глупо!

— И в то же вре
тебя, что порой мне
же своего раздражен

— Но чем же я в
тебе повода думать.

Колхаун был обескуражен этим смелым ответом. Карта, на которую он рассчитывал, по-видимому, не могла принести ему взятки. И он не стал с нее ходить. У него в руках был более сильный козырь.

— Вот как! — насмешливо ответил он. — Ну что же, пусть я не властен над твоим сердцем, но все же твое счастье в моих руках. Я знаю, из-за какого презренного негодяя ты мне отказала...

— О ком ты говоришь?

— Какая ты недогадливая!

— Да. Но, может быть, под презренным негодяем ты подразумеваешь себя? В таком случае, я догадаюсь легко. Описание достаточно точное.

— Пусть так, — ответил Колхаун, побагровев от ярости, но все еще сдерживаясь. — Раз ты считаешь меня презренным негодяем, то вряд ли я уроню себя в твоих глазах, если расскажу, что я собираюсь с тобой сделать.

— Сделать со мной? Ты слишком самоуверен, кузен. Ты разговариваешь, словно я твоя служанка или рабыня. К счастью, это не так!

Колхаун не выдержал ее негодующего взгляда и промолчал.

— Что же ты собираешься сделать со мной? Мне будет интересно это узнать, — продолжала она.

— Ты это узнаешь.

— Ты выгонишь меня в прерию или запрешь в монастырь? Или... может быть, в тюрьму?

— Последнее, наверно, пришлось бы тебе по душе, при условии, что тебя заперли бы в компании с...

— Продолжайте, сэр: какова будет моя судьба? Я сгораю от нетерпения, — сказала Луиза.

— Не торопись. Первое действие разыграется завтра.

— Так скоро? А где, можно узнать?

— В суде.

— Каким образом, сэр?

— Очень просто: ты будешь стоять перед лицом судьи и двенадцати присяжных.

— Вам угодно шутить, капитан Колхаун, но я должна сказать, что мне не нравится ваше остроумие.

— Остроумие здесь ни при чем... Я говорю совершенно серьезно. Завтра суд. Мистер Морис Джеральд... или как его там... предстанет перед ним по обвинению в убийстве твоего брата.

— Это ложь! Морис Джеральд не...

— ...не совершал этого преступления? Это надо доказать. Я же не сомневаюсь, что будет доказана его виновность. И самые веские улики против него мы услышим из твоих же уст, к полному удовлетворению присяжных.

Точно испуганная газель, смотрела креолка на кузена широко раскрытыми, полными недоумения и тревоги глазами.

Прошло несколько секунд, прежде чем Луиза смогла заговорить. Она молчала, охваченная внезапно нахлынувшими сомнениями, подозрениями, страхами.

— Я тебя не понимаю... — сказала она наконец. — Ты говоришь, что меня вызовут в суд. Для чего? Хоть я и сестра того, кто... но я ничего не знаю и не могу ничего прибавить к тому, что известно всем.

— Так ли? Нет, тебе известно гораздо больше. Например, что в ночь убийства ты назначила Джеральду свидание в нашем саду. И никто не знает лучше тебя, что произошло во время этого тайного свидания. Как Генри прервал его, как он был вне себя от возмущения при мысли о позоре, который ложится не только на его сестру, но и на всю семью, как, наконец, он грозил убить виновника и как в этом ему помешало заступничество женщины, увлеченной этим негодяем. Никому также неизвестно, что произошло потом: как Генри сдуру бросился за этим мерзавцем и зачем он это сделал. Свидетелей этого было лишь двое.

— Двое? Кто же?

Вопрос был задан машинально и поэтому прозвучал почти спокойно.

Ответ был не менее хладнокровным:

— Один был Кассий Колхаун, другая — Луиза Пойндекстер.

Она не вздрогнула. Она не выразила никакого удивления. То, что было уже сказано, подготовило ее к этому. Она только вызывающе бросила:

— Ну?

— Ну, — подхватил Колхаун, обескураженный тем, что его слова не произвели впечатления, — теперь ты меня понимаешь...

— Не больше, чем прежде.

— Ты хочешь, чтобы я объяснил яснее?

— Как угодно.

— Хорошо. Есть только одна возможность спасти твоего отца от разорения, а тебя от позора. Ты понимаешь, о чем я говорю?

— Кажется, понимаю.

— Теперь ты не откажешь мне?

— Теперь скорее, чем когда-либо.

— Пусть будет так. Значит, завтра... и это не праздные слова, — завтра в это время ты выступишь свидетелем в суде?

— Гнусный шпион! Прочь с моих глаз! Сию же минуту, или я позову отца!

— Не утруждай себя. Я не буду больше навязывать своего общества, если оно тебе так неприятно. Обдумай все хорошенько. Может быть, до начала суда ты еще изменишь свое решение. Если так, то, надеюсь, ты дашь мне знать вовремя. Спокойной ночи, Лу! Я иду спать с мыслью о тебе.

С этой насмешкой, почти столь же горькой для него, как и для нее, Колхаун вышел из комнаты. Вид у него был далеко не торжествующий.

Луиза прислушивалась, пока звук его шагов не замер.

Потом она беспомощно опустилась в кресло, словно гордые и гневные мысли, которые до сих пор поддерживали ее силы, вдруг исчезли. Крепко прижав руки к груди, она старалась успокоить сердце, терзаемое новым страхом.

Глава LXXXVI

ТЕХАССКИЙ СУД

Наступает утро следующего дня. Румяная заря, поднявшись из волн Атлантического океана, улыбается прериям Техаса.

Ее розовые лучи целуют песчаные дюны Мексиканского залива и почти в тот же миг освещают флаг форта Индж, в ста пятидесяти милях к востоку от залива Матагорда.

Утренний ветерок разворачивает полотнище поднимающегося флага.

Пожалуй, впервые звездному флагу предстояло развеваться над столь потрясающим спектаклем.

Можно сказать, что в эти ранние часы рассвета действие уже началось.

Вместе с первыми лучами зари со всех сторон появляются всадники, направляющиеся к форту. Они едут вдвоем, втроем, а иногда и группами по пять-шесть человек; прибыв на место, они спешиваются и привязывают лошадей к частоколу.

Потом они собираются в кучки на плац-параде и разговаривают или отправляются в поселок; все они, раньше или позже, по очереди заходят в гостиницу, чтобы засвидетельствовать почтение хозяину, который встречает их за стойкой бара.

Люди, собравшиеся здесь, принадлежат к разным национальностям — среди них можно встретить представителей почти всех стран Европы. Большинство из них — крепкий, рослый народ, потомки первых поселенцев, которые воевали с индейцами, и, вытеснив их с земли, орошенной кровью, построили бревенчатые хижины на месте, где были вигвамы, а потом занялись рубкой леса по берегам Миссисипи. Некоторые из присутствующих занимаются возделыванием кукурузы, другие предпочитают хлопок, а многие — из более южных мест —

перебрались в Техас, чтобы заняться разведением сахарного тростника или табака.

Больше всего здесь плантаторов по призванию и склонностям, хотя вы встретите и скотоводов, и охотников, и лавочников, и всяких других торговцев, вплоть до торговцев невольниками.

Есть здесь и юристы, и землемеры, и спекулянты землей, и всякие любители легкой наживы, готовые взяться за любое дело, будь то клеймение скота, поход против команчей или грабеж по ту сторону Рио-Гранде.

Их костюмы так же разнообразны, как и их занятия. Мы уже описывали их одежду — это те самые люди, которые собрались несколько дней назад во дворе Каса-дель-Корво; разница лишь в том, что сегодня толпа многочисленнее.

Впрочем, у этого собрания есть и еще одна особенность: сегодня вместе с мужчинами приехали и женщины — жены, сестры, дочери. Некоторые из них на лошадях — они остались в седлах; мягкие, с опущенными полями шляпки защищают их глаза от ярких лучей солнца. Другие расположились под парусиновыми навесами фургонов или за более элегантными занавесками карет и колясок.

Все сгорают от нетерпения. На сегодня назначен суд, о котором так долго говорили во всей округе.

Пожалуй, излишне говорить, что судить будут Мориса Джеральда, которого обычно называют Морисом-мустангером.

Не стоит также добавлять, что его обвиняют в убийстве Генри Пойндекстера.

Многочисленная толпа собралась не потому, что совершено тяжкое преступление, и не из-за интереса к убитому или предполагаемому убийце, которых почти никто не знает.

Этот же суд — верховный суд округа Увальд — не раз разбирал здесь самые разнообразные преступления: воровство, мошенничество и, наконец, убийства, — но присутствовало обычно только несколько десятков человек, расходившихся еще до вынесения приговора.

Что же привлекло такую большую толпу? Целый ряд странных обстоятельств, загадочных, трагических и, возможно, связанных с преступлением, о которых так много говорили.

Нет необходимости перечислять эти обстоятельства: они уже известны читателю.

Все собравшиеся в форте Индж пришли сюда, надеясь, что предстоящий суд бросит свет на еще не разрешенную загадку.

Конечно, и среди этой толпы есть люди, которые пришли сюда не из пустого любопытства, а потому, что они искренне заинтересованы в судьбе обвиняемого. Есть здесь и другие, взволнованные более глубоким и скорбным чувством, — это друзья и родственники юноши, которого считают убитым. Не надо забывать, что это пока еще не доказано.

Однако в этом никто не сомневается. Несколько не зависящих друг от друга обстоятельств позволяют предположить, что преступление было действительно совершено. Все убеждены в этом так, словно сами присутствовали при убийстве.

Они ждут только, чтобы услышать подробности, узнать, как это случилось, когда и из-за чего.

Десять часов. Суд уже начался.

В составе толпы не произошло особых перемен, только краски стали немного ярче: среди штатских костюмов показались военные мундиры. Распущенные после утренней поверки, солдаты решили присоединиться к зрителям. Они стояли рядом, солдаты и жители поселка, драгуны, стрелки, пехотинцы, артиллеристы рядом с плантаторами, охотниками, торговцами и искателями приключений, слушая, как глашатай суда возвещает о начале разбирательства. Они решили, что не уйдут отсюда, пока судья не произнесет последнюю мрачную формулу «Да смилуется Бог над вашей душой».

Никто из присутствующих не сомневается, что еще до наступления вечера он услышит эти страшные слова, обрекающие человека на смерть.

Хотят этого лишь немногие. Однако большинство зрителей уверены, что разбирательство окончится осуждением и что еще до захода солнца Морис Джеральд расстанется с жизнью.

Суд уже начался.

Вы, вероятно, представили себе большой зал с помостом и местом, огороженным перилами, внутри которого стоит стол, а с краю — сооружение, напоминающее кафедру в лекционном зале или в церкви.

Вы видите судей в горностаевых мантиях, адвокатов в седых париках и черных одеждах, секретарей, приставов, репортеров, полисменов в синих мундирах с блестящими пуговицами, а позади целое море голов и лиц, не всегда причесанных и не всегда чистых.

Вы замечаете, что присутствующие ведут себя очень сдержанно — не столько из вежливости, сколько из боязни нарушить порядок суда.

Но забудьте обо всем этом, если вы хотите иметь представление о суде на границе Техаса.

Здесь нет специального здания суда, хотя, правда, есть комната, в которой обычно происходят всякого рода собрания; там же устраиваются и заседания суда. День обещает быть очень жарким, и суд решил заседать под деревом.

Заседание происходит под огромным дубом, украшенным бахромой испанского мха; дуб стоит на краю плац-парада, и тень от него падает далеко на зеленую прерию. Под ним поставлен большой стол и десяток стульев; на столе — бумага, чернильница, гусиные перья, два потрепанных тома свода законов, графин с коньяком, несколько рюмок, ящик гаванских сигар и коробка фосфорных спичек.

За столом сидит судья. На нем нет ни горностаевой мантии, ни даже сюртука: из-за жары он решил слушать дело просто в рубашке. Вместо парика на голове у него сдвинутая набок панама, а в уголке рта с противоположной стороны лица словно для равновесия торчит наполовину выкуренная, наполовину сжеванная сигара.

Остальные стулья заняты людьми, костюмы которых ничего не говорят об их профессии. Это юристы, шериф и его помощник, комендант форта, полковой священник, доктор и несколько офицеров.

В стороне расположились еще двенадцать человек. Одни сидят на грубо сколоченной скамье, другие сидят или лежат на траве.

Это присяжные, которые так же обязательны для техасского суда, как и для английского, но в Техасе они гораздо более самостоятельны и не следуют слепо решению судьи, что слишком часто случается в Англии.

Вокруг судьи и присяжных теснится толпа, которую описать не так-то просто. Здесь охотничьи рубашки из оленьей кожи, куртки из одеял, хотя день выдался на редкость жаркий, белые полотняные блузы, а также грубые хлопчатобумажные рубашки из красной фланели и небеленого холста; драгунские, стрелковые, пехотные и артиллерийские мундиры — все сливается и смешивается в этом пестром собрании.

Кое-где видны короткие куртки и широкие сомбреро мексиканцев.

В большинстве собраний внутренний круг состоит из избранных.

Но в этом собрании получилось наоборот. Местная аристократия расположилась по внешнему кругу. Дамы, разодетые в свои лучшие наряды, стоят в фургонах или же сидят в более изящных экипажах, устроившись достаточно высоко, чтобы иметь возможность видеть поверх голов мужчин. Их глаза устремлены не на судью — на него они бросают лишь мимолетные взгляды. Они смотрят на группу из трех человек, находящихся вблизи присяжных и не очень далеко от ствола дерева. Один из них сидит, двое стоят. Тот, который сидит, — обвиняемый; двое стоящих — стража.

Первоначально за это убийство предполагали судить не только Мориса Джеральда, но и Мигуэля Диаса с его товарищами и Фелима О'Нила.

Однако в процессе предварительного следствия мексиканец и его три приятеля доказали свое алиби[1]. Они признались, что перерядились индейцами. Этот факт был уже доказан, так что ничего другого им и не оставалось делать. Но они выдали все это за шутку. А так как было установлено, что все четверо были дома в ночь исчезновения Генри Пойндекстера, а Диас к тому же мертвецки пьян, то дальше их и не допрашивали.

Что же касается Фелима, то его не сочли нужным посадить на скамью подсудимых, так как считали, что он будет более полезен в качестве свидетеля.

Итак, на скамье подсудимых только один Морис Джеральд, который был известен большинству присутствующих как Морис-мустангер.

Глава LXXXVII
ЛЖЕСВИДЕТЕЛЬ

Только немногие из присутствующих лично знают обвиняемого. Но, с другой стороны, здесь мало людей, которые не слыхали о нем. Возможно, таких нет вовсе. Его имя стало широко известным недавно. До дуэли с Колхауном его знали только как хорошего охотника за лошадьми.

Все считали мустангера красивым, отважным юношей, любителем лошадей, всегда готовым оказать услугу хорошенькой девушке, добродушным и острым на язык, как большинство ирландцев.

Но ни в хорошем, ни в дурном он не доходил до крайностей. Его отвага редко бывала безрассудной, а разговоры не превращались в пустую болтовню. Его поведение было уравновешенным, так же сдержанна была и его речь, даже за стаканом вина, — качество, редкое среди ирландцев.

Никому не было известно, откуда он приехал, почему поселился в Техасе и избрал себе такое малопочтенное занятие.

Это казалось особенно странным для тех, кто знал, что он не только образован, но и прирожденный джентльмен, чему, впрочем, не придавали большого значения на границах Техаса, где сплошь и рядом потомственные аристократы из Франции и Англии в поте лица добывали свой хлеб.

---

[1] Алиби *(лат.)* — доказанное отсутствие обвиняемого на месте преступления во время его совершения.

К чему свидетельства о благородном происхождении, за исключением тех, на которые наложила свою печать сама природа? Таковы настроения этой далекой, молодой страны. Этой печатью прирожденного благородства отмечен Морис Джеральд. Вряд ли кто-нибудь мог принять его за глупца или за негодяя.

И тем не менее Морис Джеральд стоит перед многочисленной толпой, заклейменный позором, обвиняемый в том, что глубокой ночью он пролил невинную кровь — убил человека!

Неужели это обвинение справедливо? Если это правда, то он погиб.

Вот о чем думают зрители.

Некоторые глядят на него с любопытством, другие — недоумевая, но большинство — со злобой.

Но вот еще одна пара глаз: они смотрят совсем не так, как другие, — в них вы прочтете и тревогу, и нежность, и вместе с тем непоколебимую твердость.

Многие заметили этот взгляд, потому что слишком прекрасно бледное лицо, полускрытое за занавесками кареты, чтобы на него не обратили внимания.

Но только немногие могут понять, что говорит этот взгляд. И к ним принадлежит сам обвиняемый. Когда он замечает бледную красавицу и ее взгляд, его сердце трепещет и переполняется гордостью; он даже на время забывает свое унизительное положение, грозящее ему страшной опасностью. В эту минуту он способен чувствовать только радость. Ему рассказали многое из того, что произошло, пока его сознание было омрачено. Он знает теперь, что прелестное, неземное видение было на самом деле прекрасной реальностью.

Женское лицо, сиявшее ему в его бреду, — это то же лицо, которое он видит за занавесками кареты. И он знает теперь, что среди озлобленной толпы у него есть друг, который будет верен до конца.

Судебное разбирательство начинается без особых формальностей. Судья снимает панаму и зажигает потухшую сигару. Затянувшись раз пять-шесть, он вынимает сигару изо рта, кладет ее на край стола и говорит:

— Господа присяжные! Мы собрались здесь, чтобы рассмотреть дело, подробности которого, надо полагать, вам всем известны. Убит человек — сын одного из наших наиболее уважаемых граждан; арестованный, которого вы видите перед собой, обвиняется в этом преступлении. Моя обязанность наблюдать за правильным ходом судебной процедуры, а вы должны будете взвесить улики и решить, справедливо ли обвинение.

Затем обвиняемому задают обычный вопрос:

— Признаете ли вы себя виновным?

— Нет, — твердо и с достоинством отвечает тот.

Кассий Колхаун и несколько головорезов, стоящих рядом с ним, недоверчиво усмехаются.

Судья молча берет сигару. Прокурор после нескольких предварительных замечаний приступает к опросу свидетелей обвинения.

Первым вызывают Франца Обердофера. После нескольких формальных вопросов относительно его имени, возраста и профессии ему предлагают рассказать все, что он знает об этом деле.

Показания Обердофера совпадают с тем, что он уже рассказывал раньше. В ночь, когда пропал молодой Пойндекстер, Морис Джеральд выехал из его гостиницы после полуночи, заплатив по счету; по-видимому, у него было много денег — Обердофер никогда раньше не видел у него такой суммы. Он направился домой — к берегам Нуэсес. Но он не сказал, куда едет. Между ним и свидетелем не было дружеских отношений. Свидетель только предполагает, что мустангер поехал в свою хижину, потому что накануне его слуга забрал вещи и увез их на муле — все, кроме того, что увез сам мустангер.

— Что же он увез с собой?

Свидетель точно не помнит. Он не уверен, было ли с ним ружье. Но, кажется, оно было привязано сбоку к седлу, по мексиканскому обычаю. Однако он может с уверенностью сказать, что у него был револьвер в кобуре и охотничий нож за поясом. На Джеральде, как всегда, был мексиканский костюм, на плечи было накинуто полосатое серапе. Свидетелю показалось странным, что мустангер уехал так поздно ночью, тем более что сначала он собирался уехать утром.

Он отсутствовал весь вечер, но лошадь оставалась в конюшне гостиницы. Вернувшись, он немедленно расплатился по счету и уехал. Мустангер был очень возбужден и торопился, — однако он не был пьян. Он, правда, наполнил свою флягу, но в гостинице ничего не пил. Свидетель готов поклясться, что мустангер был совершенно трезв; он понял, что тот возбужден, по его поведению. Седлая коня, мустангер все время что-то говорил, и казалось, что он сердился. Свидетель не думает, что мустангер обращался к лошади, — нет, он полагает, что кто-то рассердил Джеральда и он досадовал на что-то, что произошло перед его возвращением в гостиницу.

Свидетель не знал, куда ходил Джеральд, только слышал потом, что он прошел по окраине поселка и отправился вдоль реки в направлении к плантации мистера Пойндекстера. В течение последних трех-четырех дней его часто видели в тех местах — днем и ночью, верхом на лошади и пешим, по пути туда и обратно.

Обердофера спрашивают о Генри Пойндекстере.

Юношу он знал мало, так как в гостинице тот почти не бывал. Он заехал в ночь, когда его видели в последний раз. Свидетель был удивлен его появлением отчасти потому, что не привык видеть его у себя, отчасти потому, что было уже поздно.

Молодой Пойндекстер не вошел в гостиницу, только заглянул в бар и вызвал хозяина к дверям.

Он хотел видеть мистера Джеральда. Он тоже показался свидетелю трезвым и возбужденным. А когда он узнал, что мустангер уже уехал, взволновался еще больше. Сказал, что ему очень нужно повидаться с Джеральдом именно в эту ночь, и спросил, в какую сторону тот поехал. Свидетель посоветовал ему придерживаться направления на Рио-Гранде, полагая, что мустангер поехал именно туда.

Молодой Пойндекстер сказал, что он знает дорогу, и сейчас же уехал, по-видимому намереваясь догнать мустангера.

Еще несколько вопросов — и допрос Обердофера заканчивается.

Его показания, в общем, неблагоприятны для обвиняемого; особенно подозрительным выглядит то, что Джеральд изменил час своего отъезда. Он казался возбужденным и сердитым, хотя, возможно, человек, который сам наивно признался, что недолюбливает обвиняемого, мог и преувеличить, но, как бы то ни было, это произвело особенно неблагоприятное впечатление на зрителей, судя по ропоту, пробежавшему по толпе.

Но почему же Генри Пойндекстер тоже был возбужден? Почему он так торопился догнать Джеральда и отправился за ним, невзирая на поздний час, вопреки своим привычкам?

Если бы, наоборот, Джеральд расспрашивал о юноше, чтобы отправиться вслед за ним, это было бы более понятно. Но даже и это не объяснило бы мотива убийства.

Вызывают еще нескольких свидетелей. Однако их показания скорее в пользу обвиняемого. Они утверждают, что отношения между ним и человеком, в убийстве которого он обвиняется, были дружескими.

Наконец выступает свидетель, чьи показания бросают совсем иной свет на дело. Это капитан Кассий Колхаун.

Его рассказ совершенно меняет ход следствия. Он не только раскрывает мотив убийства, но и усугубляет тяжесть преступления.

После лицемерного вступления, в котором Колхаун выражает сожаление, что ему приходится говорить об этом, он рассказывает о свидании в саду, о ссоре, об уходе Джеральда, причем заявляет, что он ушел угрожая; о том, что Генри поехал догонять мустангера; он не рассказывает только об истинной причине, заставившей юношу поехать за мустангером, и о своем поведении в ту ночь.

Эти скандальные разоблачения вызывают общее удивление. Поражены все — судья, присяжные и толпы зрителей. Люди перешептываются, раздаются возгласы возмущения.

Гнев направлен не на того, кто дает показания, а на того, кто стоит перед ними, обвиненный теперь в двойном преступлении: он не только убил сына Пойндекстера, но и опозорил его дочь.

Во время этих страшных показаний раздался стон. Он вырвался из груди удрученного горем старика, — все знают, что это отец.

Однако глаза зрителей недолго задерживаются на Пойндекстере. Взоры скользят дальше — к карете, в которой сидит поразившая всех красавица.

Это странные взгляды — странные, но все же их можно объяснить, потому что в экипаже сидит Луиза Пойндекстер.

Интересно, по своей ли воле она здесь, по своему ли желанию?

Этот вопрос задают себе все, и в толпе снова пробегает ропот.

Недоумевать им приходится недолго. Им отвечает голос глашатая, произносящего:

— Луиза Пойндекстер!

Глава LXXXVIII
СВИДЕТЕЛЬ ПОНЕВОЛЕ

Прежде чем вызов был произнесен в третий раз, Луиза Пойндекстер уже вышла из экипажа.

В сопровождении судебного пристава она подходит к месту для свидетелей. Смело, без тени страха она поворачивается к толпе.

Все смотрят на нее: некоторые вопросительно, немногие, быть может, с презрением, большинство же с явным восхищением.

Но один человек смотрит на нее не так, как другие. В его взгляде светится нежная любовь и едва уловимая тревога. Это сам обвиняемый. Но она не смотрит на него и ни на кого другого. Кажется, она считает достойным своего внимания только одного человека — того, чье место она сейчас заняла. Она смотрит на Кассия Колхауна, своего двоюродного брата, так, как будто хочет уничтожить его своим взглядом.

Съежившись, он скрывается в толпе.

— Где вы были, мисс Пойндекстер, в ночь исчезновения вашего брата? — спрашивает девушку прокурор.

— Дома, в асиенде моего отца.

— Разрешите вас спросить, спускались ли вы в ту ночь в сад?

— Да.

— Не будете ли вы так добры указать час?

— В полночь, если не ошибаюсь.

— Вы были одни?

— Не все время.

— Значит, часть времени кто-то был с вами?

— Да.

— Вы так откровенны, мисс Пойндекстер, что, вероятно, не откажетесь сообщить суду, кто это был.

— Конечно.

— Не назовете ли вы его имя?

— Их было двое. Один был мой брат.

— Но до прихода брата был кто-нибудь с вами в саду?

— Да.

— Мы хотели бы услышать его имя. Надеюсь, вы его не скроете.

— Мне нечего скрывать — это был мистер Морис Джеральд.

Этот ответ вызывает в толпе не только удивление, но и презрение и даже негодование.

Только на одного человека эти слова производят совсем другое впечатление — на обвиняемого: у него теперь более торжествующий вид, чем у его обвинителей.

— Разрешите вас спросить: была ли эта встреча случайна или же заранее условлена?

— Она была условлена.

— Мне придется задать вам нескромный вопрос — простите меня, мисс Пойндекстер, это мой долг. Каков был характер или, лучше сказать, какова была цель вашей встречи?

Свидетельница колеблется, но лишь мгновение. Она выпрямляется и, бросив на толпу равнодушный взгляд, отвечает:

— Характер или цель — это в конце концов одно и то же. Я не собираюсь ничего скрывать. Я вышла в сад, чтобы встретиться с человеком, которого любила и люблю до сих пор, несмотря на то что он стоит здесь перед вами, обвиняемый в преступлении. Теперь, сэр, я надеюсь, вы удовлетворены?

— Нет, это еще не все, — продолжает допрос прокурор, не обращая внимания на ропот в толпе. — Мне надо задать вам еще один вопрос, мисс Пойндекстер... Я несколько отступаю от установленного порядка, зато мы выиграем время; мне кажется, что никто не будет возражать против этого... Вы слышали, что говорил свидетель, опрошенный до вас? Правда ли, что ваш брат и обвиняемый расстались враждебно?

— Правда.

— По обвинению в убийстве Генри Пойндекстера, вашего двоюродного брата.

— Это ложь! Подлая клевета! И тот, кто осмеливается утверждать это...

— Молчать! — повелительно кричит Зеб. — Не утомляйте себя разговорами. Если только Зеб Стумп не ошибается, вам придется еще много говорить. Ну, а теперь поедем. Судья ждет, ждут присяжные, да и «регулярники» тоже.

— Я не вернусь! — упрямо отвечает Колхаун. — Кто дал вам право приказывать мне? У вас есть приказ на арест?..

— А как же! — прерывает его Зеб. — Вот он, — продолжает охотник, берясь за свое ружье. — Вы это видите? Так что лучше бросьте болтать. Мне это надоело. Садитесь лучше на мою кобылу, и давайте спокойно двигаться в путь. А то, пожалуй, придется привязать вас к лошади, как обыкновенный тюк. Так или иначе, а вернуться вам придется.

Колхаун не отвечает. Он в отчаянии смотрит то на Стумпа, то на Джеральда, то вокруг себя, потом украдкой на свой второй револьвер, торчащий из нагрудного кармана сюртука; первый он выронил, когда его захлестнула петля. Он пытается достать его. Ему мешает лассо, а кроме лассо — старый Зеб, направивший на него дуло своего ружья.

— Пошевеливайтесь! — кричит охотник. — Влезайте на лошадь, мистер Колхаун! Кобыла ждет вас. В седло!

С механической покорностью, словно марионетка, подчиняется Колхаун приказу охотника. Он понимает, что всякая попытка сопротивляться означает неминуемую смерть.

Зеб Стумп берет кобылу под уздцы и ведет за собой.

Мустангер в задумчивости едет сзади. Он думает не о своем пленнике, а о той, чье самопожертвование сковало его сердце золотой цепью, разбить которую может только смерть.

Глава XCIX

ДВА ВЫСТРЕЛА

После второго неожиданного перерыва, менее длительного, чем первый, суд снова возобновил свое заседание под огромным дубом.

Наступил вечер. Косые лучи заходящего солнца проникают под густую крону.

На Мориса Джеральда уже не смотрят с угрозой со всех сторон — он полностью оправдан, и теперь он только свидетель.

Место обвиняемого занял Кассий Колхаун.

Но это единственная перемена. Судья тот же, те же присяжные, та же толпа. Разница в их отношении к обвиняемому.

Виновность подсудимого не вызывает сомнений. Все доказательства налицо; и, хотя большинство улик — косвенные, как это обычно бывает, когда разбирается дело об убийстве, они составляют неразрывную цепь, в которой не хватает только одного звена — мотива.

Что заставило Кассия Колхауна застрелить человека и потом отрубить ему голову? Показания Джеральда подтвердились при обследовании трупа — хирург форта установил, что голова была отрублена уже после того, как наступила смерть, причиной которой было пулевое ранение.

Почему Кассий Колхаун убил своего двоюродного брата? Почему он отрубил ему голову?

Никто не может ответить на эти вопросы, кроме самого убийцы.

Преступник скоро получит заслуженную кару, потому что выяснение мотива преступления не является обязательным. Судебное разбирательство закончилось быстро. Присяжные вынесли решение: «Виновен». И судья, сняв панаму, уже собирается надеть черную шапочку — мрачную эмблему смерти, чтобы огласить приговор.

Соблюдая формальности, осужденному предоставляют последнее слово.

Он вздрагивает. Эта фраза судьи звучит в его ушах похоронным звоном. Он дико озирается, в глазах его отчаяние, но кругом он видит лишь суровые лица, на них не заметно ни сочувствия, ни сострадания.

Соучастники, подкупленные негодяи, которые до последнего момента поддерживали его, теперь уже не могут помочь ему — их сочувствие бесполезно. Они отступили перед величием закона и неумолимой очевидностью преступления.

Несмотря на свое богатство и высокое общественное положение, он одинок — у него нет ни друзей, ни сторонников. Такова участь убийц в Техасе.

Выражение его лица резко изменилось — вместо обычной надменности и заносчивости оно отражает малодушный страх.

Нужно ли этому удивляться? Он чувствует, что положение его безнадежно, что он стоит на краю могилы, перед лицом смерти, слишком страшным, чтобы взглянуть на него.

И вдруг его погасшие глаза оживают, словно какая-то мысль осенила его. У него такой вид, как будто он хочет в чем-то признаться. Будет ли это признанием вины? Хочет ли он облегчить свою совесть от гнета, который давит ее?

Зрители, угадывая его намерение, стоят затаив дыхание. Кажется, что даже цикады притихли.

Тишина нарушена голосом судьи:

— Что вы можете сказать в свое оправдание, чтобы облегчить свою участь? — спрашивает он.

— Ничего, — отвечает Колхаун. — Мне нечего сказать. Приговор справедлив. Я заслуживаю смертной казни.

Еще ни разу в течение дня, полного волнующих происшествий, присутствующие не были так ошеломлены, как сейчас. Они не в состоянии даже говорить. В полной тишине раздается голос осужденного; все ждут, что это будет исповедь.

— Это правда, — продолжает Колхаун, — я убил Генри Пойндекстера — застрелил его в чаще леса.

Зрители испускают невольный крик. Это скорее крик ужаса, чем негодования.

Так же непроизвольно вырывается и стон, — все знают, что это стон отца убитого.

Когда замирают эти звуки, ничто больше не мешает осужденному говорить.

— Я знаю, что я должен умереть, — продолжает Колхаун с показным безразличием. — Таков ваш приговор, и, судя по вашим лицам, вы не намерены изменить свое решение. После моего признания было бы нелепо рассчитывать на помилование. Я был плохим человеком и, несомненно, заслужил свою судьбу. Но все-таки я не такой злодей, как вы думаете, и не хочу уходить из жизни с позорным клеймом братоубийцы. Правда, он пал от моей руки. Вы спрашиваете, что толкнуло меня на преступление? У меня не было причины убивать его.

Зрители снова взволнованы: они удивлены, заинтригованы и недоумевают. Но все молчат, и никто не мешает преступнику говорить.

— Вы удивлены? Объяснение просто: я убил его по ошибке.

В толпе раздаются возгласы удивления, но все замолкают, когда Колхаун продолжает свою речь:

— Да, по ошибке. Трудно передать, что я пережил, когда обнаружил это. Я узнал о своей ошибке много времени спустя...

Осужденный поднимает глаза, словно надеясь на смягчение своей участи. Но на суровых лицах он не видит снисхождения.

— Я не отрицаю, — говорит Колхаун, — что был человек, которого я хотел убить. Не скрою также его имени. Вот он, этот презренный негодяй!

С ненавистью смотрит Колхаун на Мориса Джеральда. Тот отвечает ему спокойным и равнодушным взглядом.

— Да, я его хотел убить! На это у меня были свои причины, о них я не буду говорить. Сейчас это бесполезно. Я думал, что убил его. Как мог я предположить, что эта ирландская собака обменялась плащом и шляпой с моим двоюродным братом? Остальное вам известно. Я метил в своего врага, а попал в друга. Выстрел, по-видимому, был роковым, и бедный Генри упал с лошади. Но для большей уверенности я вынул нож — проклятое серапе все еще обманывало меня — и отсек ему голову...

Зрители содрогаются от ужаса и кричат, требуя возмездия, по толпе пробегает ропот — напряжение спало.

Теперь уже нет ничего таинственного ни в самом убийстве, ни в мотиве, и Колхаун освобожден от дальнейших описаний своего страшного преступления.

— А теперь, — кричит он, когда волнение немного стихает, — вы знаете обо всем, что произошло, но вам еще неизвестно, чем это кончится! Вы видите, что я стою на краю могилы, но я не спущусь в нее, пока и его не отправлю туда же!

Понять смысл этих слов, последних в жизни Колхауна, нетрудно. Сопровождающий их поступок объясняет все...

Во время своей речи Колхаун держал правую руку за левым бортом сюртука, и, кончив говорить, он выхватил револьвер.

Не успели зрители заметить револьвер, блеснувший в лучах заходящего солнца, как прогремели два выстрела.

Два человека падают ничком так близко, что их головы почти соприкасаются.

Один из них — Морис Джеральд, мустангер, другой — Кассий Колхаун, отставной капитан кавалерии.

Толпа окружает их — все думают, что оба мертвы. Среди напряженной тишины раздается крик женщины, исполненный такой безысходной тоски и горя, что, кажется, сердце ее разорвалось на части.

Глава C
РАДОСТЬ

Радость!

Да, именно это чувство испытала Луиза в тени огромного дуба, когда оказалось, что произошло только самоубийство, убийство же не удалось, что ее возлюбленный жив.

Даже печаль, вызванная трагическими происшествиями последних дней, не могла заглушить радости.

И кто осудит за это молодую девушку?

Только не я. И не вы, если будете искренни.

Радость ее стала еще больше, когда она узнала, что́ сохранило жизнь ее возлюбленному.

Рука убийцы не дрогнула. Он был в этом уверен, иначе он не поднес бы револьвера к своему виску и не спустил бы курка. Он целился прямо в сердце Мориса Джеральда, и пуля пронзила бы его, если бы не ударилась о медальон — подарок Луизы. Отскочив от него, она рикошетом ранила одного из зрителей.

Не прошел выстрел бесследно и для Мориса Джеральда, еще неокрепшего после болезни, — новое потрясение вызвало новое помрачение рассудка.

Но больной лежал теперь не в зарослях, где вокруг него рыскали койоты, а над ним кружили черные грифы, не в хижине и не в тюрьме, где за ним почти не было ухода.

Когда сознание вернулось к нему, он понял, что прелестное лицо, которое грезилось ему во сне, было не видением, но принадлежало первой красавице на Леоне — во всем Техасе, если хотите, — Луизе Пойндекстер.

Теперь уже никто не мешал ей ухаживать за больным.

Никто, даже отец. Пережитое горе сломило ложную гордость старика плантатора. Он уже не возражал против брака дочери с любимым человеком, хотя, по правде сказать, и возражать было нечего. Его зятем стал не безвестный Морис-мустангер, а ирландский баронет сэр Морис Джеральд.

Титул в Техасе не имеет никакой цены; не придавал ему значения и сам Морис. Зато он оказался обладателем большого состояния — чем не избалованы ирландские баронеты, — достаточно большого, чтобы выкупить имение Каса-дель-Корво, заложенное в свое время Вудли Пойндекстером, у наследника Кассия Колхауна.

Выяснилось, что Кассий Колхаун уже был женат, и его имущество отошло к сыну, который жил в Новом Орлеане.

После свадьбы Луиза и Морис Джеральд отправились путешествовать по Европе. Они побывали на родине Мориса, но снова вернулись в Техас — в асиенду Каса-дель-Корво.

Голубоглазая красавица, тоскующая в замке Баллах по молодому ирландцу, существовала только в буйном воображении Фелима. Или, быть может, это было юношеское увлечение, одно из тех, которые не выдерживают испытания разлуки. Как бы то ни было, за время пребывания в Ирландии у Луизы Пойндекстер — теперь ее надо называть леди Джеральд — ни разу не проснулось чувство ревности.

Только один раз это мучительное чувство снова овладело ею, но оно прошло быстро и бесследно, как тень.

Это было в тот день, когда ее муж вернулся домой, неся на руках красивую женщину. Кровь струилась из раны на ее груди. Она была еще жива, но минуты ее были сочтены.

На вопрос: «Кто сделал это?» — она могла ответить только: «Диас, Диас!»

Это были последние слова Исидоры Коварубио де Лос-Льянос.

Вместе со смертью Исидоры умерло и чувство ревности Луизы. Оно больше никогда не волновало ее сердце.

Ревность сменилась жалостью к несчастной. Молодая креолка сама помогала своему мужу оседлать гнедого мустанга, сама послала его в погоню за убийцей.

Луиза была рада, когда увидела, что он возвращается, ведя на лассо Диаса. Она не вступилась за мексиканца, когда спешно созванные «регулярники» повесили его тут же на дереве.

Была ли это жестокость? Нет, это была первобытная форма справедливости — «Око за око и зуб за зуб».

Прошло десять лет. Большие перемены произошли за это время в Техасе и особенно в поселениях на Леоне и Нуэсес.

Появились плантации там, где раньше были непроходимые заросли. Города выросли там, где в дикой прерии паслись когда-то табуны мустангов.

Вы услышите теперь новые имена и географические названия.

Но старая асиенда Каса-дель-Корво сохранила свое прежнее название. Там вы найдете и знакомых вам людей.

Хозяин асиенды — один из самых красивых мужчин в Техасе, его жена — одна из самых красивых женщин этого края. И он и она еще молоды.

Вы встретите там и седовласого старика аристократической внешности, очень любезного и разговорчивого. Он поведет вас к коралям, покажет вам скот и будет с гордостью рассказывать о табунах лошадей, которые пасутся на пастбищах плантации.

Но больше всего он гордится своей дочерью — хозяйкой асиенды — и шестью прелестными малышами, которые льнут к нему и называют его дедушкой.

Если вы заглянете в конюшню, то увидите там старого знакомого — Фелима О'Нила. Он занимает должность главного конюха Каса-дель-Корво. Здесь же вы можете встретить и чернокожего Плутона, который теперь исполняет обязанности кучера и редко когда соблаговолит взглянуть на лошадь, прежде чем взберется на козлы и возьмет в руки вожжи.

Плутон женат. Его супруга — известная читателю Флоринда.

За обеденным столом в Каса-дель-Корво вы непременно услышите имя некоего охотника. За обедом вам обязательно сообщат, что этот жареный индюк или оленина — результат его не знающего промаха ружья. За обедом и особенно за вином вы услышите бесчисленные истории о Зебе Стумпе.

Правда, самого Зеба вы редко там встретите. Он уходит из асиенды, когда все ее обитатели еще в постели, и возвращается, когда они уже спят или ложатся спать. Но большой индюк или четверть туши оленя в кладовой доказывают, что он здесь был.

Во время пребывания в Каса-дель-Корво вы, наверно, услышите обрывки загадочной истории, ставшей почти легендой.

Слуги не откажутся рассказать вам ее всю — с начала до конца, но только шепотом. Это запрещенная тема, она вызывает грустные воспоминания у хозяев асиенды.

Это — повесть о всаднике без головы.

СОДЕРЖАНИЕ

По вопросам оптовой покупки книг
«Издательской группы АСТ» обращаться по адресу:
Звездный бульвар, дом 21, 7-й этаж
Тел. 215-43-38, 215-01-01, 215-55-13

Книги «Издательской группы АСТ» можно заказать по адресу:
***107140, Москва, а/я 140*, АСТ – «Книги по почте»**

Литературно-художественное издание

Рид Томас Майн

Всадник без головы

Роман

Художественный редактор О.Н. Адаскина
Компьютерный дизайн: С.В. Шумилин
Технический редактор Е.В. Триско
Компьютерная верстка: И.Л. Цыбульник
Младший редактор А.А. Горелова
Корректор А.Н. Гопаченко

ООО «Издательство АСТ»
Лицензия ИД № 02694 от 30.08.2000 г.
674460, Читинская область, Агинский район,
п. Агинское, ул. Базара Ринчино, д. 84
Наши электронные адреса:
WWW.AST.RU
E-mail: astpub@aha.ru

Отпечатано с готовых диапозитивов в типографии издательства
"Самарский Дом печати"
443086, г. Самара, пр. К. Маркса, 201.

Качество печати соответствует предоставленным диапозитивам.